日本語能力試験 **N1～N3**の主要な語彙を網羅

どんなとき
どう使う
日本語
語彙学習
辞典

英・中・韓・ベトナム 4ヵ国語訳付き

安藤 栄里子
恵谷　容子
阿部 比呂子
飯嶋 美知子

Japanese
vocabulary
dictionary -
when and how to
use words

什么时候怎么用
日语词汇学习辞典

언제 어떻게 사용하나
일본어 어휘 학습 사전

Từ điển học
tập từ vựng tiếng Nhật
ngữ cảnh
và cách sử dụng

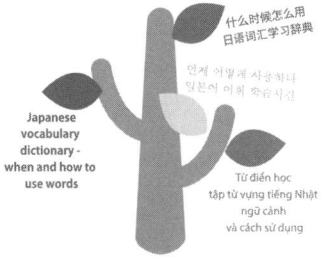

JN260865

アルク

本書で勉強する方へ

　日本語を勉強するとき、土台となるのは語彙と漢字と文法です。聞く、話す、読む、書く、どの分野でも、知っている言葉の数が多ければ多いほど、それが力となります。
　では、言葉を知るというのはどういうことでしょうか。ただ聞いたり読んだりしたときに意味がわかるというだけではなく、その言葉を使って話したり書いたりできて初めて、その言葉が本当に身についたと言えるのではないでしょうか。実際に使うとなると、「この名詞には『する』がつくのか？」「一緒に使う助詞は？」「他のどんな言葉とよく一緒に使うのか？」など、様々な疑問が湧いてくるでしょうが、普通の国語辞書は、あまりこれらの疑問に答えてくれません。
　本書はこれらの疑問に答えるため、『耳から覚える日本語能力試験語彙トレーニング』N3・N2・N1をまとめ、辞典の形にしたものです。学習者の方が語彙に関する知識を深め、使えるようになることを願って作りました。教える立場にいる方々にも、参考にしていただけるものと思います。

本書について

1　N3レベル以上の語彙の中から、使用頻度の高いもの、使い方に注意を必要とするものを選び、50音順に並べました。
2　言葉の意味ごとに、例文と、英語、中国語、韓国語、ベトナム語の訳がついています。
3　コロケーション(連語＝よくひとまとまりになって使われる表現)を重視し、**連**にはなるべく多くの情報を盛り込むようにしました。また、合成語、対義語、類義語、関連語など、見出し語に関係のある言葉を多く提示しています。
4　巻末に分野ごとの語彙をまとめた付録が付いています。参考にしてください。
5　全ての見出し語と、最初の例文を読み上げた音声がダウンロードできます。下のURLにアクセスしてダウンロードしてください。(PC専用)
　　[アルクダウンロードセンター　http://www.alc.co.jp/dl/]

記号、表記などについての注意

①
見出し語の品詞
　　[名]名詞　　[動]動詞　　[イ形]イ形容詞　　[ナ形]ナ形容詞　　[副]副詞　　[連]連体詞
　　[接]接続詞

アイコンなど
　　連 連語　　よくひとまとまりになって使われる表現
　　合 合成語　他の語とくっつき、一つになった言葉
　　対 対義語　反対の意味の言葉

- 類 類義語　意味がよく似ている言葉
- 関 関連のある言葉
- 慣 慣用的な表現
- (名)名詞　(動)動詞　(イ形)イ形容詞　(ナ形)ナ形容詞　(副)副詞　(連)連体詞
- 〈自〉自動詞　〈他〉他動詞
- ☞ 本書中の見出し語にある他動詞／自動詞
- ガ倒れる／ヲ倒す　ガ／ヲはそれぞれの動詞が自動詞／他動詞であることを表す
- ⇔　対義語であることを表す
- ★　★と数字は見出し語の難易度を表す。★3から★1までの三段階で表示されている。

②
例

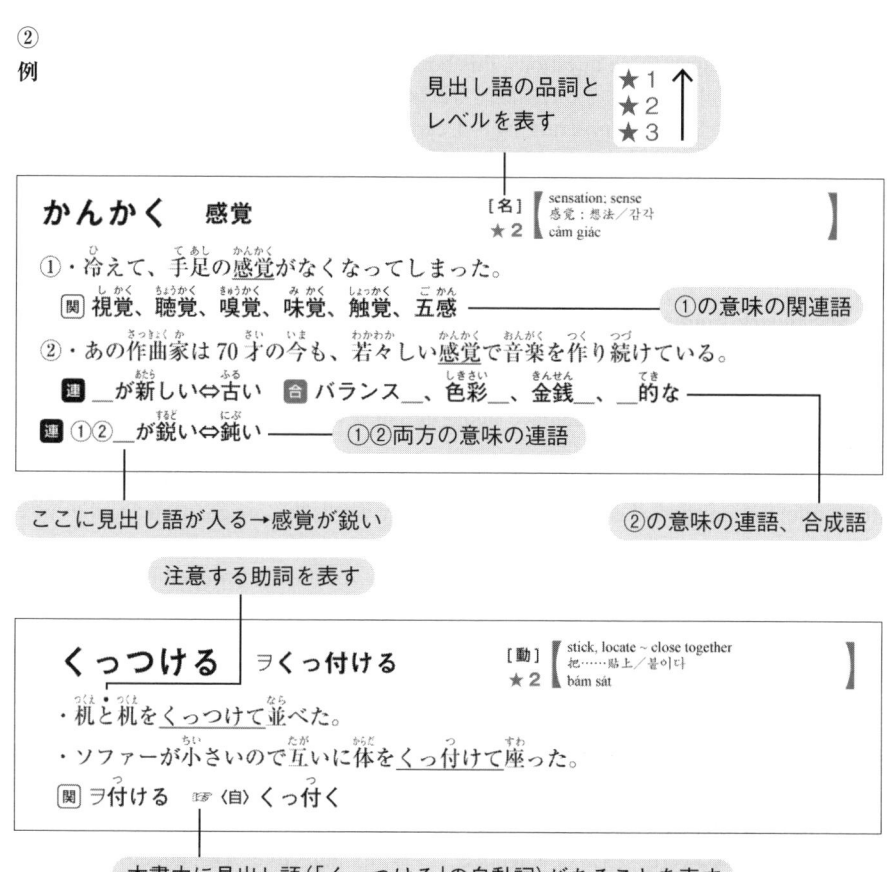

To the reader

The foundations of studying Japanese are vocabulary, kanji and grammar. The more words you know, the more strength you have in each aspect of the language: listening, speaking, reading and writing.

So what does 'knowing words' mean? You do not know or fully learn a word if you have only understood the meaning just from hearing or reading it – this does not happen until you have spoken or written the word. When you actually use a word, you may have a number of questions such as 'Does this noun use『する』?' 'What particle do I use with it?' or 'What other words are often used with it?' Japanese language dictionaries don't usually provide the answers to these questions.

In order to answer these questions, this book is designed in the style of a dictionary and incorporates 『耳から覚える日本語能力試験語彙トレーニング (Japanese-Language Proficiency Test Vocabulary Training – Learn by Listening』 N3 / N2 / N1. It was created in the hope that students of Japanese will further their knowledge of vocabulary and become able to use it. We also hope that teachers will be able to use this book as a reference.

About this book

1. Vocabulary from N3 level and above has been selected according to frequency of use and whether there are special points to note about usage and it is listed in the order of the 50-character kana syllabary.
2. Each word has a model sentence and English, Chinese, Korean and Vietnamese translations.
3. Emphasis is placed on collocations (frequently used expressions) and 連 includes as much information about the word as possible. Many words that are connected to the entry such as compound words, antonyms, quasi-synonyms and related words are also cited.
4. There is an appendix at the end of the book with vocabulary grouped by genre. This can be used as a reference.
5. You can download audio versions of all entries and the first model sentence for each entry. To download, please use the link below. (Not configured for mobile devices)
 [ALC Download Center http://www.alc.co.jp/dl/]

Points to note about symbols and notations

①
Entry part of speech
　　[名] noun　　[動] verb　　[イ形] i-adjective　　[ナ形] na-adjective　　[副] adverb
　　[連] adnominal adjective　　[連]conjunction
Icons
　　連 collocation　　frequently used expression
　　合 compound word　　combination with another word to produce a new word
　　対 antonym　　word with the opposite meaning

類 quasi-synonym　word with a very similar meaning
関 related word
慣 idioms
(名) noun　(動) verb　(イ形) i-adjective　(ナ形) na-adjective　(副) adverb
(連) adnominal adjective
〈自〉 intransitive verb　〈他〉 transitive verb　☞ transitive/intransitive verb in entries
ガ倒れる／ヲ倒す　ガ／ヲ denotes transitive/intransitive for each verb
⇔　denotes antonym
★　★ and number denotes level of difficulty of entry. There are three levels of difficulty: ★3 to ★1.

② **Models**

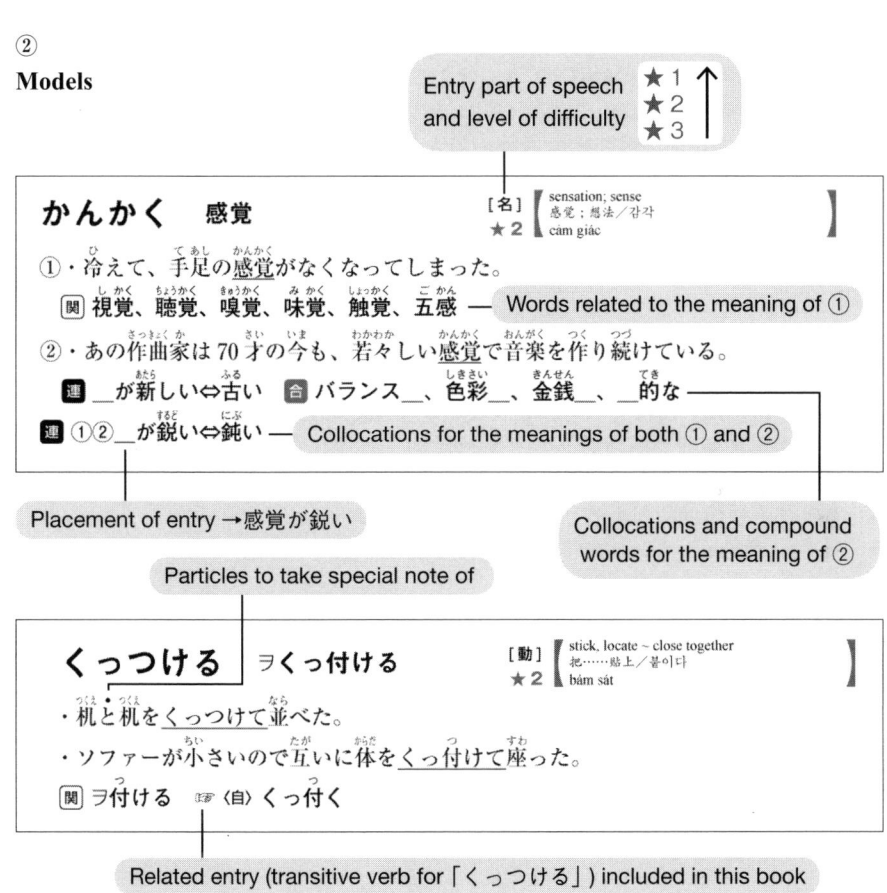

致本书学习者

日语学习的基础是词汇、汉字和语法。听、说、读、写，不管是哪一个领域的词汇，知晓得越多，对日语学习就越有帮助。

所谓知晓词汇，究竟是怎么回事儿呢。它不单单指能听懂或能看懂词汇的意义，虽然会听和会写，但是否真正掌握了词汇的使用方法还很难说。我们在实际使用词汇时，「这个名词后面是否可以接『する』？」「能够一起使用的助词是哪一个？」「经常和什么词汇一起搭配使用？」等等，类似这样的疑问可能会时常出现。一般的国语辞典，并没有对此进行解答。

为了解答此类问题，我们将『耳から覚える日本語能力試験語彙トレーニング』（用耳朵牢记日本语能力试验词汇训练）N3・N2・N1 中的词汇进行了汇总，编成了这本辞典。希望能够帮助学习者加深对词汇方面知识的理解，直至学会使用。从教学的角度来说，也不妨参考使用。

关于本书

1. 从 N3 水平以上的词汇中，选取了使用频率较高，和需要注意使用方法的词汇，按照 50 音顺的顺序排列。
2. 每个不同词汇，均配有例句，以及英语、中文、韩语和越南语的翻译。
3. 特别重视词组和习惯短语，尽可能地增加了很多方面的内容。另外，还列举了和词条有关的复合词、反义词、近义词和关联词等词汇。
4. 卷末对不同领域的词汇进行了汇总，请参考使用。
5. 所有词条和第一句例句的录音资料均可下载。请访问以下 URL 进行下载。（电脑专用）
   ［アルク下载中心　http://www.alc.co.jp/dl/］

记号、书写的注意事项

①
词条的词性
　[名] 名词　　[動] 动词　　[イ形] イ形容词　　[ナ形] ナ形容词　　[副] 副词　　[連] 连体词
　[接] 连词（连接词）

图标等
　連　词组　　常常固定使用的表达
　合　复合词（合成词）　和其他词素组合构成的词汇
　対　反义词　　意义相反的词汇

[類] 近义词　意义非常相近的词汇
[関] 有关联的词汇
[慣] 习惯用法
(名)名词　(動)动词　(イ形)イ形容词　(ナ形)ナ形容词　(副)副词　(連)连体词
〈自〉自动词（不及物动词）　〈他〉他动词（及物动词）
☞　本书中出现词条的他动词／自动词
ガ倒れる／ヲ倒す　ガ／ヲ表示各动词的自动词／他动词
⇔　表示反义词
★　★和数字表示词条的难易程度。采用从★3到★1这三个阶段来表示。

② 例

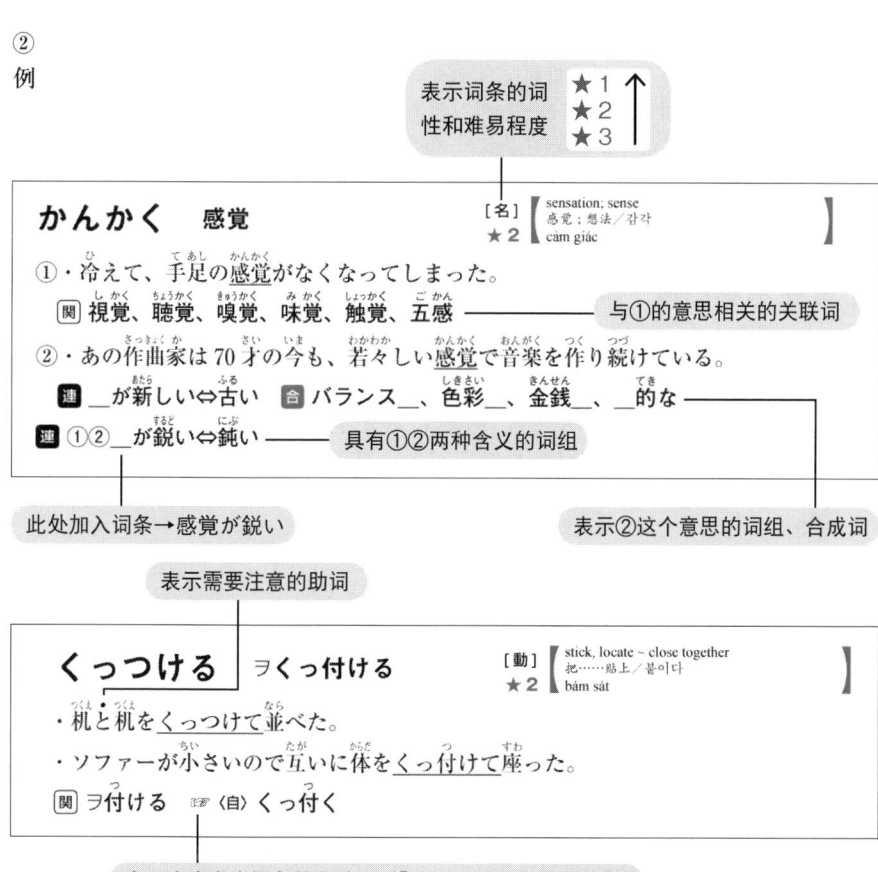

表示词条的词性和难易程度　★1　★2　★3

이 책으로 공부하시는 분들께

일본어를 공부할 때, 기초가 되는 것은 어휘와 한자, 문법입니다. 듣기, 말하기, 읽기, 쓰기, 어느 분야에서도 알고 있는 단어 수가 많으면 많을 수록 그렇지 힘이 됩니다.

그러면, 언어를 안다라는 것은 어떤 것일까요? 단순히 듣거나 읽거나 할 때 의미를 안다라는 것만이 아니라, 그 단어를 사용해 말하거나 쓰거나 할 때 처음으로 그 단어를 진정한 의미에서 습득했다고 할 수 있지 않을까요? 실제로 사용하게 되면, '이 명사에는 『する』가 붙을까?' '같이 사용하는 조사는?' '다른 어떤 단어와 함께 사용할까?' 등 여러 의문이 생길 텐데, 일반적인 국어사전은 이런 질문에 대해 그다지 답변을 해 주지 못합니다.

이 책은 이러한 의문에 대한 답변을 위해, <耳から覚える日本語能力試験語彙トレーニング>(귀로 듣고 암기하는 일본어능력시험 어휘 트레이닝) N3・N2・N1을 사전 형식으로 종합한 것입니다. 학습자 분들이 어휘에 관한 지식을 심층있게 늘려(심화해서) 사용할 수 있게 되기를 기원해 만들었습니다. 학습을 지도하는 입장에 계신 분들에게도 참고가 되리라 생각합니다.

이 책과 관련해서

1 N3 레벨 이상의 어휘 중에서 사용 빈도가 높은 것, 사용상 주의가 필요한 단어를 골라, 50 음순으로 배열하였다.
2 언어의 의미마다 예문과 함께 영어, 중국어, 한국어, 베트남어 번역을 실었습니다.
3 콜로케이션(연어 = 주로 하나의 단위를 이루어 사용되는 표현)을 중시하고, 連에는 가급적 많은 정보를 싣고자 했습니다. 또 합성어, 반의어, 유의어, 관련어 등 표제어와 관련된 말들을 많이 제시하고 있습니다.
4 권말에 분야별로 어휘를 종합한 부록을 실었습니다. 참고하시기 바랍니다.
5 모든 표제어와, 최초의 예문을 낭독한 음성을 다운로드 할 수 있습니다. 아래의 URL에 접속해 다운로드 하시기 바랍니다. (PC 전용)
[아루크 다운로드 센터 http://www.alc.co.jp/dl/]

기호, 표기 등에 대한 주의

①
표제어의 품사
　[名]명사　　[動]동사　　[イ形]イ형용사　　[ナ形]ナ형용사　　[副]부사　　[連]연체사
　[接]접속사

아이콘 등
　連 연어　　주로 하나의 단위를 이루어 사용되는 표현
　合 합성어　다른 말과 결합해, 하나가 된 말

対 반의어 반대 의미의 말
類 유의어 의미가 비슷한 말
関 관련 있는 말
慣 관용적인 표현
(名) 명사　(動) 동사　(イ形) イ형용사　(ナ形) ナ형용사　(副) 부사　(連) 연체사
〈自〉 자동사　〈他〉 타동사
☞ 이 책의 표제어에 있는 있는 타동사/자동사
ガ倒れる／ヲ倒す　ガ／ヲ는 각각의 동사가 자동사/타동사임을 나타낸다
★ ★와 숫자는 표제어의 난이도를 나타낸다. ★3에서 ★1까지의 3단계로 표시돼 있다.

② 보기

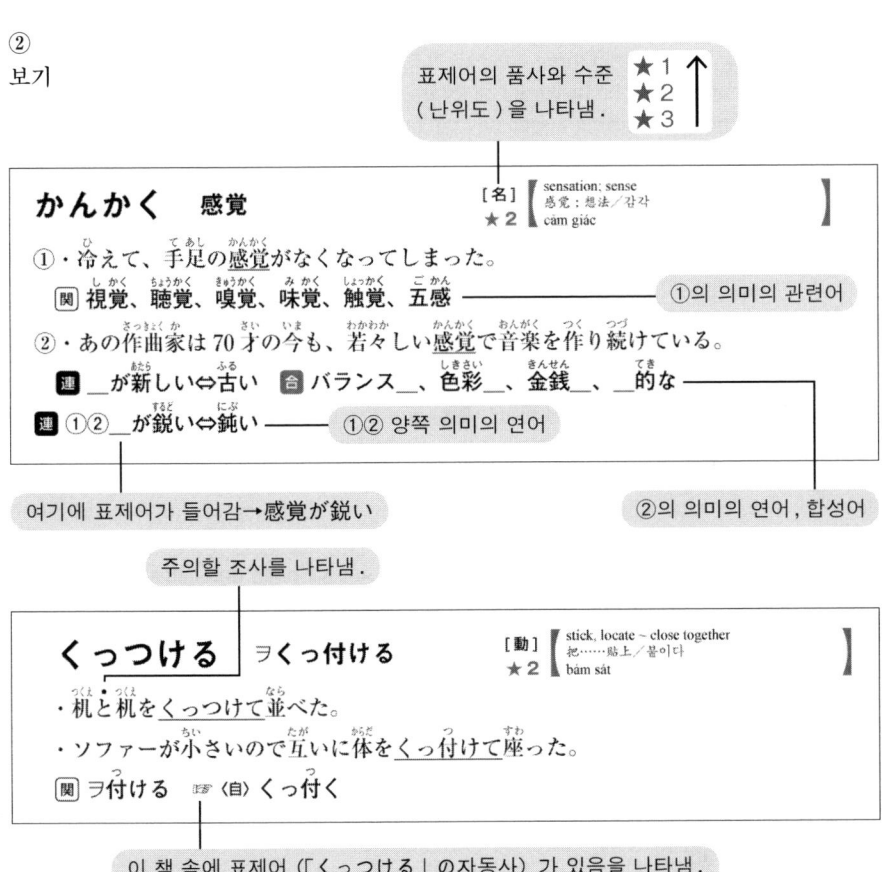

Xin chào các bạn học viên, những người sử dụng cuốn sách này để học tiếng Nhật

Nền móng của quá trình học tiếng Nhật gồm có từ vựng, chữ Hán và ngữ pháp. Dù là Nghe, Nói, Đọc, Viết, ở kỹ năng nào cũng vậy, càng biết nhiều từ, chúng ta càng có kỹ năng tốt.

Vậy việc biết một từ nghĩa là như thế nào? Không chỉ là việc hiểu nghĩa từ đó khi nghe, đọc đến nó, mà có thể nói, đó còn là việc trước hết có thể sử dụng từ để nói, để viết, và sau đó, từ ngấm vào người để có thể sử dụng một cách tự nhiên. Khi sử dụng từ vựng trên thực tế, có lẽ chúng ta sẽ đặt ra nhiều câu hỏi như "danh từ này có đi kèm với 『する』(làm, thực hiện) không?", "sử dụng với trợ từ gì?", "hay dùng với từ nào khác?", thế nhưng câu trả lời cho những câu hỏi này lại thường không có trong từ điển quốc ngữ.

Cuốn sách này tổng hợp từ vựng của N3, N2, N1『耳から覚える日本語能力試験語彙トレーニング』(hướng dẫn học từ vựng của kỳ thi năng lực tiếng Nhật – nghe để nhớ) dưới dạng từ điển. Chúng tôi viết cuốn sách này với hy vọng người học sẽ nâng cao hiểu biết về từ vựng và có thể sử dụng được. Và cũng sẽ là tài liệu tham khảo cho cả các giáo viên.

Sau đây là một số thông tin về cuốn sách này:

1. Chúng tôi chọn lọc từ có tần suất sử dụng cao, từ cần phải lưu ý trong cách sử dụng trong từ vựng của cấp độ từ N3 trở lên, sắp xếp theo thứ tự chữ cái tiếng Nhật.

2. Với mỗi từ, ngoài nêu ý nghĩa, còn có câu ví dụ và phần dịch tiếng Anh, Trung, Hàn, Việt của câu đó.

3. Chúng tôi chú trọng vào cách sắp xếp (Liên ngữ = cụm gồm các từ thường hay sử dụng kèm với nhau), ở phần có ký hiệu 連 (liên từ), chúng tôi cố gắng ghi thật nhiều thông tin. Ngoài ra, cuốn sách cũng cung cấp nhiều từ ngữ liên quan đến từ khóa, chẳng hạn như từ ghép, từ trái nghĩa, từ gần nghĩa, từ liên quan v.v.

4. Ở cuối cuốn sách, chúng tôi trình bày các phụ lục tổng hợp các từ theo từng lĩnh vực. Các bạn hãy tham khảo nhé.

5. Các bạn có thể tải phát âm của tất cả các từ khóa và phần đọc câu ví dụ đầu tiên. Hãy truy cập vào URL sau để tải xuống. (Dùng cho máy tính cá nhân).
[Trung tâm download alc : http://www.alc.co.jp/dl/]

Chú ý về ký hiệu, cách thể hiện:

①
Từ loại của từ khóa:
　[名] Danh từ　[動] Động từ　[イ形] Tính từ đuôi イ　[ナ形] Tính từ đuôi ナ　[副] Phó từ
　[連] Liên thể từ　[連]Từ nối
Về các biểu tượng:
　連　Liên từ　　Từ ngữ thường được sử dụng kèm với nhau
　合　Từ ghép　　Từ đi kèm với từ ghép để tạo thành một từ
　対　Từ trái nghĩa　　Từ có ý nghĩa ngược lại
　類　Từ gần nghĩa　　Từ có nghĩa gần giống

関 Từ liên quan
慣 Thành ngữ
(名) Danh từ　(動) Động từ　(イ形) Tính từ đuôi い　(ナ形) Tính từ đuôi な　(副) Phó từ
(連) Liên thể từ
〈自〉 Tự động từ　〈他〉 Tha động từ
☞ Tha động từ/tự động từ có trong từ khóa của cuốn sách này
ガ倒れる／ヲ倒す　ガ／ヲ thể hiện động từ đó là tự động từ/tha động từ.
⇔ Thể hiện đó là từ trái nghĩa
★ Dấu ★ và chữ số thể hiện độ khó dễ của từ khóa. Có 3 mức từ ★ 3 đến ★ 1.

② Ví dụ

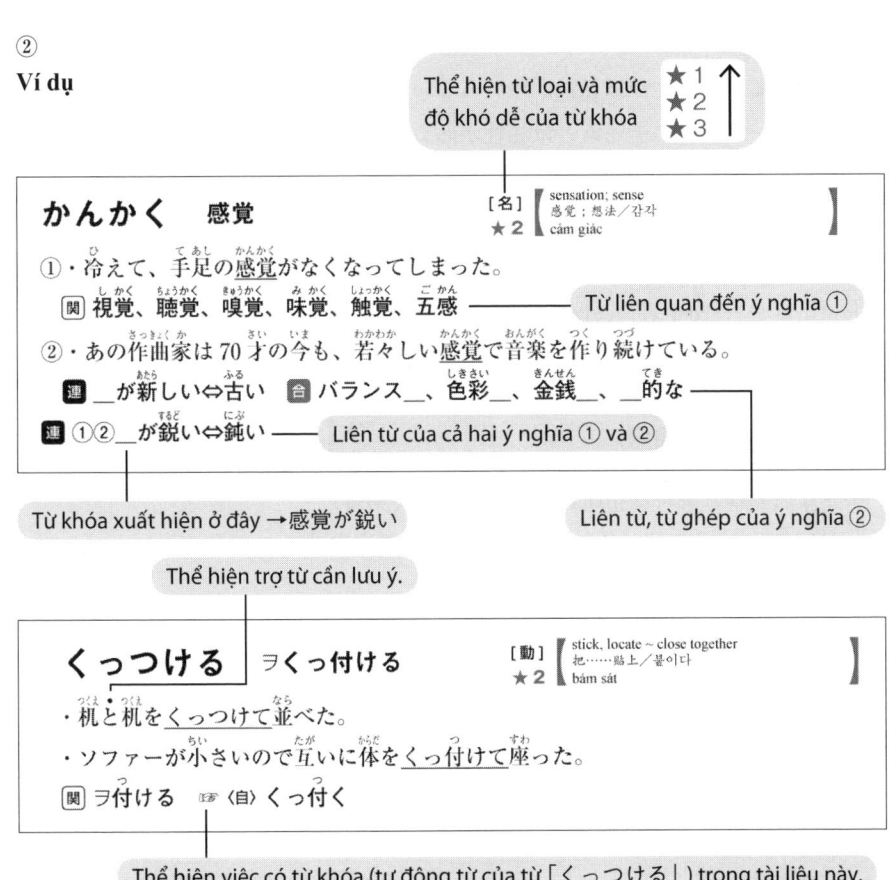

あい　ヲ愛スル
[名] ★3
love
愛／사랑
yêu

・私は｛家族／自然／国 …｝を愛している。　・神への愛

合 ＿情、＿読書、＿国心　対 憎しみ　関 ヲ憎む

あいかわらず　相変わらず
[副] ★3
as usual, unchanged
照旧，仍旧，跟往常一样／여전히，변함없이
như bình thường, như mọi lần

・あの女優は、年を取った今も相変わらずきれいだ。
・久しぶりに会ったが、彼女の気の強さはあいかわらずだった。

あいしょう　相性
[名] ★1
compatibility
投缘，（相互间的）配合／궁합
tương tính, sự hợp nhau

・占いによると、私と彼は相性がいいらしい。
・うちのチームはあのチームとは相性が悪く、負けることが多い。

連 ＿がいい⇔悪い、＿が合う、＿がぴったりだ

あいず　ガ合図(ヲ)スル
[名] ★3
signal
信号／신호
ra hiệu

・友達に目で｛合図する／合図を送る｝。

連 ＿を送る

あいせき　ガ相席スル
[名] ★1
sharing a (restaurant) table (with someone you don't know)／(与别人) 同坐一桌／합석
chung bàn

・小さな店では、昼時は相席になることもよくある。
・〈店員が客に〉「すみません、ご相席お願いできますか」

連 ＿になる

あいつぐ　ガ相次ぐ
[動] ★1
to happen one after the other, to follow
相继发生，连续不断／잇따르다
nối tiếp

・今年は台風の上陸が相次いで、大きな被害が出た。
・相次ぐ汚職事件に、国民の怒りは頂点に達した。
[副] 相次いで］・仲の良い友人が相次いで結婚し、遊び仲間が減ってしまった。

あいて　相手
[名] ★3
other person, opponent
对方，对手，对象／상대，상대방
đối phương

・相手の目を見て話す。　・今度の試合の相手は強そうだ。

合 話＿、結婚＿、相談＿

アイデア／アイディア
[名] ★3
idea
主意，点子，想法／아이디어
ý tưởng

・いいアイデアが浮かんだ。
連 ＿が浮かぶ、＿を思いつく　合 グッド＿

あいにく
[副] ★2
Unfortunately
不凑巧，偏巧／공교롭게도，마침
không may

・古い友人に電話をかけたが、あいにく彼女は留守だった。
・あいにくの雨だったが、旅行は楽しかった。

あいま　合間
[名] ★1
break, spare moment
间歇／틈，짬，사이
thời gian rảnh, thời gian thảnh thơi

・仕事の合間に、病気の母に電話をかけた。
・勉強の合間を見てメールをチェックする。
連 ＿を見て、合間合間に

あいまいな
[ナ形] ★2
ambiguous, vague
模棱两可，含糊／애매하다
không rõ ràng

・社長は辞任についてあいまいな態度をとった。　・あいまいな{表現／言い方…}
・あの日のことは記憶があいまいだ。　・重要な問題をあいまいにしてしまう。
連 ヲあいまいにする　合 あいまいさ　対 はっきりした／している、明確な、明白な
類 あやふやな

あう　ガ合う
[動] ★3
(eyes) meet; coincide; match; suit; (calculation) is correct／碰上；合得来；相配；一致／맞다，어울리다／gặp, hợp (sở thích, ý kiến...)đúng (tính toán)

① ・ふと顔を上げると、先生と目が合ってしまった。
② ・彼女とは{意見／話／趣味／気…}が合わない。
③ ・このスーツに合うネクタイがほしい。
④ ・何度やり直しても計算が合わない。
☞〈他〉合わせる

あう　ガ遭う
[動] ★2
encounter, meet with
遭遇，遇上／당하다，겪다
gặp nhau

・交通事故に遭ってけがをした。　・困難に遭ってもあきらめてはいけない。

～あう　～合う

互(たが)いに～する　　　　　　　　　　　　　　[Coincide, Each other] do ~ each other to~／双方互相……／서로 ~ 하다／cùng nhau

いいあう　ヲ言い合う　[動] ★2
argue／争吵, 争论／서로 말하다, 말다툼하다／nói với nhau, tranh cãi

・言いたいことを言い合って、最後に仲直りした。

(名) 言い合い(例. 最初はふつうに話していたが、そのうち激しい言い合いになった。)

はなしあう　ヲ話し合う　[動] ★2
discuss／谈话, 对话／서로 의논하다, 이야기를 나누다／nói chuyện cùng nhau

・「暴力はいけない。話し合って解決しよう」　　　(名) 話し合い

アウトドア　[名] ★1
outdoor／户外／아웃도어, 야외／ngoài trời

・休日には、アウトドアの活動を楽しんでいる。　・彼女はアウトドア派だ。

[合] ＿活動、＿スポーツ　[対] インドア

あえて　[副] ★1
to go as far as, deliberately／敢, 勉强, 不见得／감히, 굳이, 일부러／mạnh dạn

①・会議で誰も何も言わないので、あえて反対意見を述べてみた。　[類] 強いて

②・あえて断るまでもないと思うが、これは一般論であって、全ての事例にあてはまるわけではない。

※「不必要」という意味の表現と一緒に使う。　[類] 特に、わざわざ

あおぐ　ヲ仰ぐ　[動] ★1
to look up, ask for, respect／仰望, 请求, 尊为／쳐다보다, 청하다, 우러러보다／nhìn lên, thỉnh giáo, tôn kính

①・夜空を仰ぐと、きれいな月が出ていた。　[合] ヲ仰ぎ見る　[関] 仰向け⇔うつ伏せ

②・電話で課長に指示を仰いだ。　・|教え／判断／援助 …|を仰ぐ。

③・私は大学時代の指導教授を、今でも師と仰いでいる。　[慣] 師と仰ぐ

あおぐ　ヲ扇ぐ　[動] ★1
to fan／扇(风)／부치다／quạt

・エアコンを使わず、うちわや扇子で扇いで夏を過ごした。

あかじ　赤字　[名] ★2
deficit／赤字／적자／thâm hụt

・今月は支出が多く、家計は赤字|だった／になった|。

連 __になる、__が出る・__を出す 合 財政__ 対 黒字

あがる ガ挙がる [動] ★1
to go up, turn up, be listed, increase ／挙起，挙出，提名，取得，列出，找到／오르다, 드러나다／được giơ lên, được đưa ra, được đề cử

① ・司会者が意見を求めると、多くの手が挙がった。
② ・ようやく犯人につながる証拠が挙がった。
③ ・この映画はアカデミー賞の候補として名前が挙がっている。
④ ・毎月100万円の利益が挙がっている。

☞ 〈他〉挙げる

～あがる　～上がる

1) 上へ移動する、上方へ向けて～する
[Rise, Up] go upward, do ~ upward ／……上，……起来／위로 이동하다, 위쪽을 향해 ~ 하다／đi lên, di chuyển lên trên

とびあがる　ガ飛び上がる [動] ★2
jump up
跳起来／펄쩍 뛰다, 뛰어오르다
bật lên

・飛び上がって喜ぶ。　・驚いて飛び上がった。　※比喩的に使うことが多い。

もえあがる　ガ燃え上がる [動] ★2
blaze up
燃起，烧起／타오르다
cháy bùng lên

・｛火／闘志／恋心 …｝が燃え上がる。

2) 十分に～する、ひどく～する
[Rise, Up] do ~ completely, do ~ very much
完全，激烈地／得厉害／충분히 ~ 하다, 아주 ~ 하다／lên, tăng

はれあがる　ガ晴れ上がる [動] ★2
clear up
（天気）放晴／맑게 개다
làm sáng tỏ

・晴れ上がった秋空

ひあがる　ガ干上がる [動] ★2
dry up
干枯，干涸／완전히 말라붙다
khô lên

・｛池／湖／川 …｝が干上がる。

3) 完了する
[Rise, Up] complete
完成，结束，做完了／완료되다, 끝나다
hoàn thành

できあがる　ガでき上がる [動] ★2
[Rise, Up] complete
做完, 做好／완료되다, 끝나다
hoàn thành, xong

・料理ができ上がった。

類 ガ／ヲ完成する　（名）でき上がり（例．でき上がりを見て満足する。）

あきらかな　明らかな [ナ形] ★2
clear, obvious
明显, 清楚, 显然／분명하다, 명백하다
rõ ràng

・事故の原因は明らかではない。　・明らかに彼はうそをついている。

連 ガ明らかになる・ヲ明らかにする　類 はっきりした、明確な、明白な

あきらめる　ヲあきらめる
[動] ★2
abandon, give up
断念、死心／단념하다、체념하다
từ bỏ

・大けがをして、プロのサッカー選手になる夢をあきらめた。

類 ヲ断念する　(名)あきらめ→　＿がいい⇔悪い、＿がつく

あきる　ガ飽きる
[動] ★3
be tired of
厭煩、厭倦／질리다, 싫증 나다
chán, ngán

・好きなものでも、毎日食べると飽きてしまう。　・もうこのゲームにはあきた。

あきれる　ガあきれる
[動] ★2
be disgusted [shocked]
惊讶、愕然／어이가 없어 놀라다, 기가 막히다
chán ghét

・新入社員があまりにものを知らないので、あきれてしまった。
・彼の非常識な態度にあきれた。

合 ガあきれ返る

あく　ガ空く
[動] ★3
(a hole) opens; be vacant; be available／有洞, 有窟窿；空着；有空, 有时间／나다, 비다
có lỗ thủng, rảnh rỗi, trống (ghế, phòng...)

①・くつしたに穴が空いてしまった。
②・「その席、空いていますか」　・〈不動産屋で〉「空いている部屋はありませんか」
　合 空き部屋、空き地　関 空席、空室　(名)空き→　＿がある⇔ない
③・平日は忙しいですが、土曜日なら空いています。　合 空き時間

対 ①〜③ガふさがる　☞〈他〉空ける

あくしゅ　ガ握手(ヲ)スル
[名] ★3
handshake
握手／악수
bắt tay

・コンサートで歌手と握手した。

アクセス　ガアクセススル
[名] ★1
access
访问, 交通／액세스, 접근
truy cập

①・この会場はアクセスが悪く、車がないと行くことができない。
　連 ＿がいい⇔悪い　合 交通＿
②・〈インターネット〉芸能人のブログにアクセスする。

アクセント
[名] ★2
accent, stress; emphasis
重音, 语调；着重点／악센트
giọng

①・「おかあさん」のアクセントは、「か」の音にある。

連 __をおく　関 イントネーション

② ・この絵は単調なので、もっとアクセントをつけた方がよい。
　　連 __をつける、__をおく、__が強い⇔弱い

あくまで（も）　[副] ★1　to the (bitter) end／彻底，到底／끝까지，어디까지나／kiên trì, ngoan cố, tới cùng

① ・こんなひどい差別に対しては、私はあくまで戦うつもりだ。　類 徹底的に
② ・会議で話し合うとしても、決定権はあくまで（も）社長にある。
③ ・空はあくまでも青く、澄み切っていた。　　類 どこまでも、完全に

あくる　明くる　[連] ★1　next, following／次，第二／다음／tiếp, tiếp theo

・先週仕事でイギリスに行った。前の晩遅くに到着、明くる日は朝9時から会議だった。
連 __日、__朝、__年　類 次の、翌

あける　ヲ空ける　[動] ★3　open (a hole); vacate (a seat); keep open (a date)／空开，挖开；空出(空间)；留出(时间)／뚫다，비우다，시간을 내다／thủng, để trống (lịch, chỗ)

① ・壁に穴をあける。　　　　　　　　　　　　　　　　　　　対 ヲ塞ぐ
② ・電車でお年寄りのために席を空けた。
③ ・「今度の土曜日、空けておいてね」
☞〈自〉空く

あける　ガ明ける　[動] ★3　(dawn) comes, (new year) starts, (rainy season) ends／天亮，过，完／새다，밝다，끝나다／kết thúc (mưa, mùa…), kết thúc (năm) (năm mới)

・｛夜／年／梅雨｝が明ける。
合 ｛夜／年／梅雨｝＋明け　対 ガ暮れる（例. ｛日／年｝が暮れる。）

あげる　ヲ揚げる　[動] ★3　deep-fry; fly, hoist／油炸，放，挂／뛰기다，떠우다，올리다／rán, giương

① ・油で天ぷらを揚げる。　　　　　　　　　　　　　　　　合 揚げもの
② ・｛たこ／国旗 …｝を揚げる。

あげる　ヲ挙げる　[動] ★1　to raise, give (an example), recommend (support), increase, summon up, Join together (in support)/ as a family, conduct (a ceremony), arrest, rise up／举手，举例，提名，举国，举家，竭尽全力，取得，举行，逮捕／들다，꼽다，올리다，다하다，붙잡다／giơ lên, đưa ra, đề cử, tổ chức, nâng lên

① ・「賛成の方は手を挙げてください」　　　　対 ヲ下ろす　関 ガ挙手（を）する
② ・例を挙げて説明するとわかりやすい。
③ ・次期社長候補として、野村氏を挙げる声が多い。

④・新しい仕事を始めても、すぐに利益を挙げることは難しい。
⑤・佐藤氏は全力を挙げて患者のために尽くした。　　　　　　連 全力を＿
⑥・国を挙げてオリンピック選手を応援する。　・会社を挙げて新製品を開発する。
⑦・結婚式を挙げる。（＝挙式する）　・犯人を挙げる。（＝検挙する）

☞〈自〉挙がる

〜あげる　〜上げる

1) **上へ移動させる、上方へ向けて〜させる、前へ移動させる**

   [Raise, Up] move 〜 upward, have 〜 do 〜 upward, move ahead／挙，抬……往前移动／위로 이동시키다, 앞쪽을 향해 〜시키다／đưa lên, làm cho lên trên

   もちあげる　ヲ持ち上げる　　［動］★2　raise, pick up／拿起来／들어 올리다／nâng lên

   ・荷物を持ち上げる。　　　　　　　　　　　　　　　　　〈自〉持ち上がる

2) **十分に〜する、程度を高める**

   [Raise, Up] do 〜 completely, raise a degree（程度）提高，增加，长进／충분히 〜 하다, 수준을 높이다／làm tăng

   きたえあげる　ヲ鍛え上げる　　［動］★2　drill／锻炼好／충분히 단련하여 완성시키다／rèn luyện lên

   ・選手たちを鍛え上げる。　・鍛え上げられた肉体

   みがきあげる　ヲ磨き上げる　　［動］★2　polish up／擦亮, 打磨／닦아서 완성하다／đánh bóng lên

   ・磨き上げた靴　・｜床／家具／鏡 …｜を磨き上げる。

3) **完了する、達成する**

   [Raise, Up] complete, achieve／完了, 完成, 做完／완료하다, 달성하다／hoàn thành, xong

   かきあげる　ヲ書き上げる　　［動］★2　finish writing, write off／写完／다 쓰다／viết xong, hoàn thành

   ・レポートを書き上げた。　　　　　　　　　　　　　　　〈自〉書き上がる

   そだてあげる　ヲ育て上げる　　［動］★2　bring up／抚养大, 养育成人／길러 내다／nuôi lớn, trưởng thành

   ・子供を育て上げる。

4) **一つ一つ取り上げて示す**

   [Raise, Up] take up and show each one of them／挙例, 挙出, 报名／하나씩 다루어 제시하다／từng cái một

   かぞえあげる　ヲ数え上げる　　［動］★2　enumerate／列挙出来／열거하다／đếm từng cái một

   ・欠点を数え上げる。

   よみあげる　ヲ読み上げる　　［動］★2　read out／宣读, 高声读／낭독하다／đọc từng cái một

   ・卒業生の名前を読み上げる。

あこがれる　ガ憧れる
[動] ★2　long for／憧憬,向往／동경하다, 그리워하다／ngưỡng mộ

- ｛プロの選手／スター …｝に憧れる。
- 子供のころ、田舎に住んでいた私は華やかな都会に憧れていた。

(名) 憧れ→　二＿を抱く

あさい　浅い
[イ形] ★3　shallow／浅, 淡；不深, 浅薄／얕다, 깊지 않다／nông ít (kinh nghiệm, quan hệ…)

① ・この川は浅いので、子供が泳いでも危なくない。
② ・｛眠り／経験／知識／考え／関係／つき合い …｝が浅い。

対 ①②深い

あざむく　ヲ欺く
[動] ★1　to deceive, trick／骗, 欺／속이다／lừa đảo, lừa, lừa gạt

- 人を欺いてでも利益を得ようという考え方には同意できない。
- 「敵を欺くにはまず味方から」というのは、中国の古い本に出てくる言葉だ。

類 ヲだます　関 ヲ偽る

あざやかな　鮮やかな
[ナ形] ★1　vibrant, vivid, skillful／鲜艳, 清晰, 巧妙, 精湛／선명한, 산뜻한, 뚜렷한, 멋진／tươi

① ・このポスターは色が鮮やかで目を引く。　・当時のことを鮮やかに思い出した。

合 色＿、鮮やかさ　対 不鮮明な　類 鮮明な

② ・〈スポーツ〉田中選手は鮮やかなゴールを決めた。　　　　類 見事な

あじわう　ヲ味わう
[動] ★2　taste, enjoy; appreciate, experience／尝, 品味；体验, 经历／맛보다, 겪다／thưởng thức

① ・久しぶりにふるさとの料理をゆっくり味わうことができた。
　(名) 味わい（例. この歌にはしみじみとした味わいがある。）
② ・｛快感／苦しみ／悲しみ …｝を味わう。

あずかる　ヲ預かる
[動] ★3　look after／(代人)保管／맡다／chăm sóc, trông nom

- 旅行に行く友達から犬を預かることになった。

対 ヲ預ける

あずける　ヲ預ける

[動] ★3　deposit, put in the care of
寄存，寄放／맡기다
gửi tiền, nhờ trông nom

・銀行にお金を預けると、利子がつく。　・保育園に子供を預けて働く。

対　ヲ預かる

あせる　ガ/ヲ焦る

[動] ★1　to be in a hurry, be flustered/worried
着急／서두르다, 조급하게 굴다, 초조하다
vội vàng, lo lắng

① ・遅刻しそうで焦っていたので、大事な書類を家に忘れてきてしまった。
② ・経験の浅い選手は、勝利を焦って固くなり、自滅してしまうことも多い。

関　①②気がはやる、気がせく　(名)①②焦り

③ 「学校をさぼったことが親にばれそうになって、焦ったよ」　※話し言葉的。

あそび　遊び

[名] ★3　game, play
游戏，玩耍／놀이
trò chơi

・かくれんぼは子供の遊びだ。

合　[名詞]＋遊び(例. 砂遊び、水遊び、人形遊び)　(動) ガ遊ぶ

あたえる　ヲ与える

[動] ★3　provide, give, cause／给，给予，授予；导致，使……蒙受／주다／gây (ấn tượng, ảnh hưởng…), cấp (học bổng…), cho

① ・成績のよい学生に奨学金を与える。　・犬にえさを与える。
② ・{影響／被害／印象　…}を与える。

対　①②ヲ受ける

あたたまる　ガ暖まる／温まる

[動] ★3　become warm
温暖，暖和／따뜻해지다
trở nên nóng ấm

・お風呂に入ると体が{暖／温}まる。　・エアコンで部屋が暖まった。

対　ガ冷える　☞〈他〉暖める／温める

あたためる　ヲ暖める／温める

[動] ★3　warm, heat
弄热，烫温／따스하게 하다, 데우다
hâm nóng ấm

・エアコンをつけて部屋を暖める。　・スープを温める。

対　ヲ冷やす　☞〈自〉暖まる／温まる

あたり　辺り

[名] ★3　surroundings, around
周围，左右；大约，左右／근처, 쯤
xung quanh

① ・辺りを見回す。　・このあたり(＝このへん)は、10年前までは林だった。
② ・7月の終わりあたりに旅行したい。

あたりまえ　当たり前　[名] ★3
natural / 当然，应该，理所应当／당연함 / đương nhiên

・そんなひどいことをされたら、怒るのが当たり前だ。

類 当然

あたる　ガ当たる　[動] ★3
be hit; prove true; win (a lottery); (sunlight) falls upon; go up against; be assigned as; be related to / 碰, 撞，中，(光)照在，成功，承担，相当于／부딪히다，맞다，당첨되다，들다，(임무)맡다，해당하다 / trúng (đá trúng), trúng (xổ số, dự đoán đúng), chiếu (ánh sáng), gặp (đội thi đấu), giống với tương đương với

① ・ボールが当たって窓ガラスが割れた。
② ・{天気予報／勘／宝くじ}が当たる。　　対 ガ外れる　(名) 当たり→ 大
③ ・うちの南側に大きなビルが建ったので、日が当たらなくなった。
④ ・1回戦で去年の優勝チームと当たることになった。
⑤ ・私は今度のクラス旅行の連絡係に当たっている。
⑥ ・彼は父の妹の子供だから、私のいとこに当たる。

☞〈他〉当てる

あつかう　ヲ扱う　[動] ★2
handle; treat; sell; deal with ／使用；对待；经营，管；处理／다루다，취급하다，대하다 / đối xử, dùng

① ・「壊れやすいものですから、ていねいに扱ってください」
② ・〈商店で〉「○○、ありますか」「すみません、当店では扱っておりません」

類 ①②ヲ取り扱う

③ ・教師は学生たちを公平に扱わなければならない。
④ ・交通費の面では、中学生は大人として扱われる。

(名) ①〜④扱い→　④[人]＋扱い（例．子供扱い、老人扱い、病人扱い）

あつかましい　厚かましい　[イ形] ★1
brazen, shameless / 不害羞，厚脸皮／뻔뻔스럽다 / vô liêm sỉ

・あいつはいつも食事時にやってきてうちで食べていく、厚かましいやつだ。
・「厚かましいお願いで恐縮ですが、本田教授にご紹介いただけないでしょうか」

合 厚かましさ　類 ずうずうしい

あっけない　[イ形] ★1
hollow, disappointing / 太简单, 没意思／싱겁다，어이없다，맥없다 / thất vọng

・接戦が予想されたが、Aチームはあっけなく負けてしまった。
・「あの映画、途中までは面白かったけど、終わりがあっけなかったね」

合 あっけなさ　関 あっさり(と)、もの足りない

あっさり　ガあっさりスル
[副] ★2　simple, lightly seasoned; readily, with good grace／清淡；坦率／담백하게, 산뜻하게, 간단히／thanh tao

① ・今日は食欲がないので、あっさりしたものが食べたい。
　※名詞の前に来るときは、「__した」の形で使うことが多い。
　[対] しつこい、くどい、ガこってりスル（※味の場合のみ）
② ・上司は私の提案に反対するかと思ったが、あっさり認めてくれた。

あっというまに　あっと言う間に
[副] ★3　in a flash／一转眼，一瞬间／순식간(에)／trong chớp mắt

・子供の成長は早い。あっという間に、もう小学生だ。
[名] あっという間・駅でかばんをとられた。あっという間のできごとだった。

あっとうてきな　圧倒的な
[ナ形] ★1　overwhelming／絶対性／압도적인／áp đảo

・高橋選手は圧倒的な強さで決勝まで勝ち進んだ。
・投票の結果、反対意見が圧倒的に多いことがわかった。
[合] 圧倒的勝利　（動）ヲ圧倒する（例．相手を圧倒する。）

あっぱく　ヲ圧迫スル
[名] ★1　pressure／圧迫／압박／sức ép, áp lực

① ・出血がひどいときは、傷口を強く圧迫するとよい。　[関] ヲ押さえる
② ・物価高が庶民の生活を圧迫した。　・武力で隣国を圧迫する。　[関] ヲ抑圧スル
[合] ①②__感

アップ　ガ／ヲアップスル
[名] ★3　up, increase; up close／提高；特写／업, 인상／lên, tăng

① ・時給がアップした。
[合] ガ／ヲ{レベル／イメージ／スピード　…}＋アップスル　[対] ガ／ヲダウンスル
[関] ガ上がる、ヲ上げる
② ・写真をアップでとる。

あつまり　集まり
[名] ★3　gathering／集会／모임／tập hợp

・明日、マンションの住人の集まりがある。
（動）ガ集まる

あつりょく　圧力
[名] ★2　pressure／压力；威压／압력／áp lực

① ・空気に圧力を加えて圧縮する。
　　[連] ＿をかける、＿を加える　[関] 気圧、ヲ圧縮スル
② ・相手に圧力をかけて従わせる。
　　※組織的な場合に多く使う。　[連] ＿をかける　[合] ＿団体　[関] プレッシャー

あてはまる　ガ当てはまる
[動] ★2　apply (a rule to a case)／适用，符合／들어맞다, 적합하다／có thể áp dụng

・昔話の教訓は、現代にも当てはまるものが多い。
・私は条件に当てはまらないから、この奨学金の申請は無理だ。
〈他〉当てはめる（例．中田選手の行為を規則に当てはめると、1週間の出場禁止になるだろう。）　[関] ガはまる、ヲはめる

あてる　ヲ当てる
[動] ★3　hit with; get right; expose to; touch; be asked／打准，猜测，晒，贴，指定／맞히다, 쬐다, 대다, 지명하다／doán trúng (câu trả lời), đánh trúng (bóng), bị chiếu (ánh sáng), sờ (trán)

① ・相手選手のボールが速いので、ラケットに当てるのも大変だ。
② ・クイズの答えを当てる。　　　　　　　　　　　　　　　　　　[対] ヲ外す
③ ・洗たく物を日に当てて乾かす。
④ ・ひたいに手を当てて、熱がないかどうか確かめる。
⑤ ・授業中、急に当てられて、うまく答えられなかった。　　[類] ヲ指名する
☞〈自〉当たる

あと　跡
[名] ★2　track, mark; sign／痕迹；迹象／자국, 흔적／dấu vết

① ・道路に｛タイヤの／人が歩いた　…｝跡がある。
　　[合] 足＿、傷＿、城＿　[関] 筆跡
② ・あの学生は作文がうまくなった。｛努力／進歩｝のあとが見られる。

アドバイス　ヲアドバイス(ヲ)スル
[名] ★3　advice／劝告，忠告，建议／어드바이스, 조언／khuyên nhủ

・後輩に仕事のやり方についてアドバイスをする。
・「何かアドバイスをいただけませんか」
[連] ＿を与える、＿をもらう、＿を受ける

アドレス
[名] address / 电子邮箱；住址／어드레스, 주소／địa chỉ
★2

① ・友達とメールの<u>アドレス</u>を交換した。　　　　　　　　　　合 メール＿
② ・知り合いの住所と連絡先は、<u>アドレス</u>帳に書いている。
　　合 ＿帳、＿ブック　類 住所

あな　穴
[名] hole / 洞／구멍／lỗ
★3

・地面に<u>あな</u>を掘る。　・壁に<u>穴</u>を空ける。　・<u>穴</u>の空いたくつしたを捨てる。
連 ＿を掘る、＿が{空・開}く・＿を{空・開}ける

アナウンス　ヲアナウンス(ヲ)スル
[名] announcement / 广播／방송／thông báo
★3

・電車の中で<u>アナウンス</u>を聞く。　・緊急ニュースを校内で<u>アナウンス</u>する。
合 場内＿、車内＿　関 アナウンサー

あばれる　ガ暴れる
[動] act violently, rampage / 闹, 乱闹／난폭하게 굴다, 날뛰다／con thịnh nộ
★2

・弟は気が短く、子供のころはすぐに<u>暴れて</u>、よく物を壊したものだ。
・酒に酔って<u>暴れる</u>なんて最低だと思う。
合 ガ大暴れスル

アピール　ガ／ヲアピール(ヲ)スル
[名] appeal, attract / 宣传, 有吸引力／어필, 호소／làm nổi bật
★1

① ・この商品は、お年寄りでも簡単に使えることを消費者に<u>アピール</u>している。
　　関 ヲ訴える
② ・入社試験では、面接官に<u>アピール</u>するような自己紹介をするといい。
　　合 自己＿、セックス＿　関 関心を引く

あふれる　ガあふれる
[動] flood; be crowded; be full of ／溢出；挤满；充满／흘러넘치다, 넘칠 만큼 많다／tràn
★2

① ・大雨で川の水が<u>あふれた</u>。　・悲しくて、目から涙が<u>あふれ</u>そうになった。
② ・祭りの前なので、町には観光客が<u>あふれて</u>いる。
③ ・大統領は自信に<u>あふれた</u>態度でスピーチをした。
　　連 {自信／喜び／希望　…}にあふれる

あまえる　ガ甘える

[動] ★2　be petted, nestle up to, behave like a baby; depend on, avail oneself of／撒娇；乘情，利用／어석부리다, 호의를 받아들이다／làm nũng

① ・子供が母親に甘える。

関 ヲ甘やかす　(名)甘え

② ・「どうぞ、このかさをお使いください」「では、お言葉に甘えまして……」

アマチュア　＞アマ

[名] ★3　amateur　业余选手，业余爱好者／아마, 아마추어／không chuyên nghiệp

・この絵はアマチュアの作品とは思えないほどすばらしい。

合 アマチュア＋{野球／写真家 …}　対 プロ(フェッショナル)　類 しろうと

あまる　ガ余る

[動] ★2　be left (over)　余，剩下／남다／dư thừa

・作り過ぎて料理が余ってしまった。　・10を3で割ると1余る。　・時間が余る。

(名) 余り

あむ　ヲ編む

[動] ★2　knit　编，织／뜨다, 엮다, 땋다／đan

・{毛糸でセーターを／竹でかごを}編む。　・髪を編む。

合 編み物、三つ編み、編み目

あやうい　危うい

[イ形] ★1　precarious, dangerous, narrowly　危险, 差点儿, 好容易／위태롭다, 위험하다, 하마터면, 간신히／nguy hiểm

① ・今度の衆議院選挙では、あの元大臣も当選が危ういそうだ。

② ・道路が渋滞し、危うく飛行機に乗り遅れるところだった。　類 あわや

合 ①②危うさ　類 ①②危ない　※「危うい」の方がかたい言葉。

③ ・飛行機に乗り遅れるかと思ったが、危うく間に合った。　類 かろうじて

あやしい　怪しい

[イ形] ★2　suspicious; questionable; uncertain; not promising　奇怪；可疑；拙劣；靠不住／이상하다, 수상하다, 의심스럽다, 어설프다, 심상치 않다／nghi ngờ

① ・家の前を怪しい男がうろうろしている。　類 不審な

② ・その情報は怪しいと思う。情報源はどこだろう。　類 疑わしい

③ ・彼女の日本語力はかなりあやしい。通訳は無理だろう。　(動) ①～③ヲ怪しむ

④ ・「雲が出てきた。明日の天気はあやしいぞ」

合 ①～④怪しさ

あやつる　ヲ操る

[動] ★1
to manipulate, be fluent in (language), handle/operate／操作，操縱，掌握，耍／부리다, 조종하다, 구사하다／thao tác, vận hành

① ・この人形は上から糸で操って動かす。
② ・あの人は5カ国語を操るそうだ。　・道具を巧みに操る。

合 操り人形　関 ヲ操作する

あやふやな

[ナ形] ★1
vague, uncertain／模糊，模稜兩可／애매한／không rõ ràng, mờ nhạt

・あの日のことは記憶があやふやで、はっきり思い出せない。
・結婚するのかどうか聞いても、彼はあやふやな返事しかしない。

類 あいまいな　対 はっきりした／している

あやまち　過ち

[名] ★1
fault, error／錯誤，過錯／잘못, 과오, 실수／sai lầm, sai xót

① ・彼は自分の過ちをなかなか認めようとしない。　連 ＿を認める　類 失敗
② ・無実の人を逮捕するという過ちは、決してあってはならない。

連 ＿を犯す、＿を償う　類 過失

あやまる　ヲ誤る

[動] ★2
make a mistake, err／錯，弄錯／잘못하다, 그르치다, 실수하다／lạc, nhầm, lỗi

・運転を誤って、事故を起こしてしまった。
・山でリーダーが判断を誤ると、遭難する恐れがある。

類 ヲ間違える

[(副) 誤って] ・誤って花びんを割ってしまった。
(名) 誤り

あゆむ　ガ歩む

[動] ★1
to walk, go on foot／走上／걷다／đi, sống

・グループ解散後、3人は別々の道を歩んだ。　・苦難の人生を歩む。
※「歩く」より文学的で、抽象的な意味で使うことが多い。　合 ガ歩み寄る
(名) 歩み（例．戦後の日本の歩みを振り返る。）

あらい　荒い／粗い

[イ形] ★2
violent; rough, hard／粗暴；劇烈，凶猛／거칠다, 헤프다, 성기다, 꺼칠꺼칠하다／thô

[荒] ① ・彼は気性が荒い。　・金遣いが荒い。　合 荒っぽい
② ・呼吸が荒い。　・冬の日本海は波が荒い。

合 ①②荒さ　対 ①②穏やかな　類 ①②激しい　関 ①②荒々しい

26

[粗]　・このセーターは編み目が粗い。　・きめの粗い肌　合 粗さ　対 細かい　　あ行

あらす　ヲ荒らす
[動] ★2　break into, raid; devastate／弄乱, 毁坏; 糟蹋, 搞坏／엉망으로 만들어 놓다, 망가뜨리다, 헙쓸다, 손상하다／làm sơ

① ・泥棒に入られ、部屋が荒らされた。　・サルに畑を荒らされた。
② ・｛国／肌／胃　…｝を荒らす。
☞〈自〉荒れる

あらそう　ヲ争う
[動] ★3　quarrel; compete／吵架, 争吵; 争夺, 竞争／싸우다, 다투다／cãi nhau, tranh chấp

① ・あの兄弟はいつも小さなことで争っている。
② ・山田選手と高橋選手がトップを争っている。
(名) ①②争い→　激しい＿

あらたな　新たな
[ナ形] ★2　new, renewed／新／새롭다, 생생하다／cách tân, mới

・裁判で新たな証人が現れた。　・｛気持ち／決意　…｝を新たにする。
連 ヲ新たにする　類 新しい　※「新たな」の方がかたい言葉。

あらたまる　ガ改まる
[動] ★2　be improved; be replaced; formal／改正, 改善; 更改; 一本正经, 郑重其事／고쳐지다, 바뀌다, 격식을 차리다／cái thiện, thay đổi

① ・あの学生は何度注意しても態度が改まらない。　　類 ガ直る
② ・｛年／規則　…｝が改まる。
③ ・改まった｛態度／言葉遣い／服装／場　…｝　　対 くだけた
☞〈他〉改める

あらためて　改めて
[副] ★2　once more, again／再次, 重新／다시, 새삼스럽게／lúc khác

・「今日は、ありがとうございました。改めてお礼に伺います」
・あの時は腹が立ったが、改めて考えてみると、私にも落ち度があったかもしれない。

あらためる　ヲ改める
[動] ★2　improve; replace; (dress) properly; (come) again; check; some other time／改正, 修改; 整装; 改日; 检查, 重新／고치다, 개선하다, 가다듬다, 바꾸다, 검사하다, 다시, 새삼스럽게／thay đổi

① ・「その遅刻癖を改めないと、信用をなくしますよ」　　類 ヲ直す
② ・会社の名前を「○○」から「△△」に改めた。
③ ・夕方から友人の結婚式に出席するので、会社を出る前に服装を改めた。
④ ・「今日はお忙しいようですから、また日を改めてご相談に伺います」

類 ②④ヲ変える

⑤・〈車掌が乗客に〉「すみませんが、特急券を改めさせていただきます」

類 ヲチェックする

☞〈自〉改まる

あらゆる [連] ★2
all, every／所有，一切／온갖／tất cả

・あの博物館にはあらゆる種類の昆虫が集められている。

連 ありと___

あらわす　ヲ現す [動] ★3
appear; show (signs)／現出；表現出／나타내다／xuất hiện, cho thấy (dấu hiệu)

①・雲がなくなって、富士山が姿を現した。
②・新しい薬がすぐに効果を現した。

☞〈自〉現れる

あらわす　ヲ表す [動] ★3
express; represent／表現，表达／标明，标志／나타내다／thể hiện, tương ứng với, tượng trưng cho…

①・気持ちを{言葉／絵／態度 …}で表す。
②・地図では「〒」は郵便局を表す。

類 ヲ表現する

☞〈自〉表れる

あらわれる　ガ現れる [動] ★3
appear; (signs) are shown／出現；显现／나타나다／xuất hiện, được chỉ ra (dấu hiệu)

①・犯人は金を取りに現れたところを逮捕された。
②・新しい薬の効果がすぐに現れた。

関 ガ出現する

☞〈他〉現す

あらわれる　ガ表れる [動] ★3
show (on one's face)／表現／나타나다／cho thấy, lộ ra (trên mặt)

・彼の顔には合格した喜びが表れていた。

☞〈他〉表す

ありがたい　有難い [イ形] ★2
appreciate, thank; welcome／感激的，难得的，可贵的／고맙다，다행스럽다，반갑다／biết ơn

・「病気の私の元へ来てくれたあなたの気持ちがありがたい」
・有難いことに友達に恵まれている。　・給料が上がったのは有難いことだ。

合 有難さ、有難み

アリバイ
[名] ★2　alibi／不在現場的証明／알리바이／chứng cớ ngoại phạm

・彼には事件当日のアリバイがある。　・警察は犯人のアリバイを崩した。

連 __がある⇔ない、__を証明する、__が崩れる・__を崩す、__を作る

ありふれる　　ガありふれる
[動] ★1　to be common／常見／흔히 있다，평범하다／thường, nhiều

・このマンガはストーリーはありふれているが、絵がすばらしい。
・各地の土産物には、ありふれたものも多い。
※「ありふれている」「ありふれた＋名詞」という形で使う。　関 平凡な

ある
[連] ★2　a, some, a certain／某，有／어떤，어느／nào đó

・ある人から、近々人事異動があると聞いた。　・ある｛とき／日／所　…｝

あるいは
[接] ★2　or; perhaps／或者；或许／또는，어쩌면，혹시／hoặc

①・この書類にはサイン、あるいは印鑑が必要だ。
　類 または　※「あるいは」の方がかたい言葉。
②[副]・この揺れは、あるいは大地震の前兆かもしれない。
　※文末は「かもしれない」となることが多い。　類 もしかすると　※「あるいは」の方がかたい言葉。

アルコール
[名] ★2　alcohol／酒精，酒／알코올，술／rượu

①・注射の前にアルコールで消毒する。　　　　合 __分、__度数、__消毒
②・私はアルコールに弱くて、ビール1杯で顔が真っ赤になる。
　連 __に強い⇔弱い、__が入る　類 酒

アルファベット
[名] ★2　alphabet／字母表／알파벳／chữ cái

・図書館では英語の本はアルファベットの順に並べてある。
合 __順　関 ローマ字、大文字、小文字

あれる　ガ荒れる　[動] ★2
be rough; got out of control; go to ruin, get rough; behave violently／坏天气，(海涛)汹涌;起纠纷;荒芜，荒废;(皮肤)变粗糙，变坏;胡闹，荒唐／거칠어지다．과격해지다．황폐해지다．까칠까칠해지다．날뛰다／thô, sơ

① ・台風の接近で山も海も荒れている。　・荒れた天気
② ・{会議／試合 …}が荒れる。　合①②大荒れ、荒れ模様
③ ・戦争で国が荒れる。　・洗剤で手が荒れる。　・薬の飲み過ぎで胃が荒れる。
④ ・酒を飲んで荒れる。　・荒れた生活

☞〈他〉荒らす

アレルギー　[名] ★1
allergy
过敏／알레르기
dị ứng

① ・私は卵にアレルギーがあり、食べるとじんましんが出る。　連 ＿がある⇔ない
② ・職場に嫌な人がいて、最近はその声を聞くだけでアレルギーが起きる。

連①②＿が出る、＿が起きる・＿を起こす　合①②[名詞]＋アレルギー(例．小麦アレルギー、金属アレルギー、核アレルギー)　類①②拒絶反応

あわ　泡　[名] ★2
foam
泡沫／거품
bọt

・こんなに泡が多いのは洗剤の入れすぎだ。

連 ＿が立つ・＿を立てる　合 ガ＿立つ・ヲ＿立てる、＿立ち(例．このせっけんは泡立ちがいい⇔悪い。)、＿切れ(例．このせっけんは泡切れがいい⇔悪い。)　関 バブル
慣 努力が水の泡になる

あわい　淡い　[イ形] ★1
pale, light, faint
浅，淡，些微，清淡／연하다，옅다，덧없다
nhạt, nhẹ

① ・彼女は淡い色が似合う。　・淡い{光／香り …}　対 濃い、強い、濃厚な
② ・もしかしたら合格できたかもしれないと淡い期待を抱いたが、やはり不合格だった。

連 ＿期待、＿夢、＿思い出、＿思い　類 はかない
合①②淡さ

あわせる　ヲ合わせる　[動] ★3
combine; adapt to; match with; set (a clock)／和在一起；使……合得来；使……相配；使……一致／모으다，맞추다／hợp sức, thích ứng với, phù hợp với, , chỉnh đồng hồ đúng với…

① ・みんなで力を合わせてがんばりましょう。　・手を合わせて祈る。
② ・中年の私には、若い学生たち{と／に}話を合わせるのは難しい。
③ ・新しいスーツに合わせてくつとバッグも買った。

合②答え合わせ、③組み合わせ

④・テレビを見て時計の時間を合わせた。

☞〈自〉合う

～あわせる　～合わせる

1）二人以上で～する、互いに～する

[Put together] do ~ by more than one person, do ~ each other／(両人以上)互相……／두 명 이상에서 ~ 하다, 서로 ~ 하다／làm bởi nhiều hơn 2 người, cùng

となりあわせる　ガ隣り合わせる　［動］★2
juxtapose, be side by side
紧挨着, 相邻／서로 이웃하고 있다
tiếp xúc, cạnh nhau

・新幹線でたまたま隣り合わせた人と友達になった。

(名)隣り合わせ(例.・隣り合わせに座る。　・隣り合わせに建つ家)

もうしあわせる　ヲ申し合わせる　［動］★2
arrange
约定／의논하여 정하다
cùng bàn luận và quyết

・会議の内容は外部には言わないことを申し合わせた。　　　(名)申し合わせ

2）一つにする

[Put together] unite
合起, 合并／일치시키다
ghép vào nhau

かさねあわせる　ヲ重ね合わせる　［動］★2
overlay
重在一起, 放在一起／겹치다, 포개다
chồng, đè

・二つの事件を重ね合わせて考えてみると、共通点が浮かび上がった。

くみあわせる　ヲ組み合わせる　［動］★2
combine, put together
组合, 组成／짜 맞추다, 편성하다
ghép, lắp ráp

・部品を組み合わせてプラモデルを作る。

(名)組み合わせ(例.トーナメントの組み合わせは抽選で決まる。)

3）偶然～する

[Put together] happen to do
偶然一起……／우연히 ~ 하다
ngẫu nhiên

いあわせる　ガ居合わせる　［動］★2
happen to be present
正好在场／마침 거기에 있다
ngẫu nhiên cạnh nhau

・犯人は居合わせた客を人質に取って逃走した。

もちあわせる　ヲ持ち合わせる　［動］★2
have ~ with oneself
持有, 现有／마침 가지고 있다
đợi nhau

・「すみません、今日は名刺を持ち合わせておりませんで」

(名)持ち合わせ(例.持ち合わせがなかったので、会費を友人に立て替えてもらった。)

4）～して調べる

[Put together] examine ~ by doing ~
询问, 打听, 核对, 对照／~ 하여 조사하다
điều tra, tìm hiểu

てらしあわせる　ヲ照らし合わせる　［動］★2
compare and check
对照, 查对／대조하다, 조회하다
đối chiếu

・過去の同様のケースと照らし合わせて考える。　　　類 ヲ照合する

あわただしい　慌しい
[イ形] ★2　busy; hurried / 慌张的, 匆忙的 / 분주하다, 황급하다 / vội vã

・今日は急な用事や来客が重なって、あわただしい一日だった。
・娘は遅刻しそうになって、慌しく出かけていった。

合 慌しさ

あわてる　ガ慌てる
[動] ★3　hurry; panic / 惊慌, 慌张 / 서두르다, 당황하다 / vội vàng, luống cuống

・学校に遅れそうになって、慌てて家を出た。
・店でさいふが見つからなくてあわてた。

合 大慌て（例. 大慌てで家を出たので、さいふを忘れてしまった。）

あわや
[副] ★1　in the nick of time, very nearly / 眼看就要, 眼看着, 险些, 差一点儿 / 자칫하면, 하마터면, 위태로운 / hiểm nguy

・車はあわや衝突かというところで、やっと止まった。
・あわやというところで危機を回避できた。

※「あわや〜か」という形で使うことが多い。　類 危うく

あわれな　哀れな
[ナ形] ★1　pathetic, pitiful / 可怜 / 불쌍한, 애처로운 / đáng thương

・雨にぬれた子犬は、やせて、哀れな姿をしていた。　・哀れな身なり

合 哀れさ、哀れっぽい　類 みじめな、みすぼらしい、気の毒な

(名) 哀れ→ ＿＿を覚える、＿＿を誘う

あん　案
[名] ★2　idea, plan / 方案, 计划 / 안, 생각, 계획 / bản dự thảo

・新製品について、案を出すように言われた。
・これはまだ案であって、決定ではない。

連 ＿＿を練る、＿＿が出る・＿＿を出す　合 予算＿＿、原＿＿、具体＿＿、名＿＿　関 アイディア

あんいな　安易な
[ナ形] ★2　easy; easygoing / 简单的 / 안이하다, 손쉽다 / dễ dàng

① ・今だけ楽しければいいというのは安易な考え方だ。　　関 いい加減な
② ・インターネットの情報は安易に信用しない方がいい。　　類 簡単に、たやすく

合 ①②安易さ

あんがい　案外
[副] ★3　surprisingly／意想不到, 出乎意料／의외(로), 뜻밖(에)／ngạc nhiên (ngoài dự đoán)

・今日はくもっているが、案外暖かい。　・道が込んでいたが、案外早く着いた。
※後ろに動詞が続くことは少ない。(×案外合格した、×案外来た)　[類] 意外に

アンケート
[名] ★3　questionnaire／調査／앙케트／phiếu khảo sát

・「アンケートにご協力ください」　・アンケートをして学生の生活を調べる。
[連] ニ＿＿をする、＿＿を採る、＿＿に答える　[合] ＿＿調査

アンコール
[名] ★2　encore／要求重播, 要求再来一个／앙코르／hát lại

・観客のアンコールに応えて出演者が舞台であいさつした。
・オーケストラは、アンコール曲を3曲演奏した。
[連] ＿＿に応える　[合] ＿＿曲、＿＿放送

あんじ　ヲ暗示スル
[名] ★1　(auto) suggestion, hint／暗示／암시／ám thị, gợi ý

① ・映画の最後の場面の音楽が、主人公の運命を暗示している。
　[合] ＿＿的な　[対] ヲ明示スル　[関] ヲ示唆スル
② ・催眠術というのは、暗示によって人を眠った状態にさせるものである。
　[連] ＿＿にかかる・＿＿にかける　[合] 自己＿＿

あんじる　ヲ案じる
[動] ★1　to be concerned about／担心, 挂念／걱정하다／lo lắng

・母はいつも、単身赴任中の父のことを案じている。　・ことの成り行きを案じる。
[類] ヲ心配する

あんぜんな　安全な
[ナ形] ★3　safe, safety／安全／안전한／an toàn

① 海のそばで地震にあったら、すぐに安全な場所に逃げた方がよい。
　[対] 危険な、危ない
② [(名)安全] ・学校には子供の安全を守る責任がある。
　[連] ＿＿を守る　[合] ＿＿運転、交通＿＿、＿＿地帯、＿＿性　[対] 危険

あんてい　ガ安定スル
[名] ★2　stability; steadiness / 安稳, 安定; 穩定／안정／ổn định

① ・正社員になって、安定した暮らしがしたい。
② ・このいすは安定が良くて座りやすい。　　　連 __がいい⇔悪い
合 ①②__感(例. 安定感がある⇔ない)、不__な(×安定な)

アンテナ
[名] ★2　antenna / 天线; 收集信息／안테나／ăng-ten

① ・アンテナの向きのせいかテレビの映りが悪い。
　　連 __を立てる　合 テレビ__、室内__
② ・役に立つ情報がいつでもキャッチできるよう、アンテナを張っている。
　　連 __を張る、__を張り巡らす

あんのじょう　案の定
[副] ★2　as expected / 果然, 不出所料／생각한 대로, 아니나다를까／quả nhiên

・怪しいと思っていたが、案の定、彼が犯人だった。
・勝つのは難しいと予想していたが、結果は案の定だった。
※悪い結果が出たときに使うことが多い。　類 やはり

いいかげんな　いい加減な
[ナ形] ★1　irresponsible, careless, good, enough / 马马虎虎, 差不多, 算了吧, 相当／무책임한, 어지간히, 작작, 적당히／vô trách nhiệm, không rõ ràng, một vừa hai phải

① ・あの人は仕事がいい加減で困る。　合 いい加減さ　関 無責任な、安易な
② ・「遅くなったから、いい加減なところで帰ろう」　類 適当な
③ ・「人に甘えるのもいい加減にしろ」　慣 いい加減にする
④ [(副)いい加減] ・毎日同じような食事で、いい加減飽きた。

いいつける　ヲ言いつける
[動] ★1　to order, tell on, report / 吩咐, 命令, 告状／명령하다, 일러바치다／ra lệnh, mách

① ・母は姉に掃除をするよう言いつけた。　・課長は私にばかり仕事を言いつける。
　　類 ヲ命令する、ヲ命じる　(名) 言いつけ　→__を守る、__に背く
② ・あの子は私達が悪いことをすると、すぐに先生に言いつける。
　　類 ガ／ヲ告げ口(を)する

いいなり　言いなり
[名] ★1　yes-man, doing as one is told / 唯命是从／시키는 대로 함／tuân thủ

・兄は気が弱く、何でも父の言いなりだ。

・「これ以上、あなたの言いなりにはなりません。自分の思う通りにやります」

連 ～の__になる　類 言うがまま　関 ガ服従スル

いいぶん　言い分
[名]　point, complaint / 主張，想法／이야기, 주장
★1　lý lẽ, thanh minh

・兄弟げんかをすると、母はそれぞれの言い分をきちんと聞いてくれた。
・あの交通事故では、被害者と加害者の言い分が大きく食い違っている。

連 __がある⇔ない、～の__を聞く　類 主張

いいわけ　ガ言い訳(ヲ)スル
[名]　excuse / 辩解, 分辩／변명
★2　lý do

・田中さんはいつも言い訳ばかり言って、自分の失敗を認めようとしない。

類 ガ弁解(ヲ)スル　関 口実

いえで　ガ家出(ヲ)スル
[名]　leaving home, running away from home / 离家出走／가출
★1　bỏ nhà đi

・高校生のとき、親に反発して家出をしたことがある。

いがいな　意外な
[ナ形]　unexpected, surprising / 没想到的；出乎意料的／의외이다, 뜻밖이다
★3　ngạc nhiên, ngoài dự đoán

① ・事故を調査するうちに意外な事実がわかった。

合 意外さ、意外性→ __がある⇔ない

② [意外{に／と}]・トマトは嫌いだったが、今食べてみると意外{に／と}おいしい。
※「意外と」は「意外に」の少しくだけた形。　類 案外

いかす　ヲ生かす
[動]　to make (the best) use of, keep alive / 活用, 有效地利用, 发挥, 留活命／살리다, 살려두다／phát huy, để sống
★1

① ・得意な英語を仕事に生かしていきたい。
対 ヲ殺す(例. あの映画では、この女優の個性が殺されている。)
② ・獲物の動物を、すぐに殺さずに生かしておいた。
〈自〉生きる

いかなる
[連]　whatever / 如何(的), 什么样(的)／어떠한, 어떤
★1　như thế nào đi nữa

・いかなる事情があろうとも、犯罪行為は許されない。
・いついかなる場合においても、迅速に行動できるよう、準備しておくこと。
※かたい書き言葉。　類 どんな、どのような

いかに
[副] ★1
how, how much, however much ／如何, 怎样, 无论怎样, 怎么样／어떻게, 얼마나, 아무리／như thế nào, thế nào

① ・青春時代には誰でも、「人生、いかに生きるべきか」と悩んで当然だ。
　※「いかに〜か」の形で使う。　類 どのように
② ・彼がいかにがんばったか、私はよく知っている。
　※「いかに〜か」の形で使う。　類 どれほど
③ ・いかに苦しくても、途中でやめたらそれまでの努力が水の泡だ。
　※「いかに〜ても／とも」の形で使う。　類 どんなに、どれほど
※①〜③とも「いかに」の方がかたい言葉。

いかり　怒り
[名] ★3
anger／愤怒／분노／sự tức giận

・殺人のニュースに怒りを感じた。
(動) ガ／ヲ 怒る

いき　息
[名] ★3
breath, to make a perfect pair／呼吸, 步调／숨, 호흡／hơi thở

① ・レントゲン写真を撮るときは、大きく息を吸って、その息を止める。
　連 __を吸う⇔吐く、__をする、__が止まる・__を止める、__が詰まる、__が切れる・__を切らす、__が激しい　合 ため__（例. ため息をつく。）、__切れ（例. 息切れがする。）、__抜き（例. 息抜きをする。）　慣 息を引き取る
② ・あのダンスのペアは、息がぴったり合っている。　慣 息が合う

いき　行き
[名] ★3
going／去, 往／가는 길, 행／đi (lúc đi)

・旅行は、行きは新幹線、帰りは飛行機だった。
・会社の行き帰りにコンビニに寄る。
合 __帰り、[地名]+行き（例. 横浜行きの電車）　対 帰り　(動) ガ 行く

いぎ　意義
[名] ★2
meaning, significance／意义／의의, 의미, 가치／ý nghĩa

・青年時代には人生の意義について考えるものだ。
・社会的に意義のある仕事がしたい。
連 __がある⇔ない　合 有意義な　関 意味、価値

いきいき(と)　ガ生き生き(と)スル　[副] ★2
lively, vividly／生气勃勃的, 活泼的／생기발랄하게, 초롱초롱하게／đầy sức sống

・彼女はいきいきと働いている。
・運動会で見た子供たちのいきいき(と)した表情が印象的だった。

いきおい　勢い　[名] ★2
force, vigor／势头, 气势, 趋势, 劲头／기세, 힘, 기운／sự tràn trề sinh lực

・選手たちはすごい勢いで私の前を走り過ぎていった。
・蛇口をひねると、勢いよく水が出てきた。

[連] __がある⇔ない、__がつく・__をつける、__がいい　[合] __よく

いきがい　生きがい　[名] ★2
reason for living, raison d'être／生活的价值, 人生的意义／사는 보람, 보람／lẽ sống

・私は今の仕事に生きがいを感じている。　・母は子供が生きがいだと言っている。

[連] __を感じる、__を見つける、__を求める、__を持つ　[関] かい

いきちがい　行き違い　[名] ★1
getting lost, crossing without meeting (letter, person in the street)／走两岔, 感情失和／엇갈림, 오해／đi nhầm, bất đồng

① ・鈴木さんを駅まで迎えに行ったのだが、途中で行き違いになってしまった。

　[連] __になる

② ・最初の恋人とは、ちょっとした感情の行き違いで別れてしまった。

※「ゆきちがい」とも言う。　[類] ①②すれ違い

いきづまる　ガ行き詰まる　[動] ★1
to come up against a wall, reach the limit／停滞不前, 陷入僵局／벽에 부딪히다, 막다른 상태에 빠지다／bị sa lầy

・高橋さんは研究に行き詰まって悩んでいる。
・A社は資金難で経営が行き詰まり、倒産した。　・交渉が行き詰まる。

(名) 行き詰まり→　__を感じる

いきどおる　ガ／ヲ憤る　[動] ★1
to be angry, to be indignant／愤怒, 气愤／분노하다／phẫn nộ

・社会の不公平に対し憤った若者たちが、デモを行った。　・政治腐敗{に／を}憤る。

[関] ガ／ヲ怒る　(名) 憤り→　__を感じる、__を覚える

いきなり　[副] ★2
suddenly; without notice／突然, 冷不防／느닷없이, 갑자기／bất ngờ, đột ngột

・ノックもせずにいきなり部屋に入るのは失礼だ。

・いきなり道にとび出すと、危ない。
類 急に、突然　※「いきなり」は準備や心構えができていないときに使う。

いくぶん　幾分
[副] ★1
to some extent, portion
多少，一些／조금，약간，다소，얼마쯤
một số

・薬を飲んでしばらく経つと、痛みはいくぶん治まった。
[(名) 幾分か]・給料の幾分かを寄付した。
類 少し、いくらか

いこう　意向
[名] ★1
intention, position
意向，打算，意图／의향
ý hướng, ý kiến

・佐藤氏は市長選挙に立候補する意向を固めたようだ。
・「マンションの建て直しに関し、住人の皆様のご意向をお聞かせください」
連 __を固める、__に従う、__を問う、__を打診する　関 意思

いさん　遺産
[名] ★1
inheritance, legacy, heritage
遗产／유산
di sản

① ・父の遺産で新しい家を建てた。　連 __を残す　合 __相続　関 遺言、財産
② ・京都には多くの文化遺産が残されている。　合 世界__、文化__　関 遺跡

いし　石
[名] ★2
stone
石头／돌
đá

・グラウンドに落ちている石を拾った。　・石につまずいて転んだ。
関 土、泥、砂、岩

いし　意志／意思
[名] ★2
will, mind／意志，志向／의지，고집／의사，생각
ý chí

・彼女は意志が強いから、きっと目的を達成するだろう。
・恋人はいるが、今のところ結婚の意思はない。
連 意志が固い、意志が強い⇔弱い、{〜する／の} 意思がある⇔ない、意思を示す
合 ガ意思表示(ヲ)スル

いじ　ヲ維持スル
[名] ★2
maintenance
維持／유지
bảo trì

・親の家を出たら、今の生活レベルを維持するのは難しい。
・平和の維持に努めたい。
合 現状__　関 ヲ保つ、ヲ保持スル、ガ／ヲ持続スル

いじ　意地
[名] ★1　disposition, willpower
心术，固执，贪婪，贪食／심술，고집，오기
tâm địa, tâm lòng

① ・「そんな意地の悪いことばかりしないで、人にはもっと親切にしなさい」
　連 __が悪い　合 意地悪(な)

② ・あの子はいつも意地を張って、自分の意見を通そうとする。
　連 __を張る、__になる、__を通す、意地でも＋[動詞]　合 意地っ張りな

③ ・あの人は金に意地汚いと評判だ。　・あの子は食い意地が張っている。
　合 __汚い、食い__

いしき　ヲ意識スル
[名] ★2　consciousness, awareness, be conscious of
意识，神志；自觉；认识到，意识到／의식
ý thức

① ・頭を打って意識を失った。　・意識ははっきりしていたが、体が動かなかった。
　連 __がある⇔ない、__を失う⇔{取り戻す／回復する}、__が戻る　合 __不明

② ・あの子は人を傷つけたのに、悪いことをしたという意識がないようだ。
　連 ～__がある⇔ない、__が高まる・__を高める　合 無__、__的な

③ ・決勝戦では優勝を意識して固くなってしまった。

いじめる　ヲいじめる
[動] ★3　bully
欺负，捉弄／괴롭히다
trêu trọc

・{弟／ネコ …}をいじめる。
　合 弱いものいじめ、いじめっ子　(名) いじめ→ __がある⇔ない

いじょうな　異常な
[ナ形] ★2　unusual; abnormal
不正常，异常／이상하다，비정상적이다
bất thường

・今年の夏の暑さは異常だ。　・認知症の祖父に異常な言動が見られるようになった。
・医者に「白血球が異常に多い」と言われた。
　合 異常さ、異常気象、異常性　対 正常な　類 変な　関 異状　※「異状」は名詞としてだけ使う。（例.・異状なし。　・検査の結果、胃に異状は認められなかった。）

いじる　ヲいじる
[動] ★1　to fiddle with
摆弄，改动／만지다，손대다
vuốt, mày mò

① ・髪の毛をいじるのが彼女の癖だ。
② ・ラジオをいじっていて、壊してしまった。　※マイナスの意味で使うことが多い。
　類 ①②ヲ触る

いじわる　ガ意地悪(ヲ)スル
[名] ★3
spite
捉弄，坏心眼儿／심술궂음
trêu chọc, chọc tức

・好きな子にはつい意地悪してしまう。
(ナ形) 意地悪な (例. 意地悪な人)

いずれ
[副] ★2
someday; sooner or later
早晚，总归／어차피，결국은，머지않아
một trong những

・子供はいずれ親から離れていくものだ。
・いずれは結婚したいと思っているが、今はまだ考えられない。
※「いつか」よりかたい言葉。　※名詞としても使う。

いぜん(として)　依然(として)
[副] ★1
at it was before, still, yet
依然，仍然／여전히
vẫn như thế

・台風は依然強い勢力を保ったまま、沖縄に近づいてきている。
・犯人は依然として捕まっていない。
類 今だに、まだ

いそいそ(と)
[副] ★1
excitedly
高高兴兴地，欢欣雀跃地／들뜬 마음으로
hồ hởi

・今日はデートらしく、姉はおしゃれをしていそいそと出かけて行った。

いそぎ　急ぎ
[名] ★3
urgency
匆忙，紧急／급함
khẩn cấp

・急ぎの仕事が入った。
(動) ガ／ヲ急ぐ

いぞん／いそん　ガ依存スル
[名] ★1
dependence
依靠，依赖(子)／의존
phụ thuộc

・25才の姉は、まだ経済的には親に依存している。
・この国の経済はアメリカへの依存を強めつつある。
合 __心、相互__、__症(例. アルコール依存症)　関 ヲ頼る

いだいな　偉大な
[ナ形] ★2
great
伟大／위대하다
lớn

・アインシュタインは科学の分野で偉大な功績をあげた。
・偉大な{人物／生涯／業績 …}
※日常的なものごとには使わない。　合 偉大さ　関 立派な、すばらしい

いだく　ヲ抱く
[動] ★2　cherish, hold; hold ~ in one's arms; embrace / 怀有, 怀抱; 抱; 环绕／품다, 안다, 둘러싸다 / ôm

① ・私は大きな夢を抱いて留学した。
② ・赤ん坊は母の胸に抱かれてすやすやと眠っていた。　※「抱く」の文学的な表現。

連 夢を＿＿、希望を＿＿

いたずら　ガいたずら(ヲ)スル
[名] ★3　prank, mischief / 淘气, 恶作剧／장난 / chơi khăm, chơi ác

・いたずらをして、先生に怒られた。
(ナ形) いたずらな (例. いたずらな子供)

いたって
[副] ★1　very / 很／매우, 아주, 대단히 / tương đối

・祖母は80才を過ぎているが、いたって元気だ。　・作り方はいたって簡単だ。
類 大変、とても

いたむ　ガ痛む
[動] ★2　hurt, pain / 痛, 疼／아프다, 괴롭다 / đau

・｛歯／頭／足　…｝が痛む。
・苦しんでいる友人のことを思うと、心が痛む。
(名) 痛み　(イ形) 痛い

いたむ　ガ傷む
[動] ★2　be damaged; spoil / 腐败, 变坏／(음식이) 상하다 / xấu đi

・生魚は傷みやすいから、早く食べた方がいい。　・傷んだ靴を修理する。
(名) 傷み→　＿＿が早い、＿＿が激しい

いためる　ヲ炒める
[動] ★3　fry, frizzle / 炒, 煎, 爆／볶다 / xào

・フライパンに油をひいて、肉と野菜をいためる。
合 炒め物、野菜炒め

いたる　ガ至る
[動] ★2　lead to; (from ~) to ~; come to / 到, 至; 及, 达到／다다르다, 미치다, 되다, 가다／đến

① ・山頂に至る道　・〈履歴書〉「銀行勤務を経て現在に至る」
② ・この歌は若者からお年寄りに至るまで、幅広い世代に受け入れられている。
連 ＿＿所 (例. 至る所にごみが落ちていて汚い。)
③ ・その人は3カ月休まずに働き続け、ついに過労死するに至った。

いたわる　ヲいたわる
[動] ★1
to be considerate, take (good) care of／怜恤, 照扶, 照顧, 安慰／돌보다, 아끼다, 위로하다
chăm sóc

・老人や病人をいたわるのは、人間として当然のことだ。
・「もう少し体をいたわらないと、病気になりますよ」
(名) いたわり（例．・人にいたわりの言葉をかける。　・いたわりの気持ちを持つ。）

いちいち
[副] ★2
everything, one by one, in detail
一一, 逐一／일일이, 낱낱이
mọi thứ

・母は私のすることにいちいち文句を言う。
・課長は細かいこともいちいち報告させないと気がすまないようだ。

いちおう　一応
[副] ★1
just in case, tentatively, more or less
姑且, 大致／일단, 우선, 대충
một khi, nhất thời, tạm thời

①・断られるだろうと思ったが、一応頼んでみた。　　類 とりあえず
②・研修を受けて、一応の仕事の流れはわかった。　　類 ひととおり

いちがいに　一概に
[副] ★1
as a rule, unconditionally
一律, 一概／일률적으로, 일방적으로
dứt khoát

・有名大学を出たらいい仕事に就けるとは、一概には言えないだろう。
・古い習慣を一概に否定するのはどうだろうか。
※否定的な表現と一緒に使う。　関 一律に、一様に

いちじ　一時
[副] ★2
once; temporarily; momentary
一段时间；临时；一时的／잠시, 한때, 일시
một thời gian

①・子供のころ、一時アメリカに住んでいたことがある。
②・大雨のため、新幹線は一時ストップした。　・〈天気予報〉くもり一時雨
③・一時の感情で大切なことを決めない方がいい。
※名詞としても使う。　合 ①〜③ ＿的な

いちじるしい　著しい
[イ形] ★1
remarkable, very
显著, 明显／현저하다, 뚜렷하다
đáng kể

・福祉問題に関しては、民主党と共和党は考え方が著しく異なる。
・あの学生のレポートは、進歩の跡が著しい。
合 著しさ　類 甚だしい、顕著な

いちだんと 一段と
[副] ★2 　much, more than ever／更加, 越发／한층, 훨씬／từng bước

・1月になると、寒さは一段と厳しくなった。
・「今日はまた、一段とお美しいですね」
※「もっと」よりかたい言葉。　類 さらに、いっそう

いちどに 一度に
[副] ★2 　at once, at the same time／一次／한꺼번에, 한 번에／cùng một lần

・一度に多くのことを言われても、覚えられない。
・ギョーザなどは一度にたくさん作って冷凍しておくと便利だ。
類 いっぺんに ※「一度に」よりくだけた言葉。

いちにんまえ 一人前
[名] ★2 　adult; grown-up person; portion (for one person)／成人, 能胜任的人；一人份儿／어른, 제구실을 할 수 있게 됨, 일 인분／người trưởng thành

① ・経済的に親から独立しなければ、一人前とは言えないだろう。
② ・〈注文〉「寿司、一人前お願いします」　　※「〜人前」は助数詞。

いちりつな 一律な
[ナ形] ★1 　uniform／一律, 一样／일률적인／như nhau, đồng loạt

※「一律に」の形で副詞的に使うことが多い。
・アルバイト店員に、ボーナスとして一律に1万円支給された。
関 一様に　(名) 一律（例. 各社一律の値上げは、消費者から見ればおかしなことだ。）

いちりゅう 一流
[名] ★2 　first-class／第一流, 头等／일류／hạng nhất

・彼はまだ若いが、コックとしての腕は一流だ。
・一流(の){ホテル／企業／選手 …}
関 最高級、二流、三流

いっかつ ヲ一括スル
[名] ★1 　bundle, lump／一次, 全部／일시불, 일괄, 한꺼번에／tổng hợp, một lần

・授業料1年分を一括で納付した。
・亡くなった岡田教授の蔵書は、一括して市の図書館に寄贈された。
合 一括払い⇔分割払い　関 ヲまとめる

いっきに　一気に
[副] ★1　in one go, without stopping, all together／一口气，一下子／한숨에, 단숨에／ngay lập tức

・駅の階段を一気に駆け上がったら、息が切れてしまった。
・ビール大ジョッキを一気に飲み干した。

いっけん　一見
[副] ★1　at a glance, seemingly／乍一看；看一眼；看一次／언뜻 보다, 한번 보다／cái nhìn thoáng

① ・今井さんは一見おとなしそうだが、実はけっこう気が強い。
　　※逆接の表現と一緒に使う。
② ・このブランドもののバッグは、一見して偽物だとわかる。
　　※「一見して」の形で使う。
③ [名] ・あの絵は一見の価値がある。

[慣] 〈ことわざ〉百聞は一見にしかず

いっこうに　一向に
[副] ★1　absolutely, (not) in the least／完全／조금도, 전혀／một chút, một ít

・どれほど働いても、暮らしは一向によくならなかった。
※否定的な表現と一緒に使う。　[類] 全然、全く

いっさい　一切
[名] ★1　all, the whole／全部，一概／전부, 일체, 전혀／tất cả

① ・火事で{一切の財産／財産の一切}を失った。　[類] 全部、すべて、何もかも
② [副] ・林部長は部下の言うことをいっさい聞こうとしない。
　　※否定文に使う。　[類] 全く

いっしょう　一生
[名] ★3　(whole) life; forever／一生，一辈子／일생, 평생／suốt đời, cuộc đời, mãi mãi

① ・ピカソの一生を調べる。　・幸せな一生を送る。
② [副] ・あなたのことは、一生忘れません。

いっせいに　一斉に
[副] ★2　all together, at once／一齐，同时／일제히／cùng lúc

・ピストルの音と同時に、選手たちは一斉にスタートした。
・北国では、春の訪れとともに多くの花が一斉に咲き乱れる。

いっそ
[副] ★1　rather／宁可，索性／차라리／hơn

・こんなに辛い思いをするくらいなら、いっそ死んでしまいたい。

・将来性のない会社にいつまでもいるよりは、いっそ(のこと)転職しようかと思う。
※ 願望や意志の表現と一緒に使うことが多い。　連 いっそのこと＋[動詞]

いっそう　一層

[副] ★2
more, still
越发, 更加／한층 더, 더욱
hơn nữa

・夜になって、風雨はいっそう激しくなった。
・「今後の一層の努力を期待します」
※ 「もっと」よりかたい言葉。　類 さらに、一段と

いったい　一体

[副] ★3
what in the world
到底, 究竟／도대체
tóm lại là

・あの人は一体何をしているのだろう。
・「あなたはいったい何が言いたいのですか」
※ 疑問詞と一緒に使う。

いったん　一旦

[副] ★1
temporarily, for a moment, once
一旦, 既然, 姑且／일단, 한번
tạm, nhất thời

① ・交差点では自転車から一旦降りて、押して渡らなければならない。
　合 __停止　類 ひとまず、一度
② ・本田さんは頑固な人で、いったん言い出したら、絶対意見を変えようとしない。
　類 一度

いっち　ガー致スル

[名] ★2
agreement; coincidence; correspondence
一致, 符合／일치
phù hợp

・二人の意見が一致した。　・恋人と誕生日が同じとは、偶然の一致だ。
・彼の指紋が、現場に残された指紋と一致した。
連 偶然の__　合 満場__　対 不一致（× 不一致する）

いってい　ガー定スル

[名] ★2
constant, uniform; fixed; certain
固定不变；规定；一定／일정
nhất định

① ・倉庫の中は一定の温度に保たれている。
② ・花が咲くには一定の条件が必要だ。
③ ・一定の成績を取らなければ、奨学金はもらえない。
④ ・エアコンが故障して、温度が一定しない。

いつのまにか　いつの間にか
[副] ★3　before one knows／不知不觉间, 不知什么时候／어느새, 어느덧／không biết từ lúc nào

・いつの間にか、外は暗くなっていた。
・子供はいつの間にか、私より背が高くなっていた。
※「いつの間に」は疑問文に使う。（例．いつの間にこんなにお金を使ってしまったのだろう。）

いっぱい　一杯
[副] ★3　full／很多；满, 充满；全, 全部／가득, 찰짝, ~껏／đầy, hết cỡ

①・会場には子供たちがいっぱいいて、とてもにぎやかだった。
※話し言葉的。　類 たくさん
②・もう、おなかがいっぱいだ。　・姉の部屋は本でいっぱいだ。
③・窓をいっぱいに開く。　合 精__（例．精一杯がんばる。）、力__

いっぱん　一般
[名] ★2　(the) general／一般, 普通；普通／일반／chung

・これは一般の店では手に入らない薬だ。　・{国民／世間} 一般の {意見／習慣}
合 __常識、__論、__社会、__大衆、__性、__的な
[副] 一般に］・一般に、男性より女性の方が長生きである。

いっぱんてきな　一般的な
[ナ形] ★2　general; generally／一般的／일반적 인／có tính phổ biến

・日本では結婚すると女性の方が姓を変えるのが一般的だ。
・一般的に言って、料理は関西の方が関東より薄味だ。
対 特殊な

いっぽう　一方
[名] ★2　one side; the other side; while／一个方向, 单方面, 一部分…另一部分, 一方面…另一方面却, 但是／한쪽, 한편／một hướng, một phía, mặt đối diện

①・飛行機の中で乗客が一方に片寄ると危ない。
　合 __通行、__的な（例．電話でけんかになり、兄は怒って一方的に電話を切った。）
②・マウスを２グループに分け、一方にはAの薬を、もう一方にはBの薬を与えた。
③・経済の成長は国民の生活を向上させる一方で、公害問題を引き起こした。
④［接］A県では人口が増加している。一方、B県では減少しつつある。

いでん　ガ**遺伝**スル
[名] ★2
heredity
遺伝／유전
di truyền

・私の左利きは親からの遺伝だ。

合 __子（例．遺伝子操作、遺伝子治療、遺伝子組み換え）

いと　ヲ**意図**スル
[名] ★1
intention, aim
意图，用意／의도
ý đồ, ý tưởng

・提案の意図を説明した。
・この法律は、低所得者層の税負担の軽減を意図して制定された。

連 __がある⇔ない　**合** __的な（例．情報を意図的に漏らす。）　**類** 狙い、目的
関 ヲ狙う

いどう　ガ／ヲ**移動**スル
[名] ★2
movement, transfer
移动／이동
di chuyển

・今度の旅行では、移動はすべてバスだ。
・「ここは駐車禁止です。車を別の場所に移動してください」

関 ガ移る・ヲ移す、ガ／ヲ移転スル（例．店が移転する。）、
ガ転居スル（例．友達が転居した。）、ガ移住スル（例．ブラジルに移住する。）

いどむ　ガ／ヲ**挑む**
[動] ★1
to challenge, tackle
挑战／도전하다
thách thức

〈自〉・日本記録を樹立した野村選手は、来月、世界記録に挑む。
　　・｛チャンピオン／難問／山　…｝に挑む。
　類 ガ挑戦する、ガチャレンジする
〈他〉・チャンピオンに戦いを挑む。　・｛論争／試合　…｝を挑む。

イニシャル
[名] ★1
initials
开头字母／이니셜
đầu tiên

・私の名前は「伊藤たかし」だから、イニシャルは「I・T」だ。

類 頭文字　※「イニシャル」は名前についてだけ使う。

いのち　**命**
[名] ★3
life
生命，性命／생명, 목숨
sinh mạng

・命は大切にしなければならない。

類 生命

いのる　ヲ祈る
[動] ★3　pray／祈祷／기도하다, 기원하다／cầu nguyện

・家族の健康を神に祈った。　・私は別れても彼の幸せを祈っている。
(名)祈り(例. 私の祈りが神に通じたのか、父の手術は成功した。)

いばる　ガ威張る
[動] ★2　act big, be arrogant／自高自大, 摆架子／뽐내다, 으스대다／ngang tàng

・自分ができるからといって、すぐにいばる人は嫌われる。
[合] ガ威張りちらす

いはん　ガ違反(ヲ)スル
[名] ★2　violation, offense／违反／위반／vi phạm

・{規則／法律 …}に違反する。
[合] スピード__、法律__、選挙__　[関] ガ反する

イベント
[名] ★1　event／活动／이벤트／sự kiện

・世界のアニメ映画を上映するイベントが行われた。
・紅白歌合戦は、年末のテレビの一大イベントだ。
[連] __をする、__を行う、__を{開く／開催する}　[合] 一大__、メイン__、__情報(誌)
[類] 催し(物)、行事

いまごろ　今ごろ
[副] ★1　now, at this late hour／现在, 这般时候／지금쯤, 이맘때／bây giờ

① ・今ごろ(になって)日時を変更してくれと言われても困る。
　※否定的な意味で使うことが多い。　[類] 今さら、今になって
② ・帰国したマリアさんは、今ごろ何をしているだろう。
※①②名詞としても使う。

いまさら　今さら
[副] ★1　now, at this late hour／现在才, 事到如今／이제 와서, 새삼스럽게／lại nữa

① ・今さらあわてても、もう間に合わないだろう。　・「今さら断られても困ります」
　[類] 今ごろ、今になって
② ・省エネの大切さは、今さら言うまでもない。
※①②後ろに否定的な内容の表現が来る。
[連] ①②__のように(例. 落ち葉を見て、今さらのように季節の移り変わりを感じた。)、

＿ながら（例．親が入院した。今さらながら、親は大切にしなければと思う。）

いまだに
[副] ★2
(not) yet; still
还, 仍然／아직껏, 아직도
đến giờ

・三日前に出した手紙がいまだに着かないのはおかしい。
・あの時の悔しさはいまだに忘れられない。
※否定的な表現と一緒に使う。「まだ」よりかたい言葉。

いまどき　今どき
[副] ★1
today, nowadays
现今／요새, 요즘
hiện nay

・「そんなやり方、今どきはやらないよ」　・彼は今どき珍しい、礼儀正しい青年だ。
※否定的な意味で使うことが多い。　※名詞としても使う。　関 現代

いまに　今に
[副] ★1
before long
到現在才, 早晩／머지않아, 언젠가, 두고
bây giờ

・今に彼の才能が認められる日が来るだろう。
・「どうしてあんなことをしたのか、理由を教えてください」「今にわかりますよ」
類 そのうち　関 いずれ

いまひとつ　今一つ
[副] ★1
lacking, not quite
略有欠缺／뭔가 좀, 충분하지 못한
một chút

・このデザインは悪くはないが、今ひとつ新鮮みに欠ける。
・「味はどう？」「うーん、今一つだね」
※俗語では「いまいち」とも言う。

いまや　今や
[副] ★1
now (in contrast to the past)
现在正是／지금은, 이제야말로
bây giờ

①・昨年新人賞を取ったばかりの彼女が、今や大スターの一人だ。　類 今では
②・今や一致団結して、革命を起こすときだ。　類 今こそ

イメージ　ヲイメージスル
[名] ★3
image
印象, 形象／이미지
hình ảnh, hình dung, tưởng tượng ra

・私はこの曲から広い海をイメージした。　・イメージがいい女優をCMに使う。
連 ＿がいい⇔悪い、＿が浮かぶ、＿がアップする⇔ダウンする　合 ＿チェンジ、＿アップ⇔ダウン

いやがらせ　嫌がらせ
[名] ★1　harassment／讨厌的言行, 骚扰／괴롭히는 것, 장난하는 것, 짓궂은 짓／đáng ghét

・町議会で一人だけ反対意見を述べたら、嫌がらせをされるようになった。
・嫌がらせの電話が頻繁にかかってきて困っている。

⦅連⦆＿をする、＿を受ける

いやに
[副] ★1　very, awfully／离奇／무척, 몹시／khủng khiếp

・いつもにぎやかな彼女が、今日はいやにおとなしい。どうしたのだろう。
・「まだ梅雨前なのに、いやに蒸し暑いですね」

⦅類⦆妙に、やけに

イヤホン
[名] ★2　earphone／耳机／이어폰／bộ tai nghe

・電車の中でイヤホンをつけて音楽を聴いている若者が多い。

⦅連⦆＿をする、＿をつける　⦅関⦆ヘッドホン

いよいよ
[副] ★2　at last; more and more／终于, 愈发／드디어, 점점／ngày càng gần, càng tăng

①・明日はいよいよ決勝戦だ。　　　　　　　　　　　　⦅類⦆とうとう、ついに
②・台風が近づき、雨はいよいよ激しくなった。　　　　⦅類⦆ますます

いよく　意欲
[名] ★2　will, eagerness／热情, 积极性／의욕／ý muốn

・働く意欲はあるのだが、仕事が見つからない。
・彼には勉強の意欲が感じられない。

⦅連⦆＿がある⇔ない、＿が湧く⇔湧かない、＿に燃える　⦅合⦆＿的な　⦅関⦆やる気、欲求

いらいら　ガいらいらスル
[副] ★3　irritated／着急, 情绪焦躁／안절부절못하다／sốt ruột

・急いでいるのにバスがなかなか来なくていらいらした。

イラスト　＜イラストレーション
[名] ★2　illustration／插图／일러스트, 삽화／một minh họa

・この本はイラストがたくさんあって内容が理解しやすい。

⦅類⦆さし絵　⦅関⦆イラストレーター

いわう ヲ祝う

[動] celebrate / 庆祝，祝贺／축하하다 / chúc mừng (năm mới, kết hôn...)
★3

・{新年／誕生日／成功 …}を祝って乾杯した。
(名)祝い(例．結婚の(お)祝いにワイングラスをもらった。)→ [名詞]+祝い(例．入学祝い、結婚祝い、誕生祝い)

いわば 言わば

[副] so-called, so to speak / 说起来，可以说／말하자면 / có thể nói như là
★1

・成田空港は言わば日本の玄関だ。
・大学時代を過ごしたこの町は、私にとって、言わば第二の故郷と言ってもいいだろう。

[関] 言ってみれば

いわゆる

[連] what is called, so-called / 所谓的／소위 / cái gọi là
★2

・私はいわゆる受験戦争とは無縁の高校時代を過ごした。

いんしょう 印象

[名] impression / 印象／인상 / ấn tượng
★3

・彼女と初めて会ったとき、優しそうな人だという印象を受けた。
・彼は昔、よく先生に怒られていたという印象がある。

[連] {強い／～そうな …}__を与える⇔受ける、__に残る [合] __的な

インスタント

[名] instant / 速食，快速(食品)／인스턴트, 즉석 / đồ ăn liền
★3

・インスタント食品は便利だ。

[合] __ラーメン、__コーヒー、__食品

インターネット

[名] Internet / 网络，因特网／인터넷 / internet
★3

・インターネットで世界の環境問題について調べた。
・昨日は1日中インターネットをしていた。

[連] __をする、__につなぐ、__に接続する [合] __カフェ [関] パソコン<パーソナルコンピューター、ホームページ、ニメール(ヲ)スル、ブログ

インターンシップ

[名] internship / 就业体验／인턴십 / thực tập
★1

・最近は、学生が一定期間研修できるインターンシップ制度を設ける企業が多い。

合 __制(度)　関 インターン

インタビュー　ガ/ヲインタビュー(ヲ)スル
[名] ★3　interview／采访／인터뷰／phỏng vấn

・勝ったチームの選手にインタビューする。
・記者のインタビューに答える。
連 __を受ける、__に答える　合 __調査

インテリア
[名] ★2　interior (accessory), decor／室内装饰／인테리어, 실내 장식／trang trí nội thất

・友達の部屋はインテリアの趣味がいい。
合 __ショップ、__デザイン、__デザイナー　類 内装

インパクト
[名] ★1　impact／冲击／임팩트, 인상／va chạm, tác động, ảnh hưởng

・ピカソの絵は、見る者に強いインパクトを与える。
・インパクトのない商品はなかなか売れない。
連 __がある⇔ない、__が強い⇔弱い、__を与える⇔受ける、__に欠ける　関 衝撃

インフォメーション
[名] ★2　information／信息, 情报／인포메이션, 안내, 정보／thông tin

① ・駅には観光客用のインフォメーションデスクがある。
　　合 __サービス、__デスク、__カウンター、__センター　関 案内
② ・企業の詳しいインフォメーションは、ホームページに載っている。
　　合 __ギャップ　類 情報

インフラ　＜インフラストラクチャー
[名] ★1　infrastructure／基础设施／구조 기반, 하부 구조／cơ sở hạ tầng

・社会の発展のためには、インフラの整備が不可欠だ。
・戦災でインフラが崩壊し、人々の生活は困難を極めた。
連 __を整える、__を整備する、__を敷く、__を築く

インフレ　＜インフレーション
[名] ★2　inflation／通貨膨脹／인플레／lạm phát

・インフレで物価が上昇している。
対 デフレ＜デフレーション

ウィークデー
[名] ★2
weekday(s)
工作日，平日／평일
các ngày trong tuần

・この道路はウィークデーは渋滞するが、休日はがらがらだ。

対 ウィークエンド、週末、休日　類 平日

ウイルス
[名] ★3
virus
病毒，病菌／바이러스
vi rút

・この病気はウイルスによって起こる。　・ウイルスが入ってパソコンが故障した。

合 インフルエンザ＿＿、コンピューター＿＿

ウエスト
[名] ★2
waist
腰身，腰围／웨이스트, 허리
eo

・最近太ってスカートのウエストがきつくなった。　・ウエストを測る。

類 胴回り　関 ヒップ、バスト

うえる　ガ飢える
[動] ★2
starve; be hungry for ~
饥饿，渴望／굶주리다
đói

① ・戦争中は食べ物がなく、皆が飢えていた。　　合 ガ飢え死に(ヲ)スル
② ・あの子は母親の愛情に飢えている。

(名) ①②飢え

うかがう　ヲうかがう
[動] ★1
to sound out, see/understand
窥视, 何机, 看出／엿보다, 살피다, 노리다
thăm dò, nghe

① ・父はとても怖い人だったので、私はいつも父の顔色をうかがっていた。
　　運 顔色を＿＿、あたりを＿＿
② ・｜機会／タイミング／チャンス／相手のすき …｜をうかがう。　関 ヲ狙う
③ ・彼の顔を見て、｜決心の固さ／決意のほど｜がうかがえた。
　　※ 自発動詞として使われることが多い。

うかぶ　ガ浮かぶ
[動] ★2
float; think of; surface, come up with ／漂, 浮
想起, 想出; 浮起, 浮出／뜨다, 떠오르다
nổi

① ・池にボートが浮かんでいる。　・空に雲が浮かんでいる。
② ・アイデアが浮かぶ。　・家族の顔が目に浮かぶ。　・顔に笑みが浮かぶ。
③ ・死んだ魚が水面に浮かんできた。　・新しい容疑者が浮かんだ。
　　合 ガ浮かび上がる(例.・水面に浮かび上がる。　・Aが容疑者として浮かび上がった。)

☞〈他〉浮かべる

うかべる　ヲ浮かべる
[動] ★2　float; have／使……浮起；浮現／띄우다, 나타내다, 떠올리다／thả nổi

① ・池におもちゃのボートを浮かべて遊んだ。
② ・彼女は目に涙を浮かべて抗議した。　　　　　連 涙を＿　合 ヲ思い＿

☞〈自〉浮かぶ

うく　ガ浮く
[動] ★2　float; rise; set someone off from one's peers; save／浮, 飄, 悬空；不合群, 浮余, 有剩余／뜨다, 고립되다, 남다／trôi nổi

① ・1円玉は水に浮く。　　　　　　　　　　　　　対 ガ沈む
② ・美女の体が宙に浮くというマジックを見た。　　　合 ガ浮き上がる
③ ・彼は人に合わせることが苦手で、いつも集団から浮いている。
④ ・途中、ヒッチハイクをしたので、旅費が浮いた。

うけいれる　ヲ受け入れる
[動] ★1　to accept, agree／接受, 采纳／받아들이다／nhận vào, tán đồng

① ・日本はまだあまり多くの難民を受け入れていない。
　合 受け入れ先（例. ホームステイの受け入れ先）、受け入れ態勢（例. 受け入れ態勢を整える。）
② ・彼の提案は全会一致で受け入れられた。　　　　類 ヲ認める

（名）①②受け入れ

うけたまわる　ヲ承る
[動] ★2　comply with; hear／知道, 遵命, 恭听／받다, 듣다／nghe

① ・「ご注文、確かに承りました」　　　　　　　※「受ける」の謙譲語
② ・「教授のご意見を承りたいのですが」　　　　※「聞く」の謙譲語

うけとる　ヲ受け取る
[動] ★2　receive, get; take, understand／領取, 接收；理解, 领会／받다, 해석하다／nhận

① ・着払いの荷物を、代金を払って受け取った。　　　　　（名）受け取り
② ・上司からの注意は、自分への期待だと受け取ることにしている。
　関 ヲ解釈する、ヲ理解する

うけもつ　ヲ受け持つ
[動] ★2　be in charge (of ~)／担任, 负责／담당하다／đảm nhiệm

・サークルで、今年は会計を受け持つことになった。

・高橋さんは新聞配達でＡ地区を受け持っている。
類 ヲ担当する　(名) 受け持ち (例．Ａ地区の受け持ちは高橋さんだ。)

うごかす　ヲ動かす

[動] ★3　move; work (a machine); set in motion
使……活動；使……移動；使……运转／움직이다，옮기다／cho chuyển động, bắt hoạt động

① ・ひどいけがをして、体を動かすこともできない。
② ・スイッチを入れて機械を動かす。
③ ・国民の力で政府を動かすことができる。
④ ・一人の人間が歴史を動かすこともある。
☞〈自〉動く

うごく　ガ動く

[動] ★3　move; work; take action
动；(位置)移動；行动／움직이다，이동하다／di chuyển, vận động, hành động

① ・「写真を撮るから動かないでください」
② ・スイッチを入れても機械が動かない。
③ ・いなくなった兄を捜してほしいと言っても、警察はなかなか動いてくれなかった。
④ ・今世界はすごいスピードで動いている。
(名) ①〜④動き→　__が速い⇔遅い、__が素早い　☞〈他〉動かす

うしなう　ヲ失う

[動] ★2　lose; miss; lose (someone) (because of his death); lose (consciousness)／丢失，失去；错过(机会等)；丧亲；昏迷／잃다, 놓치다, 여의다／thua

① ・地震で財産を失った。　　　　　　　　　　　　対 ヲ得る　類 ヲなくす
② ・{機会／チャンス …}を失う。　　　　　　　　　　　　　　類 ヲ逃す
③ ・私は飛行機事故で親を失った。　　　　　　　　　　　　　類 ヲ亡くす
④ ・頭を打って{気／意識}を失った。

うず　渦

[名] ★1　swirl, vortex
旋渦／소용돌이／xoáy

① ・洗面台の栓を抜くと、水が渦になって流れていった。　・波が渦を巻いている。
② ・指紋の渦　　　　連①②__を巻く　合①②__巻き (例．渦巻き状のパン)
③ ・事件の渦に巻き込まれる。　・広場は{歓喜／興奮／怒号 …}の渦に包まれた。

うすい　薄い

[イ形] ★3　light (color, flavor, makeup), weak (coffee), thin (beard)／薄，淡／연하다, 적다／nhạt, mỏng

① ・薄い本　　　　　　　　　　　　　　　　　　　　　　　　　　　　対 厚い
② ・{色／味／コーヒー／お茶／化粧／ひげ …}が薄い。　　　　　　　　　対 濃い

合 ①②薄さ （動）ガ薄まる、ヲ薄める

うすまる　ガ薄まる
[動] ★2　attenuate／变淡／싱거워지다, 엷어지다, 묽어지다／nhẹ bớt

・氷がとけてジュースが薄まった。　・｛味／色／濃度 …｝が薄まる。

（イ形）薄い　☞〈他〉薄める

うすめる　ヲ薄める
[動] ★2　attenuate, dilute (the liquid), weaken／弄淡, 稀释／싱겁게 하다, 묽게 하다, 엷게 하다／pha loãng

・水を足して味を薄めた。　・｛味／色／濃度 …｝を薄める。

（イ形）薄い　☞〈自〉薄まる

うすれる　ガ薄れる
[動] ★2　get faint, fade／渐薄, 渐淡, 模糊／엷어지다, 희미해지다, 줄어들다／phai

・霧が薄れ、見通しが良くなった。　・時がたち、記憶も薄れてしまった。

・｛関心／興味／緊張感／新鮮み／ありがたみ／意識 …｝が薄れる。

うたがう　ヲ疑う
[動] ★2　suspect; doubt／怀疑；猜疑／혐의 두다, 의심하다／nghi ngờ

①・警察は私を犯人ではないかと疑っているらしい。　　（イ形）疑わしい
②・小さな子供は人を疑うことを知らない。

連 良識を＿＿　対 ヲ信じる　慣 目を疑う（例. あり得ない光景を見て、自分の目を疑った。）

（名）①②疑い→　＿＿を持つ、～＿＿がある⇔ない（例. ガンの疑いがある。）

うたがわしい　疑わしい
[イ形] ★1　doubtful, suspicious／有疑问, 可疑／의심스럽다／nghi ngờ

・この記事が本当かどうか疑わしい。　・容疑者の中で最も疑わしいのはAだ。

合 疑わしさ　類 怪しい、不確かな、不審な　（動）ヲ疑う

うちあける　ヲ打ち明ける
[動] ★1　to be frank/open／坦白／털어놓다, 고백하다／bộc lộ

・過去の過ちを親友に打ち明けたら、心が軽くなった。　・本心を打ち明ける。

類 ヲ告白する

うちあげる　ヲ打ち上げる
[動] ★2　launch／发射／쏘아 올리다, 마치다／đưa lên, nâng lên

・｛ロケット／花火｝を打ち上げる。

(名) 打ち上げ(例. ・文化祭が終わって、打ち上げパーティーを開いた。 ・ロケットの打ち上げ)

うちあわせる　ヲ打ち合わせる
[動] ★2　to pre-arrange, to knock together／协商, 使……相碰／미리 상의하다, 미리 논의하다, 맞부딪치다／gặp gỡ đàm phán

① ・向こうの会社の担当者と、次回の会合の議題を打ち合わせた。
　[類] ヲ相談する　(名) 打ち合わせ
② ・シンバルは2枚の丸い金属板を打ち合わせて音を出す楽器である。

うちきる　ヲ打ち切る
[動] ★1　to discontinue, stop　停止／그만두다, 중지하다／bãi, bỏ

・怒った部長は、話を途中で打ち切って部屋を出て行った。
・｛契約／会議／捜査／援助 …｝を打ち切る。
(名) 打ち切り→〈連載・番組など〉＿になる

うちけす　ヲ打ち消す
[動] ★2　deny　否定, 消除／없애다, 지우다／hủy bỏ

・良くないうわさが流れると、それを打ち消すのは大変だ。
　[類] ヲ否定する　(名) 打ち消し

うちこむ　ガ／ヲ打ち込む
[動] ★2　feed (data) into ~; smash ~ into; be absorbed in／输入, 猛烈发球, 埋头于／입력하다, 쳐넣다, 열중하다／đập vào, đóng vào

〈他〉① ・パソコンにデータを打ち込む。　　　　　　　　(名) 打ち込み
　　　② ・サーブを打ち込む。
〈自〉　・研究に打ち込む。

うちわけ　内訳
[名] ★1　itemization　详细内容／내역, 명세／phân tích

・給与明細には給与の内訳が書いてある。　・図書館の利用者の内訳を調べる。
[関] 明細

うつ　ヲ撃つ
[動] ★2　shoot　射击, 开枪／쏘다／bắn

・警官が犯人をピストルで撃った。　・｛ピストル／銃／大砲 …｝を撃つ。

うっかり　ガうっかりスル
[副] ★3　absentmindedly　不留神, 不小心, 稀里糊涂／깜빡／đãng trí

・うっかりして、さとうと塩を間違えて入れてしまった。

・買い物に行くのに、うっかりさいふを忘れて出かけてしまった。

うつす ヲ写す
[動] ★3
take (photos), capture (on film); copy
拍照，抄／찍다，베끼다
chụp thành (ảnh), copy vào (vở...)

① ・写真を写す。　・すばらしい風景を写真に写した。
② ・黒板の字をノートに写した。
☞〈自〉写る

うつす ヲ移す
[動] ★3
move, relocate; transmit (an illness)
移，移动，迁移；传染／옮기다
chuyển đi, truyền đi (bệnh cúm...)

① ・本社を大阪から東京に移した。　・母をもっと設備のいい病院に移したい。
② ・田中さんにかぜをうつされてしまった。
☞〈自〉移る

うつす ヲ映す
[動] ★2
mirror; project; reflect／映，照，放映；反映
비추다，상영하다，반영하다
phản ánh được

① ・全身を映せる鏡がほしい。　・富士山が湖に姿を映している。
② ・スクリーンに映画を映す。　　　　　　　　　　　　　合 ヲ映し出す
③ ・歌は時代を映す鏡だと言われている。
☞〈自〉映る

うったえる ヲ訴える
[動] ★1
to complain, sue, call for, bring to someone's attention, resort to, appeal to／报告，控诉，表达，诉说，诉诸
고발하다，고소하다，호소하다／kiện cáo, tố tụng

① ・隣人の迷惑行為があまりにひどいので、警察に訴えることにした。
　類 ヲ告訴する、ヲ告発する
② ・言葉が話せない赤ん坊は、空腹も不快も泣いて訴えるしかない。
　(名) ①②訴え→ ＿を聞く
③ ・日本の憲法では、紛争の解決にあたって武力に訴えることを禁じている。
④ ・最近は視覚に訴えるカラフルな大学案内が多い。　類 ガ／ヲアピール(ヲ)する

うっとうしい
[イ形] ★1
irritating, depressing
麻烦，郁闷，不舒服／후덥지근하다，귀찮다
u sầu, chán nản, buồn rầu

・梅雨時は気温も湿度も高くてうっとうしい。
・鼻が詰まって、うっとうしい気分だ。　・長い髪がうっとうしいので短く切った。
合 うっとうしさ　類 不快な

うっとり（と）　ガうっとりスル
[副] ★1　spellbound, absorbed / 出神，入迷／넋을 잃고, 황홀히 / sung sướng

- 彼女はうっとりと音楽に聴き入っていた。
- スターの写真を眺めて、彼女はうっとりした表情を浮かべた。

うつむく　ガうつむく
[動] ★1　to look down / 俯首，垂头／고개를 숙이다 / cúi đầu, rủ xuống

- その子はいじめられても、黙ってうつむいているだけだった。
- 花がしおれてうつむいている。

合 うつむき加減（例．うつむき加減に歩く。）　対 ガ仰向く

うつる　ガ写る
[動] ★3　(camera) takes (photos); (photo) comes out / 映，照／찍히다 / chụp

① ・このカメラは暗いところでもよく写る。
② ・「この写真、よく写っているね」
(名)①②写り→ ＿がいい⇔悪い、写真＿（例．私は写真写りが悪い。）　☞〈他〉写す

うつる　ガ移る
[動] ★3　move, relocate; (illness) is transmitted / 搬到，移到，挪到；传染上／이동하다, 옮다 / chuyển đi, bị truyền (bệnh cúm...) từ ai đó

① ・黒板の字が見えにくかったので、前の席に移った。
② ・かぜをひいた。たぶん、田中さんからうつったのだと思う。
☞〈他〉移す

うつる　ガ映る
[動] ★2　be reflected; be (on television); look (like ~) ／映，照；显示；反映，留下印象；颜色配搭好／비치다, 나타나다, 잘 어울리다／được phản ánh

① ・鏡には左右が逆に映る。　・湖の水面に周りの山々が映っている。
② ・テレビを見ていたら、知っている場所が映った。
　関 映像　(名) 映り（例．古くなったせいか、このテレビは最近映りが悪い。）
③ ・ふと窓の外を見ると、あやしい男が目に映った。　連 目に＿
④ ・初対面の彼は、紺色のスーツに赤いネクタイがよく映っていた。
☞〈他〉映す

うながす　ヲ促す
[動] ★1　to press, suggest, stimulate / 催促，促使／재촉하다, 촉진하다, 환기시키다 / thúc đẩy, xúc tiến

① ・何度返事を促しても、彼は何も言ってこない。　・相手に借金の返済を促す。
② ・新しい空港は町の発展を促すだろう。
類 ヲ促進する、ヲ推進する

③・山道に、熊への注意を促す立て札が立っていた。　・{再考／自粛 …}を促す。

うなずく　　ガうなずく
[動] ★2
nod; nod in agreement
首肯；同意／고개를 끄덕이다, 수긍하다
gật đầu

①・祖父は何も言わずにうなずいた。
②・何度頼んでも、父はうなずいてくれない。

[関] ガ賛成する、ヲ肯定する

うぬぼれる　　ガうぬぼれる
[動] ★1
to be conceited
自我欣賞／우쭐하다, 잘난 체하다
tự mãn, tự phụ

・彼女は自分が美人だとうぬぼれている。

[合] うぬぼれ屋　[類] ガ思い上がる　(名)うぬぼれ→ ＿が強い

うばう　　ヲ奪う
[動] ★2
take (something) by force／抢劫, 吸走, 抢夺, 吸引／빼앗다／cướp

①・コンビニに強盗が入り、レジから売上金を奪って逃走した。
②・アルコールは蒸発するときに熱を奪う。

[連] {命／自由／権利／機会／熱 …}を＿
[類] ①②ヲ取る　[慣] {目／心}を奪われる

うまい　
[イ形] ★3
skillful; tasty; smooth, successful／高明, 好；可口, 美味；顺利, 美好／훌륭하다, 맛있다, 잘되다／ngon (thức ăn), trôi chảy (công việc)

①・母は料理がうまい。
②・仕事の後のビールはうまい。

[合] うまさ　[類] 上手な

※くだけた言葉。[合] うまさ、うまみ　[類] おいしい

③・「面接はうまくいきましたか」「まあまあでした」

[連] うまくいく

うまる　　ガ埋まる
[動] ★3
be buried
(被)埋上, 埋着／가득 차다, 메워지다
bị lấp, bị chôn

・山がくずれて家が埋まってしまった。

☞〈他〉埋める

うまれる　　ガ生まれる
[動] ★3
be born, be created
出生／태어나다, 출생하다
được sinh ra, tạo ra

・先月子供が生まれた。　・1990年代に、多くのアニメの名作が生まれた。

[合] [名詞]＋生まれ(例. ○○年生まれ、アメリカ生まれ)　[関] ガ誕生する
(名) 生まれ(例. 生まれは北海道だが、3才のときから大阪に住んでいる。)

☞〈他〉産む／生む

うむ ヲ産む／生む
[動] ★3
give birth, create
生，下；产生／낳다, 출산하다
sinh ra, tạo ra

・妻が先日元気な女の子を産んだ。　・彼の努力がこの新記録を生んだ。
[関] ヲ出産する　☞〈自〉生まれる

うめたてる ヲ埋め立てる
[動] ★1
to reclaim, fill up
填海(河)造地／매립하다
chôn lấp

・海を埋め立てて空港を作る。
[合] 埋め立て地　(名)埋め立て

うめる ヲ埋める
[動] ★3
bury; fill (a hole/blank)
把……埋起来；把……填上／묻다, 메우다
lấp, chôn cất

① ・あなを掘ってごみを埋めた。
② ・土を入れて穴を埋めた。　・解答欄を埋める。
☞〈自〉埋まる

うやまう ヲ敬う
[動] ★2
respect
尊敬, 敬重／공경하다, 숭배하다
kính trọng

・神仏を敬う。
[関] ヲ尊敬する、ヲ崇拝する

うらがえす ヲ裏返す
[動] ★2
turn over
翻过来／뒤집다
lật lại

・「この書類を書き終わったら、裏返して机の上に置いてください」
[類] ヲひっくり返す　(名)裏返し(例. セーターを裏返しに着て外出してしまった。)
〈自〉裏返る(例. 机に置いた紙が風で裏返った。)

うらぎる ヲ裏切る
[動] ★2
betray; disappoint, be contrary to one's expectation／背叛／배신하다, 어긋나다／
phản bội

① ・彼は味方を裏切り、敵のグループに入った。
② ・田中選手はファンの期待を裏切り、1回戦で負けてしまった。
[合] 裏切り者　(名)裏切り
[連] {予想／期待／信頼 …}を__

うらづける ヲ裏付ける
[動] ★1
to support, substantiate
证实, 印证／입증하다
hỗ trợ, chứng cứ

・彼の犯行を裏付ける証拠はない。
・この実験結果は田中博士の理論を裏付けるものだ。

合 裏付け捜査　類 ヲ立証する　(名) 裏付け

うらなう　ヲ占う
[動] ★2
divine; predict
占卜，算命／점치다，예언하다
chiêm

① ・来年の運勢を占ってもらった。
(名) 占い→ [名詞]＋占い (例. 星占い、血液型占い)
② ・経済の動向を占うのは専門家にも難しい。　　類 ヲ予測する

うらむ　ヲ恨む
[動] ★2
have a grudge, feel resentment
恨，怨恨／원망하다
nguyền rủa

・私は今でも、私をいじめた同級生を恨んでいる。
関 ヲ憎む　(名) 恨み→ 二＿を持つ、二＿を抱く

うらやましい　羨ましい
[イ形] ★3
envious
羨慕／부럽다
ghen tị, ngưỡng mộ

・才能の豊かな人がうらやましい。
・弟はゲームをたくさん持っている友達をうらやましがっている。

合 うらやましさ　(動) ヲうらやむ

うらやむ　ヲ羨む
[動] ★2
envy, be envious (of)
羨慕／부러워하다
ghen tị

・人の幸せをうらやんでもしかたがない。
・彼は宝くじに当たって、周りから羨まれている。

関 ヲねたむ　(イ形) うらやましい

うりきれる　ガ売り切れる
[動] ★2
be sold out
全部售完，脱销／다 팔리다，매진되다
được bán hết

・そのコンサートのチケットは1時間で売り切れたそうだ。
(名) 売り切れ

うるおう　ガ潤う
[動] ★1
to get wet, be moisturized, profit from
润湿，宽绰起来／촉촉해지다，윤택해지다
nhuận, bôi trơn

① ・久しぶりの雨で田畑が潤った。　・このクリームを塗ると、肌が潤う。
② ・自然の中にいると、心が潤ってくる。　　　　　　(名) ①②潤い
③ ・新しい工場のおかげで、市の財政が潤った。

ほぼ 〈他〉潤す

うるおす ヲ潤す

[動] ★1
to wet, enrich, benefit／润, 滋润, 宽绰／축이다, 윤택해지다, 혜택을 주다／làm ẩm, bồi trơn

① ・山登りの途中で水を飲んでのどを潤した。　・久しぶりの雨が畑を潤した。
② ・芸術は人の心を潤す。
③ ・財政を潤すため、市は工場の誘致に努めている。

☞〈自〉潤う

うるさい

[イ形] ★2
noisy; wordy; fastidious／吵人的, 讨厌的, 挑剔／시끄럽다, 잔소리가 많다, 까다롭다, 거추장스럽다／ồn ào, phiền phức

① ・「テレビの音がうるさいから、ちょっと小さくして」　対 静か　類 騒々しい
② ・私は課長にいつも言葉づかいをうるさく注意されている。　合 口__
③ ・彼女はプロだけあって、料理の味にうるさい。

　合 ①〜③うるささ　類 ①〜③やかましい

④ ・前髪が長くなって、うるさい。　　　　　　　　　　　　　関 煩わしい

うれる ガ売れる

[動] ★2
sell; be popular, be famous／卖出去, 脱手；畅销, 出名／팔리다, 인기가 있다／bán

① ・この CD は 100 万枚売れたそうだ。　・その新商品は飛ぶように売れた。
　合 売れ行き→ __がいい⇔悪い(例．この商品は売れ行きがいい。)
　慣 飛ぶように売れる　〈他〉売る
② ・M 氏は今最も売れている |作家／歌手 …| の一人だ。

うろうろ ガうろうろスル

[副] ★2
hang around, stroll／转来转去, 徘徊, 转悠／서성거림．어슬렁어슬렁／lang thang

・友人の家の場所がわからず、30 分もうろうろ(と)歩き回った。
・あやしい男が家の周りをうろうろしている。

関 ガうろつく

うわさ ガ／ヲうわさ(ヲ)スル

[名] ★3
rumor／谈论, 流言／소문／đồn đại

・クラスメートのうわさをしていたら、そこに本人が現れた。
・消費税が上がるといううわさがある。

連 __がある、__が流れる・__を流す、__が立つ・__を立てる

うん　運　[名] ★2
luck, fortune
运气，命运／운
vận may

- 「中村さんは3回続けて宝くじに当たったそうだ。なんて運のいい人だろう」
- 駅に着くと、運悪く電車は出たばかりで、30分も待たなければならなかった。

連 __がいい⇔悪い、__がない、__が向く　合 幸運(な)⇔不運(な)、運良く⇔運悪く

うんえい　ヲ運営スル　[名] ★1
management, administration
运作，管理／운영
vận hành, điều hành

- 学園祭の運営は、すべて学生たちによって行われた。
- |組織／学校／会議 …| を運営する。

うんざり　ガうんざりスル　[副] ★1
be fed up with, boring
厌腻，厌烦／지겹다
chán ngán

- いくら好きな料理でも、毎日食べるとうんざりする。
- 「こんな単調な仕事、もううんざりだ」

関 ガ飽き飽きスル

えいきょう　ガ影響スル　[名] ★3
influence
影响／영향
ánh hưởng

- 両親の影響で、私も子供のころから絵を描き始めた。
- アメリカの経済が世界に影響を与えた。

連 __がある⇔ない、__を与える⇔__を受ける、__が出る

えいぞう　映像　[名] ★2
image, picture
画面, 图像／영상
hình ảnh

- このあたりは電波の状態が悪く、テレビの映像がよく乱れる。

関 画像

えいよう　栄養　[名] ★3
nutrition
营养／영양
dinh dưỡng

- 栄養のある食べ物　・健康のために、栄養に気をつけましょう。

連 __がある⇔ない、__をとる、__がつく・__をつける　合 __不足、__状態

えがく　ヲ描く　[動] ★2
draw, paint; describe
画, 描写／그리다, 묘사하다
vẽ, miêu tả

① ・この画家はよく街の風景を描く。
② ・この小説は若者の心の動きを細かく描いている。

類 ①②ヲ描写する

エコノミー
[名] ★2
economy
节能，经济实惠；经济／이코노미，절약，경제
nền kinh tế

① ・飛行機ではいつもエコノミークラスに乗っている。

合 __モード（>エコモード）、__クラス　類 節約　関〈飛行機〉ビジネスクラス、ファーストクラス

② ・子供たちに経済を教える「エコノミー・カレッジ」が各地で開かれている。

類 経済　関 エコノミスト

エコロジー　>エコ
[名] ★2
ecology
环保／에코，친환경
sinh thái

・最近は、どの国でもエコロジーの考え方が当たり前になった。
・エコの観点から、なるべくごみが出ないように生活している。

合 __運動、__製品、__商品、__グッズ、__カー、__マーク　関 リサイクル、環境問題

エネルギー
[名] ★3
energy
能源，能量，精力／에너지，동력　자원
năng lượng

・地球ではさまざまなエネルギーが不足している。
・機械を動かすにはエネルギーが必要だ。

合 {原子力／熱／太陽 …} + エネルギー、省__ > 省エネ、__不足、__資源

エピソード
[名] ★2
episode, anecdote
插曲，小故事，轶事／에피소드
tập phim

・日常生活のエピソードをエッセイに書く。
・母は父との出会いのときのエピソードを話してくれた。

類 逸話

エラー
[名] ★2
error
错误；失误／에러，실수，실책
lỗi

① ・このデジカメ（<デジタルカメラ）はよくエラーが起こる。

連 __をする、__が起こる・__を起こす　合 __メッセージ、__コード、__画面、__表示

② ・〈野球〉外野手のエラーで1点取られた。　関 ミス

えらい　偉い
[イ形] ★2
great, admirable; in a high position
地位高，了不起；卓越，出色／높다，훌륭하다
lớn

① ・卒業式には市長や大臣など偉い人が来ていた。

②・貧しい人を助け続けた彼女は偉いと思う。　　類 立派な

合 ①②偉さ

える　ヲ得る
[動] ★3　obtain／得，得到；獲得／얻다, 받다　dành được, thu nhận được (thông tin, tri thức…)

・{収入／情報／知識 …}を得る。
・会議では、司会者{の／から}許可を得てからでなければ発言してはいけない。

えん　縁
[名] ★1　connection, relationship　缘分, 关系, 因缘／인연, 관계　duyên phận

①・「またお会いしましたね。ご縁がありますね」
②・祖父は政治家だが、私はこれまで政治とは縁のない人生を送ってきた。
　連 ①②＿がある⇔ない、＿が深い　合 ②無＿（な）　類 ②関係
③・家の財産を使い果たして、父に親子の縁を切られた。
　連 ＿を切る　合 血＿、離＿、絶＿、{親類／親戚}＿者、＿故

えんかつな　円滑な
[ナ形] ★1　smooth　顺利, 圆满／원활한　trơn tru

・B社との交渉は円滑に運んだ。
・今日の会議は長かった。もっと円滑な進行を望む。

合 円滑さ　類 スムーズな

えんき　ヲ延期スル
[名] ★2　postponement　延期／연기　trì hoãn

・大雨のため、運動会は1週間後に延期された。　・出発を1日延期する。

類 ヲ延ばす　関 雨天順延

えんぎ　縁起
[名] ★1　luck　不吉利, 吉利／재수, 운수　điềm báo

・「もし手術が失敗したら……」「縁起でもないこと、言わないで」
・日本では八は縁起のいい数、四と九は縁起の悪い数ということになっている。
※ 元々は仏教用語。　連 ＿がいい⇔悪い、＿でもない、＿を担ぐ

えんきょくな　えん曲な
[ナ形] ★1　in a roundabout way, euphemistic　婉转, 委婉／완곡한　cong

・交際を申し込んだが、えん曲に断られた。　・日本語にはえん曲な表現が多い。

合 えん曲さ、えん曲表現　類 遠回しな

えんじょ　ヲ援助(ヲ)スル　[名] ★2
assistance, support
帮助, 资助, 援助／원조
hỗ trợ

・親戚の援助で大学を卒業できた。
・発展途上国へは経済的な援助だけではなく、技術援助も大切だ。
[類] ヲ支援(ヲ)スル　[関] ヲ救援(ヲ)スル（例.・救援を求める。・救援物資を送る。）

えんそう　ヲ演奏(ヲ)スル　[名] ★3
playing (an instrument), musical performance
演奏／연주
biểu diễn

・楽器を演奏する。
[合] __者、__会

えんちょう　ヲ延長スル　[名] ★2
extension
延长／연장
mở rộng

・結論が出なかったので、会議は30分延長された。　・開館時間を7時まで延長する。
[合] 〈スポーツ〉__戦　[対] ヲ短縮スル　[類] ヲ延ばす

えんりょ　ヲ遠慮(ヲ)スル　[名] ★3
reserve, refraining
客气；顾虑, 请勿〜／사양함, 삼감
ngại ngần, khách khí

・「遠慮しないで食べてください」　・「ここではたばこはご遠慮ください」

おいかける　ヲ追いかける　[動] ★2
run after, chase
追赶；紧跟／추적하다, 뒤쫓아가다
đuổi theo

・犯人を追いかけたが、逃げられてしまった。
・{スター／流行 …}を追いかける。
[類] ヲ追う　[関] ヲ追い上げる

おいこす　ヲ追い越す　[動] ★2
pass, get ahead of
赶过, 超过／앞지르다, 추월하다
vượt qua

・前を走る選手に追いついたが、追い越すことはできなかった。
・のろのろ走っている前の車を追い越した。
[類] ヲ追い抜く　[関] ヲ抜く　(名) 追い越し→ __車線

おいこむ　ヲ追い込む　[動] ★2
drive into／赶进, 逼入／몰아넣다, 곤경에 빠뜨리다, 총력을 경주하다
đuổi vào

① ・羊の群れを囲いに追い込む。
② ・彼は責任を追及され、追い込まれた状況にある。
(名) 追い込み→ __をかける（例. 投票日まであと数日。候補者たちは必死に追い

（込みをかけている。）

おいつく　ガ追いつく
[動] ★2　catch up (with ~) / 赶上，追上 / 따라잡다, 도달하다 / bắt kịp

- 彼は足が速いから、今から追いかけても追いつかないだろう。
- 斉藤選手がゴールを決め、同点に追いついた。

おう　ヲ追う
[動] ★2　run after; pursue; brush away; drive out / 追，追求，轰赶，驱赶 / 따르다, 추구하다, 내쫓다 / đuổi theo, theo đuổi, bắt, dồn ép

① ・子供は走って母親の後を追った。　　　類 ヲ追いかける
② ・私はいくつになっても理想を追い続けたい。
　　類 ヲ追い求める、ヲ追求する、ヲ追究する
③ ・食べ物に止まったハエを手で追った。
　　合 ヲ追い出す（例．部屋に入ってきた虫を追い出す。）
④ ・革命によって、王は地位を追われた。　　　※受身形で使う。
慣 順を追って（例．「事件の経過を、順を追って説明します」）

おう　ヲ負う
[動] ★2　carry ~ on one's back; suffer; take, assume; owe / 背，负伤，承担，多亏 / 짊어지다, 입다, 지다, 힘입다 / chịu

① ・背に荷物を負う。　　　　　　　　　　　　類 ヲ背負う
② ・事故で大けがを負った。　・｛やけど／傷 …｝を負う。
③ ・国民は納税の義務を負う。　・｛責任／借金 …｝を負う。
④ ・この映画の成功は、主演俳優の人気に負うところが大きい。

おうえん　ヲ応援（ヲ）スル
[名] ★3　cheering, support / 支援；声援 / 응원 / hỗ trợ

- 自分の学校のチームを応援する。　　　　　　　　　合 ＿団

おうじる　ガ応じる
[動] ★2　answer, respond (to); depends on, according to / 响应；接受；按照 / 응하다, 따르다 / đáp ứng

① ・ボランティア募集の呼びかけに応じて、大勢の若者が集まった。　類 ガ応える
② ・売り上げに応じて給料が決まる。

おうせいな　旺盛な
[ナ形] ★1　healthy, vigorous, full of vitality / 旺盛 / 왕성한 / tráng kiện, mạnh mẽ

- 選手たちは旺盛な食欲で、料理を残らず食べてしまった。・好奇心旺盛な子供
合 旺盛さ、食欲＿、好奇心＿

おうふく　ガ往復スル
[名] ★3　to go back and forth between (make a round trip)／往返／왕복　đi hai chiều, đi về

・このバスは駅と大学を往復している。

合 ＿券、＿チケット、＿はがき　対 片道

おうよう　ヲ応用スル
[名] ★2　application／应用／응용　ứng dụng

・この技術はいろいろな機械に応用できる。

合 ＿問題、＿力

おえる　ヲ終える
[動] ★2　finish／做完，结束／끝내다, 마치다　kết thúc

・今日は6時までに仕事を終えて退社するつもりだ。
・新入社員たちは研修を終えると、各地の支店に配属された。

〈自・他〉終わる　対 ヲ始める

おおう　ヲ覆う
[動] ★2　cover／罩，蒙上，遮盖；覆盖／덮다, 가리다　che phủ

・テーブルをテーブルクロスで覆った。
・山頂は雪{で／に}覆われていた。

(名) 覆い→　＿をかける、二＿をする

おおく　多く
[名] ★3　many／多／많음, 다수　nhiều

・オリンピックには{○多くの／×多いの／×多い}国が参加した。

関 近く、遠く

おおげさな　大げさな
[ナ形] ★1　exaggerated, grandiose／夸张，铺张／과장된, 요란스러운　phóng đại

・小さな切り傷なのに、妹は大げさに痛がった。
・おおげさな{話し方／表現／しぐさ　…}

類 オーバーな　関 ヲ誇張スル

おおざっぱな　大ざっぱな
[ナ形] ★1　rough, haphazard／大大咧咧，粗略／어림잡아, 대면대면한　đại khái

・旅費は大ざっぱに計算して5万円ぐらいだろう。
・妹は大ざっぱな性格で、几帳面な姉とは対照的だ。

類 おおまかな、雑な　関 几帳面な

オーバー　ガオーバースル
[名] ★2
(go) over; exaggerated; (game) over
超过；夸大，夸张；结束／오버, 초과, 과장됨
hơn

① ・志願者が定員をオーバーした。　・会議は予定の時間をオーバーした。

　[合] __タイム、タイム__、__予算__、__ワーク　[類] ガ超過スル　[関] ガ超える

② [ナ形] オーバーな]・彼は何でもオーバーに話す。　[類] 大げさな

③ ・1点入ったところでゲームオーバーとなった。

　[合] ゲーム__　[類] 終わり、ガ／ヲ終了スル

おおはばな　大幅な
[ナ形] ★1
substantial
大幅度／대폭적인
nhiều, đáng kể

・食料品の大幅な値上げが庶民の生活を直撃した。　・計画が大幅に変更された。

[対] 小幅な

オープン　ガ／ヲオープンスル
[名] ★2
opening up a store; open, frank／开业, 开张；
坦率, 开放／오픈, 개점, 개방적임
công khai

① ・駅前に新しいデパートがオープンした。
　・彼は脱サラしてレストランをオープンした。

　[合] __セール、新装__　[類] ガ／ヲ開店スル、ガ／ヲ開場スル　[関] オープニング

② [ナ形] オープンな]・彼女はオープンな性格で、だれとでもすぐ仲良くなる。

　[合] __スペース、__カー　[類] 開放的な

おおらかな　大らかな
[ナ形] ★1
big-hearted, broad-minded
胸襟开阔／털털한
bao dung

・佐藤さんは大らかな性格で、細かいことは気にしない人だ。

[合] 大らかさ　[対] 神経質な

おかしい
[イ形] ★3
amusing; strange; ridiculous／可笑, 滑稽；奇怪, 不正常；不恰当／우습다, 이상하다／tức cười, bất bình thường (sức khỏe, máy móc)

① ・山本君は、授業中にいつもおかしいことを言ってみんなを笑わせる。

　[合] おかしさ　[類] おもしろい

② ・パソコンの調子がおかしい。　・彼女は朝からずっと様子がおかしい。

③ ・こんな答えになるのはおかしい。計算が間違っているのだろうか。

　[類] ②③変な

おかす ヲ犯す
[動] ★2
commit (a crime)
犯，違反／어기다，저지르다
phạm

・罪を犯したら、償わなければならない。　・|法／犯罪／過ち …|を犯す。

おかす ヲ侵す
[動] ★2
invade; infringe
入侵，侵犯，侵权／침범하다，침해하다
xâm phạm

① ・他国の領土を侵す。　　　　　　　　　　　[関] ヲ侵略する、ヲ侵犯する
② ・人の|権利／自由／プライバシー …|を侵す。　　　　　[類] ヲ侵害する

おかす ヲ冒す
[動] ★2
brave; affect; profane／冒，不顾；侵害；玷污，冒渎／무릅쓰다，병에 걸리게 하다，모독하다
mạo phạm

① ・救援隊は危険を冒して遭難者を救助した。　　　　　　[連] 危険を＿
② ・この病気になると、脳が|冒／侵|されるそうだ。　・ガンに|冒／侵|される。
③ ・私は、神の教えを冒してはならないと教育された。

おがむ ヲ拝む
[動] ★1
to put one's hands together in prayer
祈祷，叩拜／빌다
khấu đầu

・合格できるよう、神社で拝んできた。　・|仏様／初日の出 …|を拝む。
[関] ヲ礼拝する、ガ参る、ガお参りする、ヲ祈る

おぎなう ヲ補う
[動] ★2
supplement
补，补贴，补充／보충하다，메우다
bổ sung

・栄養不足を補うために、薬を飲んでいる。　・ボーナスで毎月の赤字を補う。
[関] ヲ補足する、ヲ補充する ※「補充する」は物に使う。

おきる／おこる ガ起きる／起こる
[動] ★3
wake up, stay up; occur, arise
起床，起来；发生／일어나다，생기다
ngủ dậy, thức..., xảy ra (sự việc...)

① ・今日は8時に起きた。　・父は毎晩遅くまで起きているようだ。
② ・昨日、教室でちょっとした事件が|起きた／起こった|。
☞〈他〉起こす

おくびょうな 臆病な
[ナ形] ★1
timid, fearful
胆怯，胆小／겁이 많은
hát gan, bền lên

・私は恐がりで臆病な、よく泣く子供だった。
・妹は一度失恋してからというもの、恋愛に臆病になってしまったようだ。
[連] 臆病になる　[合] 臆病さ、臆病者　[対] 勇敢な、大胆な　[類] 小心な

おくれ　遅れ

[名] ★3
delay
迟到，落后／늦음，뒤떨어짐
chậm trễ

・電車に3分の遅れが出た。

連 __が出る　合 時代__、流行__、[時間]+遅れ（例. 10分遅れ）　（動）ガ遅れる

おこす　ヲ起こす

[動] ★3
wake (someone) up; stand (something) up; cause ／叫醒；扶起来；发起／일으키다，깨우다
đánh thức, dựng lên, gây ra (sự việc....)

① ・うちの子は朝起こしてもなかなか起きない。
② ・倒れていた自転車を起こした。
③ ・｛事故／事件／問題／裁判 …｝を起こす。
☞〈自〉起きる／起こる

おごそかな　厳かな

[ナ形] ★1
dignified, austere
庄严／엄숙한
uy nghiêm, tráng lệ

・ノーベル賞の授賞式が厳かに執り行われた。　・厳かな｛儀式／音楽／雰囲気 …｝

類 厳粛な、荘重な、荘厳な

おこたる　ヲ怠る

[動] ★1
to be negligent
懒怠，大意／게을리 하다
bỏ bê, sao nhãng

① ・練習を怠ると、いい結果は出せない。　　　　　　　　　　　　　関 ヲ怠ける
② ・運転中に注意を怠り、事故を起こしてしまった。　・警戒を怠る。

おこなう　ヲ行う

[動] ★3
hold (an event) ／实行，进行，执行
실행하다，실시하다，행동하다
thực hiện, thực thi

・｛試験／会議／スピーチ／イベント …｝を行う。
※「する」より改まった言葉。　（名）行い→　__がいい⇔悪い

おごる　ヲおごる

[動] ★3
treat to (something)
请客／한턱내다
khao

・昨日は後輩に焼き肉をおごった。
(名) おごり（例. 今日の飲み会は課長のおごりだった。）

おさえる　ヲ押さえる

[動] ★3
put one's hands on ~; hold open
按，捂／누르다，붙잡다
ấn, đẩy

・あの人はおなかを押さえて座っている。腹痛だろうか。
・後ろの人のためにドアを押さえて待った。

おさない　幼い　［イ形］★2
young; childish; immature
幼小；幼稚／어리다, 미숙하다／trẻ

① ・幼い子供が遊んでいる。
② ・彼は体は大人だが、考え方は幼い。

【合】①②幼さ
【合】幼友達、幼なじみ
【関】幼稚な、未熟な

おさまる　ガ収まる／納まる／治まる　［動］★2
fit; be settled; go away; calm down／收納, 容納；平息；恢复, 痊愈；安定／들어가다, 가라앉다, 평온해지다／thu, nạp, chứa

① ・本が増えて、本棚に｛収／納｝まらなくなった。
　・旅行の費用は予算内に収まった。
② ・警官が大勢来て、ようやく騒ぎが収まった。
③ ・薬を飲んだら｛頭痛／熱／せき …｝が治まった。　　【関】②③ガ静まる／鎮まる
④ ・戦後20年が過ぎ、ようやく国内が治まった。

☞〈他〉収める／納める／治める

おさめる　ヲ収める／納める／治める　［動］★2
put, keep; settle; obtain; pay; deliver／收进, 控制, 抑制, 平息；获得；缴纳；供应；治理／넣다, 그만두다, 거두다, 남부하다, 남품하다／thu, nạp, chứa

① ・貴重品を金庫に｛収／納｝めた。　　・費用を予算内に収めようと苦労した。
② ・先生は子供たちのけんかをうまく収めた。　　【関】ヲ静める／鎮める
③ ・｛成功／勝利／良い成績 …｝を収める。
④ ・｛税金／会費 …｝を納める。
⑤ ・注文された品を、相手の会社に納めた。　　【類】④⑤ヲ納入する
⑥ ・国を治める。　　【類】ヲ統治する

☞〈自〉収まる／納まる／治まる

おしい　惜しい　［イ形］★2
be a pity; be a great loss
遺憾的, 可惜的；值得珍惜的／아깝다／đáng tiếc

① ・あと一つ問題ができていれば合格だったのに。惜しかった。
　【合】名残＿　【類】残念な　(動)ヲ惜しむ
② ・今までがんばったのだから、ここでやめるのは惜しい。　　【類】もったいない

おしえ　教え　［名］★3
teachings
教诲／가르침／dạy dỗ

・母の教えを今でも思い出す。

(動)ヲ教える

おしかける　ガ押しかける
[動] ★1
to intrude on, barge in
涌到／몰려들다, 들이닥치다
lấy làm của mình

① ・皆で突然先輩の家に押しかけ、宴会になった。
② ・アメリカの有名歌手が来日するとあって、大勢のファンが空港に押しかけた。

類 ①②ガ押し寄せる、ガ詰めかける

おじぎ　ガおじぎ(ヲ)スル
[名] ★3
bow
行礼, 鞠躬／절
cúi chào

・「お客様にはていねいにおじぎをしましょう」

連 {軽く／深く／ていねいに}＿する

おしきる　ヲ押し切る
[動] ★1
to overcome resistance
完全不顾／꺾고 나가다
bỏ qua

・兄は家族の反対を押し切って転職した。

おしつける　ヲ押し付ける
[動] ★1
to force (on), press
強迫, 推卸, 貼近／떠맡기다, 밀어 붙이다
áp đặt, áp chế

① ・誰もやりたがらない仕事を押し付けられた。　　　　　　　　(名) 押し付け
② ・壁に耳を押し付けて、隣の部屋の物音に耳を澄ませた。

おしむ　ヲ惜しむ
[動] ★1
to regret, be sad, skimp／依依不舎, 覚得可惜, 吝惜／아쉬워하다, 아까워하다
tiếc, tiếc nuối

① ・出発の日、駅には別れを惜しむ友人たちが大勢詰めかけた。　　関 ヲ残念がる

連 寸暇を惜しんで＋[動詞]（例. 寸暇を惜しんで働く。）　(イ形) 惜しい
② ・いい結果を得るためには、努力を惜しんではならない。　　　　関 ヲ怠る

おしゃべり　ガおしゃべり(ヲ)スル
[名] ★3
chatting; talkativeness／聊天, 说话；健谈, 爱说话, 多嘴／잡담, 수다스러움
tính hay nói, nói chuyện

① ・授業中に隣の人とおしゃべりしていて、先生に怒られた。　　(動) ガしゃべる
② ［(ナ形) おしゃべりな］・おしゃべりな人　・あの人はおしゃべりだ。

おしゃれな
[ナ形] ★3
stylish, fashionable／好打扮, 穿着讲究；装修漂亮的／멋지다, 세련되다
ăn diện, thời trang

① ・彼女はとてもおしゃれだ。　　　　　　　　　　　(名) おしゃれ→　＿をする
② ・「駅前におしゃれなレストランができたわよ」

類 しゃれた／ている

おしよせる　ガ押し寄せる
[動] ★1
to surge, descend on
蜂拥而至／밀어닥치다, 몰려들다
bao vây

・台風で高波が押し寄せ、大きな被害が出た。
・敵の大軍が城に押し寄せてきた。

おせん　ヲ汚染スル
[名] ★2
contamination, pollution
污染／오염
ô nhiễm

・工場排水で地下水が汚染された。

合　大気__、水質__、放射能__、__物質

おそう　ヲ襲う
[動] ★1
to attack, target／袭击, 侵袭, 侵扰
습격하다, 덮치다, 사로잡히다
công kích, tấn công

① ・銀行が強盗に襲われ、1億円奪われた。　・動物が｛人／獲物｝を襲う。

　　合　ガ襲いかかる　関　ヲ襲撃する　慣　不意を襲う

② ・眠気に襲われる。　　　　　　　　　　　　　※受身形で使うことが多い。

おそらく　恐らく
[副] ★2
probably, perhaps
恐怕, 可能／틀림없이, 아마
có lẽ

・大学に行かないと言ったら、父は恐らく反対するだろう。
・この動物は恐らく数十年のうちに絶滅するのではないかと思われる。

※「多分」よりかたい言葉。

おそれる　ヲ恐れる
[動] ★2
fear, be afraid of; fierce; terribly／害怕, 担心;
让人害怕的; 让人担心的／두려워하다, 겁내다／sợ hãi

・動物は火を恐れる。　・｛敵／火事／死／人の目 …｝を恐れる。
・「失敗を恐れていては何もできないよ」

類　ヲ怖がる　(名)恐れ→　__を抱く、~__がある（例．台風が上陸する恐れがある。）

(イ形)恐ろしい

おそろしい　恐ろしい
[イ形] ★2
frightening; fierce; terribly／害怕, 可怕, 令
人担忧, 非常／무섭다, 대단하다, 두렵다
khủng khiếp

・私は地震が恐ろしくてたまらない。　・彼は恐ろしい顔で私を見た。
・地球の温暖化がどこまで進むか恐ろしい。

[副]恐ろしく]・今日の試験は恐ろしく難しかった。

(動)ヲ恐れる

おそわる　ヲ教わる
[動] ★3　learn／受教，跟……学习／배우다／học (từ...)

・この料理の作り方は母{から／に}教わりました。

対 ヲ教える

おだてる　ヲおだてる
[動] ★1　to flatter, incite／抬高，吹捧／부추기다／tâng bốc, nịnh nọt

・課長は部下をおだてて使うのがうまい。
・私はおだてられると、すぐその気になる。

(名) おだて→ ＿＿に乗る

おだやかな　穏やかな
[ナ形] ★2　calm, quiet／温和，平静，安详／온화하다, 차분하다／ôn hòa

・このあたりは気候が穏やかで住みやすい。　・穏やかに話す。
・穏やかな{天気／海／一日／性格／人 …}

合 穏やかさ　関 平穏な、円満な、静かな

おちいる　ガ陥る
[動] ★1　to fall/get/run into／陷进，落入／빠지다／rơi vào

① ・円高により、A社は経営不振に陥った。
② ・川の深みに陥る。

類 ガはまる

おちこむ　ガ落ち込む
[動] ★2　decline, fall; feel depressed／跌落，下降；(心情)郁闷／뚝 떨어지다, 빠지다, 침울해지다／rơi

① ・景気が落ち込んで、失業率が上がった。　(名)落ち込み
② ・仕事でミスをして落ち込んだ。　・「そんなに落ち込まないで」と慰めた。

おちつく　ガ落ち着く
[動] ★2　keep calm; settle (down); decide (on); get settled; quiet, unobtrusive／平静，沉着；安定；达成一致；安顿好；协调／침착하다, 안정되다, 결말나다, 정착하다, 차분하다, ổn định

① ・「あわてないで、落ち着いて話してください」　・落ち着いた{態度／生活 …}
② ・戦後10年経ち、ようやく世の中が落ち着いてきた。　・{天候／病状}が落ち着く。
　　(名)①②落ち着き→　①＿＿がない　①②＿＿を取り戻す
③ ・労使の話し合いの結果、ボーナスは4カ月分ということに落ち着いた。
　　類 ガ決着する
④ ・以前はよく引っ越しをしたが、最近ようやくこの町に落ち着いた。
⑤ ・落ち着いた{色／デザイン／声 …}　　※名詞を修飾することが多い。

おって　追って
[副] ★1
later, at a later date
不久／추후에, 뒤에, 나중에
sau này

・「会議の日時と場所は次のとおりです。詳細は追って連絡します」
※改まった言葉。　類 後で

おどかす　ヲ脅かす
[動] ★2
frighten
威胁, 吓唬／깜짝 놀라게 하다, 겁을 주다
đe dọa

・暗いところで突然大声を出して、友達を脅かした。
・「今日、試験だよ」「えっ！」「うそだよ」「なんだ、脅かさないでよ」
類 ヲ驚かす

おどす　ヲ脅す
[動] ★2
threaten, menace
威胁, 恐吓／위협하다, 협박하다
de dọa

・ナイフで脅して金を奪う。
・「金を出さないと商品に針を入れる」とスーパーを脅した男が逮捕された。
類 ヲ脅迫する　(名) 脅し

おとずれる　ガ/ヲ訪れる
[動] ★2
come, visit
到来, 来临；访问, 拜访／찾아오다, 방문하다
hói, thăm

〈自〉・北国にもようやく春が訪れた。　　　　　　　　　類 ガ来る　(名) 訪れ
〈他〉・毎年、大勢の観光客が京都を訪れる。　・取引先を訪れる。　類 ヲ訪問する

おとなしい
[イ形] ★3
quiet, subdued
老实, 规矩；素雅／얌전하다, 수수하다
nhã (không lòa loẹt), kín đáo, trầm lặng

① ・彼はおとなしい人だ。　・うちの犬はおとなしくて、決して人にほえない。
② ・この服はデザインがおとなしいので、仕事に着て行ってもだいじょうぶだ。
合 ①②おとなしさ

おどり　踊り
[名] ★3
dance
舞蹈／춤
nhảy

・留学生が各国の踊りを踊った。
類 ダンス　(動) ガ/ヲ踊る

おとる　ガ劣る
[動] ★2
be inferior (to ~)
劣, 次, 不如／뒤떨어지다, 뒤지다
kém, yếu

① ・ベテランのA選手は体力ではB選手{に／より}劣るが、テクニックで勝てるだろう。
対 ガ勝る

② ・子供に劣らず大人も、このゲームに夢中になっている。

おとろえる　ガ衰える
[動] ★2
become weaker; decline
衰弱，衰退；衰亡／쇠약해지다, 쇠퇴하다
suy yếu dần

① ・年を取ると、体力が衰える。　・|勢い／勢力／食欲／人気 …|が衰える。
関 ガ減退する
② ・|国／産業 …|が衰える。
対 ガ栄える　類 ガ衰退する
(名) ①②衰え

おどろき　驚き
[名] ★3
surprise
吃惊／놀라운 일, 놀람
ngạc nhiên

・この大きな家がたったの100万円とは驚きだ。
(動) ガ驚く

おのおの　各々
[名][副] ★1
individually; each
各自／각각, 각각
mỗi, một, tự

・人にはおのおの(の)役割がある。　・昼食は各々|が／で|準備してください。
類 各自、一人一人、それぞれ、めいめい

おのずから
[副] ★1
as a matter of course, naturally
自然，自然而然地／자연히, 스스로
một cách tự nhiên

・今は皆私の言うことを信じないが、事実はおのずから明らかになるだろう。
・両者の意見の相違は、よく読めばおのずからわかるだろう。
類 自然に、ひとりでに　※「おのずから」の方がかたい言葉。

おびえる　ガおびえる
[動] ★1
to be frightened, startled
害怕，胆怯／무서워하다, 겁먹다, 떨다
sợ, bị đe dọa

・赤ん坊が大きな音におびえて泣き出した。　・ガンの再発におびえる。
類 ヲ怖がる

おびただしい
[イ形] ★1
large amount, great number
很多／매우 많다, 엄청나다
nhiều, vô số, một loạt

・毎日おびただしい量のごみが、この焼却場に運び込まれる。
・おびただしい群衆が広場を埋め尽くした。
合 おびただしさ　類 膨大な

おびやかす　ヲ脅かす
[動] ★1
to threaten, surprise
威胁／위협하다
đe dọa

・ひどい不況が庶民の生活を脅かした。
・Aチームは今年、昨年優勝のBチームを脅かす存在に成長した。

おびる　ヲ帯びる
[動] ★1
to be tinged with, take on, be under the influence of／含有，帯有，担负／띠다, 맡다
nhiễm, mang, đeo

①・その花の色は、青みを帯びた白だった。　・丸みを帯びた形　　合 酒気帯び
②・山本大使は首相の特命を帯びてアメリカへ向かった。

オフィス
[名] ★3
office
办公室／오피스
văn phòng

・勤務先のオフィスが新しいビルに引っ越した。
合 __街、__ビル　関 事務所

おぼれる　ガ溺れる
[動] ★2
drown; be addicted to, lose oneself in／溺水，落水；沉溺于，迷恋／물에 빠지다, 빠지다
đắm chìm

①・川に落ちて溺れている子供を助けた。　　慣 溺れる者はわらをもつかむ
②・{酒／賭け事　…}に溺れる。

おまけ　ヲおまけ(ヲ)スル
[名] ★2
give [get] a discount; free gift
减价；赠品／덤・할인, 경품
sự giảm giá

①・4個550円のりんごを、おまけしてもらって500円で買った。
　類 ヲ値引き(ヲ)スル、ヲサービススル
②・子供向けのお菓子には、よくおまけが付いている。
　連 __が付く・__を付ける　類 景品

おもい　思い
[名] ★3
thoughts, feelings
意愿, 思想／마음, 기분
suy nghĩ, cảm giác

・あの人に私の思いが届いた。
連 __が届く、{いやな／楽しい　…}__をする　(動) ヲ思う

おもいかえす　ヲ思い返す
[動] ★1
to re-think, change one's mind, think back on／改变想法, 回想／다시 생각하다, 회상하다
nghĩ lại, nhớ lại

①・研修会に参加するつもりだったが、思い返して行かないことにした。
　類 ヲ思い直す
②・電車の中で昨日のデートのことを思い返し、ニヤニヤしてしまった。

[類] ヲ振り返る

おもいがけない　思いがけない
[イ形] ★2
unexpected
意想不到的, 意外的／뜻밖이다, 예상 밖이다
không lường trước được

・道で思いがけない人に会った。　・叔父が亡くなって思いがけない遺産が入った。

[合] 思いがけなさ　[類] 意外な

[(副)] 思いがけず・外国で思いがけず以前の恋人と再会した。

おもいきり　思い切り
[副] ★2
to one's heart's content, to the best of one's ability／徹底, 盡情
마음껏, 실컷, 결단력, 단념／dứt khoát

① ・試験が終わったら、思い切り遊びたい。
②[名] ・あの人は思い切りがよくて行動力がある。
[連] ＿がいい⇔悪い　[合] ＿よく（例．思い切りよくあきらめる。）

おもいきる　ガ／ヲ思い切る
[動] ★1
to abandon (give up), boldly, resolutely
斷念, 下狠心, 決心／단념하다, 결심하다, 큰맘을 먹다
quyết định, quyết tâm, hết mình, đến cùng

① ・彼は歌手になる夢を思い切り、故郷で音楽の教師になった。
　　[類] ヲあきらめる、ヲ断念する
② ・会社の経営再建のためには、思い切った措置が必要だろう。
③[(副)] 思い切って・好きな人に思い切って告白した。

おもいだす　ヲ思い出す
[動] ★3
remember, recall
想起／생각해 내다, 생각나다
nhớ ra, nhớ lại

・毎年春になると、高校の入学式を思い出します。
・最近、人の名前がなかなか思い出せない。
[関] 思い出

おもいつく　ヲ思いつく
[動] ★3
think of
（忽然）想到, 想起／생각나다, 떠오르다
nghĩ ra

・｛アイディア／考え／方法 …｝を思いつく。
・スピーチを頼まれたのだが、なかなかいい表現｛が／を｝思いつかない。
(名) 思いつき

おもいで　思い出
[名] ★3
memory
回忆／추억
kỷ niệm, hồi ức

・子供のころの思い出　・日本で富士山に登ったのは、いい思い出だ。
[連] いい＿　[関] ヲ思い出す

おもいやり　思いやり
[名] ★3　compassion／同情心, 体谅／헤아리다, 염려하다 배려하다／quan tâm tới (người khác), chu đáo, cảm thông

・あの人はとても思いやりのあるやさしい人だ。

連　＿＿がある⇔ない　（動）ヲ思いやる

おもな　主な
[ナ形] ★2　main, principal／主要／주되다, 대부분이다／chính

・「今日の主なニュースを五つお伝えします」
・この車は主に輸出用に作られている。　・作家の収入は印税が主だ。

類　主要な

おもむき　趣
[名] ★1　charm, appearance／情趣, 风情／분위기, 정취／sắc thái riêng, phong cách

① ・ここは江戸時代に造られた庭園で、とても趣がある。
　　連　＿＿がある⇔ない　類　情趣、風情　関　情緒
② ・このあたりの町並みは、戦前の趣を残している。
　　連　～＿＿がある⇔ない、＿＿を異にする　類　感じ、雰囲気

おもむく　ガ赴く
[動] ★1　to set out for, proceed to／奔赴, 前往, 趋向, 倾向／떠나다, 향하다／tới, đến

・救援活動のため、軍隊が被災地に赴いた。　・任地に赴く。

関　ガ赴任する

おもわしい　思わしい
[イ形] ★1　satisfactory／令人满意／탐탁하다／tình trạng tốt, giống như suy nghĩ

・父からのメールによると、祖父の病状は思わしくないそうだ。
・努力しているつもりだが、なかなか思わしい結果が得られない。

※否定的な内容の文で使う。

おもわず　思わず
[副] ★3　instinctively, unconsciously／禁不住, 不由得／엉겁결에／buột miệng (không ý thức, không biết)

・夜道で急に肩をたたかれ、思わず「ワーッ」と叫んでしまった。

およそ
[副] ★1　about, rough／大概, 完全, 大凡／약, 대략, 전혀／khoảng

① ・ここから駅まではおよそ1キロだ。　　　類　約、だいたい
② ・祖母はおよそぜいたくとは縁のない人生を送った。

※ 否定的な表現と一緒に使う。　類 全く

③・およそ人生というものは何が起こるかわからないものだ。

および　及び
[接] ★1
and, as well as
以及／및
và

・「ここに住所氏名及び生年月日を記入してください」
・「東海地方及び関西地方へのバスは3番乗り場から発車します」
※ 助詞「と」よりかたい言葉。　類 並びに

およぶ　ガ及ぶ
[動] ★2
extend, reach, take (time); equal; do not need
遍及, 长达, 达到, 至于／미치다, 걸치다, 다다르다, 할 필요가 없다／bao trùm, lên đến, trở thành

①・台風の被害は、九州地方全域に及んだ。　・手術は5時間に及んだ。
②・今回の優勝タイムは日本記録に及ばなかった。　類 ガ達する
③・「たいした病気ではないので、ご心配には及びません」
☞〈他〉及ぼす

およぼす　ヲ及ぼす
[動] ★2
exert, affect
影响到, 波及, 使受到／미치게 하다, 끼치다
ánh hưởng

・彼らの音楽は若者に大きな影響を及ぼした。　・その地震は大きな被害を及ぼした。
類 ヲ与える、ヲもたらす　☞〈自〉及ぶ

おり　折(り)
[名] ★1
chance, opportunity
正当……时候, 机会／때, 시, 기회
cơ hội, dịp

①・姉は米大統領来日の折りに通訳を務めた。
合 __から（例. 折からの強風にあおられ、火は見る見るうちに燃え広がった。）、
折々（例. 四季折々の花）　類 時、時期
②・「その件については、私から折りをみて話しておこう」・折りに触れて思い出す。
連 __を見て、__に触れて、__があれば　類 機会

オリエンテーション
[名] ★2
orientation
新生学习／오리엔테이션
định hướng

・新学期、学生を対象に授業登録のオリエンテーションがあった。
連 __をする

おりる　ガ降りる／下りる
[動] ★3
get off; go down; be shut; receive (approval, etc.)
下(车); 下(楼); 放, 放下; 得到(许可)／내리다, 내려오다
bước xuống, đóng (cửa...), nhận được (giấy phép...)

①・電車を降りる。
対 ガ乗る

② ・2階から1階に下りる。　・階段を下りる。　　　対 ガ上がる、ガ上る
③ ・景気が悪いらしく、シャッターの下りた店が多い。
④ ・何度も頼んで、やっと許可が下りた。
☞〈他〉降ろす／下ろす

おる　ヲ折る
[動] ★3　break; fold／弄断；折叠／부러뜨리다，접다／bị gẫy, bẻ

① ・スキーをして、足の骨を折った。
② ・便せんを三つに折って封筒に入れた。
合 折り紙　☞〈自〉折れる

おれる　ガ折れる
[動] ★3　break, snap／折，断／부러지다／gẫy

・強い風で枝が折れた。
☞〈他〉折る

おろおろ(と)　ガおろおろスル
[副] ★1　flustered, in a daze／坐立不安，惶恐不安／갈팡질팡, 허둥지둥／bối rối

・母が倒れたとき、私はおろおろするばかりで、何もできなかった。
・妻の出産の最中、夫は病室の外を、おろおろと歩き回った。

おろかな　愚かな
[ナ形] ★1　foolish, stupid／愚蠢／어리석은／ngu ngốc

・1カ月分の給料をギャンブルで失うという、愚かなことをしてしまった。
合 愚かさ、愚か者　対 賢い　類 ばかな

おろす　ヲ降ろす／下ろす
[動] ★3　drop (someone) off; take down, lower; withdraw／让……下(车)；放下，卸下／내리다, 내려놓다／cho xuống (xe..), hạ xuống (từ trên cao...), rút tiền

① ・〈タクシーの客が〉「あの銀行の前で降ろしてください」　対 ヲ乗せる
② ・たなの上から荷物をおろす。　対 ヲ{上げる／挙げる}、ヲ積む
③ ・銀行からお金を下ろす。　対 ヲ預ける、ヲ入れる　類 ヲ出す、ヲ引き出す
☞〈自〉降りる／下りる

おわり　終わり
[名] ★3　end／结束／끝／kết thúc

・夏休みはもうすぐ終わりだ。
対 始まり、始め、初め　（動）ガ／ヲ終わる

おんど　温度

[名] ★3　temperature／温度／온도／nhiệt độ

・温度を測る。

連　＿が高い⇔低い、＿が上がる⇔下がる・＿を上げる⇔下げる
関　気温、体温、湿度

おんぶ　ガ／ヲおんぶスル

[名] ★1　piggyback (carry on one's back), dependence (on)／背，依靠／어부바, 기댐／cõng, dựa

① ・昔の母親は赤ん坊をおんぶして家事をしていたものだ。　関　ヲだっこスル
② ・姉は結婚しているのに、何かにつけて実家におんぶしている。　関　ガ依存スル

おんわな　温和な／穏和な

[ナ形] ★1　moderate, mild／温暖，性情温和，意見穩妥／온화한, 원만한／ôn hòa

① ・このあたりは気候が温和で住みやすい。　類　温暖な
② ・父は穏和な性格で、大声を出すところなど、見たことがない。　類　温厚な

類　①②穏やかな

カード　[名] ★3
card
卡／카드
card

・最近は現金ではなくカードで払うことが多い。

合 {キャッシュ／クレジット／テレホン …}＋カード

カーブ　ガカーブスル　[名] ★2
curve
弯曲，转弯；曲线球／커브, 구부러짐, 곡선
đường cong

① ・道が大きくカーブしている。
② ・〈野球〉A 投手はカーブが得意だ。

合 急__、__ミラー

かい　会　[名] ★3
party
会，晩会／회, 모임
tiệc

・忘年会を{開く／する}。

合 忘年__、新年__、送別__、歓迎__、飲み__、宴__、誕生日__、クリスマス__、同窓__

かい　[名] ★2
a result (of); be worth (doing)
效果，用処／보람
ý nghĩa

・練習のかいがあって、入賞することができた。
・競技場まで応援に行ったのに、試合は中止だった。行ったかいがなかった。

連 ~__がある⇔ない　合 生きがい、やりがい、働きがい

がい　ヲ害スル　[名] ★2
harm, damage
危害，損害／해, 해로움
tổn hại

・この虫は人間に害を与えることはない。
・兄は働き過ぎて、健康を害してしまった。

連 __を与える⇔受ける、__がある⇔ない　合 __虫、加害者⇔被害者、公__、有__⇔無__

かいかく　ヲ改革スル　[名] ★2
reform
改革／개혁
cải cách

・古い制度を改革しなければ、この国の発展は望めない。

合 税制__、構造__、農地__、宗教__　類 ヲ変革スル、ヲ革新スル　関 革命

かいぎょう　ガ／ヲ開業スル　[名] ★2
starting a business
开业, 开张／개업
hành nghề

・近所に新しい書店が開業した。　・弁護士事務所を開業する。

対 ガ／ヲ廃業スル

かいけい　会計
[名] ★1　accounts, bill／会計，結账／회계, 계산／kế toán, thanh toán

① ・私はサークルで会計を担当している。
② ・会計を済ませて店を出ると 10 時だった。

合 __報告、__係、(公認)__士
・「(お)会計、お願いします」
運 __を済ませる　類 (お)勘定　関 ヲ計算スル

かいけつ　ガ／ヲ解決スル
[名] ★3　solution／解决／해결／giải quyết

〈自〉・大きな問題が解決した。
〈他〉・トラブルを解決する。

かいご　ヲ介護(ヲ)スル
[名] ★2　(nursing) care／护理, 看护, 照顾／개호, 간호, 간병／chăm sóc

・お年寄りの介護をする。
合 __保険、在宅__、__福祉士　関 ヲ世話(ヲ)スル

かいさい　ヲ開催スル
[名] ★2　holding／召开, 举办／개최／tổ chức

・講演会を開催する。　・「次のオリンピックの開催地はどこですか」
合 __地　関 ヲ催す

かいしゅう　ヲ改修スル
[名] ★2　repair／修理, 修复／개수, 수리／cải tạo

・アパートが古くなったので、大規模な改修が行われることになった。
・{道路／橋／建築物／河川 …}を改修する。
合 __工事

かいしゅう　ヲ回収スル
[名] ★1　collection／回收, 收回／회수／thu hồi

・ペットボトルを回収してリサイクルに回す。
・{アンケート／テスト問題／欠陥商品／資金 …}を回収する。

かいじょ　ヲ解除スル
[名] ★1　lifting, rescinding／解除, 取消／해제／miễn, miễn giải, miễn trừ

・台風が通り過ぎ、大雨警報が解除された。
・{警戒／規制／アラーム …}を解除する。
合 武装__　関 ヲ解く

かいしょう　ガ／ヲ解消スル
[名] ★1　resolution, relief, cancellation / 解除，取消，消灭／해소 / tiêu tan, giải tỏa

・先輩のアドバイスのおかげで悩みが解消した。　・不安が解消する。
・ストレスを解消するにはカラオケが一番だと思う。　・契約を解消する。

合 ストレス＿、婚約＿　関 ガ消える・ヲ消す、ガ無くなる・ヲ無くす

がいしょく　ガ外食(ヲ)スル
[名] ★2　eating out / 在外面吃饭／외식 / ăn ngoài

・一人暮らしになって、外食が増えた。

合 ＿産業

かいせい　ヲ改正スル
[名] ★2　revision, amendment / 修改，修正／개정 / sửa đổi

・4月から新幹線のダイヤが改正されるそうだ。
・{法律／条約／規則 …}を改正する。

合 ダイヤ＿

かいぜん　ガ／ヲ改善スル
[名] ★2　improvement / 改善，提高，进步／개선 / cải thiện

・組合は待遇の改善を求めてストを行った。　・病状が改善する。
・生活習慣病は生活を改善しなければ治らない。

合 待遇＿　関 ヲ改良スル　※「改良」は具体的なものを、「改善」はものごとの状態を改めるときに多く使う。

かいたく　ヲ開拓スル
[名] ★1　cultivation, path finding / 开垦，开拓／개척 / phát triển

①・明治時代になって、北海道の開拓は急激に進んだ。　・山野を開拓する。
　　合 ＿者、＿精神　関 ヲ開墾スル、ヲ干拓スル
②・新しい{販路／分野 …}を開拓する。　　　　　　　　合 新規＿、＿者
関 ①②ヲ切り開く

かいてい　ヲ改定スル
[名] ★2　revision / 修改，重新规定／개정 / xét lại

・来年から消費税率が改定されることになった。　・{定価／規約 …}を改定する。

かいてきな　快適な
[ナ形] ★2
comfortable
舒适，舒服／쾌적하다
thoải mái

・新しい車の乗り心地は快適だ。　・快適な暮らしをする。

合 快適さ　関 心地よい

かいてん　ガ/ヲ開店スル
[名] ★2
opening up a store; open a store
开业，开张；(开门)营业／개점，개업
mở

① ・近所に新しいレストランが開店した。　・開店祝いに花束を贈った。
② ・「開店は10時です」

対 ①②ガ/ヲ閉店スル　※ 同じように①②二つの意味を持つ言葉には、次のようなものがある。「開園、開館、開場」

ガイド　ヲガイド(ヲ)スル
[名] ★2
guide
向导，导游；旅游指南／가이드，안내인，안내
hướng dẫn

① ・旅行会社でガイドをしている。
② ・現地の人に観光地をガイドしてもらった。

合 観光__、バス__、通訳__
合 __ブック　類 ヲ案内(ヲ)スル

かいとう　ガ解答／回答スル
[名] ★2
response, answer
回答，答复，解答／해답，회답
giải đáp

[解答]・10問のうち5問解答できないと失格になります。
[回答]・アンケートに回答してプレゼントをもらった。

合 模範__、__用紙
関 ガ答える

かいにゅう　ガ介入スル
[名] ★1
intervention
介入／개입
xen vào, can thiệp

・家庭内のトラブルには警察は介入しないのが原則だ。

合 武力__、軍事__、市場__

がいねん　概念
[名] ★1
notion, concept
概念／개념
khái niệm

・脳死判定が行われるようになり、死の概念が変化した。
・「平等」は概念としては理解できるが、実践するのは難しい。

合 __的な

かいはつ　ヲ開発スル
[名] ★2
development; exploitation
开发；开垦／研制开发／개발
phát triển

① ・資源を開発する。

対 未__　関 未開

② ・海辺を開発してリゾート地にする。　　　　　合 再__、都市__、国際__
③ ・新薬の開発に成功した。　・新商品を開発する。

かいふく　ガ/ヲ回復スル
[名] ★2　recovery / 恢复, 康复／회복 / phục hồi

・{経済状況／病状／天候 …}が回復する。　・失った信用を回復するのは難しい。
合 __力、疲労__

かいほう　ヲ解放スル
[名] ★2　release, liberation; open / 解放；开放；打开／해방 / giải phóng

・人質を解放する。　・抑圧から解放された。
合 奴隷__

かいほう　ヲ開放スル
[名] ★2　open / 开放；打开／개방 / công khai

① ・近所の小学校の校庭は、日曜日には市民に開放されている。
合 __的な　対 ヲ閉鎖スル　関 ヲ開け放す
② ・〈張り紙〉「開放厳禁」　　　　　　　　　　　関 開けっぱなし

かいりょう　ヲ改良スル
[名] ★2　improvement, amelioration / 改良／개량 / cải tiến

・その製品は改良を重ねることで、いっそう使いやすくなった。
連 __を加える、__を重ねる　合 品種__　関 ガ/ヲ改善スル　※「改良」は具体的なものを、「改善」はものごとの状態を改めるときに多く使う。

かう　ヲ飼う
[動] ★3　keep (a pet) / 养，饲养／기르다 / nuôi

・何かペットを飼いたいと思っている。
合 飼い主　関 えさ

カウンセリング　ヲカウンセリング(ヲ)スル
[名] ★2　counseling ／心理辅导，心理疏导 / 카운슬링, 상담, 심리 치료 / tư vấn tâm lý

・学校で子供たち{を／に}カウンセリングする仕事をしている。
・最近悩み事があってよく眠れないので、病院でカウンセリングを受けた。
連 __を受ける　関 カウンセラー

カウンター [名] ★2
counter; bar
柜台, 吧台／카운터
lượt truy cập

① ・デパートには入口に案内のカウンターがある。　合 インフォメーション
② ・食堂のテーブル(席)が空いていなかったので、カウンター(席)で食べた。

かえす　ヲ返す [動] ★3
return
还给, 退还／돌려주다, 되돌리다
quay trở lại, trả lại

・この本は2週間以内に図書館に返さなければならない。
・使い終わったものはもとの場所に返してください。

☞〈自〉返る

〜かえす　〜返す

1) 他からされたことを、こちらからもする
To do the same that is done to you
〜回, 以牙还牙／다른 것으로부터 당한 것을 이쪽에서도 하다／làm lại

いいかえす　ヲ言い返す [動] ★1
to answer back, retort, repeat
顶嘴／말대꾸하다
nói lại, cãi lại

・悪口を言われたので、私も負けずに言い返した。

2) もう一度〜する
To do (something) again
再来一遍／한 번 더 ~ 하다
làm lại

ききかえす　ヲ聞き返す [動] ★1
to ask again
反复问／다시 듣다, 다시 묻다
hỏi lại

・祖母は耳が遠いので、聞き返すことがよくある。
・私の発音が悪いのか、何度も聞き返された。　　　関 ヲ聞き直す

よみかえす　ヲ読み返す [動] ★1
to re-read
反复读／다시 읽다
đọc đi đọc lại

・母からの手紙がうれしくて、何度も読み返した。　　　類 ヲ読み直す

かえって [副] ★2
on the contrary, rather
反倒, 反而／오히려, 반대로
ngược lại

・遅れそうだったのでタクシーに乗ったら、道が込んで、かえって時間がかかってしまった。
・薬を飲んだら、かえって具合が悪くなったような気がする。

かえり　帰り [名] ★3
returning
回来, 归途／돌아오는 길
về (lúc về)

・旅行は、行きは新幹線、帰りは飛行機だった。
・会社の行き帰りにコンビニに寄る。

合 行き＿、[名詞]＋帰り（例．学校帰り、アメリカ帰り）　対 行き　(動) ガ帰る

かえりみる　ヲ省みる
[動] ★1　to reflect／反省／반성하다／nhìn lại

・毎晩日記を書いて、我が身を省みることにしている。
類 ヲ反省する

かえりみる　ヲ顧みる
[動] ★1　to look back (over one's shoulder), reflect, consider／回顧, 往回看, 顧及, 顧慮, 照顧／회상하다, 뒤돌아보다, 무릅쓰다, 돌보다／hồi tưởng lại

① ・青春時代を顧みると、恥ずかしかったことばかりが思い出される。
　　類 ヲ回顧する、ヲ振り返る
② ・母親は後ろからついてくる息子を顧みた。　　　　　　関 ヲ振り向く
③ ・父親は子供を救うため、危険を顧みず火の中に飛び込んだ。
　　※ 否定の形で使うことが多い。

かえる　ヲ変える
[動] ★3　change／改変, 変更／변경하다, 바꾸다／thay đổi (thời đại, địa điểm, mùa...)

・{髪型／時間／場所／法律 …}を変える。　・今の人生を変えたい。
☞ 〈自／他〉変わる

かえる　ヲ替える／代える／換える
[動] ★3　change, replace／改成, 変更成／바꾸다, 갈다／thay đổi, thay thế (bằng một cái khác người khác)

・千円札を百円玉にかえてもらった。　・古くなった電球を新しいのとかえた。
合 ヲ着がえる、ヲはき＿、ヲ取り＿、ヲ乗り＿　☞ 〈自〉替わる／代わる／換わる

かえる　ガ返る
[動] ★3　return／回；归还／돌아오다／trở lại, trở về

・友達に貸したお金が返ってきた。
☞ 〈他〉返す

かおつき　顔つき
[名] ★1　face, expression／表情, 相貌／표정, 얼굴 생김새／vẻ mặt, nét mặt

① ・医者の厳しい顔つきから、母の病状が良くないことがわかった。
　　類 表情　関 目つき
② ・あの子は男の子だが、性格も優しく、顔つきも女の子のようだ。
　　類 顔立ち　関 体つき

かかえる　ヲ抱える　[動] ★2
【carry; have ~ on one's hands　抱；承担，负担／끼다，감싸다，맡다，지다　ôm】

① ・その人は腕に大きな荷物を抱えていた。
　慣　頭を抱える（例．どうしたらいいかわからず、私は頭を抱えた。）
② ・彼女は夫を亡くし、3人の子供を抱えて必死に働いた。

かかげる　ヲ掲げる　[動] ★1
【to raise, proclaim, promote／悬挂，升起，树立，登载／달다，내걸다，내세우다　giương lên, đưa lên】

① ・会場に参加国の国旗を掲げる。　・看板を掲げる。　　類〈国旗〉ヲ掲揚する
② ・若者たちは理想を掲げて団体を設立した。　　　　　　連 理想を__
③ ・上野教授の論文は、学会誌の巻頭に掲げられた。

かかす　ヲ欠かす　[動] ★2
【lack; miss　缺，缺少，间断／빠뜨리다，거르다　bỏ lỡ】

① ・骨の成長にカルシウムは欠かせない。　・ビタミンを欠かすと体調が悪くなる。
② ・兄は毎朝ジョギングを欠かさない。　・毎日欠かさず牛乳を飲む。

かがやく　ガ輝く　[動] ★2
【shine; look bright　放光，闪耀，洋溢／빛나다，반짝이다　tỏa sáng】

① ・空に太陽が輝いている。　・彼女の指には大きなダイヤモンドが輝いていた。
② ・優勝した選手の顔は喜びに輝いていた。

(名) ①②輝き

かかる　ガ掛かる　[動] ★3
【be covered; take (time, money, etc.); be subjected to; (engine) starts　浇上，盖上；花费（金钱，时间等）；增加／뿌려지다，얹히다，걸리다，들다，끼치다／mất (thời gian, chi phí...), phủ (miếng che bên ngoài), đặt vào】

① ・このサラダには何もかかっていないようだ。
② ・いすにきれいなカバーが掛かっている。
③ ・この調査には｛時間／費用／人手｝がかかる。
④ ・｛迷惑／エンジン／ブレーキ／音楽／橋 …｝がかかる。
☞〈他〉掛ける

かかる　ガかかる　[動] ★2
【catch, suffer from　患病，染病／(병에) 걸리다　có】

・インフルエンザにかかって、学校を休んだ。

～かかる

1）相手に対して作用を及ぼす　　To have an effect on someone／给对方带来影响／상대방에게 작용이 미치다／liên quan đến

つかみかかる　ガつかみかかる　[動]★1　to grab, clutch at／上前来扭住／덤벼들다／túm lấy, nắm lấy

・少年は怒りを抑えきれず、相手につかみかかった。

とびかかる　ガ飛びかかる／跳びかかる　[動]★1　to jump on, pounce on／猛扑过去／덤비다, 덤벼들다／chồm lấy, vồ lấy

・警官たちは一斉に犯人に飛びかかった。　・ライオンが獲物に跳びかかる。

2）～を始める　　To start (to do something)／开始着手／을／를 시작하다／bắt đầu làm gì

とりかかる　ガ取りかかる　[動]★1　to start, set about／着手／시작하다, 착수하다／bắt đầu làm gì

・来週から新しい論文に取りかかる予定だ。

類　ガ着手する　（名）取りかかり→　＿＿が遅い

3）もう少しで～しそうである　　To be about (to do something)／眼看就要／머지 않아 - 할 것 같다／thêm một chút nữa thì sẽ làm

※「～かける」としても、ほとんど同じ意味になる。

おちかかる　ガ落ちかかる　[動]★1　to fall／要掉／떨어지려고 하다／bắt đầu làm gì và dừng lại

・網棚の荷物が落ちかかっている。

かかわる　ガ関わる　[動]★2
have to do with ~; affect／与……有关, 涉及到／관계되다, 관여하다, 상관하다／ảnh hưởng tới

①・将来は子供の教育に関わる仕事がしたい。　・もうあの人とは関わりたくない。

類　ガ関係する、関係がある　（名）関わり→　＿＿がある⇔ない

②・検査の結果、命に関わる病気ではないことがわかった。

連　{命／名誉／将来　…} に＿＿

かきまわす　ヲかき回す　[動]★1
to stir, ransack／搅拌, 翻找, 扰乱／휘젓다, 뒤지다／khấy, đảo lộn

①・スープを火にかけ、焦げないようにかき回す。
②・判子が見つからず、引き出しの中をかき回して探した。　合　ヲ引っかき回す

かぎる　ガ／ヲ限る　[動]★2
(not) only ; be the best; on that particular occasion; not necessarily／限定；最好；唯有；不一定, 未必；（名）有限／尽可能／한하다, 제일이다, 한정하다, 한계, 한껏／giới hạn

〈自〉①・日本では、マンガを読むのは子供に限らない。
　　②・風邪をひいたときは、暖かくして寝るに限る。

③・忙しいときに限って、友達からメールや電話がたくさん来て困る。
④・日本人だからといって、日本文化に詳しいとは限らない。

〈他〉 ・今後は会員を30才以上に限ることになった。

(名) 限り(例.・資源には限りがある。 ・力の限りがんばろう。)

かく　ヲかく

[動] ★3　scratch; emit (sweat/snores); suffer (humiliation)
搔, 挠／出(汗), 打(呼噜), 丢(脸)／긁다, 흘리다, 골다, 당하다／gãi, lau (mồ hôi…), chịu đựng

① ・頭をかく。　・かゆいところをかく。　　　　　　　　　　　　　合 ヲかきむしる
② ・{汗／いびき …}をかく。
③ ・恥をかく。
④ ・落ち葉をくまででかく。　　　合 ヲかき集める、ヲかき混ぜる、ヲかき乱す

かぐ　ヲ嗅ぐ

[動] ★3　smell
嗅, 闻／맡다／mùi

・匂いを嗅ぐ。

かくいつてきな　画一的な

[ナ形] ★1　standard
划一的／획일적인／tính đồng nhất

・画一的な教育では、個性的な人間には育ちにくい。　・考え方が画一的だ。

対 個性的な　関 画一性

かくう　架空

[名] ★1　imaginary, fictitious
虚构／가공／giả tưởng

・この小説は架空の町を舞台としている。　・架空の{人物／話／設定 …}

対 実在　類 空想上

かくさ　格差

[名] ★1　difference, gap
差距, 差別／격차／khoảng cách

・ここ数年、賃金の格差が広がりつつあるようだ。
・選挙のたびに「一票の格差」が問題になる。

合 ＿社会、経済＿、賃金＿

かくさん　ガ拡散スル

[名] ★1　diffusion, spread
扩散／확산／khuếch tán

・排気口から出た汚染物質は、風に乗って町中に拡散した。　・核拡散防止条約

類 ガ広がる

かくじ　各自
[名] ★2
each person; everyone
每个人，各自／각자
mỗi

・「パスポートは<u>各自</u>でお持ちください」　・「昼食代は<u>各自</u>の負担とします」

類 一人一人、各々、めいめい　関 それぞれ

かくじつな　確実な
[ナ形] ★2
certain, sure
确实，准确／확실하다
chắc chắn

・将来について<u>確実</u>なことはわからない。　・この点数なら合格は<u>確実</u>だ。

連 ガ確実になる・ヲ確実にする　合 確実さ、確実性、当選確実　対 不確実な
類 確かな

かくしん　ヲ革新スル
[名] ★1
reform
革新／혁신
cách tân

・平等な社会の実現のためには、思い切った政治の<u>革新</u>が必要だ。

合 ＿的な、＿政党、技術＿　対 保守　類 ヲ改革スル

かくしん　ヲ確信スル
[名] ★1
belief
坚信，确信／확신
vững tin

・〈サッカーの試合〉3対1になったとき、勝利を<u>確信</u>した。
・犯人は彼女だと思うが、<u>確信</u>が持てない。

連 ＿がある⇔ない、＿を持つ、＿を得る　合 ＿的な、＿犯

かくす　ヲ隠す
[動] ★3
hide
藏起，藏在，隐藏／감추다, 숨기다
bao bọc, che giấu

・お金を引き出しの奥に<u>隠</u>した。
・子供は恥ずかしがって、帽子で顔を<u>隠</u>してしまった。

☞〈自〉隠れる

かくだい　ガ／ヲ拡大スル
[名] ★2
magnification, expansion
扩大／확대
mở rộng

・地図が小さくて見づらいので、<u>拡大</u>コピーをとった。
・A国との貿易規模は年々<u>拡大</u>しつつある。

合 ＿解釈、＿再生産、＿コピー　対 ガ／ヲ縮小スル　関 ガ／ヲ拡張スル

かくてい　ガ／ヲ確定スル
[名] ★1
decision, settlement
确定，判定／확정
quyết định

・〈選挙〉開票が始まって1時間ほどで、新市長が<u>確定した</u>。

・新しい方針を確定する。
合 __的な、不__な 関 ガ/ヲ決定スル

かくとく　ヲ獲得スル
[名] ★1　acquisition / 获得, 取得 / 획득 / lấy được, có được

・選挙で勝って政権を獲得した。　・{自由／権利／地位／メダル …}を獲得する。
関 ヲ取得スル、ヲ勝ち取る、ヲ得る

かくにん　ヲ確認(ヲ)スル
[名] ★3　confirmation / 确认 / 확인 / kiểm tra, xác nhận

・間違いがないかどうか(を)確認する。
関 ヲ確かめる

かくべつな　格別な
[ナ形] ★1　exceptional (ly) / 特殊, 特別, 格外 / 각별한, 특별히 / khác biệt, đặc biệt

・今回、格別{な／の}計らいにより、寺院内部のテレビ撮影が許された。
・同じ作者の小説の中でも、この作品の面白さは格別だ。
連 __計らい　類 特別な　(副) 格別(例．今日は格別寒い。)

かくほ　ヲ確保スル
[名] ★1　guarantee, security / 确保 / 확보 / giữ

・紛争地域では、食料を確保することも難しい。
・{予算／財源／原料／エネルギー …}を確保する。

かくりつ　ガ/ヲ確立スル
[名] ★1　establishment / 确立, 确定 / 확립 / xác lập, thành lập

・クーベルタンが近代オリンピックの基礎を確立した。
・{制度／作風／名声／信頼関係／地位 …}{が／を}確立する。

がくれき　学歴
[名] ★3　educational background / 学历 / 학력 / học vấn

・学歴が高くても、実力があるかどうかはわからない。
・子供にいい学歴をつけさせたいと思う親が多い。
連 __が高い⇔低い、__をつける　合 高__、__社会

かくれる　ガ隠れる
[動] ★3　hide / 躲, 躲藏 / 숨다 / trốn, ẩn náu

・逃げた犯人は空き家に隠れていた。　・月が雲に隠れて見えなくなった。

☞〈他〉隠す

かげ　影

[名] ★1　shadow, silhouette, reflection, shape, light (stars/moon)／影子／그림자, 모습, 빛／bóng, bóng hình

① ・カーテンに人の影が映っている。　・日が傾くと影が伸びる。
② ・水面に山の影が映っている。
③ ・影も形も見えない。　・霧の向こうに島影がぼんやり見える。　類 姿
④ ・月の影が差している。　・星影　類 光

かげ　陰

[名] ★1　shade, shadow, other side, in secret／背光处, 背后, 暗地／그늘, 뒤, 멀리서／bóng tối, u ám

① ・南側に高いビルが建ったせいで、うちは陰になって、日当たりが悪くなった。
　合 日__、木__
② ・月が雲の陰に隠れて見えなくなった。　合 物__
③ ・陰で人の悪口を言うものではない。　・陰ながら応援する。　合 __口、__ながら

かけがえのない

[イ形] ★1　irreplaceable／无可替换的／둘도 없는／không thể thay thế

・かけがえのない地球をこれ以上汚してはならないと思う。
・事故でかけがえのない人を失った。

かける　ヲ掛ける

[動] ★3　cover; take (one's time); start (an engine), multiply／浇, 盖, 花(时间), 发动, 着手, 乘以／뿌리다, 치다, 씌우다, 덮다, 두르다, 들이다, 끼치다, 걸다, 얹다, 곱하다／cho vào (gia vị), đắp, bọc, nhân (trong phép nhân), dành (thời gian, chi phí)

① ・料理にしょうゆをかけて食べる。
② ・ふとんを掛けて寝る。　・〈本屋の店員が〉「カバーをおかけしますか」
③ ・このスープは時間をかけてゆっくり煮たほうがおいしい。
④ ・{迷惑／心配／世話／保険／音楽／エンジン／ブレーキ／アイロン／パーマ／橋／声 …} をかける。
⑤ ・3に3をかけると9になる。

☞〈自〉掛かる

かける　ガ欠ける

[動] ★2　chip; miss; lack／豁口, 有缺口；缺少；欠缺／빠지다, 부족하다, 없다／thiếu

① ・茶碗の縁が欠けてしまった。　・{歯／びんの口 …} が欠ける。
② ・うちのチームはメンバーが少ないので、一人でも欠けると、試合に出られない。
③ ・あの人は協調性に欠ける。　・社長の話は一貫性に欠ける。

〈他〉欠く（例.・この論文は一貫性を欠いている。　・義理を欠く。）

かける　ヲ懸ける／賭ける　[動]★1
to risk, gamble
赌输赢，冒险／걸다
đặt, đánh cược

[懸]・若者たちは国を守るために、命を懸けて戦った。
・投手はその一球に勝負を懸けた。
　連 命を__、勝負を__　合 命がけ→ __で戦う

[賭]・競馬では、多くの観客が金を賭ける。
・友達と、どちらのチームが勝つかに昼ご飯を賭けた。
　合 賭け事　関 ギャンブル　（名）賭け→ __をする

～かける

1）相手に対して作用を及ぼす
To have an effect on someone
给对方带来影响／상대방에게 작용이 미치다
liên quan đến

たてかける　ヲ立てかける　[動]★1
to lean/set against
把……靠在／세워 걸다
làm gì đó ép một ai đó

・ほうきを壁に立てかけておいた。

はなしかける　ガ話しかける　[動]★1
to talk to, start to speak
搭话，要说／말을 걸다
đính gì đó vào vật nào đó

① ・妹に話しかけたが返事もしない。機嫌が悪いのだろうか。
② ・彼は何か話しかけたが、結局何も言わなかった。　※「～かける」2）の意味。

2）～し始めてやめる
To start (to do something) and then stop
刚要开始～，就停了／~을 하기 시작해서 그 만두다
bắt đầu làm gì và dừng lại

いいかける　ヲ言いかける　[動]★1
to start to speak
要开口／말을 꺼내다
làm đến cùng

・彼女は何か言いかけたが、結局何も言わず、口を閉じてしまった。

3）もう少しで～しそうである
※「～かかる」としても、ほとんど同じ意味になる。

To be about (to do something)
好像有点儿要～／머지 않아 ~ 할 것 같다
thêm một chút nữa thì sẽ làm

おぼれかける　ガ溺れかける　[動]★1
to come close to drowning
要溺水／빠질 뻔하다
làm mạnh mẽ

・海で泳いでいたとき、足がつって、溺れかけた。

かげん　ヲ加減スル　[名]★1
condition, extent, state, adjustment, tendency／状况，程度，调节，稍微
(건강) 상태, 정도, 조절／điều chỉnh

① ・「お父様のお加減はいかがですか」　・自分のばかさ加減が嫌になった。
　連 __がいい⇔悪い　合 火__、塩__、水__、湯__　類 具合、程度

② ・肉が焦げないように、火の強さを加減する。
　合 ヲ手__スル（例.〈ゲーム〉子供相手なので手加減した。）　関 ヲ調節スル
③ ・うつむき加減に歩く。（＝うつむきぎみ）

かこむ　　ヲ囲む　　[動]★3
surround, circle
围，围绕，环／둘러싸다, 두르다
vây quanh, bao quanh

・テーブルを囲んで座る。　・日本は周りを海に囲まれている。

かさなる　　ガ重なる　　[動]★3
be on top of another; fall on same day, clash
重叠；（时间）赶在一起／포개어지다, 겹치다
bị kẹt/ chồng lên nhau, trùng (ngày nghỉ)

① ・印刷したら、紙が2枚重なって出てきた。
② ・日曜日と祝日が重なると、次の月曜日が休みになる。
☞〈他〉重ねる

かさねる　　ヲ重ねる　　[動]★3
stack, put on top of another; accumulate, do over and over
重叠，码，摞；反复，累积／겹치다, 거듭하다
chất thành đống, chồng, tích lũy (kinh nghiệm), chồng chất (khó khăn)

① ・皿を重ねて置いておく。　・寒かったので、セーターを2枚重ねて着た。
② ・｜練習／経験／無理／苦労　…｜を重ねる。
☞〈自〉重なる

かさばる　　ガかさばる　　[動]★1
to be bulky, cumbersome
体积大，体积，容积／부피가 커지다, 부피
cồng kềnh

・この荷物は重くはないが、かさばって持ちにくい。
関 かさ（例. ・かさが張る荷物　・雨で川の水かさが増す。）

かさむ　　ガかさむ　　[動]★1
to increase
增加／많아지다, 늘다
tăng lên

・この商品はコストがかさむので、利益は少ない。　・｜費用／経費　…｜がかさむ。

かざり　　飾り　　[名]★3
decoration
装饰品／장식
đồ trang trí

・クリスマスの飾りを買った。
（動）ヲ飾る

かし　　貸し　　[名]★3
loan, lending
借出的（财物, 恩情）／빌려 줌, 받을 빚
cho vay, cho mượn

・あの人には10万円の貸しがある。
・試験中は、筆記用具の貸し借りは禁止されている。

連 ＿がある　合 ＿借り　対 借り　(動) ヲ貸す

かじ　家事
[名] ★2
housework
家务／가사
việc nhà

・最近は、家事や育児もする男性が増えた。
関 炊事、洗濯、掃除、育児／子育て

かしこい　賢い
[イ形] ★2
wise, clever
聪明；高明／현명하다, 영리하다, 똑똑하다
khôn ngoan

① ・こんな難しい話が理解できるとは賢い子だ。
② ・物があふれているなか、賢い消費者にならなければいけない。　類 賢明な
合 ①②賢さ　類 ①②利口な

かしだす　ヲ貸し出す
[動] ★2
lend out
出借／대출하다
cho mượn

① ・「この図書館では雑誌も貸し出していますか」　対 ヲ借り出す
② ・銀行が金を貸し出す。
(名) ①②{貸し出し／貸出} → ＿期間

カジュアルな
[ナ形] ★1
casual
轻便的／캐주얼한
giản dị

・このレストランは格式が高いが、服装はカジュアルでかまわない。
・カジュアルな{格好／スタイル／デザイン／場／会話 …}
合 カジュアルさ、カジュアルウェア　対 フォーマルな　関 くだけた

かじょうな　過剰な
[ナ形] ★2
excessive
过剩, 过量／과잉이다
dư thừa

・塩分を過剰に取ると体に悪い。　・過剰な期待はしない方がいい。
・入試の前は「落ちる」という言葉に過剰に反応してしまう。
合 過剰さ、自信過剰(な)、自意識過剰(な)、過剰反応、過剰摂取

かじる　ヲかじる
[動] ★2
gnaw, bite; have a smattering of ~, dip into ~
咬, 啃；略懂, 学过一点／갉아먹다, 조금 알다
gặm

① ・りんごを丸ごとかじる。　・ねずみが柱をかじって困る。
② ・若いころ、フランス語をかじったことがある。

かすかな
[ナ形] ★1
faint
隐约，微弱／희미한，어렴풋한
thấp thoáng, nhỏ bé

・遠くにかすかに船が見える。　・かすかな{音／匂い／光／記憶 …}

類 うっすら(と)、僅かな、ほのかな

かせぐ　ヲ稼ぐ
[動] ★2
earn; gain; play for (time)／赚钱；获得；争取
벌다, 점수를 올리다, 시간을 끌다
làm

① ・大学時代はアルバイトで学費を稼いだ。　・1日1万円稼ぐのは大変だ。

合 出稼ぎ　(名)稼ぎ→＿＿がいい⇔悪い

② ・読解は苦手なので、日本語能力試験では、聴解で点を稼ごうと思う。　連 点を＿＿
③ ・出演者の到着が遅れ、その間、司会者が話をして時間を稼いだ。　連 時間を＿＿

かぞえる　ヲ数える
[動] ★3
count; number among
数(数)；数得上／세다, 손가락으로 꼽다
đếm, được tính là một trong số…

① ・数を数える。　・「いすがいくつあるか、数えてください」
② ・この寺は、日本で最も古い寺の一つに数えられている。

かた　型
[名] ★3
model
型，型号，式样／형，타입
loại, đời (máy)

・新しい型のパソコンを買った。

合 大型⇔小型、新型、薄型、髪型、血液型

かたい　固い／硬い
[イ形] ★3
hard, firm, stiff／硬，顽固；态度坚决；僵硬，坚硬；生硬／딱하다, 굳다, 강하다
cứng chắc chắn (quyết tâm, hứa hẹn…)

[固い] ① ・このパンはとても固い。

合 固さ　対 柔らかい、軟らかい　慣 頭が固い、口が固い

② ・びんのふたが固くてなかなか開かない。
③ ・固い{握手／約束／決心 …}
　　・がんばれば夢は実現すると固く信じている。

[硬い] ① ・体が硬い。　・ダイヤモンドは非常に硬いので、工業用に使われている。
② ・{表情／文章／内容 …}が硬い。

合 ①②硬さ　対 ①②柔らかい、軟らかい

かだい　課題
[名] ★3
issue; (school) assignment
课题，任务；题目／과제
vấn đề, bài tập (ở trường học)

① ・現在の日本には、高齢化、ごみ問題など、多くの課題がある。

②・鈴木先生の授業では、毎週課題が出される。　　　　　　　　　　　　　連 __を出す

かたこと　片言
[名] ★1　a few words, a smattering／只言片语／떠듬떠듬／bập bẹ từ

- 1才の誕生日を過ぎ、息子が片言を話すようになった。
- 母は片言の英語しか話せないが、アメリカでの一人旅は楽しかったそうだ。

かたづく　ガ片付く
[動] ★3　be tidied, be finished, be settled／收拾整齐，整理好；得到解决，（工作）完成／정돈되다, 끝나다／được thu gọn, được dọn dẹp, được hoàn thành

① ・大掃除をして、やっと部屋が片付いた。
② ・｛仕事／宿題／事件／問題 …｝がかたづいた。
☞〈他〉片付ける

かたづける　ヲ片付ける
[動] ★3　tidy, finish, settle／整理，收拾；解决，处理／치우다, 끝내다／thu gọn, dọn dẹp, hoàn thành

① ・机の上をかたづける。　・洗った食器を食器棚にかたづける。
　（名）片付け（例．私は片付けが苦手だ。）
② ・｛仕事／宿題／事件／問題 …｝を片付ける。
☞〈自〉片付く

かたまり　塊／固まり
[名] ★1　lump, group, bundle／块儿，成群，热衷于／덩어리, 무리, 떼／tảng, bầy đàn

① ・ご飯をかまずに塊で飲み込む。　・｛砂糖／塩／脂肪／土 …｝のかたまり
② ・小さい魚は敵に襲われないように、固まりになって泳ぐ。　（動）①②ガ固まる
③ ・子供は好奇心の固まりだ。　　　　　　　　　　　　　　　慣 好奇心の固まり

かたまる　ガ固まる
[動] ★2　harden, jell; gather; consolidate, solidify／凝固，固定；达成一致；稳固，稳定／굳다, 한데 모이다, 뭉치다, 확고해지다／cứng lại

① ・液体にゼラチンを入れると固まってゼリーになる。　　　　　　　　　（名）固まり
② ・この町では、公共施設は駅の東側に固まっている。
③ ・｛基礎／決心／結束／方針 …｝が固まる。
☞〈他〉固める

かたむく　ガ傾く
[動] ★2　lean, tilt; sink; lean (in favor of ~); decline／傾斜；日头偏西；傾向于……；衰落／비스듬해지다, 지려고 하다, 기울다／nghiêng

① ・地震で塀が傾いてしまった。　　　　　　　　　　　　　　　　　　（名）傾き
② ・日が傾くと、気温も下がってきた。

③・議論するにつれ、人々の意見は反対に傾いてきた。
④・経営の失敗により、会社が傾いた。　・｛家／国　…｝が傾く。
☞〈他〉傾ける

かたむける　ヲ傾ける
[動] ★2
lean, tilt; devote oneself to ~
使……傾斜；傾注／기울이다, 쏟다
hướng nghiêng

①・あの子はわからないことがあると、首を傾けるくせがある。
②・彼は若いころから研究に情熱を傾けていた。
慣 情熱を傾ける、耳を傾ける（例．学生たちは先生の話に耳を傾けた。）
☞〈自〉傾く

かためる　ヲ固める
[動] ★2
make hard, gather; consolidate, fortify; collect／使……凝固，使……固定；定下；巩固，加强／굳히다, 한데 모으다, 굳히다, 굳게 지키다, 구성하다／làm đông

①・ジュースを固めてゼリーを作った。
②・みんなの荷物を部屋の隅に固めて置いておいた。
③・｛基礎／決心／結束／方針　…｝を固める。
④・｛守り／国境　…｝を固める。
⑤・チームのメンバーをベテランで固める。
☞〈自〉固まる

かたよる　ガ片寄る／偏る
[動] ★2
cluster on one side; be biased [prejudiced]
偏向一边；偏颇, 不平衡／쏠리다, 기울다, 치우치다／nhẹ bớt

①・ボートで客が一方に片寄ったため、船体が傾いてしまった。
②・あの人の考え方は偏っている。　・栄養が偏ると健康が損なわれる恐れがある。
(名) ①②偏り→　＿がある⇔ない

かたる　ヲ語る
[動] ★2
talk, tell
谈, 讲, 讲述／말하다
kể

・被害者が事件の状況を語った。　・おばあさんは孫に昔話を語って聞かせた。
関 ヲ話す　(名) 語り

カタログ
[名] ★1
catalog
商品目录／카탈로그
danh mục hàng

・お歳暮を、百貨店のカタログから選んで相手に送った。
合 ＿販売、＿通販　類 商品目録　関 パンフレット

かち　勝ち
[名] victory / 赢, 胜利 / 승리 / thắng
★3

・今日の試合はAチームの勝ちだった。
合 __負け　対 負け　（動）ガ勝つ

かち　価値
[名] value / 价值 / 가치 / giá trị
★2

・情報は新しいほど価値が高い。　・商品に傷がつくと、価値が下がる。
・成功するかどうかわからないが、その方法はやってみる価値があると思う。
連 __が高い⇔低い、__がある⇔ない、__が上がる⇔下がる　合 __観（例.・価値観の相違から離婚することもあるそうだ。・価値観が合う⇔合わない）

がっかりする　ガがっかりする
[動] be disappointed / 失望, 灰心 / 실망하다 / chán nản
★2

・試験に落ちて、がっかりした。　・この結果には｛がっかりしている／がっかりだ｝。

かっき　活気
[名] energy / 活力 / 활기 / sôi động
★1

・市場は活気に満ちていた。　・このクラスは活気があって楽しい。
連 __がある⇔ない、__に満ちる、__にあふれる、__に乏しい

かっきてきな　画期的な
[ナ形] ground-breaking / 划时代的 / 획기적인 / tính bước ngoặt, mở ra kỷ nguyên
★1

・印刷術は画期的な発明だった。

かつぐ　ヲ担ぐ
[動] carry (on one's shoulder); believe in (superstitions) / 扛, 担；讨吉利 / 메다, 짊어지다 / vác
★2

① ・荷物を肩に担ぐ。　・（お）みこしを担ぐ。
② ・縁起をかつぐ。

がっくり（と）　ガがっくりスル
[副] drop (to one's knees, one's head), heartbroken, downcast / 突然无力地, 萎靡不振, 突然下降 / 맥없이, 상심하여, 뚝 / đau khổ
★1

① ・1位でゴールしたのに失格と判定され、田中選手はがっくりと膝をついた。
② ・母に死なれた父はがっくりして、何をする気にもなれないようだ。　連 __くる
③ ・近所に大型スーパーができると、うちの店の売り上げはがっくり落ちた。

かっこいい 〈かっこうがいい〉 [イ形] ★3
cool, nifty
帅, 棒, 酷／멋있다
đẹp mắt, đẹp trai, hấp dẫn, quyến rũ

・あの先輩は、かっこいいので人気がある。
・サッカーでかっこよくゴールを決めた。
※話し言葉的。　[合] かっこよさ　[対] かっこ悪い

がっしり（と） ガがっしり（と）スル [副] ★1
solid, firm, tough
结实／단단한, 다부진
vững chắc

・家具はどれも大きくてがっしりしていた。
・がっしり（と）した{体／胸／ドア …}　　　　[類] ガがっちり（と）スル

がっちり（と） ガがっちり（と）スル [副] ★1
solid, firmly, shrewd／健壮, 紧紧, 牢牢抓住
다부진, 꽉, 야무지, 단단히
kiên cố

① ・大野さんはスポーツで鍛えただけあって、体がっちりしている。
　　[類] ガがっしり（と）スル
② ・二人はがっちり（と）握手した。　　　　　　[類] しっかり（と）
③ ・弟はお金にがっちりしているから、貯金もずいぶんあるだろう。

かつて [副] ★1
in the past, (never) before
曾经, 以前／이전에, 전에, 한번도
một lần

① ・私はかつて、カナダに住んでいたことがある。　　　　[類] 以前
② ・今年はかつてない暖冬だった。
※「かつて（～）ない」の形で使う。　[合] いまだ＿　[類] 今まで

かってな　勝手な [ナ形] ★2
selfish; on its own; situation; convenience／随意的, 为所欲为的；自动的；情况；方便／제멋대로 굴다, 자유, 저절로, 상황, 사용하기 편리한 정도／tùy ý

① ・勝手な言動は他の人の迷惑になる。　・彼は人の物を勝手に使うので困る。
　　[合] 勝手さ、自分勝手（な）、身勝手（な）、好き勝手（な）
　　[関] わがままな、自己中心的な　[慣] ～の勝手（例.「彼とは結婚しない方がいい」「だれと結婚しようと私の勝手です」）
② ・このパソコンは、ときどき勝手にシャットダウンしてしまう。
　　[関] ひとりでに、自動的に
③ [名] 勝手・転勤したばかりで、まだ事務所の勝手がよくわからない。
　　[関] 状況、事情、様子
④ [名] 勝手・この台所は勝手が悪くて料理がしにくい。

連 __がいい⇔悪い　合 使い勝手

カット　ヲカットスル
[名] ★2　cut; reduction／切；裁減；剪辑；剪(发)；刻花／컷, 자름, 삭감, 커트／cắt

① ・ケーキを八つにカットした。　　　　　関 ヲ切る、カッター（ナイフ）
② ・会社の業績が悪く、賃金がカットされた。
　合 予算__、コスト__、経費__、賃金__　類 ヲ削る、ヲ削減スル
③ ・映画から残酷な場面がカットされた。
　合 ノー__、ノイズ__　類 ヲ除去スル、ヲ削除スル
④ ・髪が伸びてきたので美容院でカットした。　合 ヘア__、ショート__　関 ヲ切る
⑤ ・りんごをカットしてうさぎの形にした。　合 __グラス　関 ヲ切る、ヲ刻む

かっぱつな　活発な
[ナ形] ★2　active; lively／活泼；活跃／활발하다／sống động

① ・うちの娘はとても活発だ。　・活発な｛人／性格…｝　関 快活な
② ・活発な議論が行われた。　・最近、火山活動が活発になっている。
合 ①②活発さ

かつやく　ガ活躍(ヲ)スル
[名] ★3　activity／活跃／활약／tích cực, nhanh nhẹn

・田中選手の活躍を期待する。　・友達は運動会で大活躍した。
合 ガ大__(ヲ)スル

かてい　家庭
[名] ★3　home, household／家，家庭／가정／gia đình

・田中課長は仕事ではきびしいが、家庭ではやさしいお父さんだそうだ。
・早く結婚して、温かい家庭を持ちたい。
連 __を持つ　合 __的な　関 主婦

かてい　過程
[名] ★1　process, course／过程／과정／quá trình

・実験の過程を記録しておく。　・子供の成長の過程をビデオに残す。
類 経過、プロセス

かなう　ガかなう
[動] ★1　to come true／能实现，能如愿以偿／이루어지다／trở thành hiện thực, khả thi

・努力すれば、いつか必ず夢はかなうと信じている。

- 歌手になるのは、かなわぬ夢だとあきらめた。
  - 連 願いが＿、夢が＿　類 ガ実現する　慣 かなわぬ夢　☞〈他〉かなえる

かなえる　ヲかなえる
[動] ★1
- to come true
- 实现愿望／이루어지게 하다
- làm thành hiện thực

- 彼はオリンピックで金メダルを取り、ついに夢をかなえた。
  - 連 願いを＿、夢を＿　類 ヲ実現する　☞〈自〉かなう

かなしみ　悲しみ
[名] ★3
- sadness
- 悲伤／슬픔
- sự đau buồn

- 愛犬を亡くした悲しみが消えない。
- (動) ヲ悲しむ　(イ形) 悲しい

かなしむ　ヲ悲しむ
[動] ★2
- feel sad, be sorrowful
- 悲哀, 伤心／슬퍼하다
- khóc thương

- 娘はペットの死を悲しんで、1日中泣いていた。
- 対 ヲ喜ぶ　(名) 悲しみ　(イ形) 悲しい

かならず　必ず
[副] ★3
- surely, without fail; always
- 一定；必定, 肯定／반드시, 꼭
- nhất định, luôn (thói quen)

① ・「この書類は明日必ず出してください」　類 きっと、絶対
② ・私は毎朝必ず牛乳を飲むことにしています。

かならずしも　必ずしも
[副] ★2
- not always, not necessarily
- 不一定, 未必／반드시
- không nhất định

- お金があれば幸せとは、必ずしも言えないだろう。
- 入社試験では、必ずしも筆記試験の成績のいい人が合格するというわけではない。
※ 否定的な表現と一緒に使う。

かなり
[副] ★3
- fairly, quite
- 相当, 颇／꽤, 상당히
- khá, kha khá

- 頭痛の薬を飲んだら、30分ぐらいでかなりよくなった。
- 昨日の台風で、九州ではかなりの被害が出たそうだ。

類 だいぶ／だいぶん

かねて
[副] ★1
- previously
- 原先, 老早／전부터, 미리
- trong một thời gian

- 原子力発電所の危険性は、かねて(より／から)指摘されていたことだ。

・「お名前はかねてより伺っております」
類 かねがね、以前から

かねる　ヲ兼ねる
[動] ★2　serve both as; can not ~／兼，兼带；难以，不便／겸하다，~하기 어렵다／kèm

① ・この家は住居と仕事場を兼ねている。
② ・「その件についてはわかりかねます」　※「動詞マス形＋かねる」の形で使う。

かのうな　可能な
[ナ形] ★3　possible／有可能的，可以做到的／가능하다／có thể, có khả năng

・科学が進歩して、今まで不可能だったことも可能になった。
・この成績なら希望の大学に合格することは十分可能だ。

合 可能性→ ＿が{ある／高い／大きい}⇔{ない／低い／小さい}　対 不可能な
類 可(⇔不可)（例. ペット可、辞書持ち込み可）

カバー　ヲカバー(ヲ)スル
[名] ★2　cover; making up for; covering／套子；弥补，覆盖／커버，덮개／che

① ・ソファーをカバーで覆う。　・服にカバーを{して／かけて}たんすにしまう。
　連 ＿をかける　合 洋服＿、枕＿、ブック＿　類 覆い　関 ヲ覆う
② ・私の仕事のミスを同僚がカバーしてくれた。　関 ヲ補う
③ ・携帯電話の電波は、ほとんど全国をカバーしている。

かばう　ヲかばう
[動] ★1　to cover for, cover up, protect／庇护，保护／감싸다／che giấu, giữ

① ・彼は、罪を犯した恋人をかばって警察に自首した。
② ・高橋投手は、けがをした肩をかばいながら投球を続けた。

かび
[名] ★3　mold／霉菌／곰팡이／ẩm mốc

・梅雨の時期はかびが生えやすい。
連 ＿が生える

かぶせる　ヲかぶせる
[動] ★2　cover; pour; place [throw] ~ (on somebody else)／盖上；浇上；嫁祸，推委／덮다, 끼얹다, 뒤집어씌우다／che

① ・ぬれないように、自転車にシートをかぶせておいた。
② ・人に罪をかぶせるなんて、ひどい人間だ。

かぶる　ヲかぶる
[動] ★2　put on; be poured; take ~ upon oneself, shoulder ／戴（帽子）；淋；承担，蒙受／쓰다, 뒤집어쓰다／mặc

① ・帽子をかぶる。
② ・頭から水をかぶる。
③ ・父親は子供の罪をかぶって刑務所に入った。

かまう　ガ／ヲ構う
[動] ★1　to care about, be concerned about, look after ／介意,管／상관하다, 신경 쓰다, 상대하다／quan tâm

〈自〉① ・彼女はあまり服装に構わない。　　【類】ヲ気にかける
　　② ・「このコピー機を使ってもいいですか」「はい、構いません」
〈他〉　・親は二人とも仕事で忙しくて、なかなか子供を構ってやる暇がない。
※ 否定表現として使うことが多い。

がまん　ヲ我慢（ヲ）スル
[名] ★3　endurance, patience ／忍耐, 忍受／참음, 인내／kiềm chế, chịu đựng, nhẫn nại

・痛くてもがまんする。　・眠いのをがまんして勉強した。
合 __強い(例. ・我慢強い性格　・我慢強く待つ)

がめん　画面
[名] ★3　screen ／画面, 屏幕／화면／màn hình

・パソコンの画面をずっと見ていると、目が疲れる。

かゆい
[イ形] ★3　itchy ／痒／가렵다／ngứa

・蚊に刺されて首がかゆい。
合 かゆさ、かゆみ

かよう　ガ通う
[動] ★3　commute, go regularly; understand (someone's feelings) ／上（学, 班）；(心意) 相通／다니다, 통하다／đi lại hàng ngày tới (công ty, trường học…), hiểu được (cảm giác của ai đó)

① ・{学校／会社／病院 …}に通う。　　関 ガ通学スル、ガ通勤スル、ガ通院スル
② ・一緒に働いている間に、彼女と心が通うようになった。
連 {気持ち／心}が__

から　空
[名] ★2　empty ／空／(속이) 빔／trống rỗng, trống không, không có gì

・昨夜は一人でワイン一びんを空にした。　・さいふが空になった。
連 __になる・__にする　合 空っぽ(※くだけた話し言葉)

がら　柄　[名] ★1
pattern, build, character, nature／花样, 体格, 人品, 身份／무늬, 몸집, 체격, 품격／mẫu, mô hình, cán

① ・彼女は派手な柄の服が似合う。
　合 花__、しま__、ヒョウ__、__物　類 模様　関 無地
② ・弟は柄ばかり大きくて、実は甘えん坊だ。　　　合 大柄な⇔小柄な
③ ・柄の悪い男につきまとわれて困っている。
　連 __が悪い　合 人__（例. 彼は成績はともかく、人柄はいい。）、土地__（例. このあたりは開放的な土地柄で、よそから来た人間にも住みやすい。）
④ ・〈銀行員など〉仕事柄、金の計算は得意だ。

からかう　ヲからかう　[動] ★1
to tease／嘲笑／놀리다, 조롱하다／bỡn cợt

・私は何をやっても不器用で、よく家族にからかわれる。
　類 ヲ冷やかす　（名）からかい

からす　ヲ枯らす　[動] ★2
wither ~／使……枯萎／시들게 하다, 말려 죽이다／diệt

・病気が発生し、多くの木を枯らしてしまった。
　☞〈自〉枯れる

ガラス　[名] ★3
glass, pane／玻璃／글라스, 유리／kính

・ボールをぶつけて窓ガラスを割ってしまった。　・ガラスの花びん
　合 窓__、__製品　関 グラス

からまる　ガ絡まる　[動] ★1
to be entwined, tangled／缠绕／얽히다, 휘감기다, 감기다／bị vướng

・木の幹にツタが絡まっている。　・毛糸が絡まってほどけない。
　類 ガ絡む　関 ガもつれる　☞〈他〉絡める

からむ　ガ絡む　[動] ★1
to be involved, entwine, pick a fight／牵扯, 无理取闹, 缠绕／관계하다, 휘감기다, 치근덕거리다／gặp rắc rối, dính dáng, liên quan

① ・利害が絡むと、公正な判断を下すのは難しくなるものだ。
　合 [名詞]＋絡み（例. 政治家絡みの事件）　類 ガ関係する　（名）絡み
② ・フェンスに朝顔のつるが絡んでいる。　　　　　　　　類 ガ絡まる
③ ・あの人は、酔うと人に絡む悪い癖がある。

からめる　ヲ絡める
[動] ★1　to mix with, be in conjunction with / 沾上, 挽上, 与……有关 / 묻히다, 관련시키다 / chấm, liên quan

① ・焼いた肉にたれを絡めた。　　　類 ヲ絡ませる
② ・高齢者の問題は、少子化問題とも絡めて考えなければならないだろう。
　類 ヲ関係づける
☞〈自〉絡まる

かり　借り
[名] ★3　debt, borrowing / 欠下的(财物, 恩情) / 빌림, 빚 / vay, mượn

・借りは返さなければならない。　・私は田中さんに借りがある。
・試験中は、筆記用具の貸し借りは禁止されている。
連 __がある　合 貸し__　対 貸し　(動) ヲ借りる

カリキュラム
[名] ★2　curriculum / 教学计划, 课程计划 / 커리큘럼, 교육 과정 / chương trình đào tạo

・カリキュラムに沿って授業を行う。
連 __を立てる、__を組む

カルチャー
[名] ★2　culture / 文化；学习 / 컬처, 문화, 교양 / văn hóa

① ・外国の生活でカルチャーショックを受けることがある。
　合 __ショック、ポップ__、サブ__　類 文化
② ・町のカルチャーセンターで書道を習っている。　合 __スクール、__センター

かれる　ガ枯れる
[動] ★2　wither, die / 凋零, 枯萎 / 시들다 / khô héo

・害虫のせいで、木が枯れてしまった。　・花が枯れる。
関 ガしおれる、ガしぼむ　☞〈他〉枯らす

かろうじて
[副] ★1　barely, just and no more / 好容易オ……, 勉勉強強地 / 간신히, 가까스로 / hiếm khi

・かろうじて予選をパスし、決勝に残ることができた。
・危ないところだったが、かろうじて難を逃れた。
類 やっと(のことで)、何とか

カロリー   [名] ★2
calorie
热量，卡路里；千卡／칼로리, 열량
calo

① ・成人男性が1日に必要なカロリーは、1,800～2,000kcalぐらいと言われている。
  連 __を取る、__を消費する、__が高い⇔低い 合 高__⇔低__、__オーバー、
  __コントロール、__表示、__計算 関 ダイエット
② ・1カロリーは一気圧で水1グラムの温度を1℃上げるのに必要な熱量だ。

かわ　皮   [名] ★3
skin, hide
皮／껍질, 가죽
da, vỏ

・{果物／野菜／動物…}の皮　・りんごの皮をむいて食べる。
連 __をむく 合 毛皮

かわいがる　ヲかわいがる   [動] ★2
pet, cherish
宠爱, 疼爱／귀여워하다
thương yêu

・息子は妹をとてもかわいがっている。　・彼は上司にかわいがられている。

かわいそうな   [ナ形] ★2
poor, pitiful
可怜, 凄惨的／가엾다, 불쌍하다
đáng thương

・子供を叱ったが、泣いているのを見てかわいそうになった。
・「犬がひかれて死んでるよ」「かわいそうに……」
類 哀れな 関 気の毒な

かわかす　ヲ乾かす   [動] ★3
dry
晒干, 弄干／말리다
làm cho khô

・ドライヤーでぬれた髪を乾かした。
☞〈自〉乾く

かわく　ガ渇く   [動] ★3
become thirsty/parched
渴, 口渴／마르다
khát

・のどが渇いた。
(名) 渇き

かわく　ガ乾く   [動] ★3
dry
干, 干燥／마르다, 건조하다
khô

・風が強かったので、外に干した洗たく物はすぐに乾いた。
・{空気／インク…}が乾く。
(名) 乾き→　__が速い⇔遅い　☞〈他〉乾かす

かわす　ヲ交わす
[動] ★1
to exchange
交換／나누다, 주고받다
trao đổi, đổi chác

・朝、お隣の人と挨拶を交わした。
・｛言葉／握手／視線／約束／さかずき …｝を交わす。
合 ヲ見交わす、ヲ取り交わす（例．契約書を取り交わす。）

かわる　ガ／ヲ変わる
[動] ★3
change
変化／변하다, 바뀌다
thay đổi (thời đại, địa điểm, mùa…)

〈自〉・｛季節／時代／場所／法律／性格 …｝が変わる。　☞〈他〉変える
〈他〉・黒板の字がよく見えなかったので席を変わった。

かわる　ガ／ヲ替わる／代わる／換わる
[動] ★3
change, substitute
代替, 更換／바뀌다, 대신하다
thay đổi, thay thế (làm thay)

〈自〉・4月に店長がかわった。　☞〈他〉替える／代える／換える
〈他〉・「ちょっと出かけてくるので、しばらく受付の仕事をかわってください」

かん　缶
[名] ★3
can
罐子, 罐頭／캔, 깡통
da, vỏ

・おかしを缶に入れて保存する。
合 __詰め、__ビール、ドラム__　関 びん、びん詰め、ペットボトル

かん　勘
[名] ★2
intuition
直覚, 感覚／직감, 육감
trực giác

・母は勘がよくて、うそをついてもすぐばれてしまう。
・わからなくて、勘で選んだ答えが合っていた。
連 __がいい⇔悪い、__が当たる⇔外れる、__が働く・__を働かせる、__が鋭い⇔鈍い　合 ヲ__違いスル　関 第六感

かんがえ　考え
[名] ★3
thought, idea
想法, 意見／생각
suy nghĩ, ý tưởng

・私にいい考えがある。
連 __がある、__が浮かぶ　（動）ヲ考える

かんかく　感覚
[名] ★2
sensation; sense
感覚, 想法／감각
cảm giác

①・冷えて、手足の感覚がなくなってしまった。
関 視覚、聴覚、嗅覚、味覚、触覚、五感

② ・あの作曲家は70才の今も、若々しい感覚で音楽を作り続けている。

連 __が新しい⇔古い　合 バランス__、色彩__、金銭__、__的な
連 ①②__が鋭い⇔鈍い

かんかく　間隔
[名] interval / 间隔／간격 / khoảng thời gian　★2

・50センチの間隔を開けて机を並べた。
・ラッシュ時には3分間隔で電車が来る。

連 __が開く⇔詰まる・__を開ける⇔詰める、__が開く、__が広がる⇔狭まる・__を広げる⇔狭める　関 間

かんかん
[副] be in a rage; blaze / 大怒, 大发脾气 ; 毒辣辣地／노발대발, 쨍쨍 / điên　★2

① ・「お父さん、怒ってる？」「かんかんだよ」　・かんかんに（なって）怒る。
② ・真夏の太陽がかんかん（と）照りつける。　　　　　　　　　合 __照り

かんきょう　環境
[名] environment / 环境／환경 / môi trường　★3

・都心より、環境のいい郊外に住みたい。

連 __を守る　合 自然__、__問題、__保護

かんけい　ガ関係スル
[名] relationship / 关系 ; 关联, 联系 ; 相关的／관계, 관련 / quan hệ　★3

① ・「お二人の関係は」「{親子／兄弟 …}です」　・あの二人は先輩・後輩の関係だ。
② ・あの人がどうなっても、私{に／と}は関係（が）ない。

　連 __がある⇔ない　合 __者

③ ・「ご職業は」「建設関係の仕事をしています」　　合 [名詞]＋関係

かんげい　ヲ歓迎スル
[名] welcome / 欢迎／환영 / chào đón　★2

・新入社員を歓迎する会が開かれた。
・宇宙飛行士たちはどこへ行っても大歓迎を受けた。

連 __を受ける　合 ヲ大__（ヲ）スル、__会

かんげき　ガ感激スル
[名] (deep) emotion / 感激／감격 / sâu cảm xúc　★2

・めったに人をほめない教授にほめられて、感激した。

・人々の温かい気持ちに<u>感激し</u>、涙が出てきた。
関 ガ感動スル

かんけつな　簡潔な
[ナ形] ★1　concise, brief／简洁／간결함／ngắn gọn

・「要点を<u>簡潔</u>に述べてください」　・<u>簡潔</u>な{文章／表現／言い方 …}
合 簡潔さ　対 冗長な、冗漫な

かんげん　ヲ還元スル
[名] ★1　return, restoration／还原／환원／hoàn lại

・企業は利益を消費者に<u>還元</u>することが求められる。
合 利益__、濃縮__（ジュース）

かんこう　ヲ観光（ヲ）スル
[名] ★3　tourism, sightseeing／观光, 旅游／관광／tham quan

・「来日の目的は<u>観光</u>です」　・先週、京都を<u>観光</u>してまわった。
合 __客、__旅行、__地、__バス、[地名]+観光（例．京都観光）

がんこな　頑固な
[ナ形] ★2　stubborn; tough／顽固, 固执; 难去掉的／완고하다, 끈질기다／cứng đầu

① ・妹は<u>頑固</u>で、一度言い出したら後へは引かない。
合 頑固者　類 強情な、かたくなな
② ・何度洗っても落ちない。まったく<u>頑固</u>な汚れだ。　類 しつこい
合 ①②頑固さ

かんし　ヲ監視スル
[名] ★1　surveillance／监视／감시／giám sát

・このATMは24時間<u>監視</u>されている。
・ヘビースモーカーの彼は、入院中も看護師の<u>監視</u>の目を逃れて外で吸っていた。
合 __カメラ　慣 監視の目を逃れる

かんしゃ　ガ感謝スル
[名] ★3　gratitude, thank／感谢／감사／cảm ơn, biết ơn

・アドバイスしてくれた先輩に、とても<u>感謝</u>している。
連 深く__する

かんしょう　ガ干渉スル　[名]★1
interference
干渉／간섭
can thiệp, can dự

・会社が社員の私生活にまで干渉するのは問題だ。
・「もう子供じゃないんだから、私のすることに干渉しないで」
合 内政__、過__

かんじょう　ヲ勘定(ヲ)スル　[名]★2
calculation; payment, bill; consideration
計数, 計算；結账, 买单；考虑, 估计／(수량의) 셈, 계산, 대금 지불, 고려／tài khoản

① ・{金／人数 …}を勘定する。　　　連 __が合う⇔合わない　類 ヲ計算(ヲ)スル
② ・勘定を済ませて帰る。　・〈飲食店で〉「お勘定、お願いします」　類 会計
③ ・計画を立てるときは、リスクも勘定に入れておいた方がいい。
　連 ヲ__に入れる

かんじょう　感情　[名]★2
emotion; feeling(s)
情绪, 感情／감정
cảm xúc

・田中さんはすぐに感情が顔に出る。・感情を込めて歌う。
連 __を出す⇔抑える、__を込める　合 __的な　対 理性

かんじょうてきな　感情的な　[ナ形]★2
emotional
易动感情, 感情用事／감정적 인
dễ cảm xúc

・鈴木さんは感情的な人で、すぐに泣いたり怒ったりする。
・間違いを指摘され、つい感情的になって反論してしまった。
連 感情的になる　対 理性的な、冷静な　(名) 感情

がんじょうな　頑丈な　[ナ形]★1
solid, sturdy
结实／튼튼한, 단단한
vững chắc

・この家具は頑丈にできているから、100年でももつだろう。
・頑丈な{家／ドア／体つき …}
合 頑丈さ　関 丈夫な、がっしりした／している

かんじる　ヲ感じる　[動]★3
feel／感觉, 感到, 感受／느끼다
cảm thấy (lạnh, đau..), cảm nhận thấy (trách nhiệm)

・{寒さ／痛み／空腹／甘み／揺れ …}を感じる。
・私のミスで試合に負けてしまい、責任を感じている。
(名) 感じ→　～__がする(例. 彼女は少し冷たい感じがする。)、__がいい⇔悪い(例. 彼は感じのいい人だ。)

かんしん　ガ感心スル
[名] ★3　admiration; praiseworthy　佩服；让人赞叹／감탄, 기특함　đáng khâm phục, ngưỡng mộ, đáng khen ngợi

① ・チンさんの進歩の速さに感心した。
② [(ナ形) 感心な]・太郎君はよく親の手伝いをする、感心な子供だ。

かんしん　関心
[名] ★2　interest　感兴趣／관심　quan tâm

・私はスポーツにはあまり関心がない。　・国民の、政治への関心が高まっている。

連 __がある⇔ない、__を持つ、__が高まる　関 興味

かんせい　ガ／ヲ完成スル
[名] ★3　completion　完成／완성　hoàn thành

・{建物／作品 …}が完成した。　・半年かけて論文を完成させた。

かんせん　ガ感染スル
[名] ★1　infection, contagion　感染／감염　nhiễm

・病気のウイルスに感染しても、症状が出るとは限らない。
・この病気は鳥から人に感染する。

合 __者、__症、二次__、__経路、院内__　関 ガ伝染スル、ガうつる

※「病気をうつされる」とは言うが、「感染される」とは言わない。

かんぜんな　完全な
[ナ形] ★3　complete, total　完整的，完全的；圆满，彻底／완전하다　hoàn thiện, toàn bộ

① ・土の中から古代の器が完全な形で出てきた。　対 不完全な
② ・実験は完全に失敗してしまった。　・試合は私達の完全な勝利だった。

かんそう　感想
[名] ★3　impression, feeling　感想／감상　cảm tưởng, ấn tượng

・「ご感想はいかがですか」「すばらしかったです」

連 __を述べる

かんそう　ガ乾燥スル
[名] ★2　dryness　干燥／건조　phơi khô

・草を乾燥させて家畜のえさにする。　・乾燥した{空気／肌 …}

合 __機　類 ガ乾く　関 ガ湿る

かんそく　ヲ観測スル
[名] ★2　observation; prediction / 观测；观察 / 관측 / quan sát

① ・地震の15分後に、高さ30センチの津波が観測された。
　合 天体＿　関 ヲ観察(ヲ)スル
② ・{経済／政治／ファッション …}の動向を観測する。
　合 希望的＿

かんだいな　寛大な
[ナ形] ★1　tolerant, lenient / 宽容，宽大 / 관대한 / khoan dung

・若い人の失敗には寛大でありたいものだ。　・寛大な{人／性格 …}
合 寛大さ　類 寛容な

かんてん　観点
[名] ★1　point of view / 观点 / 관점 / quan điểm

・二人はそれぞれの観点から意見を述べた。
・観点を変えれば、解決策が見つかるかもしれない。
合 教育的＿　類 視点　関 見地、立場

かんどう　ガ感動スル
[名] ★3　feeling moved, being touched / 感动 / 감동 / cảm động, cảm kích

・パラリンピックを見て、とても{感動した／感動させられた}。
・私はピカソの絵に感動し、自分も画家になりたいと思った。
連 ＿を受ける⇔＿を与える、深く＿する　合 ＿的な

かんとく　ヲ監督(ヲ)スル
[名] ★2　manager, director; supervisor / 教练，领队；监督，监工 / 감독 / đạo diễn

① ・スポーツチームの監督を務める。　合 映画＿　関 〈スポーツ〉コーチ
② ・部下を監督する。　合 試験＿、現場＿、＿者、＿責任

かんぺきな　完璧な
[ナ形] ★1　perfect / 完美 / 완벽한 / hoàn hảo

・〈体操競技など〉彼女の演技は完璧だった。
・「何でも完璧にこなそうとすると、疲れてしまうよ」
合 完璧さ　関 完全無欠な

かんり　ヲ管理(ヲ)スル
[名] ★2　management, administration, control / 管理 / 관리 / quản lý

・私の仕事は{ビル／駐車場／公園 …}の管理だ。　・情報を管理する。

- 弁護士に財産の管理を頼んでいる。　・健康管理も仕事のうちだと思う。
- 合 __人、__職、__会社、__事務所、品質__、健康__、情報__

かんれん　ガ関連スル
[名] ★2　connection, relation / 关联, 有关系 / 관련 / liên quan

- この二つの事件に関連があるかどうか調べてみよう。
- 「先ほどの黒田さんの報告に関連して、説明を追加させていただきます」
- 連 __がある⇔ない　合 __性、__記事、__事項　関 ガ関係スル

かんわ　ガ／ヲ緩和スル
[名] ★1　alleviation, mitigation / 缓和, 和缓 / 완화 / hòa hoãn, nói lỏng

- 電車の本数が増えたので、多少混雑が緩和した。　・この薬は痛みを緩和する。
- 合 規制__、緊張__、金融__　関 ガ緩む、ヲ緩める

キー
[名] ★2　key / 钥匙；关键；按键 / 키, 열쇠, 관건, 건반 / chìa khóa

① ・車のキーを中に入れたままロックしてしまった。　合 __ホルダー　類 鍵
② ・メンバー全員の協力が成功のキーだ。
　　連 __を握る　合 __ポイント、__ワード、__センテンス　類 鍵、ポイント
③ ・｛ピアノ／パソコン …｝のキー　連 __を叩く、__を打つ　合 __ボード

きおく　ヲ記憶スル
[名] ★2　memory / 记忆, 记得 / 기억 / lưu trữ

- そのときのことは全く記憶にない。
- 少女は事故の前のことを記憶していなかった。
- 連 __にない、__に新しい、__に残る　合 __喪失

きかい　機会
[名] ★3　opportunity / 机会 / 기회 / cơ hội

- 彼女と二人で話したいのだが、なかなか機会がない。
- バレンタインデーは愛の告白のいい機会だ。
- 連 __がある⇔ない、いい__　類 チャンス

きかく　ヲ企画スル
[名] ★1　plan, project / 计划 / 기획 / sự lên kế hoạch, sự quy hoạch

- この新商品の企画を立て始めたのは、1年前だ。　・新年会を企画する。
- 連 __を立てる　合 __立案　関 計画、プラン、立案、企て

119

きがるな　気軽な
[ナ形] ★2
without worrying, carefree
随意／부담없이, 가볍게
dễ dàng

・高級な寿司屋は高いが、回転寿司なら気軽に食べられる。　・気軽なパーティー

きかん　期間
[名] ★3
period
期间／기간
thời gian

・{申し込み／休業／工事 …}期間は12月1日から3日までです。

合 [名詞]＋期間

きき　危機
[名] ★1
crisis, danger
危机／위기
khủng hoảng

・パンダは絶滅の危機にある。　・危機一髪で戦場から脱出することができた。

連 __が迫る、__を逃れる、__を脱する、__に陥る、__に瀕する

合 __感(例.・危機感を持つ。・危機感がある⇔ない)、__的な、__一髪、財政__、エネルギー__　関 危険、ピンチ、危地

きく　ガ効く
[動] ★3
be effective, work right
有效, 见效／듣다, 효력이 있다
hiệu quả, hoạt động tốt (đúng chức năng)

・この薬は頭痛によく効く。

・クーラーが効いていないのか、この部屋はとても暑い。

合 効き目→ __がある⇔ない、__が強い⇔弱い(例. この薬は効き目が強い。)

きげん　機嫌
[名] ★2
mood; health
心情, 情绪／심기, 기분, 비위, 안부
tâm trạng

・父はきげんが悪いらしく、何を聞いても返事もしない。

・「ごめん。謝るから、きげん直して」　・あの人はいつも上司の機嫌を取っている。

連 __がいい⇔悪い、__が直る・__を直す、__を取る　合 ご機嫌な(例. 父はお酒を飲んでご機嫌だ。)、ご機嫌斜め(＝機嫌が悪い)

きげん　期限
[名] ★2
term, deadline
期限／기한
thời hạn

・支払いの期限を延ばしてもらった。　・このチケットの有効期限は3月5日です。

連 __が切れる、__を{延ばす/延長する}　合 賞味__、消費__、有効__、無__、__切れ

きげん　起源
[名] ★1
origin
起源／기원
nguồn gốc

・文明の起源を探る。　・人類の起源をさかのぼる。

連 __を探る、__をさか上る　関 源、水源、源流

きけんな　危険な
[ナ形] ★3　dangerous, risk / 危险的／위험한, 우려 / nguy hiểm

① ・夜に暗い道を一人で歩くのは危険だ。　対 安全な　類 危ない
② [名] 危険 ・暑い中で運動すると、熱中症になる危険がある。
連 __がある⇔ない、__を感じる、__が迫る　合 __物、__性　対 安全

きこく　ガ帰国スル
[名] ★3　returning to one's country / 归国、回国／귀국 / về nước

・今度の正月には帰国するつもりだ。

きざし　兆し
[名] ★1　(show) signs of / 征兆／징조, 조짐 / dấu hiệu

・先月から、景気は回復の兆しを見せている。
・2月も半ばを過ぎると、春の兆しが感じられる。
連 ～__が見える・～__を見せる　類 前兆、兆候、前触れ、予兆　(動) ガ兆す

きざむ　ヲ刻む
[動] ★2　cut (a thing) into fine pieces; engrave, carve; engrave [stamp] (on one's mind); tick away / 切细, 雕刻, 铭记, 刻满（皱纹）, 刻画时间／잘게 썰다, 새기다, 잘게 구분 짓듯 진행되어 가다 / nhà văn được giải Nobel

① ・キャベツを刻んでいためる。
② ・石に文字を刻む。　・大きな岩を刻んで仏像を彫る。　関 ヲ彫刻(ヲ)する
③ ・父の言葉を胸に刻む。　・祖母の顔には深いしわが刻まれていた。
合 ②③ヲ刻みつける　慣 胸に刻む、心に刻む
④ ・時計が時を刻む。　慣 時を刻む

きじ　記事
[名] ★3　article (newspaper/magazine) / 报道／기사 / bài báo

・この記事によると、日本に住む外国人が増えているそうだ。
合 新聞__、雑誌__

きじゅん　基準
[名] ★2　standard, criterion / 基准／기준 / tiêu chuẩn

・この川の水は水質基準を満たしていないから、飲まない方がいい。
・日本は地震が多いので、建築基準が厳しい。　・「評価の基準を示してください」
連 __を満たす　合 合格__、評価__、__値　関 水準、標準、レベル

きずく ヲ築く
[動] ★1 to build, construct / 建造, 建立／구축하다, 쌓다, 이루다 / xây dựng

① ・この城は17世紀に築かれたものだ。　・{ダム／堤防／建物の土台 …}を築く。
② ・「二人で力を合わせて幸せな家庭を築きたいと思います」
　・{信頼関係／新しい社会／富／繁栄／～の基礎 …}を築く。

[合] ①②ヲ築き上げる

きずつける ヲ傷つける
[動] ★2 to damage, to injure, to hurt ／弄出伤痕, 划伤, 伤害／흠을 내다, 상처를 입히다 / làm bị thương

① ・友達に借りた車を塀にぶつけて傷つけてしまった。
② ・いじめられた少女がナイフで相手を傷つけるという事件が起こった。
③ ・私は信頼してくれた友人を裏切り、深く傷つけてしまった。

[関] ①〜③傷　〈自〉傷つく

きせい ガ帰省スル
[名] ★3 returning to one's hometown ／归省, 回家探亲／귀성 / về quê

・お盆にはふるさとに帰省する日本人が多い。

きせい ヲ規制スル
[名] ★1 regulation, control ／限制, 管制／규제 / quy chế

・このあたりでは、建物の高さは法律によって規制されている。
・産業界は自由競争をしやすくするため、規制(の)緩和を求めている。

[連] __がある⇔ない、__を強める⇔緩める、__を敷く⇔{解く／解除する}、__を緩和する　[合] __緩和、交通__、__解除　[関] ヲ制限スル

ぎせい 犠牲
[名] ★1 sacrifice, victim ／牺牲／희생 / hy sinh

① ・父は仕事のために家庭を犠牲にした。
② ・祖父は戦争の犠牲{に／と}なった。

[連] ①②__{に／と}なる　　[連] __を払う、__にする　[合] __者

きそ 基礎
[名] ★2 basis ／基础／기초 / cơ sở

・何事も、基礎が大切だ。　・この建物は基礎がしっかりしている。

[合] __知識、__工事、__練習、__体力、__的な　[関] 基本、土台

きそう　ヲ競う

[動] ★1
to compete (with)
竞争／겨루다, 다투다
thi, tranh đấu

・参加者たちはコンテストで技を競った。　・人と｜優劣／勝敗／腕　…｜を競う。
・男子学生たちは競って彼女の関心を引こうとした。

合 ヲ競い合う　類 ガ／ヲ競争する、ガ／ヲ争う

きたい　ヲ期待スル

[名] ★2
expectation
期待, 指望／기대
kỳ vọng

・山本選手の活躍を期待していたが、期待はずれの結果に終わった。
・期待が大きすぎるのはプレッシャーだ。　・新社長に赤字解消を期待する。

連 二__をかける、__に応える⇔__を裏切る、__が大きい、__に添う、__に反する、__が外れる　合 __外れ

きたく　ガ帰宅スル

[名] ★3
going home
回家／귀가
về nhà

・毎日忙しくて帰宅が遅い。

合 __時間

きたる　来る

[連] ★1
coming, next
下次的／오는
đến

・来る15日、中央公園でフリーマーケットが開かれます。
※ 年月日を表す言葉の前に付ける。　対 去る　類 次の、今度の

きちょうな　貴重な

[ナ形] ★2
precious, valuable
宝贵, 贵重／귀중하다
có giá trị

・留学という貴重な体験をした。　・これは大変数が少ない貴重な種類のチョウだ。

合 貴重さ、貴重品

きちんと　ガ／ヲきちんとスル

[副] ★3
properly; exactly; neat／端端正正地, 好好地, 整整齐齐地／단정히, 정확히, 말쑥이
đúng mực, gọn gàng, chính xác

・「背中をまっすぐにして、きちんと座りなさい」　・きちんとした服装
・鈴木さんはいつも言われたことをきちんとやる人だ。

類 ガ／ヲちゃんとスル　※「きちんと」より話し言葉的。

きつい

[イ形] ★2
tight; hard; severe; strong; unyielding／紧, 尺寸小; 苛刻的; 累人的; 严格的; (味道)冲, 厉害; 严厉／꼭 끼다, 단단하다, 고되다, 엄하다, 기질이 강하다／chật, khó chịu

① ・太ってしまってズボンがきつくなった。　　　　　　　　　対 緩い　類 窮屈な

②・ほどけないように荷物を<u>きつく</u>しばった。　　　　　　　　　　　対 緩い　類 固い
③・肉体労働などの<u>きつい</u>仕事は、今人気がない。　　　　　　　類 辛い、苦しい
④・先生が学生を<u>きつく</u>注意した。　・我が校の校則は<u>きつい</u>。　　類 厳しい
⑤・<u>きつい</u>{たばこ／酒／におい …}　・家の前の坂は傾斜が<u>きつい</u>。
⑥・彼女は優しそうだが、性格は<u>きつい</u>。

合 ①〜⑥きつさ

きっかけ
[名] ★2
start, opportunity
开端，机会／계기，실마리
cớ, lý do

・けんかの<u>きっかけ</u>は、つまらないことだった。
・日本のアニメを見たのが<u>きっかけ</u>で、日本に興味を持つようになった。

連 __をつかむ　　類 契機

きっかり（と）
[副] ★1
exactly, precisely
整，正好／정각，딱，정확히
chính xác

①・高橋さんは約束通り、9時<u>きっかり</u>にやってきた。　・<u>きっかり</u>1万円払った。

　　類 ぴったり（と）、ちょうど、きっちり（と）

②・夫婦で家事を<u>きっかり（と）</u>分担している。　　　　　　　　　類 きっちり（と）

きづく　　ガ気付く＜気が付く
[動] ★2
notice; become conscious／注意到，发觉；清醒过来／눈치채다，정신이 들다
nhận ra

①・犯人は刑事に<u>気付いて</u>逃げてしまった。
②・車にはねられ、<u>気付いた</u>ときは病院のベッドの上だった。

関 気を失う、意識を取り戻す

ぎっしり（と）
[副] ★2
closely, tightly
满满地／빽빽이，꽉
lèn chặt

・本棚には本が<u>ぎっしり（と）</u>並んでいる。
・来週はスケジュールが<u>ぎっしり</u>{だ／つまっている}。

きっちり（と）　　ガきっちりスル
[副] ★1
properly, thoroughly／正好，恰好，正合适
확실하게，딱
chính xác

①・調味料を<u>きっちり</u>測って入れる。　・彼はお金に<u>きっちり</u>している。

　　類 ガきちんとスル　　関 ガちゃんとスル

②・間隔を<u>きっちり</u>1メートルずつあけて木を植えた。　　類 きっかり、ちょうど

きっと
[副] certainly; without fail
肯定；一定，必定／어김없이, 반드시
chắc chắn là...
★3

① ・田中さんはいつも遅刻するから、今日もきっと遅れてくるだろう。
② ・〈お金を貸してくれた友人に〉「来週中にはきっと返すよ」

類 ①② 必ず

きっぱり（と）　ガきっぱりスル
[副] flatly, plainly
断然，干脆／단호히
dứt khoát
★1

・佐藤さんは鈴木さんからの援助の申し出を、きっぱりと断った。
・きっぱりした態度

きのどくな　気の毒な
[ナ形] pitiful, regrettable
悲惨的，可怜的／딱하다, 안되다, 불쌍하다
điều đáng tiếc
★2

・「彼女、先日お父さんを事故で亡くされたそうだよ」「お気の毒に……」
・彼は確かに失敗したが、あんなに非難されては気の毒だ。

関 かわいそうな

きはくな　希薄な
[ナ形] thin, diluted, lacking
稀薄，不足／희박한
pha loãng, nhạt
★1

① ・高い山の上では酸素が希薄になる。　　　　　　　対 濃い　類 薄い
② ・{人間関係／因果関係／愛情／熱意 …}が希薄だ。

合 ①② 希薄さ

きぶん　気分
[名] feeling, mood
（身体）舒服与否；心情，心境／기분
tâm trạng
★2

① ・緊張しすぎて気分が悪くなった。　　　　　　　　類 気持ち
② ・部屋の模様替えをすると気分も変わる。　　　　　合 ＿転換

連 ①② ＿がいい⇔悪い

きぼ　規模
[名] size, scope, scale
規模／규모
quy mô
★1

・会社の規模は10年で2倍になった。　・調査は全国的な規模で実施された。
・遺跡の規模から、ここが大きな町だったことがわかる。

連 ＿を拡大する⇔縮小する、＿を広げる
合 大＿な⇔小＿な（例．大規模な {工事／調査 …}）　関 スケール、サイズ

125

きぼう　ヲ希望スル
[名] ★3　hope, wish／希望／희망／hi vọng, mong muốn
・最後まで希望を捨ててはいけない。
・私はふるさとでの就職を希望している。
合 ＿者　類 望み　関 ヲ望む

きほん　基本
[名] ★3　fundamentals, basis／基础, 基本／기본／cơ bản, nền tảng
・何の練習でも、基本が大切だ。
合 ＿的な

きほんてきな　基本的な
[ナ形] ★3　basic／基本的, 基础的／기본적이다／cơ bản
・パソコンの基本的な使い方はマニュアルに書いてある。
・うちの会社は、基本的に9時から18時までが勤務時間だ。
(名) 基本

きまり　決まり
[名] ★3　rule／规定／규칙／qui định
・学校で新しい決まりが作られた。
類 規則、ルール

きまる　ガ決まる
[動] ★3　be decided; be set; be done perfectly／定下；一定, 确定；决定；决出(胜负等)／정해지다, 성공하다／được qui định, được sắp xếp, được thực hiện tốt
① ・帰国の日が決まった。
② ・父は毎朝決まった時間にうちを出て、決まった時間に帰ってくる。
③ ・｛合格／優勝／転勤　…｝が決まった。
④ ・〈スポーツ〉｛シュート／ゴール／サービス／わざ　…｝が決まる。
☞〈他〉決める

きみょうな　奇妙な
[ナ形] ★2　strange, odd／奇怪, 怪异／기묘하다／kỳ lạ
・この魚は奇妙な形をしている。　・奇妙な｛人／話／できごと　…｝
合 奇妙さ　類 妙な、変な　関 不思議な

ぎむ　義務
[名] ★2　duty, obligation／义务／의무／nghĩa vụ
・親には子供に教育を受けさせる義務がある。　・社会人としての義務を果たす。

連 ～__がある⇔ない、__を果たす、__を負う　合 __的な、__教育　対 権利

きめつける　ヲ決めつける

[動] ★1　to (arbitrarily) decide something is the case／認定,(不容分说地)指责／단정해 버리다, 정해 버리다／làm việc gì đó quyết liệt

・兄弟げんかをすると、親はいつも私が悪いと決めつけ、言い訳させてくれなかった。

類 ヲ断定する　(名) 決めつけ

きめる　ヲ決める

[動] ★3　decide; always do; do perfectly／決定；指定；决出(胜负等)／정하다, 습관으로 하다, 결판을 내다／ấn định, quyết định, làm một việc nhiều đến mức thành thói quen, thực hiện tốt

① ・「進学か就職か、早く決めたほうがいいですよ」
② ・朝はパンにコーヒーと決めている。
③ ・〈スポーツ〉｛シュート／ゴール／サービス／わざ　…｝を決める。

☞〈自〉決まる

ぎもん　疑問

[名] ★2　question; doubt／问题；有疑问, 怀疑／의문／câu hỏi

① ・子供はいろいろなことに疑問を持つ。　・疑問の点を確認する。　関 質問
② ・そんなことができるかどうか疑問だ。　関 疑い

連 ①② __がある⇔ない、__を抱く

ぎゃく　逆

[名] ★2　contrary, opposite／逆, 倒, 相反／거꾸로임, 반대／ngược lại

・鏡では左右が逆になる。　・予想と逆の結果が出た。

連 __になる・__にする　合 ガ__転スル、ガ__戻りスル、__方向、__効果、逆光
類 反対、さかさま、あべこべ

きゃっかんてきな　客観的な

[ナ形] ★1　objective／客观的／객관적인／khách quan

・多くの国で女性の方が男性より平均寿命が長いというのは、客観的な事実だ。
・客観的に｛考える／述べる　…｝。

対 主観的な　関 客観性、ヲ客観視スル、ヲ客観化スル

キャッシュ

[名] ★2　cash／现金／캐시, 현금／bộ nhớ đệm

・彼は車の代金をキャッシュで払ったそうだ。

合 __カード、__レス　類 現金　関 クレジット

キャッチ　ヲキャッチスル　[名] ★2　catch / 接球, 接受; 广告词, 宣传口号 / 캐치 / bắt

① ・ボールをキャッチする。　・情報をキャッチする。　　合 __ボール
② ・新人歌手は、デビューのときにさまざまなキャッチフレーズがつけられる。
　　合 __フレーズ、__コピー、__セールス

ギャップ　[名] ★1　gap / 差距 / 갭, 차이 / đối lập, ngược nhau

・あの夫婦は考え方に大きなギャップがある。　・ギャップを埋めるよう努力する。
・会社に入って、理想と現実とのギャップに失望した。
連 __がある⇔ない、__が大きい⇔小さい、__を埋める　類 隔たり、差

キャプテン　[名] ★2　captain / 队长, 船长 / 캡틴, 주장, 선장 / đội trưởng

① ・スポーツチームのキャプテンには、チームをまとめる力が求められる。　類 主将
② ・船のキャプテン　　類 船長

キャラクター　[名] ★2　personality; character / 性格; 出场人物 / 캐릭터, 성격, 등장인물 / nhân vật, tính

① ・彼はちょっと変わったキャラクターの持ち主だ。　類 人柄、性格
② ・アニメや漫画のキャラクターが商品化されている。　合 __商品　関 登場人物

キャリア　[名] ★2　career; carrier / 工作经验, 通过公务员考试的公务人员; 手推车; 带菌者 / 커리어, 경력, 고급 공무원, 간부 공무원 / sự nghiệp

[career] ① ・この仕事はキャリアのある人でないと務まらない。
　　連 __がある⇔ない、__が長い⇔短い、__を積む、__が豊富だ
　　合 __アップ、__ウーマン
② ・彼は警察庁のキャリアだ。　　合 __組　対 ノン__
[carrier] ① ・キャリアに乗せて荷物を運ぶ。
② ・肝炎のキャリアだからといって発症するとは限らない。　類 保菌者

キャンセル　ヲキャンセルスル　[名] ★2　cancellation / 取消 / 캔슬, 취소 / hủy bỏ

・ホテルの予約をキャンセルした。
・｛チケット／予定／契約 …｝をキャンセルする。
連 __が出る　合 __料、__待ち　類 取り消し

キャンパス
[名] ★2
campus
校园, 学校／캠퍼스
khuôn viên trường

・この<ruby>大学<rt>だいがく</rt></ruby>のキャンパスは<ruby>緑<rt>みどり</rt></ruby>が<ruby>豊<rt>ゆた</rt></ruby>かだ。　・キャンパスでの<ruby>思<rt>おも</rt></ruby>い<ruby>出<rt>で</rt></ruby>がたくさんある。

キャンペーン
[名] ★1
campaign, promotion
宣传活动／캠페인
giảm giá

・エイズ<ruby>撲滅<rt>ぼくめつ</rt></ruby>のキャンペーンが、<ruby>世界中<rt>せかいじゅう</rt></ruby>で<ruby>行<rt>おこな</rt></ruby>われた。
・<ruby>新発売<rt>しんはつばい</rt></ruby>のビールのキャンペーンで、1<ruby>本<rt>ぽん</rt></ruby>ただでもらった。

連 ＿をする、＿を<ruby>行<rt>おこな</rt></ruby>う

きゅうくつな　窮屈な
[ナ形] ★1
tight, formal, constrained
窄小, 死板, 拘束／갑갑한, 불편한, 거북한
chật chội

① ・<ruby>太<rt>ふと</rt></ruby>って、<ruby>服<rt>ふく</rt></ruby>が<ruby>窮屈<rt>きゅうくつ</rt></ruby>になってしまった。　・<ruby>窮屈<rt>きゅうくつ</rt></ruby>な<ruby>靴<rt>くつ</rt></ruby>／<ruby>座席<rt>ざせき</rt></ruby>　…｜　類 きつい
② ・「<ruby>お見合<rt>みあ</rt></ruby>いだからといって<ruby>窮屈<rt>きゅうくつ</rt></ruby>に<ruby>考<rt>かんが</rt></ruby>えず、<ruby>気楽<rt>きらく</rt></ruby>に<ruby>会<rt>あ</rt></ruby>えばいいですよ」
　　類 <ruby>堅苦<rt>かたくる</rt></ruby>しい
③ ・<ruby>偉<rt>えら</rt></ruby>い<ruby>人<rt>ひと</rt></ruby>たちとの<ruby>食事<rt>しょくじ</rt></ruby>は<ruby>窮屈<rt>きゅうくつ</rt></ruby>で、<ruby>食<rt>た</rt></ruby>べた<ruby>気<rt>き</rt></ruby>がしない。　　類 <ruby>気詰<rt>きづ</rt></ruby>まりな
合 ①～③<ruby>窮屈<rt>きゅうくつ</rt></ruby>さ

きゅうけい　ガ休憩(ヲ)スル
[名] ★3
break
休息／휴게
nghỉ giải lao

・「ではここで、10<ruby>分間<rt>ぷんかん</rt></ruby>の<ruby>休憩<rt>きゅうけい</rt></ruby>です」
連 ＿を<ruby>取<rt>と</rt></ruby>る　合 ＿<ruby>時間<rt>じかん</rt></ruby>、＿<ruby>室<rt>しつ</rt></ruby>、＿<ruby>所<rt>しょ</rt></ruby>

きゅうげきな　急激な
[ナ形] ★1
sudden
急剧, 骤然／급격한
đột ngột

・<ruby>山<rt>やま</rt></ruby>では<ruby>天候<rt>てんこう</rt></ruby>の<ruby>急激<rt>きゅうげき</rt></ruby>な<ruby>変化<rt>へんか</rt></ruby>に<ruby>気<rt>き</rt></ruby>をつけなければならない。　・<ruby>株価<rt>かぶか</rt></ruby>が<ruby>急激<rt>きゅうげき</rt></ruby>に<ruby>上昇<rt>じょうしょう</rt></ruby>した。
関 <ruby>急速<rt>きゅうそく</rt></ruby>な　※「<ruby>急激<rt>きゅうげき</rt></ruby>な」は<ruby>程度<rt>ていど</rt></ruby>の<ruby>変化<rt>へんか</rt></ruby>を、「<ruby>急速<rt>きゅうそく</rt></ruby>な」は<ruby>時間的<rt>じかんてき</rt></ruby>な<ruby>変化<rt>へんか</rt></ruby>を<ruby>表<rt>あらわ</rt></ruby>すことが<ruby>多<rt>おお</rt></ruby>い。

きゅうしゅう　ヲ吸収スル
[名] ★2
absorption
吸收／흡수
hấp thụ

・この<ruby>物質<rt>ぶっしつ</rt></ruby>は｜<ruby>水分<rt>すいぶん</rt></ruby>／におい／<ruby>音<rt>おと</rt></ruby>　…｜を<ruby>吸収<rt>きゅうしゅう</rt></ruby>する。　・<ruby>植物<rt>しょくぶつ</rt></ruby>は<ruby>根<rt>ね</rt></ruby>から<ruby>栄養<rt>えいよう</rt></ruby>を<ruby>吸収<rt>きゅうしゅう</rt></ruby>する。
・<ruby>留学<rt>りゅうがく</rt></ruby>したら、できるだけ<ruby>多<rt>おお</rt></ruby>くの<ruby>知識<rt>ちしき</rt></ruby>を<ruby>吸収<rt>きゅうしゅう</rt></ruby>したい。
合 ＿<ruby>力<rt>りょく</rt></ruby>、ヲ<ruby>消化<rt>しょうか</rt></ruby>＿スル

きゅうそくな　急速な
[ナ形] ★1
rapid
快速／급속한
nhanh chóng

・<ruby>明治以降<rt>めいじいこう</rt></ruby>、<ruby>日本<rt>にほん</rt></ruby>は<ruby>急速<rt>きゅうそく</rt></ruby>に<ruby>近代化<rt>きんだいか</rt></ruby>が<ruby>進<rt>すす</rt></ruby>んだ。　・<ruby>急速<rt>きゅうそく</rt></ruby>な<ruby>発展<rt>はってん</rt></ruby>はどこかに<ruby>無理<rt>むり</rt></ruby>を<ruby>生<rt>しょう</rt></ruby>じる。

合 急速冷凍　関 急激な　※「急激な」は程度の変化を、「急速な」は時間的な変化を表すことが多い。

きゅうな　急な
[ナ形] ★3
sudden, urgent; rapid; steep, sharp (curve)
突然的, 忽然的；速度快的；转弯角度大的
갑작스럽다, 빠르다／gấp, đột nhiên,

① ・急に歯が痛みだした。　・急に道路に飛び出しては危ない。
② ・この川は流れが急だ。
③ ・急な｜坂道／階段／カーブ　…｜
対 ②③緩やかな

きゅうりょう　給料
[名] ★3
salary, pay
工资, 薪水／월급・봉급
lương

・会社から給料をもらう。

合 __日　類 給与　関 時給、月給

きょうい　驚異
[名] ★1
miracle
惊异／경이
ngạc nhiên

・自然界の驚異に目を見張った。　・昨日のレースで、驚異的な記録が出た。

合 __的な

きょうかん　ガ共感スル
[名] ★1
empathy
同感, 共鳴／공감
đồng cảm, thông cảm

・その歌の歌詞に、多くの若者が共感した。　・山口氏の訴えは人々の共感を呼んだ。

× 共感だ　連 __を覚える、__を呼ぶ　類 ガ同感スル　関 ガ共鳴スル

ぎょうぎ　行儀
[名] ★2
manners, etiquette
举止, 礼貌／예의범절, 버릇
phong tục

・音を立てて食べるのは行儀が悪い。　・「電車の中ではお行儀よくしなさい」

連 __がいい⇔悪い　合 __作法、__よく　関 マナー、エチケット

きょうきゅう　ヲ供給スル
[名] ★2
supply
供给／공급
cung cấp

・夏は電力の供給が不足しがちだ。
・このあたりの農家は関東地方全域に新鮮な野菜を供給している。

対 需要

きょうこうな　強硬な
[ナ形] ★1
strong, unyielding
强硬／강경한
cứng rắn

・野党はその法案に強硬に反対した。　・強硬な態度

合 強硬手段、強硬採決、強硬突破　対 柔軟な

ぎょうじ　行事
[名] ★2　event　仪式, 活动／행사　sự kiện

・正月の行事は地方によってさまざまだ。
・最近は季節の行事を行わない家庭も多い。

合 年中__、伝統__、学校__　関 イベント

きょうせい　ヲ強制スル
[名] ★1　coercion, force　强制, 强迫／강제　cưỡng chế

・ボランティア活動は、強制されてするものではない。
・会社が社員に寄付を強制するのは問題だと思う。　・強制的に働かせる。

合 __的な、__送還、__労働　関 ヲ強要スル、ヲ強いる

きょうそう　ガ競争(ヲ)スル
[名] ★3　competition　竞争／경쟁　cạnh tranh

・どちらがいい成績を取るか、友達と競争した。

連 __が厳しい、__が激しい　合 __率（例．あの大学は競争率が高い。）

きょうぞん／きょうそん　ガ共存スル
[名] ★1　co-existence　共存, 共处／공존　cùng tồn tại

・このあたりでは、多くの民族が平和的に共存してきた。
・自然と人間との共存を考えるべきだ。

連 __を図る　合 平和__、__共栄

きょうちょう　ヲ強調スル
[名] ★3　emphasis　强调／강조　nhấn mạnh

・大事な点を強調して説明する。

きょうちょう　ガ協調スル
[名] ★1　cooperation　协调, 协力／협조　hiệp lực, trợ giúp, hợp lực

・環境問題の解決には、各国の協調が必要だ。
・労使が協調して会社の危機に立ち向かった。　・彼は協調性に欠ける。

合 __的な、__性（例．協調性がある⇔ない）、国際__　類 ガ協力スル

きょうつう　ガ**共通**スル
[名] ★3
common, shared
共同，共通，相同／공통
phổ biến, giống nhau

・二人の共通の趣味は音楽だ。　・少子高齢化は先進国に共通する問題だ。
合 __点

きょうどう　ガ**共同**スル
[名] ★1
combination, common
共同／공동
cộng đồng, liên hiệp, cùng nhau

・この寮のシャワーは各階の学生が共同で使用している。
・この技術は2社が{共同で／共同して}開発した。
合 __体、__作業、__生活、__戦線（例．共同戦線を張る。）　対 単独　類 ガ協同スル

きょうな　**器用**な
[ナ形] ★2
handy; dexterous, clever／灵巧；精于处世，善于做人／손재주가 있다，능숙하다，요령이 좋다／lanh tay

① ・彼女は手先が器用で、アクセサリーを全部手作りしている。　慣 手先が器用だ
② ・器用に世の中を渡る。　・器用な生き方
合 ①②器用さ　対 ①②不器用な

きょうみ　**興味**
[名] ★3
interest
兴趣／흥미, 관심
sự quan tâm, sự thích thú

・私は歴史に興味がある。　・小さな子供は何にでも興味を持つ。
連 __がある⇔ない、__を持つ　合 __深い　類 関心

きょうよう　**教養**
[名] ★1
education, culture, cultivation
教养／교양
nền văn hóa, giáo dục

・外交官には高い教養が求められる。　・あの人は教養のある人だ。
連 __がある⇔ない、__を身につける、高い__　合 一般__　慣 知識と教養

きょうりょく　ガ**協力**(ヲ)スル
[名] ★3
cooperation
协助，合作／협력
hợp tác

・家族で協力して祖母の介護をした。　・「アンケート調査にご協力ください」
連 __を求める　合 __的な

きょか　ヲ**許可**スル
[名] ★2
permission
许可，批准／허가
cho phép

・路上での撮影には警察の許可が必要だ。
・教授{から／に}授業の聴講を許可された。
連 __が出る・__を出す、__を求める、__を与える、__を得る、__をもらう、

__が下りる　類 ヲ許す

きょくたんな　極端な　［ナ形］★1
extreme
极端／극단적인, 지나친
cực đoan

・子供に競争させるべきではないというのは、少し極端な意見だと思う。

合 極端さ　（名）極端→　両__

［（副）極端に］・この子は極端に口数が少ない。

ぎょっとする　ガぎょっとする　［動］★1
to be startled
大吃一惊／흠칫하다, 깜짝 놀라다
giật mình

・夜道で突然声をかけられ、ぎょっとして振り向くと、おまわりさんだった。

類 ガびっくりする、ガ驚く

きょひ　ヲ拒否スル　［名］★1
refusal, veto
拒绝, 否决, 反对／거부
từ chối

・会社側は組合の要求を拒否した。　・国民の多くは増税に拒否反応を示した。

合 __権、__反応　対 ヲ承諾スル　類 ヲ拒絶スル

きょよう　ヲ許容スル　［名］★1
permission
容许, 允许／허용
khoan dung, độ lượng

・我が党としては、与党のこの政策は許容できない。
・この騒音は許容の範囲を超えている。

合 __範囲、__量　類 ヲ容認スル　関 ヲ認める、ヲ許す

きょり　距離　［名］★3
distance
距离／거리
cự ly

・駅からの距離を測る。　・ここから学校までは、かなり距離がある。

連 __がある　合 遠__⇔近__

きらう　ヲ嫌う　［動］★2
dislike, hate; have to be kept away from
厌恶, 讨厌；避免, 忌讳／싫어하다
ghét

①・彼女は彼を嫌っているようだ。　　　　　　　　対 ヲ好く
②・この植物は乾燥を嫌う。　　　　　　　　　　対 ヲ好む

（ナ形）①②嫌いな

きらくな　気楽な　［ナ形］★2
carefree; comfortable／舒适的, 放松的, 安逸的／속 편하다, 홀가분하다
vô tư lự

・寮に住むより一人暮らしの方が、お金はかかるが気楽でいい。

・深刻になっても問題は解決しない。もっと気楽に考えよう。

合 気楽さ

きらす　ヲ切らす

[動] ★3　run out of / 用完，用光／다 없애다，떨어지다 / dùng hết (danh thiếp, xà phòng…) mất

・うっかりしていて、{さとう／せっけん／トイレットペーパー …}を切らしてしまった。
・〈名刺交換で〉「申し訳ありません、名刺を切らしておりまして……」

☞〈自〉切れる

ぎり　義理

[名] ★1　duty, debt (of gratitude), in-law / 情义，姻亲／의리 / nghĩa vụ

① ・山本さんには以前助けてもらった義理があるので、依頼を断ることはできない。

連 __がある⇔ない　合 __人情、__堅い

② ・彼女は弟の配偶者なので、義理の妹ということになる。

関 義父、義母、義兄、義姉、義弟、義妹

きりあげる　ヲ切り上げる

[動] ★2　leave off, round up ／結束，告一段落；进位 / 일단락짓다，결상하다，올리다 / làm tròn lên

① ・今日は仕事を5時で切り上げよう。
② ・通貨を切り上げる。　・小数点以下は切り上げることとする。

対 切り下げる　(名) 切り上げ⇔切り下げ

ぎりぎり

[副] ★3　barely, the last minute / 最大限度，勉強／간신히，직전 / sát nút, vừa đủ

・走れば、9時の電車にぎりぎり間に合うだろう。
・ぎりぎりで1級に合格することができた。

きりつ　規律

[名] ★1　rules, order, discipline / 规则，规律／규율 / kỷ luật

・社会の規律を守って生活するのが大人というものだ。
・運動部は上下の規律が厳しい。

連 __を守る⇔破る、__が緩む　合 __正しい　類 規則　関 秩序、ルール

～きる　～切る

1) 最後まで～する
   > To do (something) until it is completed
   > 完成，用尽／마지막까지～하다
   > làm đến cùng

   だしきる　ヲ出し切る　[動] ★1
   > to use up, do one's best
   > 全部拿出／다하다
   > bỏ ra hết

   ・全力を出し切って戦ったが、負けてしまった。

   つかいきる　ヲ使い切る　[動] ★1
   > to use up
   > 用完／다 사용하다
   > dùng hết

   ・買った食材は使い切るようにしている。　・｛力／財産 …｝を使い切る。

2) すっかり～する、完全に～する
   > To do (something) thoroughly, to do (something) completely／彻底地～，完全地～／모두～하다，완전히～하다／làm xong

   こまりきる　ガ困り切る　[動] ★1
   > to be greatly perplexed
   > 一筹莫展／너무나 애를 먹다
   > rất khốn khổ

   ・何度注意しても息子の怠け癖が直らず、親も困り切っている。

   わかりきる　ガわかり切る　[動] ★1
   > to be obvious
   > 完全明白／뻔하다
   > hiểu thấu, hiểu hết

   ・「そんなわかり切ったことを何度も言わないで」

3) 強く～する
   > To do (something) strongly
   > 强烈地做～／강하게～하다
   > làm mạnh mẽ

   いいきる　ガ言い切る　[動] ★1
   > to assert, declare
   > 断言／단언하다，단호히 말하다
   > khẳng định

   ・専門家がこの絵は本物だと言い切った。　　〔類〕ヲ断言する

きれる　ガ切れる　[動] ★3
> cut well; expire; run down/out／快，锋利；到期；用完，用光／잘 들다, 다 되다, 떨어지다
> cắt sắc, hết hạn, hết (pin, mực…)

① ・このはさみはよく切れる。
② ・｛定期／賞味期限／有効期限／契約 …｝が切れる。
③ ・電池が切れて、ラジオが聞こえなくなった。　・｛インク／燃料｝が切れる。
④ ・料理を作ろうとして、塩が切れていることに気がついた。
☞〈他〉切らす

きろく　ヲ記録(ヲ)スル　[名] ★3
> record
> 记载，记录；(成绩等的)记录／기록
> kỷ lục, lưu lại

① ・先週の会議の記録を読んだ。　〔連〕__を取る、__に残る・__に残す
② ・北島選手は世界新記録で優勝した。
   〔連〕__を破る　〔合〕新__、世界__、__的な(例. 記録的な大雨)

きわ　際　　[名] ★1
verge, edge
正要……时候, 边 / 때, 가장자리
ria, gờ, bờ, ven

① ・学校からの帰り際、先生から話があると呼び止められた。　合 別れ際、間際
② ・この山道は、がけの際を歩くようになっていて危ない。　・窓際に花を飾った。
　合 窓際、壁際、際どい（例．際どいところで助かった。）　関 へり

ぎわく　疑惑　　[名] ★1
suspicion
疑惑 / 의혹
nghi ngờ

・刑事は被害者の話に疑惑(の念)を抱いた。
・記者が疑惑の人物を追いかけている。
　連 ＿を持つ、＿を抱く、＿が晴れる・＿を晴らす、＿の念　類 疑念

きわだつ　ガ際立つ　　[動] ★1
to be prominent, conspicuous
与众不同 / 뛰어나다, 눈에 띄다
nổi bật

・成績優秀な学生たちの中でも、彼女の頭の良さは際立っていた。
・バレーボール選手の中でも、彼は際立って背が高い。
　類 ガ目立つ

きわめて　極めて　　[副] ★1
extremely
极其 / 매우, 상당히
cực kỳ, rất, vô cùng

・どの国にとっても、食糧問題は極めて重要な課題だ。
・こんな事故が起こるのは極めてまれなことだ。　・経過は極めて順調だ。
※かたい書き言葉。　類 大変、非常に、たいそう、ごく

きわめる　ヲ極める／究める／窮める　　[動] ★1
to succeed, achieve, overcome, go to extremes, master
达到极限, 彻底查明 / 정복하다, 극도로 어렵다, 터득하다 / tìm hiểu đến cùng, đạt đến tột đỉnh

[極]　① ・世界で初めて南極点を極めたのはノルウェーのアムンゼンだ。
　　　　連 頂点を＿、頂上を＿
　　② ・海底にトンネルを掘る作業は困難を極めた。
　　　　連 困難を＿、多忙を＿、混乱を＿
[究／窮]・｛真理／芸の道 …｝を｛究める／窮める｝。
〈自〉極まる／窮まる（例．・失礼極まる態度　・どうやってもうまくいかず、進退窮まった。）

きんえん　ガ**禁煙**スル

[名] ★3
- no smoking, quitting smoking
- 禁烟，戒烟／금연
- cấm hút thuốc lá, cai thuốc lá

・「この部屋は禁煙です」　・子供が生まれるので、禁煙することにした。
合 __席、__車　対 ガ喫煙スル　関 吸いがら

きんこう　**均衡**

[名] ★1
- balance, equilibrium, draw
- 平衡, 打平手／균형
- cân bằng

・この国では、現在は輸出と輸入の均衡が保たれている。
・都市部と農村部の人口の不均衡が問題になっている。
連 __を保つ⇔破る　対 不均衡(な)　類 釣り合い、バランス　関 アンバランス(な)

きんし　ヲ**禁止**スル

[名] ★3
- prohibition
- 禁止／금지
- cấm đoán

・美術館の中では、写真をとることは禁止されている。
・「館内への食べ物、飲み物の持ち込みは禁止です」
合 駐車__、立入__

きんじょ　**近所**

[名] ★3
- neighborhood
- 附近, 邻居／이웃, 근처
- lân cận

・近所の人とは仲良くしたほうがいい。　・私はよく近所の公園を散歩する。
関 付近、近く

きんじる　ヲ**禁じる**

[動] ★1
- to prohibit
- 禁止, 不准／금하다, 금지하다
- cấm

・20才未満の飲酒は法律で禁じられている。　・医者は患者に激しい運動を禁じた。
合 ヲ禁じ得ない(例. 被害者には同情を禁じ得ない。)　類 ヲ禁止する
※ 掲示などでは「禁ず／禁ずる」という形も使われる。

きんちょう　ガ**緊張**スル

[名] ★3
- tension
- 緊張／긴장
- căng thẳng

・面接では緊張して、うまく答えられなかった。
・試合の前なので、みんな {○緊張している／×緊張だ}。
連 __が解ける、__が高まる、__が緩む

きんねん　**近年**

[副] ★1
- recently, in recent years
- 近几年／근년
- những năm gần đây

・近年、育児休暇を取る男性が少しずつ増えている。　・今年は近年にない豊作だ。

※名詞としても使う。　運 __にない、__まれに見る＋[名詞]　類 ここ数年

きんべんな　勤勉な
[ナ形] diligent 勤勉／근면한, 부지런한 ★1 siêng năng

・戦後日本人は勤勉に働き、短期間に復興を遂げた。
合 勤勉さ　対 怠惰な

きんもつ　禁物
[名] forbidden (thing) 严禁／금물 ★1 điều cấm kỵ

・試験中、焦りは禁物だ。冷静に考えよう。　・精密機械に湿気は禁物だ。
※「〜は禁物だ」という形で使う。　合 油断__

ぐあい　具合
[名] condition, manner, way, inconvenient 健康状況、火候、样子、合适／상태, 체면 ★3 tình trạng

① ・風邪を引いて体の具合が良くない。
　　※ 機械などについても使う。　運 __がいい⇔悪い、__をみる　類 調子、状態
② ・肉がちょうどいい具合に焼けた。　運 __をみる　合 でき__　類 状態、加減
③ ・「ラケットをこんな具合に持つと、球がまっすぐ飛ぶよ」
④ ・一度オーケーしたものを今さら断るのは具合が悪い。
慣 うまい具合に（例．急いで歩いていたら、うまい具合に（＝都合よく）タクシーが通りかかった。）

くいちがう　ガ食い違う
[動] to differ, clash 不一致, 有分歧／어긋나다, 엇갈리다 ★1 mâu thuẫn, xung đột

・目撃者AとBの証言が食い違っているので、警察は困っている。
・意見が食い違う。
（名）食い違い

くいる　ヲ悔いる
[動] to regret 懊悔／뉘우치다 ★1 ăn năn, hối hận

・あの人は過去の罪を悔いて、今では人のために尽くしている。
※ 精神的、道徳的に重いことがらに使うことが多い。　合 ヲ悔い改める
類 ヲ後悔する、ヲ悔やむ　（名）悔い→ __がある⇔ない、__が残る

ぐうぜん　偶然
[副] by chance, accidental 偶然／우연히, 뜻밖에 ★2 ngẫu nhiên

・駅で偶然むかしの知り合いに会った。
類 たまたま

[名]・この発見はいろいろな<u>偶然</u>が重なった結果だ。　・<u>偶然</u>の一致
対 必然→ __的な（× 偶然的な）、__性

くうそう　ヲ空想スル　[名] ★2
imagination, fantasy
空想，假想，幻想／공상
tưởng tượng

・弟は<u>空想</u>ばかりして、現実を見ようとしない。
・トップスターとの結婚を<u>空想</u>する。
連 __にふける　対 現実　関 ヲ想像スル、ヲ夢見る

くうはく　空白　[名] ★1
blank
空白／공백
trống

・日記を書く時間がなかったので、3日分が<u>空白</u>になっている。
・政治に<u>空白</u>は許されない。　・記憶の<u>空白</u>
連 __を埋める　合 __期間

くかん　区間　[名] ★1
section, segment
地段，区间／구간
phân đoạn

・〈鉄道〉この<u>区間</u>はトンネルが多い。　・乗車<u>区間</u>
・〈駅伝〉選手が走る距離は<u>区間</u>によって違う。
関 区画、区分

くぎる　ヲ区切る　[動] ★2
punctuate, divide／分句读，分段，划分
끊다, 구획 짓다, 일단락을 짓다
riêng biệt

・一つ一つ言葉を<u>区切</u>って話す。　・授業は90分だが、45分ずつに<u>区切</u>って行われる。
(名)区切り→ __がつく・__をつける（例. ここでちょっと仕事に<u>区切</u>りをつけよう。）
〈自〉区切れる

くぐる　ヲくぐる　[動] ★1
to pass through, evade／（从物体的下面或中间）低头通过，穿过，钻空子／통과하다, 빠져나가다／trốn, tránh

①・のれんを<u>くぐ</u>って店に入った。　・|門／鳥居／トンネル／戦火 …|を<u>くぐる</u>。
②・監視の目を<u>くぐ</u>って試験中にカンニングをしていた学生が、退学処分となった。
慣 ～の目をくぐる
合 ①②ガくぐり抜ける

くさい　臭い　[イ形] ★3
stinky
臭, 难闻／냄새가 고약하다, 냄새가 나다
mùi

・なっとうは<u>臭</u>いから嫌いだという日本人も多い。

・魚を焼いたので台所がくさくなった。
合 臭さ、臭み、[名詞]＋臭い（例．ガス臭い、かび臭い）　関 臭い

くさる　ガ腐る
[動] ★3　rot　坏，腐烂／상하다，썩다　ôi thiu

・腐ったものを食べて、おなかを壊してしまった。
・生魚は腐りやすいから、早く食べた方がいい。

くし　ヲ駆使スル
[名] ★1　a good command of, use freely　运用，使用／구사　dùng

・この車は最新の技術を駆使して作られている。
・野間氏は5カ国語を駆使して交渉をまとめた。
関 ヲ使いこなす

くじ
[名] ★1　lot, straw, fortune　签，抽签／제비　rút thăm

・発表の順番をくじで決めた。　・私はくじ運が悪く、当たったことがない。
運 ＿を引く、＿{が／に}当たる⇔外れる　合 宝＿、＿引き、＿運、当たり＿、あみだ＿、おみ＿

くじょう　苦情
[名] ★2　complaint　抱怨，不满／불평，불만　khiếu nại

・駅が汚いので、駅員に苦情を言った。
類 クレーム　関 文句

くしん　ガ苦心スル
[名] ★1　hard work, difficulty　煞費苦心／고심　sự lao tâm khổ tứ

・「この肖像画では、モデルの優しさを表現するのに苦心しました」　・苦心の作
※ 経済的、身体的なことには使えない。　関 ガ苦労スル

くず
[名] ★2　waste, junk　碎头儿，垃圾／부스러기, 쓰레기　mẩu vụn

・野菜のくずを捨てる。　・〈けんかで〉「おまえは人間のくずだ！」
合 紙＿、＿箱、＿かご

ぐずぐず（と）　ガぐずぐずスル
[副] ★1　lingering, taking a long time, to complain, sniffle　慢腾腾, 拖延, 身体不舒, 嘟囔／꾸물대다, 꾸물거리다, 투덜대다／ lần chần, lải nhải, sụt sịt

① ・寒い日は布団の中でぐずぐずしていて、なかなか起きられない。

② ・「ぐずぐず言わずに、言われたことをやりなさい」
　関 ガぐずつく（例．ぐずついた天気）
③ ・風邪をひいて、鼻がぐずぐずする。

くすぐったい　　　　　　　　　　　　［イ形］★1
ticklish, embarrassing
发痒, 不好意思／간지럽다, 쑥스럽다
có máu buồn, buồn

① ・足の裏を触られると、誰でもくすぐったいだろう。　　　（動）ヲくすぐる
② ・みんなの前で褒められ、くすぐったい気持ちだった。

合 ①②くすぐったさ

くずす　ヲ崩す　　　　　　　　　　［動］★2
level, break down, collapse／使倒塌, 搅乱, 弄乱／무너뜨리다, 흩뜨리다, 헐다
phá vỡ

・山を崩して住宅地が造られている。
・{バランス／体調／調子・ペース／姿勢・態勢／足／表情／お金／アリバイ …}を崩す。
関 ヲ壊す　☞〈自〉崩れる

くずれる　ガ崩れる　　　　　　　　　［動］★2
fall to pieces, collapse／倒塌, 坍塌, 瓦解
무너지다, 흐트러지다, 나빠지다
sụp đổ

・大雨で山が崩れた。
・{天気・天候／バランス／姿勢・態勢／体制／化粧／アリバイ …} が崩れる。
関 ガ壊れる、ガ崩壊する　（名）崩れ　☞〈他〉崩す

くせ　癖　　　　　　　　　　　　　　［名］★3
habit
癖性, 习惯, 毛病／버릇, 습관, 독특함
tật xấu

・私の癖は、困ったとき頭をかくことだ。
・正しい形を見て練習しないと、字に変なくせがつく。

連 __がある⇔ない、__がつく、__になる、悪い__　合 口ぐせ

ぐたいてきな　具体的な　　　　　　　［ナ形］★2
concrete
具体的, 实际的／구체적이다
cụ thể

・「わかりにくいので、もっと具体的に説明してください」
・具体的な{話／例／計画／方法 …}
対 抽象的な　関 具体性（例．彼の話は具体性に欠ける。）、具体例、具体案、ヲ具体化スル

くだく　ヲ砕く
[動] ★2　break, crush／打碎，弄碎，使破碎／부수다, 꺾다, 쉽게 풀어서 이야기하다／đập vỡ

・氷を小さく砕いてグラスに入れる。　・夢／希望／野望が打ちくだかれた。
合 ヲ打ち＿、ヲかみ＿（例．・木の実をかみくだく。　・難しい内容をかみくだいて説明する。）　関 ヲ割る、ヲ壊す　慣 心を砕く
☞〈自〉砕ける

くだける　ガ砕ける
[動] ★2　be broken; informal, plain／破碎, 粉碎；随便, 非正式／부서지다, 허물없어지다／vỡ

①・落ちたカップがこなごなに砕けた。　　　　　　関 ガ割れる、ガ壊れる
②・改まった場では、くだけた言葉遣いはしない方がいい。
　　対 ガ改まった／ている
☞〈他〉砕く

くだす　ヲ下す
[動] ★1　to make (a decision), defeat, have diarrhea／下达, 攻下, 拉肚子／내리다, 이기다, 설사하다／đưa ra, thắng, hại bụng

①・部長はいつも的確な判断を下すので、尊敬されている。
②・対戦相手を大差で下した。　　　　　類 ガ勝つ（例．相手に勝つ。）
③・食べ過ぎて腹を下した。　　　　　　類 下痢をする、腹が下る
☞〈自〉下る

くたびれる　ガくたびれる
[動] ★2　get tired, be worn out／疲乏, 用旧／지치다, 낡아지다／mệt mỏi, kiệt sức

①・一日中仕事をしてくたびれた。　　　　合 待ち＿　類 ガ疲れる
②・このスーツは10年も着たので、かなりくたびれている。

くだらない
[イ形] ★2　worthless; trifling／无聊的, 没有价值的／쓸데없다, 시시하다／vô giá trị

・「くだらないことばかり言っていないで、早く仕事をしろ」
・くだらない番組　・「あんなくだらない人間とは付き合いたくない」
合 くだらなさ　類 ばかばかしい　※人には使わない。　関 つまらない

くだる　ガ下る
[動] ①★3・②★5～①★1　go down, to be handed down, pass, descend, be less than, have diarrhea／宣(判决), 下(命令), (时代)推移, 少于, 拉肚子, 下(坡, 楼梯), 渡／내려지다, 내려오다, 내리다, 설사하다, 내려가다／xuống (cầu thang, núi...), (không) đến, ít hơn (đi kèm với dạng phủ định), chịu (phán quyết) đã qua (thời đại), đau bụng

①・｛坂／川／山 …｝を下る。　　　　　　対 ガ上る　（名）下り→＿＿列車
②・1年にわたった裁判が終わり、被告に判決が下った。

③・時代が下る。
④・この事故による損害は百万円を下らないだろう。
　※否定の形で使う。　[関] ガ上回る
⑤・腹が下る。　　　　　　　　　　　　　　　[類] 下痢になる、腹を下す
☞〈他〉下す

ぐち　愚痴
[名] complaint　牢骚／平념　than thở, than vãn　★1

・上司と合わないからといって、愚痴ばかり言っていてもしかたがない。

[連] ＿を言う、＿をこぼす　[合] ＿っぽい　[類] 不平　(動)ヲぐちる

くつがえす　ヲ覆す
[動] to overturn, discredit, reverse, overthrow　推翻，打翻，弄翻／뒤집다, 뒤엎다　lật ngược, lật đổ, phủ định　★1

①・大方の予想を覆し、Aチームが大差で勝った。　・判決を覆す。
②・5点差を覆してAチームが勝利を収めた。
③・ボートを覆すような大波が襲った。
④・天下を覆すような陰謀が発覚した。　・政権を覆す。　[類] ③④ヲ転覆する

[類] ①〜④ヲひっくり返す　※「覆す」の方がかたい言葉。　☞〈自〉覆る

くつがえる　ガ覆る
[動] to be discredited, overturned, reversed, overthrown　推翻，翻转，翻过来／뒤집어지다, 뒤엎어지다　bị lật ngược, bị lật đổ　★1

①・新しい発見により、今までの定説が覆った。　・｜判定／評価／常識 …｜が覆る。
②・中村選手の活躍により、3点差が覆った。　・上下が覆る。
③・ボートが覆る。
④・国家体制が覆る。　　　　　　　　　　　　　　[類] ③④ガ転覆する

[類] ①〜④ガひっくり返る　※「覆る」の方がかたい言葉。　☞〈他〉覆す

くっきり(と)　ガくっきり(と)スル
[副] clearly, distinctly　特别鲜明，显眼／선명하게, 뚜렷하게　rõ ràng　★1

・真っ青な空を背景に、富士山がくっきり見える。　・くっきり(と)した画像

[類] ガはっきり(と)スル

グッズ
[名] goods, items　商品／상품　hàng hóa　★1

・アニメのキャラクターグッズが人気だ。　・子供に防犯グッズを持たせる。

[合] [名詞]＋グッズ(例. 防災グッズ、キャラクターグッズ)　[類] 商品、品

ぐっすり [副] ★3
soundly
熟睡，酣睡，(睡得)香甜／푹
ngon (ngủ)

・子供はぐっすり眠っていて、起こしてもなかなか起きなかった。
・ぐっすり寝たので疲れが取れた。

ぐったり（と） ガぐったりスル [副] ★1
limp, completely exhausted
筋疲力尽，低垂／녹초가 되다，지치다
đều đặn

・うちへ帰ると、疲れてぐったりとベッドに横になった。
・水不足で植物がぐったりしている。

くっつく ガくっ付く [動] ★2
stick (to); follow around
紧贴在一起／들러붙다，바싹 붙어 가다
dính vào

・磁石と磁石がくっついて離れない。　・靴の底にガムがくっついてしまった。
・3才の娘はいつも私にくっ付いて離れようとしない。

[関] ガ付く　☞〈他〉くっ付ける

くっつける ヲくっ付ける [動] ★2
stick, locate ~ close together
把……贴上／붙이다
bám sát

・机と机をくっつけて並べた。
・ソファーが小さいので互いに体をくっ付けて座った。

[関] ヲ付ける　☞〈自〉くっ付く

ぐっと [副] ★1
firmly, fast, much／使劲儿，一口气地，哑口无言，更加／꾹，단숨에，단숨에，훨씬
nhiều, áp đảo

① ・バスが揺れたので、倒れないよう、足にぐっと力を入れた。
② ・突然質問され、ぐっと答えに詰まった。
③ ・先生に少し直してもらうと、絵はぐっとよくなった。

[類] ずっと、一段と　※「ぐっと」の方が話し言葉的。

くつろぐ ガくつろぐ [動] ★1
to relax, feel at home
舒畅，轻松愉快／편히 쉬다
thư giãn

・仕事から帰ってうちでゆっくりくつろぐときが、私の幸せな時間だ。
・友達のうちは、自宅のようにくつろげる。

[類] ガリラックスする　(名) くつろぎ

くどい　[イ形]★2
long-winded, wordy; heavy ／冗长，啰嗦；过浓的，油腻的／집요하다, 느끼하다, 직직하다, 지나치다／dài dòng

① ・あの先生の注意はいつもくどくてうんざりする。　・あの作家の文章はくどい。
② ・この料理はくどくて好きではない。　・「その洋服、リボンがくどいよ」

合 ①②くどさ　対 ①②あっさりした／している　類 ①②しつこい

くばる　ヲ配る　[動]★2
distribute; see, be careful ／发, 分发; 注意到／나누어 주다, 배부하다, 고루 미치게 하다／phát

① ・先生が生徒にプリントを配った。　　　　類 ヲ配布する、ヲ配付する
② ・服装に気を配る。　・教師は、教室のすべての学生に目を配ることが必要だ。

連 気を__、目を__　合 気配り→ 二__をする、__がある⇔ない（例．あの人は気配りのある人だ。）、目配り　関 ガ配慮（ヲ）する

くふう　ヲ工夫（ヲ）スル　[名]★2
artifice, device ／设法, 想办法／궁리함, 고안／sáng tạo

・仕事のやり方を工夫すれば、もう少し時間を短縮できるだろう。
・今年はクリスマスツリーの飾り付けに工夫を凝らした。

連 __を凝らす

くべつ　ヲ区別（ヲ）スル　[名]★2
distinction ／分清, 辨别／구별／phân biệt

・レポートを書くときは、事実と意見を区別して書かなければならない。
・あの双子はとてもよく似ていて、区別がつかない。

連 __がつく・__をつける　関 ヲ分ける、ヲ差別（ヲ）スル

くみたてる　ヲ組み立てる　[動]★2
put together, assemble ／组装, 安装; 构成／짜맞추다, 조립하다, 구성하다／lắp ráp

・部品を組み立てて機械を作った。　・いろいろな部品で機械を組み立てた。
・｛文章／論理　…｝を組み立てる。
(名) 組み立て（例．文章の組み立てを考える。）

くむ　ヲ組む　[動]★2
cross; join forces, unite; draw up ／交叉在一起；组队，合伙；编排，编制／꼬다, 끼다, 협동하다, 짜다／xếp

① ・｛足／腕／肩　…｝を組む。　　合 腕組み　慣 手を組む（＝協力関係を結ぶ）
② ・同僚と組んでプロジェクトチームを作った。　・｛ペア／チーム　…｝を組む。

合 ヲ組み合わせる、組み合わせ、ヲ組み立てる、組み立て　関 組（例．5人で一

③・｜予算／スケジュール／プログラム／シフト …｜を組む。

くむ　ヲくむ
[動] ★1　to draw, fill, understand / 打水，理解／푸다, 헤아리다 / tưới, đồng tình

① ・バケツで井戸水をくむ。
② ・田中氏は上司の意をくんで、自らその仕事を引き受けた。　　連 意を__

くやしい　悔しい
[イ形] ★3　frustrating / 后悔／분하다 / tiếc

・何度練習してもうまくできなくて、悔しい。
・たった1点差で試合に負けて悔しい思いをした。
合 悔しさ

くやむ　ヲ悔やむ
[動] ★2　regret; mourn / 懊悔，遺憾；哀悼／뉘우치다, 애도하다 / hối hận, hối tiếc

① ・過ぎたことを今さら悔やんでも遅い。　　類 ヲ後悔する
② ・事故で亡くなった友人の死を悔やむ。
（名）（お）悔やみ（例．ご家族にお悔やみを｜言う／述べる｜。）

クライマックス
[名] ★1　climax / 最高潮／클라이맥스, 절정 / cao trào

・連続ドラマが、いよいよ来週クライマックスを迎える。
・結婚式のクライマックスは、新郎新婦の両親へのあいさつだった。
連 __を迎える　類 最高潮

くらす　ガ暮らす
[動] ★3　live, get by / 生活，过日子／살다, 살아가다 / sinh sống

・都会で暮らすのは便利だが、お金がかかる。　・この給料では暮らしていけない。
合 [名詞]＋暮らし（例．一人暮らし、都会暮らし）　類 ガ生活する
（名）暮らし（例．いい暮らしをする。）

クラスメート
[名] ★3　classmate / 同学／반 친구 / bạn cùng lớp

・クラスメートと仲よくする。

くらべる　ヲ比べる
[動] compare / 比较 / 비교하다 / so với
★3

・東京と大阪の面積を比べる。　・去年{と／に}比べて、10センチも背が伸びた。

くりあげる　ヲ繰り上げる
[動] move up, advance / 提前 / 앞당기다, 끌어올리다 / đẩy về trước, nhanh lên
★2

・{時間／予定／順位 …}を繰り上げる。

合 繰り上げ当選　(名)繰り上げ　〈自〉繰り上がる

クリア(ー)する　ヲクリア(ー)する
[動] fulfill, delete / 满足, 清除掉 / 해결하다, 지우다 / làm rõ ràng, sáng tỏ
★1

① ・これらの条件をすべてクリアすれば、採用となるそうだ。

② ・〈コンピューター〉データをクリアする。　　　　　　　類 ヲ消去する

クリア(ー)な
[ナ形] clear, overcome, complete, delete / 清晰, 清楚, 解决, 清澈, 清除 / 깨끗한, 해결하다, 지우다 / rõ ràng
★1

① ・新しく買ったテレビは、画像がクリアで美しい。　・問題をクリアにする。

合 クリア(ー)さ　類 はっきりした、鮮明な、明確な

② ・クリアな氷を使うと、飲み物がおいしく感じられる。　・クリアファイル

合 クリア(ー)さ　類 透明な、不純物のない

くりかえす　ヲ繰り返す
[動] repeat / 重复, 反复 / 되풀이하다, 반복하다 / lặp đi lặp lại
★3

・「同じ失敗をくり返してはいけません」
・この本は大好きなので、繰り返し読みました。

類 ヲ反復する　(名)繰り返し

くるう　ガ狂う
[動] to go mad, go wrong / 疯狂, 失常, 乱套, 沉溺于 / 미치다, 빗나가다, 틀어지다, 이상해지다 / cuồng, điên khùng
★1

① ・彼は嫉妬のあまり、気が狂ったようになってしまった。

連 気が__、勘が__　合 ガ荒れ狂う、ガ怒り狂う

② ・あの人はギャンブルに狂って、全財産を無くしたそうだ。

③ ・突然来客があり、仕事の予定が狂った。

グループ
[名] group / 小组, 团体；组, 集合 / 그룹 / nhóm
★3

① ・3人のグループで旅行をする。　　　　　　　　　　　関 ペア

147

② ・形容詞は、イ形容詞とナ形容詞の二つのグループに分かれる。

くるしい　苦しい　　[イ形] ★3
rough; agonizing
难受，辛苦，艰难，为难／괴롭다, 힘겹다
khó khăn, nhọc nhằn, gay go

・｜息／胸／心／生活 …｜が苦しい。
・苦しい試合だったが、なんとか勝つことができた。

合 苦しさ、苦しみ、寝苦しい、聞き苦しい、見苦しい、息苦しい
(動) ガ苦しむ・ヲ苦しめる

くるしむ　ガ苦しむ　　[動] ★2
be troubled (with), suffer (from)
难受；受折磨；烦恼，苦于／괴로워하다
dau khổ

・学校でいじめられて苦しんでいる子供が大勢いる。
・私は長年腰痛｜に／で｜苦しんできた。

連 理解に__　(名) 苦しみ　(イ形) 苦しい　〈他〉苦しめる(例．父は家族を大切にせず、母を苦しめた。)

クレーム　　[名] ★2
complaint, objection
索赔／클레임，불평
phàn nàn

・「買った肉が変なにおいがする」と、スーパーにクレームがあった。
・最近は、小さなことで学校にクレームをつける親が多くなった。

連 __がある、__がつく・__をつける　　類 苦情　　関 文句

くれる　ガ暮れる　　[動] ★2
get dark, come to an end, be at a loss
日暮、天黑／해가 지다，저물다，어쩔할 바를 모르다／lặn

① ・冬は日が早く暮れる。
② ・間もなく年が暮れる。

合 ①②日暮れ、夕暮れ

合 ①②暮れかかる(例．暮れかかった空に三日月が浮かんでいる。)　対 ①②ガ明ける
(名) ①②暮れ(例．年の暮れは忙しい。)　慣 途方に暮れる(例．知人もいない外国ですりにかばんをすられ、途方に暮れた。)

くろう　ガ苦労スル　　[名] ★2
trouble, worry
操劳，辛苦／고생，수고
khổ

・父の死後、母は苦労して私達を育ててくれた。　・母には本当に苦労をかけた。
・アメリカに留学した１年目は、言葉に苦労した。

連 __をかける、__を重ねる

くわえる　ヲ加える

[動] ★2　join; be added; increase／加入，参加／加，施加；増添／더하다，넣다，가입시키다／thêm

① ・3に8を加えると11になる。　・味がうすいので、もっと塩を加えた方がいい。
　類 ヲ足す
② ・新人を｛メンバー／仲間／味方 …｝に加えた。　類 ヲ入れる
③ ・このプラスチックは｛熱／力 …｝を加えても変形しない。　類 ヲ与える
④ ・情報の発達は、ますますスピードを加えている。　類 ヲ増す

☞〈自〉加わる

くわえる　ヲくわえる

[動] ★1　to hold in one's mouth／叼，街／물다／ngậm, gậm

・子供は指をくわえて、うらやましそうに友達のおもちゃを見ていた。
・動物は子供を口にくわえて運ぶ。　・｛たばこ／パイプ …｝をくわえる。

くわしい　詳しい

[イ形] ★3　detailed; knowledgeable／詳細；熟悉，精通／자세하다，잘 알고 있다／chi tiết, hiểu biết sâu về…

① ・この地図はとてもくわしい。
② ・姉は映画にとてもくわしい。

合 詳しさ

くわわる　ガ加わる

[動] ★2　add; let ～ join; increase／加，加上；加入；施加；加大，増大／참가하다，가입하다，가해지다，늘다／gia nhập

① ・新しい選手がチームに加わった。　類 ガ入る、ガ加入する
② ・プラスチックは、｛熱／力 …｝が加わると変形する。
③ ・この女優は、最近ますます魅力が加わっている。　類 ガ増す

☞〈他〉加える

ぐんぐん(と)

[副] ★1　rapidly, at a great rate／很快地，迅速地／부쩍부쩍，무섭게／suôn sẻ

・1位の選手が2位の選手をぐんぐん引き離した。　・病気がぐんぐん回復する。
・｛背／成績／植物 …｝がぐんぐんと｛伸びる／成長する｝。

けいい　経緯

[名] ★1　details, circumstances／原委，経过／경위／quá trình

・新聞には、事件の詳しい経緯は載っていなかった。
・交渉の経緯を上司に報告する。

類 いきさつ　※「経緯」の方がかたい言葉。　関 経過

149

けいえい　ヲ経営スル
[名] management 経営／경영 kinh doanh ★3
・父はスーパーを経営している。
合 __者

けいか　ガ経過スル
[名] passage, progress, transition 经过，过程／경과 trải qua, quá trình ★1
① ・事件から3カ月が経過した。
② ・手術後の経過は順調だ。　・交渉の経過を見守る。
関 ガ過ぎる　合 途中__

けいかい　ヲ警戒スル
[名] vigilance, lookout 警戒，警惕／경계 cảnh báo, cảnh giới ★1
・地震の後、住民は津波を警戒して高台に逃げた。
・犯罪防止のため、警察は徹夜で警戒にあたった。　・この子は警戒心が強い。
連 __にあたる、__を強める⇔緩める　合 __警報、__心　関 ヲ警告スル

けいかいな　軽快な
[ナ形] light, nimble, taking a turn for the better 轻快，减轻／경쾌한 nhịp nhàng ★1
① ・前夜到着した選手たちは、移動の疲れをものともせずに、軽快な動きを見せた。
合 軽快さ
② [(動) ガ軽快する]・入院して1カ月、病気はようやく軽快した。

けいかく　ヲ計画スル
[名] plan 计划／계획 kế hoạch ★3
・来年の計画を立てる。　・夏休みには富士山に登ろうと計画している。
連 __を立てる　類 プラン

けいき　景気
[名] business, economy 景气／경기 nền kinh tế ★2
・景気が悪くなると、倒産する会社が増える。
・景気が{回復する／後退する／低迷する／上向く …}。
連 __がいい⇔悪い　合 好__⇔不__　関 経済状況、好況⇔不況

けいこう　傾向
[名] tendency, trend 倾向／경향 xu hướng ★2
・最近の若者は仕事より自分の生活を重視する傾向がある。
・女性管理職は増える傾向にある。　・ようやく景気回復の傾向が見えてきた。

連 ～＿がある、～＿にある

けいさつ　警察
[名] police / 警察／경찰 ★3 cánh sát
・自転車を盗まれたので、警察に届けた。
合 ＿署、＿官　関 警官、おまわりさん、交番

けいさん　ヲ計算(ヲ)スル
[名] calculation / 数学运算；计算／계산 ★3 tính toán
・私は計算が苦手だ。　・旅行にいくらかかるか計算する。
関 電卓

けいしき　形式
[名] form, formality / 形式，格式／형식 ★2 định dạng
・日本語で手紙を書きたいのだが、形式がわからない。
合 ＿的な（例．形式的に頭を下げただけでは、謝罪の気持ちは伝わらないだろう。）
対 内容

げいじゅつ　芸術
[名] art / 艺术／예술 ★3 nghệ thuật
・美術、音楽、文学、演劇などは、皆、芸術の一種であると言える。
合 ＿作品、＿家、＿的な

けいせい　形勢
[名] prospects, condition / 形势，局势／형세 ★1 tình hình
・試合の形勢は後半になって逆転した。
・2社が特許をめぐって争っているが、形勢はA社に有利だ。
連 ＿が変わる、＿が逆転する、＿が有利な⇔不利な　類 情勢

けいそつな　軽率な
[ナ形] rash, hasty / 轻率，草率／경솔한 ★1 thiếu suy nghĩ
・先生とけんかして高校をやめたのは、軽率だったと思う。　・軽率な行為
合 軽率さ　対 慎重な　類 軽はずみな

けいたい　ヲ携帯スル
[名] bankruptcy / 携带／휴대 ★3 mang theo, cầm theo
・外国人はいつも在留カードを携帯していなければならない。
・私はたばこを吸うので、いつも携帯用灰皿を持ち歩いている。

合 __電話、__用

けいひ　経費

[名] expenses, cost
経费，开支／경비
★2　chi phí

・宣伝に経費をかけたので、売り上げが伸びた。　・経費の削減が求められている。

連 __がかかる・__をかける、__がかさむ　合 __削減、必要__　類 コスト　関 費用

けいやく　ヲ契約(ヲ)スル

[名] contract
签约，契约／계약
★3　hợp đồng

・アパートを2年間借りる契約をした。
・わが社は今度、A社と契約を結ぶことになった。

連 __を結ぶ、__を{取り消す／キャンセルする}、__が切れる、__に違反する
合 __書　関 ヲ約束スル

ケース

[名] case
盒子，箱；实例，事例／케이스，상자，경우
★2　trường hợp

①・指輪をケースにしまった。　・ビールを3ケース注文した。

合 スーツ__、ガラス__、[数字]+ケース　類 容器、入れ物

②・いじめがきっかけで不登校になるケースが多い。

合 __バイ__、モデル__、__スタディ　類 事例、場合

けが

[名] injury
伤口，受伤／상처，부상
★3　vết thương

・小さなけが　・転んで足にけがをした。

連 __をする、__が治る・__を治す　合 大__、__人　関 きず、やけど、骨折

げきれい　ヲ激励スル

[名] encouragement
激励／격려
★1　động viên, cổ vũ

・選手団を激励するために、大勢の人が集まった。

合 __会　関 ヲ励ます

けしき　景色

[名] scenery
景色／경치
★3　cảnh sắc

・初めて日本の山に行った。すばらしい景色だった。

類 風景　関 光景

けしょう　ガ化粧(ヲ)スル

[名] ★3　makeup／化妆／화장／trang điểm

・「あなたは毎日、お化粧に何分ぐらいかけていますか」

連 __を落とす、__が濃い⇔薄い　合 __品　類 ガメイク(ヲ)スル　関 口紅

けずる　ヲ削る

[動] ★2　sharpen; cut down, reduce; remove／削；削减，删减，删除／깎다, 삭감하다, 삭제하다／mài

① ・ナイフでえんぴつを削った。
② ・予算を削る。　・文章の一部を削る。

類 ヲ削除する、ヲ削減する

けた　桁

[名] ★1　digit, class／(数学)位数，级别／자리, 자릿수／hàng

① ・計算するとき、一桁間違えてしまった。
② ・同じ貿易会社でも、A社とB社では資産の桁が違う。

連 __が違う　合 __違い（例. 山口選手は他の選手とは桁違いの強さを発揮した。）

けちな

[ナ形] ★3　stingy／小气的, 吝啬的／인색하다／keo kiệt

・あの人はとてもけちだ。　・けちな人は嫌われる。

関 ガけちけちスル　(名) けち

けつ　決

[名] ★1　vote／决定, 表决／채결／bỏ phiếu

・決を採ったところ、賛成派が反対派を上回った。

連 __を採る　合 多数__、ヲ可__スル⇔否__スル、ヲ採__スル

けつえき　血液

[名] ★3　blood／血液／혈액／máu

・体の中を血液が流れている。

合 __型　類 血　関 赤血球、白血球

けっか　結果

[名] ★3　result／結果；结局／결과／kết quả

① ・1位になりたかったが、結果は3位だった。
② ・経済の悪化が原因で、多くの会社が倒産する結果になった。
③ ・努力した結果、初めはできなかったことが、できるようになった。

対 原因

けっかん　欠陥
[名] ★2
defect, flaw
缺陷，毛病／결함
khiếm khuyết

・新発売の車のブレーキに欠陥が見つかり、回収されることになった。
※物の構造に重大な問題があるときに使う。　[連]＿がある　[合]＿商品、＿車
[関]欠点、短所

けっきょく　結局
[副] ★2
after all, in the end
终究，到底／결국, 마침내
cuối cùng

・いろいろ考えて、結局断ることにした。
・「{結局／結局のところ}、何が言いたいのですか」

けっこう
[副] ★3
pretty, very
相当，很好／제법
rất…

・日曜日なので込んでいるかと思ったら、けっこうすいていた。
※予想と比べてどうだったかと言うときに使う。

けっこうな　結構な
[ナ形] ★3
nice, fine; No, thank you.／很好的，可以，能行；不用，不要／훌륭하다, 좋다, 충분하다
tốt, OK (đồng ý), không cần (khi từ chối)

①・「お味はいかがですか」「大変けっこうです」
②・「打ち合わせは月曜日の 14 時からでよろしいですか」「はい、けっこうです」
③・「コーヒーのお代わりはいかがですか」「いえ、もうけっこうです」

けっして　決して
[副] ★3
never
决(不), 绝对(不)／결코, 절대로
tuyệt đối (không..) (đi kèm với dạng phủ định)

・「このことは、決してほかの人には言わないつもりだ」
・「最後まで決してあきらめるな」
※否定的な表現と一緒に使う。　[類]絶対

けっせき　ガ欠席スル
[名] ★3
absence
缺席, 缺课, 不参加／결석
vắng mặt

・授業を欠席する。　・高橋さんは今度の同窓会は{欠席だ／欠席する}そうだ。
[合]＿者、＿届　[対]ガ出席スル

げっそり（と）　ガげっそりスル
[副] ★1
skinny, disheartened
急剧消瘦, 失望／홀쭉히
mệt mỏi rã rời

①・祖父は病気でげっそり（と）やせてしまった。
②・まだこんなに仕事があるのかと、げっそりした。　※①②マイナスの意味で使う。

けつだん　ヲ決断スル
[名] decision 决断／결단 quyết đoán ★1
・経営状態が悪いので、役員たちは会社の縮小を決断した。
・延命措置の申し出を断るのは、家族として辛い決断だった。
連 __を下す、__を迫る、__を迫られる　合 __力（例.決断力がある⇔ない）
類 ヲ決心スル、ヲ決意スル　関 ヲ決定スル

けつぼう　ガ欠乏スル
[名] shortage, deficiency 缺乏, 不足／결핍 thiếu hụt ★1
・あの国は内戦状態で、食糧が欠乏している。　・鉄分の欠乏で、貧血になった。
類 ガ不足スル　関 乏しい

けつろん　結論
[名] conclusion 结论／결론 kết luận ★2
・3時間議論しても、結論は出なかった。
連 __が出る・__を出す、__に至る　合 ヲ__づける　関 結果

けなす　ヲけなす
[動] to belittle, disparage 贬低／비방하다, 헐뜯다 gièm pha, chê bai ★1
・一生懸命描いた絵をけなされて、嫌になってしまった。
対 ヲほめる

けはい　気配
[名] sign, indication 情形, 动静, 迹象／기척, 기색, 기운 dấu hiệu ★2
・暗くてよく見えないが、人のいる気配がする。
・入試が近いのに、息子は全く勉強する気配が{ない／見えない}。
連 __がする、__がない、__が見える、__を感じる

けむい　煙い
[イ形] smoky 呛人, 熏人／냅다 ám khói ★2
・煙いと思ったら、魚が焦げていた。　・部屋中たばこの煙でけむい。
合 煙さ　類 煙たい　関 煙

けむり　煙
[名] smoke 烟／연기 khói ★3
・「火事のときは、煙に注意して逃げてください」　・たばこの煙は体に悪い。
関 湯気

ける　ヲ蹴る
[動] ★3　kick／踢／차다／đá

・ボールをける。　・彼は怒ると殴ったり蹴ったりする。

けわしい　険しい
[イ形] ★2　steep; severe; difficult／险峻的，崎岖的；(表情)严厉的；艰险，险恶的／험하다, 험상궂다, 위태롭다／dốc dứng

① ・険しい山道を登る。　対 なだらかな、緩やかな　類 急な
② ・売り上げ減の報告を受けた社長は、険しい表情になった。　・険しい声
　　対 穏やかな　類 厳しい
③ ・不況の中、資格も経験もなければ、前途は険しい。　類 厳しい、暗い
合 ①〜③険しさ

けん　券
[名] ★2　ticket／券, 票子／표, 권／vé

・あの店はいつも込んでいて、入るのに整理券が必要だ。

合 入場__、整理__、当日__、前売り__、__売機　関 チケット、切符

けんい　権威
[名] ★1　authority／权威／권위／quyền uy

① ・戦争に敗れ、王の権威は失われた。　合 __者　類 権勢
② ・ノーベル賞は、世界でも最も権威(の)ある賞の一つだ。
③ ・佐藤教授は植物学の権威だ。

げんいん　原因
[名] ★3　cause／原因／원인／nguyên nhân

・今、警察が事故の原因を調べている。

合 __不明　対 結果　関 理由

げんえき　現役
[名] ★1　active duty, working, 3rd year high school student who passes a university entrance exam／现役, 应届／현역／đương chức

① ・長島選手は40才を超えているが、まだ現役としてがんばっている。
　　連 __を退く、__を引退する　合 __選手
② ・現役で東京大学に合格するとはすごい。　合 __合格　対 浪人　関 一浪、二浪

けんかい　見解
[名] ★1　opinion／见解, 看法／견해／quan điểm, cách nghĩ

・来年の経済の見通しについて、政府が見解を述べた。　・見解の相違

・事故の原因については、専門家の間でも見解が分かれている。
連 __が分かれる、__を問う 合 否定的__⇔肯定的__ 類 意見

げんかい　限界
[名] ★2　limit; boundary／极限，限度／한계／giới hạn

・疲労が限界に達した。　・今の仕事に限界を感じて、転職を決めた。
・「締め切りは、延ばしても30日が限界です」
連 __を越える、__に達する、__を感じる、[名詞]の＋限界（例．能力の限界、体力の限界、がまんの限界） 関 限度

けんきゅう　ヲ研究(ヲ)スル
[名] ★3　research, study／研究／연구／nghiên cứu

・私は大学で日本の政治を研究している。
合 __者、__所、__会

けんきょな　謙虚な
[ナ形] ★2　modest／谦虚，谦和／겸허하다／khiêm tốn

・彼は謙虚な人柄だ。　・謙虚に｛反省する／人の話に耳を傾ける …｝。
合 謙虚さ

げんきん　現金
[名] ★2　cash／现金／현금／tiền mặt

・彼は新車を買って、なんと現金で支払ったそうだ。
合 __払い、__自動支払機（＝ATM） 類 キャッシュ 関 ローン

けんこうな　健康な
[ナ形] ★3　healthy／健康的／건강하다, 건전하다／khỏe mạnh

・心も体も健康な子供を育てたい。
・毎日運動をしていたら、とても健康になった。
合 健康的な（例．健康的な生活） 対 不健康な （名）健康

けんさ　ヲ検査(ヲ)スル
[名] ★3　inspection, (medical) examination／检查, 检验／검사／kiểm tra, khám (bệnh)

・｛胃／製品 …｝の検査　・空港では、必ず持ち物の検査がある。
・病院で脳の検査を｛した／受けた｝。
連 __を受ける 合 身体__

げんざい　現在
[名] ★2　present; as of～／现在, 目前；当时, 截至(某时)／현재／hiện tại

① ・駅前は昔は畑だったが、現在は大きなショッピングセンターになっている。
※副詞としても使う。　[対] 過去、未来　[類] 今

② ・わが国の失業率は、2010年10月現在で5.1％だ。

[合] [時点] ＋現在（例. 午前9時現在、7月7日現在）

けんさく　ヲ検索スル
[名] ★1　search, look up／检索, 查看／검색／tìm kiếm

・インターネットで検索すれば、たいていのことは調べられる。
・漢和辞典は漢字の画数で検索できる。

[合] （インター）ネット__、__エンジン

げんじつ　現実
[名] ★2　reality; actuality／现实；实际, 真实／현실／thực tế

① ・理想と現実は違う。　・社会に出て現実の厳しさを知った。
[連] 厳しい__　[合] __的な（例. その計画は現実的ではない。）　[対] 理想

② ・会社が倒産するのではないかといううわさが｛現実に／現実のものと｝なった。
[類] 実際

げんじゅうな　厳重な
[ナ形] ★1　strict, rigorous／严格, 严厉／엄중한／nghiêm ngặt

・アメリカ大統領の来日とあって、警察は厳重な警備態勢を敷いた。
・厳重に｛保管する／注意する／取り締まる　…｝。

[合] 厳重さ、厳重注意　[類] 厳しい

げんそく　原則
[名] ★1　general rule／原则／원칙／nguyên tắc

・この奨学金は、卒業後に返済するのが原則だ。
・私は｛原則的には／原則として｝消費税値上げに賛成だ。

[連] __として　[合] __的な　[関] 基本

けんそん　ガ／ヲ謙遜スル
[名] ★2　modesty／谦逊, 谦虚／겸손／khiêm tốn

・ほめられたとき、謙遜して「そんなことはありません」と言う人も多い。

げんたい　ガ減退スル
[名] ★2　decline / 減退, 衰退 / 감퇴 / giảm

・暑さのせいで食欲が減退した。　・{意欲／活力 …}が減退する。
対 ガ増進スル　関 ガ衰える

げんだい　現代
[名] ★3　the present age / 現代 / 현대 / hiện đại

・現代は情報の時代だと言われている。
合 __人、__社会　類 今日　関 近代・中世・古代、現在

けんちく　ヲ建築スル
[名] ★2　construction, building / 建筑 / 건축 / kiến trúc

・{家／橋 …}を建築する。
合 __家、__士、__物、木造__、高層__　関 ヲ建設スル

けんちょな　顕著な
[ナ形] ★1　obvious, striking / 显著, 明显 / 현저한 / nổi bật, gây ấn tượng mạnh

・新しい薬を試してみたが、今のところ、顕著な効果は現れていない。
・この病気は中年男性に顕著に現われる。
連 ～傾向が__　合 顕著さ　類 著しい、甚だしい　関 ガ目立つ

げんてん　ヲ減点スル
[名] ★2　deduction of points / 扣分 / 감점 / trừ trừ

・漢字のテストで、送り仮名を間違えて減点された。　・10点の減点
対 ガ／ヲ加点スル

げんど　限度
[名] ★2　limit / 限度 / 한도 / hạn mức

・「ダイエットもいいけれど、限度を考えなさい。このままでは体を壊しますよ」
・このカードは、30万円を限度として、お金を借りることができる。
関 限界　慣 {我慢／忍耐}にも限度がある

けんとう　ヲ検討スル
[名] ★2　examination, consideration / 讨论, 探讨 / 검토 / nghiên cứu

・災害対策について検討を重ねた。　・{課題／方法 …}を検討する。
連 __を重ねる、__を加える

けんとう　見当
[名] ★2
estimate, guess
预测，猜测，判断／짐작，예상
sự ước tính

・この問題はどうやって解いたらいいのか、見当もつかない。
・地図を見て、友達の家はこの辺だろうと見当をつけて出かけた。

連 __がつく・__をつける　合 __違い、__外れ

げんに　現に
[副] ★1
actually
实际，现在／실제로
thực sự

・この頃佐藤さんは集中力に欠けるようだ。現に、今日もつまらないミスをしている。

類 実際、事実

げんば　現場
[名] ★2
the scene; site, frontline
（事故等的）现场；作业现场／현장
nơi, hiện trường

① ・交通事故の現場を目撃した。
② ・管理職はもっと現場の声を聞いてほしい。　・あの刑事は現場の経験が豊富だ。

合 工事__、事故__、__検証

けんめいな　賢明な
[ナ形] ★1
wise, intelligent
明智／현명한
khôn ngoan

・社長には逆らわない方が賢明だ。　・賢明な｛判断／やり方／人　…｝

合 賢明さ　類 利口な、賢い

けんやく　ヲ倹約(ヲ)スル
[名] ★1
frugality, thrift
节俭／절약
tiết kiệm

・給料が減ったので、もっと倹約しなければならない。

連 __に努める　合 __家　類 ヲ節約(ヲ)スル　※「節約」は資源や時間に関しても使えるが、「倹約」は使えない。　関 ヲ切り詰める

けんり　権利
[名] ★2
right
权利；资格／권리
quyền

① ・すべての国民には健康的な生活を送る権利がある。　・権利を主張する。

対 義務　関 [名詞]＋権（例. 所有権、財産権、日照権）

② ・「あなたに人を非難する権利はない」

連 ①②〜__がある⇔ない

げんりょう　ガ／ヲ減量スル
[名] ★2
loss in quantity [weight]; losing weight
背；背负，担负／감량
giảm cân

① ・洗剤の中身が減量された。これでは値上げと同じだ。　対 ガ／ヲ増量スル

② ・ボクサーの加藤選手は試合前の減量に苦しんでいる。

けんりょく　権力
[名] ★1
power
权力／권력
quyền lực

・この国では、大統領は強大な権力を持っている。
・権力の座につく。　・権力を行使する。
[連] __を握る、__をふるう、__を行使する　[合] __者、__闘争、国家__　[関] 権限

こい　濃い
[イ形] ★3
dark (color), strong (flavor), thick, heavy (beard)／浓，厚／진하다, 짙다
đặc, đậm

・{色／味／コーヒー／お茶／化粧／ひげ …}が濃い。
[合] 濃さ　[対] 薄い

こいしい　恋しい
[イ形] ★2
miss, long for
令人思念, 令人怀念／그립다, 간절히 바라다
yêu

・{国の両親／恋人／ふるさと …}が恋しい。　・ビールが恋しい季節になった。
[合] 恋しさ

こうい　好意
[名] ★1
affection, good will
好意, 美意, 善意／호의
cảm tình, lòng tốt

・彼は一目見て彼女に好意を持った。
・先輩の好意(／厚意)に甘え、10万円貸してもらった。
[連] __を持つ、__を抱く、__を寄せる、__を無にする、__に甘える　[合] __的な
[対] 敵意　[類] 好感　[関] 厚意　※自分に対する他者の気持ちに使う。

ごういんな　強引な
[ナ形] ★2
forcible
强行, 蛮干／억지로 하다, 막무가내이다
mạnh mẽ

・与党は国会で強引に法案を通した。　・強引な{人／性格／態度／やり方 …}
[合] 強引さ　[関] 無理やり

こうか　効果
[名] ★3
effect
效果／효과
hiệu quả

・この薬を飲んだら、すぐに効果が出た。
[連] __がある⇔ない、__が出る、__が現れる、__が上がる・__を上げる、__が高い
[合] __的な

こうかい　ヲ後悔スル　[名] ★3
regret
后悔／후회
hối hận

・私は若いころに勉強しなかったことを、とても後悔している。

関 ヲ悔やむ

ごうかく　ガ合格スル　[名] ★3
passing, acceptance
考试及格, 考上／합격
đỗ, đạt

・｛大学／入学試験／検査 …｝に合格する。

合 __者、__率　対 不合格（× 不合格する ○不合格になる／不合格だ）　関 ガ受かる

こうかな　高価な　[ナ形] ★2
expensive
高价／값이 비싸다, 고가이다
đắt

・この博物館には世界一高価な宝石が展示してある。
・高価な｛品／プレゼント …｝

合 高価さ　対 安価な　類 高い、高額な

ごうかな　豪華な　[ナ形] ★2
luxurious
豪华, 奢侈／호화롭다
tuyệt đẹp

・客を500人招いて豪華な結婚披露宴をした。　・豪華な｛家／衣装／料理 …｝
・今日は給料日だから、ちょっと豪華にホテルで食事をしよう。

合 豪華さ、豪華版　対 質素な　関 ぜいたくな

こうかん　ヲ交換スル　[名] ★3
exchange; replacement
交换；更换／교환
trao đổi

① ・｛プレゼント／名刺／情報／意見 …｝を交換する。　類 ヲやり取り（ヲ）スル
② ・時計の電池が切れたので交換した。　関 ヲ取り換える

こうぎ　ガ抗議スル　[名] ★1
protest, objection
抗议／항의
kháng nghị

・増税に抗議するデモが行われた。
・〈スポーツで〉審判の判定に抗議したが、聞き入れられなかった。

連 __を申し入れる　合 __集会、__デモ　慣 抗議の声を上げる

こうきゅうな　高級な　[ナ形] ★2
high-quality, expensive
高级, 高档／고급이다
cao cấp

・ツバメの巣は中華料理では高級な食材だ。

合 高級さ、高級＋[名詞]（例. 高級品、高級車、高級ホテル）　関 一流、上等な

こうけい　光景

[名] ★1
view, sight, scene
景象, 情景／경경／quang cảnh

・富士山頂から見た日の出の光景に感動した。　・暴動後の町はひどい光景だった。
・30年ぶりに親子が対面する光景は、人々の涙を誘った。
[関] 情景、風景　※「光景」は目の前で起きている具体的な場面を言う。

ごうけい　ヲ合計スル

[名] ★2
sum
合計, 共計／합계／tổng

・東京23区の面積を合計すると、2,187km²になる。
・食事代は、3人で合計1万円だった。
[合] __額　[関] 計

こうけん　ガ貢献スル

[名] ★1
services (to), contribution
貢献／공헌／đóng góp, cống hiến

・ノーベル平和賞は、世界平和に貢献した人や団体に対して贈られる。
・{社会／科学の進歩／優勝 …}に貢献する。
[合] 社会__、__度(例. 貢献度が高い⇔低い)

こうこく　広告

[名] ★3
advertisement
广告／광고／quảng cáo

・{新聞／雑誌}に新製品の広告がのっていた。
[連] __が出る・__を出す、__が載る・__を載せる　[関] 宣伝、コマーシャル／CM

こうしきな　公式な

[ナ形] ★1
official, formula
正式, (数学)公式／공식적인, 공식／chính thức

①・この件に関する政府の公式な見解はまだ発表されていない。
[合] 公式見解、公式訪問、公式文書　[対] 非公式な／の　[関] 正式な／の
②[(名) 公式]・数学の公式

こうじつ　口実

[名] ★2
excuse
借口, 理由／구실, 핑계／lý do

・気が進まなかったので、かぜを口実に(して)飲み会を欠席した。
[連] __に(する)、__をもうける　[関] 言い訳

こうしゅう　公衆

[名] ★1
the public
公众／공중／công chúng

・昔の軍人は、公衆の面前では決して涙を見せなかった。

連 __の面前　合 __電話、__トイレ、__衛生、__道徳　関 大衆、民衆

こうしょう　ガ／ヲ交渉スル　[名]★1
negotiation, connection
谈判, 交涉, 交往, 联系／교섭, 관계
thương lượng

① ・取引の条件に関し、現在A社と交渉しているところだ。
連 __がまとまる⇔決裂する、__を重ねる　合 団体__、労使__
② ・あの家は近所との交渉が全くない。・叔父とは10年前から没交渉だ。
連 __がない、__を持つ、__を断つ　合 没__　関 交際、関係、かかわり合い

こうじょう　ガ向上スル　[名]★1
improvement
提高／향상
tăng cường, nâng cao

・生活水準が向上すると、平均寿命が伸びる。
・{学力／技術／レベル／意識 …}の向上
合 __心（例. 向上心が強い　・向上心がある⇔ない）　対 ガ低下スル
関 ガ進歩スル、ガ上向く

こうしん　ヲ更新スル　[名]★1
improvement, renewal, update
更新, 刷新／경신, 갱신
đổi mới, cập nhật

① ・吉田選手はレースのたびに日本記録を更新している。
② ・アパートの賃貸契約を更新する。・{運転免許／ビザ／ブログ …}の更新

こうせい　ヲ構成スル　[名]★2
construction, composition, formation
构成／구성
cấu thành

・論文の構成を考える。・この学部は、八つの学科{から／で}構成されている。
合 家族__、社会__、文章__、__要素　関 構造

こうたい　ガ／ヲ交替／交代スル　[名]★2
change, shift
替换, 换班, 轮班／교체, 교대
luân phiên

・首相が交代した。・〈サッカー〉キーパーがA選手からB選手に{交替／交代}した。
・長距離なので、ドライバーは交替で運転した。
合 世代交代、選手交替、交替制

こうてい　ヲ肯定スル　[名]★2
affirmation
肯定／긍정
khẳng định

・相手の意見を肯定する。・私は何事も、肯定的に考えるようにしている。
合 __的な　対 ヲ否定スル

こうどう　ガ行動(ヲ)スル
[名] ★2
action
行动／행동
hành động

・彼の行動は、とても立派だった。　・あの3人は、いつも一緒に行動している。

連 ～__をとる　**合** 団体__、集団__⇔単独__、反対__、抗議__、__範囲、__力(例. 行動力がある⇔ない)、__的な(例. 行動的な性格)

こうどな　高度な
[ナ形] ★2
highly sophisticated, advanced; (at an) altitude／高度、高级；海拔高度
정도가 높다、고도／cao cấp

① ・このメーカーは高度半導体技術で知られている。　**合** 高度経済成長
② [(名) 高度] ・飛行機は、高度1万メートルの上空を飛んでいる。

こうはい　後輩
[名] ★3
junior／后辈；(后进公司的)同事／후배
hậu bối, người vào sau (trong công ty, trường học…)

・彼女は高校の後輩だ。
対 先輩

こうばしい　香ばしい
[イ形] ★1
fragrant
香气扑鼻／구수하다、향기롭다
có mùi thơm

・パンを焼く香ばしい匂いがする。　・香ばしい{お茶／コーヒー …}の香り
合 香ばしさ

こうはん　後半
[名] ★3
second half
后半部分、下半场／후반
nửa cuối

・映画の前半は退屈だったが、後半はおもしろかった。

こうふん　ガ興奮スル
[名] ★3
excitement
兴奋、激动／흥분
hưng phấn

・試合を見ていた観客たちは、興奮して大声を出した。

こうへいな　公平な
[ナ形] ★2
fair
公平／공평
công bằng

・教師が学生によって態度を変えるのは公平ではない。
・私の親は兄弟を公平に扱った。
合 公平さ　**対** 不公平な　**関** 平等な

こうほ　候補
[名] ★2
candidacy, candidate
候选(人)；候补／후보
ứng cử viên

① ・今度の市長選挙は、5人の候補(者)で争われることになった。

[合] __者、ガ立候補スル
② ・彼は将来の社長候補だ。

ごうまんな　傲慢な
[ナ形] ★1　haughty／傲慢／거만한／kiêu ngạo

・彼は態度が傲慢だから、あまり好かれていない。　・傲慢な{人／考え方　…}
[合] 傲慢さ　[対] 謙虚な　[関] 高慢な

こうみょうな　巧妙な
[ナ形] ★1　clever／巧妙／교묘한／khéo léo

・犯人は巧妙な手口で多くの人をだました。
※マイナスの意味で使うことが多い。　[合] 巧妙さ　[類] 巧みな、うまい

こうらく　行楽
[名] ★1　outing, trip, excursion／出游／행락／dã ngoại

・連休なので、行楽に出かける人が多い。
[連] __に出かける　[合] __地、__客、__シーズン、__日和

ごうりてきな　合理的な
[ナ形] ★2　rational; reasonable／合理／합리적이다／hợp lý

① ・工場の生産ラインは合理的に作られている。　・合理的な{方法／設計　…}
[対] 非合理的な　[関] 合理性、合理主義、効率的な、ヲ合理化スル（例．会社が合理化された。）
② ・「その考えは理屈に合わない。もっと合理的に考えなさい」
[対] 不合理な、非合理な　[関] ヲ合理化スル（例．彼はすぐ自分のことを合理化する。）

こうりょ　ヲ考慮スル
[名] ★2　consideration／考虑／고려／xem xét

・スピーチをするときは、聞き手のことも考慮に入れなければならない。
・「欠席すると試験は受けられませんが、やむを得ない理由の場合は考慮します」
[連] ヲ__に入れる

こうれい　高齢
[名] ★3　old age, advanced age／年迈，高龄／고령／cao tuổi

・祖母は高齢だが、まだとても元気だ。
[合] __者、__化社会

こうれい　恒例
[名] ★1　established custom / 慣例 / 관례 / thường lệ

・毎年<u>恒例</u>の花火大会が明日行われる。

合 ＿行事

こえる　ガ越える／超える
[動] ★3　cross; surpass / 越，越过，超过 / 넘어가다, 넘다 / vượt qua, đi qua

・この{山／川}を<u>越える</u>と隣の県だ。
・最高気温が30度を<u>超える</u>日を真夏日という。
※ 一般的に、前が数字のときは「超」を使う。

コース
[名] ★2　course / 跑道，泳道；路线；课程，学科；一道菜 / 코스, 과정 / khóa học

① ・この道は市民マラソンの<u>コース</u>になっている。
　合 [名詞]＋コース（例. ハイキング<u>コース</u>、ジョギング<u>コース</u>）　関 トラック
② ・彼は順調に出世<u>コース</u>を歩んでいる。
　連 ①②＿を進む、＿をたどる、＿{を／から}外れる／それる
　合 ②出世＿、エリート＿
③ ・この学校は理系<u>コース</u>と文系<u>コース</u>に分かれている。　類 課程
④ ・レストランでフル<u>コース</u>を注文した。

コーチ　ヲコーチ(ヲ)スル
[名] ★2　coach / 教练，指导 / 코치 / huấn luyện viên

① ・ここの柔道部の<u>コーチ</u>は厳しいことで有名だ。
② ・田中氏に<u>コーチ</u>してもらって、技術が向上した。　連 ニ＿をする
関 ①②ヲ監督(ヲ)スル

コード
[名] ★2　cord / 电线 / 코드 / mã

・アイロンの<u>コード</u>をコンセントにつないだ。
合 延長＿、＿レス　関 プラグ、コンセント

コーナー
[名] ★2　section; session; corner / 专柜；节目；弯道 / 코너 / góc

① ・冬になるとデパートにはお歳暮の<u>コーナー</u>が設けられる。　合 特設＿
② ・ほとんどのニュース番組には、天気予報の<u>コーナー</u>がある。
③ ・ランナーはトラックの第3<u>コーナー</u>を回った。

こおる　ガ凍る
[動] freeze / 冻, 结冰 / 얼다 / đông ★2

・水が凍る。　・水道(管)が凍る。　・冷凍庫の中でパンがかちかちに凍っている。

関 氷

ゴール　ガゴールスル
[名] goal / 到达终点; 奋斗目标; 球门, 进球 / 골, 결승점, 결승선, 목표, 골인 / mục tiêu ★2

① ・山本選手は、100メートル背泳ぎで世界新記録でゴールした。

合 ガ__インスル　対 ガスタートスル

② ・地震の予知ができるようになることが、この研究のゴールだ。　類 目標

③ 〈スポーツ〉・ゴールを決めて1点取った。

連 __を守る⇔攻める、__が決まる・__を決める　合 __キーパー

ごかい　ヲ誤解スル
[名] misunderstanding / 误解, 误会 / 오해 / hiểu lầm ★3

・誤解がないようにするには、よく話し合うことが大切だ。

・テストで問題の意味を誤解して答えを間違えた。

こきょう　故郷
[名] hometown / 故乡, 老家 / 고향 / quê quán ★3

・仕事が忙しくて、もう何年も故郷に帰っていない。

類 ふるさと

こぐ　ヲ漕ぐ
[動] pedal, row / 划(船), 蹬(车) / 밟다, 젓다, 발을 구르다 / đạp ★2

・自転車(のペダル)をこぐ。　・|舟／ブランコ …|をこぐ。

ごく
[副] extremely, very / 非常 / 극히 / rất ★1

・提案に反対しているのは、ごく少数の人々だ。　・母はごく平凡な専業主婦です。

・この薬はごくまれに、副作用が出ることがある。

類 非常に、極めて　※「ごく」は数量が小さいとき、レベルが低いときに使うことが多い。

こくさいてきな　国際的な
[ナ形] international, cosmopolitan / 国际化的, 国际的 / 국제적이다 / mang tính quốc tế ★3

・東京で国際的なアニメフェスティバルが開かれた。

・あのピアニストは国際的に活躍している。

関 国際〜（例．国際連合、国際問題、国際結婚、国際交流、国際化、国際性）

こくせき　国籍
[名] ★3
nationality
国籍／국적
quốc tịch

・私はずっとアメリカで暮らしているが、国籍は日本だ。

連 ＿を取る

こくもつ　穀物
[名] ★1
cereal, grain
糧食／곡물
ngũ cốc

・日本は、米以外の穀物は輸入に頼っている。
※ 米以外の穀物としては、麦、マメ、トウモロコシなどがある。　類 穀類

こげる　ガ焦げる
[動] ★2
be burned
焦，糊；烤焦／晒褪色／눌다, 타다
cháy

・焼き過ぎて、魚が真っ黒に焦げてしまった。
・じゅうたんの焦げたあとを修繕する。

合 焼け焦げ、焦げあと、黒焦げ、おこげ　(名) 焦げ　〈他〉焦がす

こごえる　ガ凍える
[動] ★1
to freeze
冻僵／추위로 인해 몸의 감각이 둔해지다
đông cứng

・寒さで手が凍えて、指がうまく動かせない。　・今日は凍えるような寒さだ。

関 ガ凍る

ここち　心地
[名] ★1
feeling, mood, sensation
心情, 舒服／느낌, 기분
cảm giác

・強盗にピストルを向けられたときは、生きた心地もしなかった。

合 ＿良い、居心地、寝心地、着心地、座り心地、住み心地（例．住み心地の良い家）

ここちよい　心地良い
[イ形] ★1
comfortable
舒服, 心情好／상쾌하다, 기분이 좋다
thoải mái

・運動後の体には、冷たい風が心地良かった。　・心地良い｛音楽／眠り／疲れ／　…｝

合 心地良さ　類 気持ち良い、快い　関 心地

こころがける　ヲ心掛ける
[動] ★1
to try to, aim to
留心, 注意／마음에 두다, 노력하다, 조심하다
cố gắng, quyết tâm

・健康のため、十分栄養を取るよう心がけている。
・｛倹約／省エネ／早寝早起き／安全運転／整理整頓　…｝を心掛ける。

(名) 心掛け→ ＿がいい⇔悪い

こころがまえ　心構え　[名] ★1
readiness / 思想准备 / 마음의 준비 / sự sẵn sàng

・監督は選手たちに、試合にあたっての心構えを話した。
・高齢の親が重体になったので、万一の心構えだけはしておいた。

連 ＿をする　関 覚悟、心掛け、ヲ心掛ける

こころぼそい　心細い　[イ形] ★2
lonely, helpless / 心中没底，不安的 / 불안하다 / cô độc

・初めて来日したときは、言葉もわからず知り合いもなく、とても心細かった。

合 心細さ　対 心強い　類 不安な

こころみる　ヲ試みる　[動] ★1
to try / 尝试 / 시도하다, 해 보다 / thử

・いろいろ試みたが、病気は一向に良くならなかった。
・{説得／抵抗／脱出／新しい方法 …}を試みる。

類 ヲ試す　※「試みる」の方がかたい言葉。　(名) 試み

こころよい　快い　[イ形] ★2
pleasant; willingly / 舒服，惬意；痛快，爽快 / 상쾌하다, 기분이 좋다 / dễ chịu

①・草原には快い風が吹いていて気持ちよかった。
　合 快さ　類 気持ちいい、心地よい　関 快適な
②・急な頼みだったが、友人は快く引き受けてくれた。
　類 気持ちよく　関 ヲ快諾スル

こしつ　ガ固執スル　[名] ★1
insistence, persistence / 固执 / 고집 / bảo thủ

・あの人は自分の意見に固執して、人の話を聞こうとしない。
※マイナスの意味で使うことが多い。　類 ガ執着スル　関 ガこだわる

こしょう　ガ故障スル　[名] ★3
malfunction, breakdown / 故障，出毛病 / 고장 / hỏng

・洗たく機が故障したので、コインランドリーへ行った。
関 ヲ修理(ヲ)スル、ヲ直す

こじれる　ガこじれる

[動] ★1
to become complicated, become more serious／別扭, 久治不愈, 复杂化
꼬이다, 더치다／tồi tệ hơn

① ・二人とも感情的になったため、話がこじれてしまった。
② ・風邪をこじらせて、肺炎になってしまった。
※ 使役形の他に他動詞「ヲこじらす」もあるが、あまり使わない。

こする　ヲこする

[動] ★1
to rub, scrub, scrape
擦, 搓, 揉, 蹭／문지르다, 비비다, 긁히다
chà xát

・このなべは、固いたわしでこすると傷が付く。　・両手をこすって温めた。
・塀の角{に／で}こすって車に傷をつけてしまった。

[合] ヲこすり合わせる、ヲこすり付ける　　[関] ヲなでる、ヲさする

こせい　個性

[名] ★2
personality, identity
个性／개성
nét riêng, cá tính

・子供たちの個性を伸ばすような教育がしたい。

[連] __がある⇔ない、__を伸ばす、__が豊かだ　　[合] __的な

こぜに　小銭

[名] ★3
small change
零钱／잔돈
tiền lẻ

・バスに乗ってから小銭がないことに気がつき、とても困った。

[類] 細かいお金　　[関] {100／10 …}円玉、硬貨、(お)札

ごたごた(と)　ガごたごたスル

[副] ★1
disorderly, confused, busy (too much going on)／乱七八糟, 争吵, 杂乱无章, 混乱／너저분히, 자질구레하게, 어수선한／rắc rối, hỗn độn, lộn xộn

① ・部屋には多くのものがごたごたと置いてあった。
② ・「細かいことをごたごた言うな」　　[類] ①②ごちゃごちゃ(と)
③ ・今、家の中がごたごたしている。　　[関] ①③ガごたつく
(名) ③ごたごた(例.・引っ越しのごたごたで大事な本を無くしてしまった。)

こだわる　ガこだわる

[動] ★1
to be concerned with, be particular about
拘泥, 讲究／구애되다, 신경 쓰다
câu nệ, kén chọn

① ・いつまでも失敗にこだわっていると、前に進めない。
② ・「当店では食材の質にこだわっております」
※ ①はマイナス、②はプラスの意味で使う。　(名) ①②こだわり→　__がある⇔ない

ごちそう　ヲごちそうスル
[名] ★3　feast; treating to (a meal) / 饭菜；请客，款待 / 맛있는 음식，음식 대접 / thiết tiệc, chiêu đãi

① ・家族みんなでごちそうを食べて、祖父の誕生日を祝った。
② ・チンさんが私達に手作りのギョーザをごちそうしてくれた。

[連] __になる　[関]〈あいさつ〉「ごちそうさま」

ごちゃごちゃ(と)　ガごちゃごちゃスル
[副] ★1　disorderly, confused / 乱糟糟，杂乱，乱说 / 엉망인，어수선한，너저분한 / xáo trộn lung tung, lung tung

① ・私は整理整頓が苦手で、机の上はいつもごちゃごちゃしている。
② ・「文句ばかりごちゃごちゃ言ってないで、早く言われたことをやれ」

[類] ごたごた(と)

こちょう　ヲ誇張スル
[名] ★1　exaggeration / 夸张 / 과장 / khoa trương, phóng đại

・事件を誇張せず、ありのままに書く。　・彼の話には誇張が多い。

[関] 大げさな、誇大な

こつ
[名] ★1　knack, trick / 秘诀，窍门 / 요령 / bí quyết

・魚をうまく焼くにはこつがいる。
・ちょっとしたこつで、いい写真が撮れるようになった。

[連] __がある、__が要る、__をつかむ、__を飲み込む　[類] ポイント

こっそり
[副] ★2　secretly / 悄悄地，偷偷地 / 몰래，살짝 / giấu diếm, trộm

・先生に見つからないように、こっそりケータイのメールを見た。
・「あなたにだけこっそり秘密を教えてあげる」

ことなる　ガ異なる
[動] ★2　differ / 不一样，不同 / 다르다 / khác

・私はあの人と意見が異なる。　・うわさは事実と異なっていることが多い。
・機能の異なる三つの携帯電話のうち、どれを買おうかと迷っている。

[対] 同じ　[類] ガ違う　※「異なる」の方が書き言葉的。

ことに
[副] ★1　in particular / 特别，格外 / 특히，특별히 / đặc biệt

・今年の冬は例年になく寒いが、今晩はことに冷える。

・このレポートには、ことに目新しいことは書かれていない。
類 特に ※「ことに」の方がかたい言葉。

ことわざ [名] ★2
proverb
谚语, 俗语／속담
tục ngữ

・ことわざには教訓が含まれていることが多い。
関 格言

ことわる ヲ断る [動] ★3
decline; seek permission
拒绝；事先说好／거절하다, 양해를 구하다
từ chối, xin phép

①・頼まれた仕事を断った。 ・借金を申し込んだが断られた。
②・急用ができたので、先生に断って早退させてもらった。
(名)①②断り→ ②何の＿もない

こなす ヲこなす [動] ★1
to be good at, complete, achieve／很好地扮演，处理，掌握／소화하다, 해내다, 처리하다
chín, chín muồi

①・あの俳優はどんな役でもうまくこなす。
合 使い＿、乗り＿、弾き＿、着＿→ (名)着こなし
②・これだけの仕事量を一人でこなすのは大変だ。 連 数を＿、量を＿

このむ ヲ好む [動] ★2
like, love
喜欢, 爱好／좋아하다, 즐기다
thích

・一般にお年寄りはあっさりした味を好む。
・この薬には、虫の好まない成分が含まれている。
対 ヲ嫌う 類 ヲ好く(※受身形で使う。例. 彼女はだれからも好かれている。)
関 好きな (名)好み(例. 人の好みはそれぞれ違う。)

こばむ ヲ拒む [動] ★1
to refuse
拒绝, 阻挡／거부하다, 거절하다
từ chối, cự tuyệt

・組織の人間である以上、理由なく異動や転勤を拒むことはできない。
・｛要求／申し出／支払い …｝を拒む。
類 ヲ拒否する、ヲ拒絶する、ヲ断る ※「拒む」の方がかたい言葉で、意味も強い。

こぼす ヲこぼす [動] ★3
spill; shed (tears)
把……弄洒, 弄漏／흘리다, 엎지르다
làm đầy, làm tràn, cháy (nước mắt)

・コップを倒して水をこぼしてしまった。 ・祖母はうれしさに涙をこぼしていた。
・小さな子供は、はしが上手に使えないので、すぐご飯をこぼしてしまう。

☞〈自〉こぼれる

こぼれる　　ガこぼれる
[動] ★3　be spilled; (tears) are shed／洒, 洒落／넘쳐 흐르다, 흘러내리다／bị đầy, bị tràn

・手がふるえてお茶がこぼれてしまった。　・悔しくて涙がこぼれた。

☞〈他〉こぼす

こまかい　　細かい
[イ形] ★3　fine; detailed; small (money)／細小, 軽微；詳細；零砕／작다, 잘다, 세심하다／(tiền) lẻ, (chữ) nhỏ, chi tiết

① ・新聞の字は細かくて、お年寄りには読みづらい。
② ・この書類を書くときには、細かい注意が必要だ。　合 ①②細かさ
③ ・細かいお金がなかったので、1万円札を出しておつりをもらった。　関 小銭
　類 ①③小さい

ごまかす　　ヲごまかす
[動] ★1　to deceive, cheat, dodge, cover up／欺騙, 蒙蔽／속이다／lừa dối, nói dối

① ・商品の量や重さをごまかすような商人は、信用されない。　・つり銭をごまかす。
　関 ヲだます、ヲ欺く
② ・弟は都合の悪いことを言われると、笑ってごまかそうとする。

(名) ①②ごまかし

こまやかな　　細やかな
[ナ形] ★1　heartfelt／細致／세심한, 두터운／nhỏ, chi tiết

・この旅館は部屋にも料理にも、細やかなサービスが行き届いている。
・こまやかな {愛情／配慮／心遣い　…}
合 細やかさ

コミュニケーション　　ガコミュニケーションスル
[名] ★3　communication／沟通, 交流／커뮤니케이션, 소통／giao tiếp, trao đổi

・同僚とはじゅうぶんコミュニケーションをとった方がよい。
・うちの家族は最近コミュニケーションが少ない。

連 __をとる、__がない

こむ　　ガ混む
[動] ★3　be crowded／拥挤／붐비다／đông đúc (đường xá)

・{電車／店／道　…} が混む。
合 人混み　対 ガすく　関 ガ混雑スル

～こむ　～込む

1）中に入る

かけこむ　ガ駆け込む　[動] ★2
- run into
- 跑进／뛰어들어가다
- chạy vào

・大急ぎで教室に駆け込んだ。　　　（名）駆け込み→＿＿乗車

とびこむ　ガ飛び込む　[動] ★2
- jump into, plunge into
- 跳入；投入；突然出现／뛰어들다
- bay vào

・プールに飛び込む。　・新しい世界に飛び込む。
・大ニュースが飛び込んできた。　　　（名）飛び込み

2）中に入れる
[Enter, In] put ~ inside
使……进去，让……进去／안에 넣다
vào trong

かきこむ　ヲ書き込む　[動] ★2
- superior
- 写上，注上／써넣다, 기입하다
- viết vào

・ノートに感想を書き込む。　　　（名）書き込み→　＿＿をする

はこびこむ　ヲ運び込む　[動] ★2
- carry in
- 搬进，运进／나르다
- vận chuyển vào, vác vào

・引っ越しの荷物を部屋に運び込む。

3）すっかり～して、そのままの状態でいる
[Enter, In] do ~ completely and keep the (present) state ／彻底，完全，深……／완전히 ~하여 그 상태인 채로 있다／giữ nguyên tư thế

すわりこむ　ガ座り込む　[動] ★2
- sit down
- 坐下不动／주저앉다
- ngồi yên

・疲れていすに座り込む。

ねこむ　ガ寝込む　[動] ★2
- stay in bed; sleep
- 卧床不起，熟睡／몸져눕다, 푹 잠들다
- ngủ li bì

①・病気で1週間寝込んだ。　②・ぐっすり寝込む。

はなしこむ　ガ話し込む　[動] ★2
- have a long talk
- 谈得起劲／이야기에 열중하다
- nói say sưa

・友人と電話で3時間も話し込んだ。

4）十分に行う、相手に強く～する
[Enter, In] do ~ completely, press someone to~／充分，要求对方……／충분히 하다, 상대방에게 강하게 ~하다／ép, cưỡng chế

おしえこむ　ヲ教え込む　[動] ★2
- instill in
- 灌输，教诲／철저히 가르치다
- nhồi nhét

・動物に根気よく芸を教え込んだ。

たのみこむ　ヲ頼み込む　[動] ★2
- plead, ask earnestly
- 恳求／신신부탁하다
- ép làm

・頭を下げて先輩に頼み込んだ。

コメント　ガコメント(ヲ)スル　[名]★2
comment
评语，评论／코멘트, 의견
bình luận

・評論家がテレビで経済についてコメントしていた。
・新聞に優勝者のコメントが載った。

連 __を出す、__を取る、__をもらう　合 ノー__　関 コメンテーター

こもる　ガ籠もる　[動]★1
to shut oneself up, be confined, be full of, be indistinct
闭门不出，(房间等)不通气，声音不清楚，集中精力，诚心诚意／틀어박히다, 꽉 차다, 담기다／tách biệt, rúc xó

① ・しばらく家に籠もって、小説を書くつもりだ。
　　合 ガ閉じ__（例．自分の殻に閉じこもる。）、引き__ → （名）引きこもり
② ・ふろ場は湿気がこもってカビが生えやすい。
③ ・耳に水が入ると、自分の声がこもって聞こえる。
④ ・ほめられて、練習にいっそう熱がこもった。
　　〈他〉込める（例．心を込めてプレゼントのセーターを編んだ。）

こよう　ヲ雇用スル　[名]★1
employment, hiring
雇用，就业／고용
tuyển, thuê

・人手不足のため、会社は新たに5人を雇用した。
・雇用を促進するため、政府はさまざまな政策を打ち出した。

合 終身__、__主、__条件、__者⇔被__者、__促進　対 ヲ解雇スル
関 ヲ雇う、ヲ採用スル、ヲ採る

ごらく　娯楽　[名]★2
entertainment
娱乐，娱乐活动／오락
thú vui

・うちの父は、釣りを娯楽として楽しんでいる。
・この辺は娯楽が少ないから、若い人は街へ出て行ってしまう。

合 __施設、__費

こらす　ヲ凝らす　[動]★1
to concentrate, apply／凝视，屏住呼吸，悉心钻研／집중시키다, 죽이다, 짜내다
trừng trị

① ・暗闇の中で目を凝らすと、遠くに小さな明かりが見えた。　連 目を__、息を__
② ・デザインに工夫を凝らす。　連 工夫を__

☞〈自〉凝る

コラム

[名] ★2
column
专栏／칼럼
cột

・新聞や雑誌には多くのコラムがある。

合 ＿＿記事　関 コラムニスト

こりる　ガ懲りる

[動] ★1
to be disgusted with, to learn from experience／吃过苦头不想再试／질리다
nhận được một bài học, tỉnh ngộ

・カジノで大損をした。賭け事はもう懲りた。　・失敗に懲りず、また挑戦したい。

合 懲り懲り（例．登山はもうこりごりだ。）

こる　ガ凝る

[動] ★1
to be absorbed in, be particular about, get stiff (shoulders, etc.)／热衷于；讲究；肌肉酸痛／열중하다, 멋지다, 뻐근하다／đông lại, đông cứng lại

① ・最近お菓子作りに凝っている。

合 凝り性　関 ガ熱中する、ガ夢中になる、ガふける

② ・休みの日は時間をかけて、凝った料理を作るのが私の楽しみだ。

※①②はプラスの意味で使うことが多い。

③ ・最近年のせいか、肩が凝る。　　　合 肩凝り、ガ凝り固まる　（名）凝り

☞〈他〉凝らす

ころがす　ヲ転がす

[動] ★2
roll; roll over; leave／使……滚动；翻倒；放下／굴리다, 넘어뜨리다, 아무렇게나 놓다
làm lăn

① ・ボーリングの球を転がしてピンを倒す。　・さいころを転がす。
② ・手が当たってビールびんを転がしてしまった。
③ ・「荷物は適当にその辺に転がしておいてください」　　　類 ヲ放る

☞〈自〉転がる

ころがる　ガ転がる

[動] ★2
roll; lie (down); lie around／滚；倒下；扔着／구르다, 넘어지다, 눕다, 아무렇게나 놓여 있다, 얼마든지 있다／lăn

① ・ボールが転がる。　・坂道を転がって落ちた。

合 ガ転がり落ちる　類 ガ転げる　→ガ転げ落ちる、ガ転げ回る、ガ笑い転げる

② ・ベッドに転がって本を読んだ。　　　　　　　　　　　　合 ガ寝転がる
③ ・山道に石がたくさん転がっている。　・そんな話はどこにでも転がっている。

☞〈他〉転がす

ころす　ヲ殺す
[動] ★3　kill／杀／죽이다, 살해하다／giết

・ゴキブリをスリッパでたたいて殺した。
・戦争で、多くの人が殺された。

関 殺人、ガ自殺(ヲ)スル　(名) 殺し

ころぶ　ガ転ぶ
[動] ★2　fall (over); (things) turn out／跌倒, 摔跟头; 事态变化／넘어지다, 추세가 변하다／bị vấp ngã

① ・雪道ですべって転んでしまった。

合 ガ寝転ぶ(例. ソファーに寝転んでテレビを見た。)

② ・状況がどう転んでも、この計画には影響はない。

こわす　ヲ壊す
[動] ★3　break, damage (one's health)／弄坏, 毁坏; 伤害, 损害／고장 내다, 부수다, 망치다／hỏng, phá hủy (sức khỏe)

① ・{家／家具／電気製品 …}を壊す。
② ・飲み過ぎて体を壊してしまった。

☞ 〈自〉壊れる

こわれる　ガ壊れる
[動] ★3　break／坏, 倒塌／부서지다, 고장 나다／làm hỏng

・{家／家具／電気製品 …}が壊れる。
・壊れた時計を直してもらった。

☞ 〈他〉壊す

こんき　根気
[名] ★1　perseverance, persistence／耐性／끈기／kiên nhẫn

・細かい作業を続けるのは根気がいる。
・この子は飽きっぽくて、根気が続かない。

連 __がある⇔ない、__がいる、__が続く
合 __強い、__よく(例. 根気よく調べる。)

こんきょ　根拠
[名] ★1　basis, foundation／根据, 据点／근거／chứng cớ

① ・彼の話には何の根拠もない。
② ・反政府勢力は首都郊外のビルを根拠地とした。

連 __がある⇔ない、__を示す
合 __地　類 本拠

コンクリート
[名] ★2　concrete／混凝土／콘크리트／bê tông

・この壁はコンクリートでできている。
・コンクリートを固める。

合 鉄筋__　関 セメント

こんご　今後

[副] ★2
from now on
今后，以后／금후，앞으로
tương lai

※名詞としても使う。
・会社を辞めた。今後のことはまだ何も決まっていない。
・「今後、このようなことがないように、気をつけてください」
※「これから」よりかたい言葉。

こんざつ　ガ混雑スル

[名] ★3
crowd
混乱，拥挤／혼잡
nhộm nhoạm, đông đúc

・デパートは、大勢の人で混雑している。
関 ガ込む⇔すく、ガ渋滞スル

コンセプト

[名] ★1
concept
理念，想法／콘셉트，개념，발상
khái niệm

・新しく創刊する雑誌のコンセプトを、編集会議で話し合った。
・「この化粧品は、女性の自然な美しさを引き出すというコンセプトで作られております」
関 考え、概念、アイデア

コンタクトレンズ　＞コンタクト

[名] ★3
contact lens
隐形眼镜／콘택트렌즈
kính áp tròng

・めがねをやめて、コンタクトレンズにした。
連 __を{する／入れる／はめる／つける}⇔{外す／取る}　関 めがね

コンテスト

[名] ★3
contest
竞赛，比赛／콘테스트，대회
cuộc thi

・スピーチのコンテストで優勝した。
連 __に{出る／出場する}、__に参加する　合 スピーチ__、写真__　類 コンクール

こんど　今度

[副] ★2
this time, recently; next time
这次，现次；下次，下回／이번，이다음
bây giờ

① ・今度できたレストランは、味がいいと評判だ。
　※現在のことを表す。　類 今回、このたび（※改まった言葉）
② ・今度できる店はラーメン屋だそうだ。※近い未来のことを表す。　類 このたび
③ ・何度も負けているので、今度こそ勝ちたい。　類 次、次回
※名詞としても使う。

コントラスト　　　　　　　　[名]　contrast／対比／콘트라스트, 대비／tương phản　★1

・冬山は、真っ白な雪と青い空とのコントラストが美しかった。
・パソコン画面のコントラストが強すぎると、目が疲れる。

連 __が強い⇔弱い、__をなす　　類 対照、対比

コントロール　ヲコントロールスル　[名]　control／控制, 处理, 管理；控球／컨트롤, 제어, 제구력／kiểm soát　★2

① ・この機械はコンピューターでコントロールされている。

連 __が効く⇔効かない　　合 セルフ__、マインド__、リモート__

類 ヲ制御(ヲ)スル　　関 リモコン＜リモートコントローラー

② ・〈野球〉あのピッチャーはコントロールがいい。　　　　　連 __がいい⇔悪い

コンビニ　＜コンビニエンスストア　[名]　convenience store／便利店, 24 小时店／편의점／cửa hàng tiện dụng　★3

・最近はスーパーよりコンビニで買い物することが増えた。

こんらん　ガ混乱スル　[名]　confusion, disorder／混乱／혼란／bối rối　★2

・頭が混乱して、どうしていいのかわからない。
・通りでナイフを持った男が暴れ、大混乱が起こった。

合 ガ大__スル

さ　差

[名] ★2
gap, difference; remainder
差別，差距；差，差数／차, 차이
sự khác biệt

① ・テストの結果は、どの学生もほとんど差がなかった。

連　__がある⇔ない、__が大きい⇔小さい、__がつく・__をつける、__が広がる・__を広げる、__が縮まる・__を縮める、__が出る　合　__格、__異、大__、[名詞]＋差(例. 男女差、年齢差、地域差)　関　違い、相違

② ・引き算で差を出す。　・100 から 80 を引くと、差は 20 だ。

連　__が出る・__を出す、__が大きい⇔小さい　合　__額、誤__　対　和

サークル

[名] ★2
circle
興趣小組，社団／서클, 동아리, 동호회
vòng tròn

・学生時代、演劇のサークルに入っていた。

合　__活動、[名詞]＋サークル(例. テニスサークル)　関　クラブ、同好会

サービス　ヲサービス(ヲ)スル

[名] ★2
service, spending much time (with one's family);
serve／接待，服务态度，附带赠送；免费提供；发球
서비스, 서브／dịch vụ

① ・「当社はお客様に喜ばれるサービスを心がけております」

連　__がいい⇔悪い　合　アフター__、__業

② ・「ビールを 5 本お買い上げの方に、もう 1 本サービスいたします」

類　ヲおまけ(ヲ)スル

③ ・ふだん仕事であまり家にいないので、休日は家族にサービスするようにしている。

合　③家族__、__精神(例. 彼はサービス精神が旺盛だ。)、__残業

類　①③ガ奉仕(ヲ)スル

④ ・｛テニス／バレー／バドミントン　…｝のサービス　合　__エース　類　サーブ

さいがい　災害

[名] ★2
disaster
灾害／재해
thảm họa

・地震や火事などの災害にあったときのために、保険に入っておこう。

連　__に遭う、__が起こる、__を防ぐ　合　自然__　関　天災、火災、防災、被災

サイクル

[名] ★1
cycle
周期／사이클, 주기
chu trình

・動物は、1 年の自然のサイクルに従って生活している。
・LED 電球は、交換までのサイクルが普通の電球に比べるとずっと長い。

連　__が長い⇔短い　合　ライフ__　類　周期　関　循環

さいご　最後
[名] ★3　last, end (of the line) / 最后，结束，最后一个 / 최후 / sau cùng, cuối cùng

・発表の順番は私が最後だった。　・「後から来た人は列の最後に並んでください」

対 最初　類 終わり

さいこう　最高
[名] ★3　highest; best; really / 最高；最高潮，顶点 / 최고 / cao nhất

① ・最高気温　・この店は昨日、開店以来最高の売り上げを記録した。

合 最高＋[名詞]、[名詞]＋最高

② ・宝くじが当たって、最高の気分だ。　・今日の試合は最高だった。　対 ①②最低

③ ・この映画は最高におもしろい。　・今月は最高に忙しかった。

さいしょ　最初
[名] ★3　first / 最初，开始，第一个 / 최초 / ban đầu, trước hết

・最初にひらがなを、次にカタカナを勉強した。

・日本に来たばかりのころ、最初は何もわからなかった。

対 最後　類 初め

さいそく　ヲ催促(ヲ)スル
[名] ★2　prod, remind / 催讨，催促 / 재촉 / nhắc nhở

・貸した金を返すよう、催促の電話をかけた。

・雑誌に載せる原稿を何度も催促されているが、なかなか書けない。

連 ＿を受ける

さいてい　最低
[名] ★3　lowest; worst; disgusting / 最低；最低潮，最差 / 최저 / thấp nhất

① ・最低気温　・クラスで最低の点をとってしまった。

合 最低＋[名詞]、[名詞]＋最低

② ・今日の試合は最低だった。　対 ①②最高

③ ・弱いものいじめをするなんて｛最低だ／最低の人だ｝。

さいなん　災難
[名] ★2　disaster; misfortune / 灾难，不幸 / 재난, 고생 / thiên tai

・洪水、山火事、農作物の不作と、村に災難が続いた。

・「車を電信柱にぶつけて、修理代を40万も取られたよ」「それは災難だったね」

連 ＿に遭う、＿に見舞われる

さいのう　才能
[名] talent, gift / 才能，才华／재능 / tài năng ★2

・彼女には、音楽の才能がある。

連　＿がある⇔ない、＿が豊かだ⇔＿に乏しい、＿に恵まれる

さいばい　ヲ栽培スル
[名] culture, cultivation / 栽培／재배 / trồng trọt ★2

・この畑では小麦を栽培している。

さいよう　ヲ採用スル
[名] hiring, adoption / 录用，采纳／채용 / tuyển dụng, chấp nhận ★1

① ・新入社員を5人採用することになった。　・採用試験を受ける。
　合　＿試験、＿条件、＿基準、現地＿　関　ヲ採る、ヲ雇う、ヲ雇用スル
② ・会議で、私の案が採用された。　　　　　関　ヲ採り上げる
対　①②不採用（× 不採用する　○不採用にする）

ざいりょう　材料
[名] ingredient, material; data / 原料；素材，资料／재료 / tài liệu ★2

① ・スーパーへ夕食の材料を買いに行った。　関　原料、素材
② ・A案がいいのかB案がいいのか、判断の材料が足りない。　合　判断＿、不安＿

サイレン
[名] siren / 警报器，警笛／사이렌 / còi hú ★2

・工場でお昼のサイレンが鳴った。
・消防車がサイレンを鳴らして火事場に駆けつけた。

関　ベル、チャイム、ブザー

さいわいな　幸いな
[ナ形] happy; fortunate ／幸福的；幸运的 / 행복하다, 다행이다, 운이 좋다 / may mắn ★2

① ・いい友人に恵まれて幸いだ。　・「皆様のご意見をいただければ幸いです」
　類　幸せな、幸福な、幸運な　(名)幸い（例.「今後の幸いをお祈りしています」）
　⇔災い
② ・交通事故に遭ったが、{幸い(に／にも)／幸いなことに}けがはなかった。
　類　幸運な、運がいい　(名)ガ幸いスル（例．事故で大けがをしたが、命が助かったのはせめてもの幸いだった。）　慣　不幸中の幸い

サイン　ガサイン(ヲ)スル　[名] ★2
signature; autograph; sign; signal
签字；签名；信号；暗号／사인, 서명
ký

① ・契約書にサインをする。　　　類 ガ署名(ヲ)スル
② ・コンサートの後で、歌手にサインをもらった。
③ ・指を2本立てるのは「勝利」のサインだ。　　類 印
④ ・監督はベンチから選手にサインを送った。　連 __を送る　類 ガ合図(ヲ)スル

さえぎる　ヲ遮る　[動] ★1
to block, interrupt ／遮挡，打断，阻挡
가리다, 차단하다, 막다, 가로막다
chặn đứng, cắt ngang

① ・新しいビルに遮られて、ここから富士山が見えなくなった。　関 ヲ遮断する
② ・人の｜話／発言｜を遮って話すのは失礼だ。
類 ①②ヲ妨げる、ヲ阻む

さえる　ガさえる　[動] ★1
to be clear, to master/excel at, to be dull, uninteresting, unattractive
清澈；清晰；清醒，(技艺)高超；(否定形)垂头丧气，没有生气，不起眼，不快
맑다, 선명하다, 뛰어나다, 말똥말똥하다, 늦하다／ trong trẻo

① ・冬の夜空に月の光がさえている。　・さえた笛の音が聞こえる。
② ・今日は勘がさえている。　・目がさえて眠れない。　・職人の技がさえる。
連 ②勘が__　合 ①②ガさえ渡る　(名) ①②さえ
③ ・彼女は何か悩みでもあるらしく、さえない表情をしている。
※ 否定形で使う。　慣 顔色がさえない

さか　坂　[名] ★3
hill, slope
坡, 斜坡／고개, 비탈, 언덕
dốc

・坂を上る。
連 急な__⇔緩やかな__、__を上る⇔下る　合 __道、上り坂⇔下り坂

さかい　境　[名] ★2
boundary
界线，分界／경계
biên giới

・隣の家との境には塀がある。　・秋分の日を境に、急に涼しくなった。
連 ト／ニ__を接する　合 __目、県境　類 境界　関 国境　慣 生死の境をさまよう

さかえる　ガ栄える　[動] ★1
to flourish
繁荣, 兴旺／번영하다, 번창하다
phồn vinh, phồn thịnh

・古代エジプト文明は、3,000年にわたって栄えた。　・｜国／町／文化　…｜が栄える。
対 ガ衰える、ガ衰退する　類 ガ繁栄する　関 ガ滅びる

さがす　ヲ探す／捜す
[動] ★3　to look for, to look in／寻找，搜索，翻找／찾다／tìm kiếm

[探] ① ・新しい仕事を探しているのだが、なかなか見つからない。
　　② ・あちこちの店を探して、やっと気に入ったバッグを見つけた。
[捜] ① ・警察は逃げた犯人を捜している。　　　　　類 ヲ捜索する
　　② ・ポケットやカバンの中を捜したが、さいふは出てこなかった。

さからう　ガ逆らう
[動] ★2　go against; disobey／逆，反；违抗，违背／거스르다，거역하다／đi ngược lại

① ・川の流れに逆らって進む。　・｜風／運命 …｜に逆らう。　類 ガ抵抗する
② ・｜親／上司／命令 …｜に逆らう。　　　　　　　　　　　類 ガ反抗する

さがる　ガ下がる
[動] ①②★3、③④★2　go down; step back; hang; drop／(数値)下降，往后退，悬挂，(位置)降低／내리다，떨어지다，물러서다，드리워지다，처지다／hạ xuống, đứng dưới, lủng lẳng, bị tụt xuống

① ・｜熱／温度／値段／成績 …｜が下がる。　　　　対 ガ上がる
② ・「間もなく列車が参ります。白線の内側に下がってお待ちください」
③ ・電灯からひもが下がっている。　・店のドアに「営業中」の札が下がっている。
　合 ぶら＿（例.たこが木の枝にぶら下がっている。）
④ ・壁にかけた絵の、右の方が少し下がっていた。

☞〈他〉下げる

さかんな　盛んな
[ナ形] ★3　flourishing, big; frequent／盛行；热烈的；频繁／왕성하다，열렬하다，한창이다／phổ biến, thịnh hành, ưa chuộng

① ・私のふるさとは農業が盛んだ。
② ・今「グローバル化」ということが盛んに言われている。

さき　先
[名] ★1　tip, head, further/beyond, precedence, before, previous, ahead, future, destination／最前部，最前列，先，将来，目的地／끝，선두，앞，먼저，후，장래，행선지／trước

① ・指の先にとげが刺さった。　　　　　合 指＿、つま＿　類 先端
② ・行列の先の方に、友人がいるのが見えた。
　連 ＿を争って、＿に立つ　対 後、後ろ　類 先頭
③ ・私は生まれも育ちも東京で、大阪より先へは行ったことがない。
　類 前方、向こう
④ ・たいてい、私の方が姉より先に帰宅する。　・「先に述べたように～」
　対 後、後　類 ～より前、以前

⑤・娘が結婚するのはまだまだ先のことだろう。 ・先のことはわからない。
　【連】__が見える⇔見えない、__を見通す、__を読む　【類】将来、後
⑥・訪問した先で、偶然昔の知り合いと会った。
　【合】宛__、送り__、取り引き__、旅__、外出__、出__、勤め__

さきほど　先ほど
[副] a little while ago / 剛才, 方才 / 아까, 조금 전 / trước đó ★2

・先ほど、無事到着したとの連絡があった。　・「田中様が先ほどからお待ちです」
※「さっき」よりかたい言葉。

さぎょう　ガ作業(ヲ)スル
[名] work, operation / 工作, 操作 / 작업 / làm việc ★2

・時計を作る仕事は、作業が細かくて複雑だ。
・「時間が少ないから、能率的に作業を進めましょう」
【連】__が進む・__を進める　【合】単純__、手__、流れ__、__効率、__着

さく　ヲ裂く
[動] to tear, rip, forcibly separate / 撕开, 切开, 分开 / 찢다, 째다, 가르다 / xé, xé toạc, chia cắt ★1

①・包帯がなかったので、布を裂いて傷口をしばった。
　【合】ヲ切り__　〈自〉裂ける(例．地震で地面が裂けた。)
②・結婚に反対する親が、二人の仲を裂いた。　　　　　　　　【連】仲を__

さく　ヲ割く
[動] to spare (time), use part of something, cut (open) / 抽出, 匀出, 切开 / 내다, 할애하다, 가르다 / chia, cắt ★1

①・相談したいことができたので、忙しい課長に時間を割いてもらった。
　【連】時間を__、人手を__、予算を__
②・包丁で魚の腹を割く。
※「裂く」と同じ意味だが、刃物を使うときは「割く」と表記する。

さくげん　ヲ削減スル
[名] reduction, cut / 削減 / 삭감 / giảm bớt ★1

・赤字のため、予算が1割削減された。　・従業員数の2割削減が目標だ。
【合】経費__、コスト__、人員__　【関】ヲ削る、ヲ減らす

さくしゃ　作者
[名] writer, artist / 作者 / 작자 / tác giả ★3

・{小説／詩／絵／彫刻　…}の作者　・「ハムレット」の作者はシェイクスピアだ。

関 筆者、著者

さくひん　作品
[名] ★3　work (of art/literature) / 作品 / 작품 / tác phẩm

・学生の作品をロビーに展示する。

合 文学＿＿、芸術＿＿

さぐる　ヲ探る
[動] ★1　to feel around for, sound out, look for / 摸, 探听, 探访, 探险 / 뒤지다, 더듬다, 살피다, 헤아리다, 찾다, 탐색하다 / sờ thấy, mò thấy

① ・小銭がないか、ポケットを探った。　・手で探って電気のスイッチを探す。

合 手探り、ヲ探り、ヲ探り当てる　類 ヲ探す

② ・敵の動きを探る。　合 ヲ探り出す、ヲ探り当てる　(名) 探り→ ニ＿＿を入れる

③ ・これまでの仕事がうまくいかなくなったので、新しい道を探っている。

関 ヲ探す

④ ・洞窟を探る。　類 ヲ探検する

さけぶ　ガ叫ぶ
[動] ★3　yell / 叫喊 / 외치다 / kêu la, la hét

・大声で叫んだが、相手は気づかずに行ってしまった。
・道を歩いていたら、「助けてー」と叫ぶ声が聞こえた。

合 叫び声　(名) 叫び

さける　ヲ避ける
[動] ★2　avoid, keep away from; (avoid) / 避, 避开, 回避 / 피하다, 삼가다 / tránh

① ・水たまりを避けて歩いた。　・紫外線を避ける。　類 ヲよける

② ・渋滞を避けて回り道をした。　・トラブルを避ける。　慣 人目を避ける

③ ・「この食品は冷凍を避けてください」　・社長は、辞任については明言を避けた。

さげる　ヲ下げる
[動] ①②★3、③④★2　lower; take away; bow; hang / 降低, 撤下, 放低, 低头, 挂 / 내리다, 떨어뜨리다, 낮추다, 치우다, 드리우다, 숙이다, 걸다 / cho hạ xuống, mang đi, hạ

① ・{熱／温度／値段／音量　…}を下げる。　対 ヲ上げる

② ・〈レストランで〉「お皿をお下げしてもよろしいですか」

③ ・日差しが強いので、ブラインドを下げた。　・「すみません」と頭を下げた。

慣 頭を下げる（＝謝る）

④ ・窓のそばに風鈴を下げた。　・店のドアに「本日休業」の札を下げた。

☞〈自〉下がる

さげる　ヲ提げる
[動] ★2　hold; wear　（手）提，（肩）挎／들다, 메다　hạ xuống

・荷物を手に提げて持つ。　・肩からカバンを提げる。

合 ぶら＿

ささいな
[ナ形] ★1　trivial　微不足道／사소한　tầm thường

・昨日、ささいなことから母とけんかになってしまった。

連 ＿こと、＿問題　※この二つ以外の表現はあまり使わない。　類 小さな

ささえる　ヲ支える
[動] ★2　support, help　扶，支撑；支持／지탱하다, 떠받치다, 받치다　chống, trợ giúp

① ・つえで体を支えて歩く。　・うちの家計は私が支えている。
② ・苦しいとき、家族や友達が支えてくれた。

(名) ①②支え (例. ・木の枝に支えをする。　・子供が私の心の支えになっている。)

ささやかな
[ナ形] ★1　modest／细小，略表心意的小东西　변변치 못한, 자그마한　nhỏ

・お世話になったお礼に、ささやかな贈り物をした。
・先日、1年目の結婚記念日をささやかに祝った。

※自分のことについて、謙遜の気持ちを込めて使うことが多い。　合 ささやかさ

関 ちょっとした

ささやく　ヲささやく
[動] ★1　to whisper, gossip　低声私语／소곤거리다, 속삭이다, 수군거리다　thì thầm, xì xào

① ・「ちょっと来て」と田中さんが耳元でささやいた。　・恋人に愛をささやく。

関 ヲつぶやく　※「つぶやく」は独り言に、「ささやく」は相手に向かって言うときに使う。

② ・あの会社は危ないのではないかとささやかれている。　関 噂

(名) ①②ささやき

ささる　ガ刺さる
[動] ★3　be stuck in　扎上, 刺上／박히다, 꽂히다　bị cứa (vết thương), bị cắm (dao)

・指にとげが刺さって痛い。　・死体にナイフが刺さっていた。

☞ 〈他〉刺す

さし～　差し～

さしかえる　ヲ差し替える
[動] ★1　to replace／更換／바꾸다／thay thế
・資料のグラフを新しいもの{と／に}差し替える。　類 ヲ替える　(名)差し替え

さしせまる　ガ差し迫る
[動] ★1　to be urgent, pressing／迫近, 迫切／임박하다／khẩn cấp
・締め切りが差し迫っている。　・今のところ、差し迫った危険はない。
類 ガ迫る、ガ切迫する

さしいれ　ヲ差し入れ(ヲ)スル
[名] ★1　refreshments, supplies (with the nuance of giving support)／慰勞品／사 주다／đồ ăn uống mang theo khi cổ vũ
・差し入れを持って、友人の野球チームの応援に行った。
(動) ヲ差し入れる

さしず　ヲ指図スル
[名] ★1　instructions／指示／지시, 명령／mệnh lệnh
・メンバーはリーダーの指図で動いている。
・部下{を／に}指図して会議の準備をさせた。　・「あなたの指図は受けたくない」
連 ＿を受ける、＿に従う　類 ヲ指示スル、ヲ指揮スル　関 ヲ命令スル

さしだす　ヲ差し出す
[動] ★1　to present, hold out／伸出, 遞上／내밀다, 내다／đưa ra
・握手をしようと手を差し出した。
・受付で招待状を差し出すと、すぐに奥へ案内された。
類 ヲ出す　合 差出人(例.この手紙には差出人の名前がない。)

さしつかえ　差(し)支え
[名] ★1　inconvenience, objection／不方便, 妨礙／지장／chướng ngại, cản trở
・「お差支えなかったら、電話番号を教えていただけませんか」
・「次の会合ですが、5日でいかがでしょう」「ええ、差し支えありません」
連 ＿がある⇔ない、＿ない　(動) ガ差(し)支える(例.飲みすぎると明日の仕事に差し支えるから、この辺でやめておこう。)

さしひく　ヲ差し引く
[動] ★1　to deduct／扣除／제하다, 빼다／trừ đi
・給料から税金や保険料を差し引くと、手取りは18万円ほどだ。　類 ヲ引く

(名) 差し引き（例．収支が差し引きゼロになった。）

さす　ヲ刺す
[動] ★3　stick, stab／扎, 刺, 穿／찌르다／cứa (vết thương), cắm (dao)

・指にとげを刺してしまった。　・歩いていたら、いきなり知らない男に刺された。

☞〈自〉刺さる

さす　ガ／ヲ差す
[動] ★3　(sun) shines, open up (an umbrella), apply (eye drops)／照射／비치다, 쓰다, 넣다／chiếu (mặt trời), giương (ô), tra (thuốc mắt)

〈自〉・雨がやんで、日が差してきた。

　[合] ガ差し込む（例．日の光が部屋いっぱいに差し込んでいる。）

〈他〉・かさをさす。　・目薬をさす。

さす　ヲ指す
[動] ★2　indicate; point at; call on; refer to; move, play／指, 指示；向, 往；指名；指……意思；（象棋）下, 走／가리키다, 향하다, 지적하다, 두다／chỉ

① ・時計の針が12時を指している。　　[合] ヲ指さす、ヲ指し示す　　[慣] 図星を指す
② ・山頂を指してキャンプを出発した。　　　　　　　　　　　　　[合] ヲ目指す
③ ・授業で何回か先生に指された。　　　　　　　　　　　　　　　[類] ヲ指名する
④ ・「青少年」とは、一般に10代半ばから20代半ばの男女を指す。
　　[類] ヲ示す、ヲ指示する
⑤ ・将棋を指す。

さすが（に）
[副] ★2　As might be expected; even, ~ as one is／到底是, 不愧是；就连, 甚至／과연, 역시, 그토록 (대단한)／quả là ... như mong đợi

① ・有名ブランド品だけあって、さすがに高い。
② ・この問題は難しくて、さすがの西川さんにもできなかったそうだ。

さする　ヲさする
[動] ★1　to rub／抚摩／어루만지다／chà xát, bóp

・気持ちが悪かったので、背中をさすってもらった。

[関] ヲなでる、ヲこする

さぞ
[副] ★1　surely, certainly／想必／분명, 틀림없이／chắc chắn

・これだけの仕事を一人でやるのは、さぞ大変だったことだろう。
・「さぞお疲れでしょう。どうぞゆっくり休んでください」

※「～だろう」と一緒に使うことが多い。　　[類] さぞかし、さぞや

さそう　ヲ誘う
[動] ★3　invite／邀请／권하다, 불러내다／mời, rủ

・友達を誘って映画を見に行った。　・今度、彼女を食事に誘おうと思う。
(名) 誘い→ __を受ける⇔断る

さだまる　ガ定まる
[動] ★1　to be decided, be settled, be fixed／决定, 安定／정해지다／ổn định

① ・来週の役員会で、今後の方針が定まるだろう。　類 ガ決まる
② ・就職するか、進学するか心が定まらない。　・春は気候がなかなか定まらない。
類 ガ決まる、ガ安定する　※「定まる」は動いていたものが自然にある状態になるときによく使われる。
☞ 〈他〉定める

さだめる　ヲ定める
[動] ★1　to decide, establish, provide (law)／决定；制订／정하다, 결정하다／làm ổn định, xác định

① ・来週の役員会で、今後の方針を定めよう。　・自分の一生の仕事を教師と定めた。
② ・政府は新しい法律を定めた。　関 ヲ制定する
類 ①②ヲ決める　※「定める」は組織の意志の場合に多く使われる。　☞ 〈自〉定まる

さつえい　ヲ撮影(ヲ)スル
[名] ★2　photography, filming／拍照, 摄影, 拍电影／촬영／chụp

・プロのカメラマンに顔写真を撮影してもらった。　・駅前で映画を撮影していた。
合 記念__、__所　関 ヲ撮る

さっかく　ガ錯覚スル
[名] ★1　illusion, hallucination／错觉, 错认为／착각／ảo giác

・線Aの方が線Bより長く見えるのは、目の錯覚だ。
・今日は木曜日なのに、金曜日と錯覚していた。
連 目の__、__に陥る

さっさと
[副] ★2　quickly／赶快地, 迅速地／빨랑빨랑, 냉큼／nhanh chóng

・「早く片付けたいから、さっさと食べて」　・「さっさとしないと遅刻するよ」
・山本さんは自分の仕事が終わると、さっさと帰ってしまう。

さっする　ヲ察する
[動] ★1　to sense　推測, 揣測, 体諒／살피다, 추측하다, 느끼다　cảm giác, đoán chừng

① ・彼女の顔色から察すると、提案は通らなかったらしい。
　類 ヲ推し量る、ヲ推測する
② ・彼は誰かが自分を狙っている気配を察して、即座に物陰に隠れた。
　類 ヲ感じる、ヲ察知する

さっそく　早速
[副] ★2　at once, right away　立刻, 马上, 赶紧／당장, 즉시　ngay lập tức

・新しいレストランができたので、さっそく行ってみた。
・ボーナスが出たので、早速新しい靴とスーツを買った。
※待っていたことが起こったので、それを受けて行動するときに使う。　類 すぐに

さっと
[副] ★2　quickly, suddenly　很快地, 一下子, 突然／순식간에, 잽싸게　rất nhanh

・私がコーヒーをこぼすと、店員がさっとふいてくれた。
・「ほうれん草はさっとゆでて、水に取ってください」

ざっと
[副] ★2　roughly, briefly; approximately　粗略地, 大致地；大约／대충, 대략　đại khái

① ・ざっと計算したところ、10万円ほどかかりそうだとわかった。
　類 大まかに、大ざっぱに
② ・今日のお祭りには、ざっと3,000人ほどが参加した。　類 だいたい、およそ

さっぱり　ガさっぱりスル
[副] ★2　neat, tidy; plain, lightly seasoned; completely　爽快, 清淡, 淡泊；完全；一点也(不)／산뜻이, 담백하게, 도무지, 전혀　sảng khoái

① ・早くシャワーを浴びて、さっぱりしたい。　関 ガすっきりスル
② ・日本人はさっぱりした料理を好む人が多い。　対 こってりした
③ ・今日の先生の話は難しくて、さっぱりわからなかった。
※否定的な表現と一緒に使う。　類 全く、少しも、全然
④ ・「｛商売／仕事／勉強 …｝はどうですか」「さっぱりです」　類 全然

さて
[接] ★2　by the way, well　那么／자, 이제　bây giờ

・「これで文法の説明を終わります。さて、次は聴解です」
※次のことを始めるときに使う。

さべつ　ヲ差別(ヲ)スル　[名]★2
distinction; discrimination
区别，区分；歧视，区别对待／차별
sự kỳ thị

① ・差別のない社会をつくりたい。　合 男女__、性__、人種__、__待遇、__的な
② ・新商品の開発にあたっては、他との差別化が必要だ。
　　合 無__(な)(例.・無差別殺人 ・無差別テロ)、ヲ__化スル　関 ヲ区別スル

サポート　ガサポート(ヲ)スル　[名]★1
support, help
支援，帮助／서포트，지원
ùng hộ, hỗ trợ

① ・この市では、子育て中の母親をサポートする仕組みが整っている。
　　連 __を受ける　合 __体制、__システム　類 ヲ支援スル、ヲ援助スル　関 サポーター
② ・新入社員に仕事を教えるために、先輩社員がサポートについた。
　　連 __につく　関 ヲ補助スル

さほど　[副]★1
not very, not particularly
并不那么／그다지，별로
quá nhiều

・これはよく考えれば、さほど難しい問題ではない。
・若者の言葉遣いを批判する人が多いが、私はさほど気にならない。
※ 否定的な表現と一緒に使う。　※「さ」=「それ」の古い言い方。
類 それほど、あまり、たいして

さぼる　ガサボる　[動]★3
to skip／逃学 (课)
빼먹다，게으름을 부리다，[속] 농땡이치다
bỏ qua, trốn

・彼はときどき学校をサボって街へ遊びに行っている。
※「サボタージュ」(=怠けること。フランス語から)の「サボ」を動詞の形にしたもの。

さまざまな　様々な　[ナ形]★3
various
各种各样的／여러 가지이다
nhiều (loại, màu sắc…)

・インターネットから様々な情報が得られる。
・このガラスは光の当たり方でさまざまに色が変わる。
類 いろいろな　※「様々な」のほうがかたい言葉。

さます　ヲ覚ます　[動]★3
wake up; sober up
弄醒；使……清醒／깨다，깨게 하다
đánh thức dậy

① ・目を覚ますと、もう10時だった。
② ・少し酔いを覚ましてから帰ろう。
☞〈自〉覚める

さます　ヲ冷ます
[動] ★3　allow (something) to cool / 弄凉, 冷却 / 식히다 / làm nguội

・お風呂のお湯が熱くなりすぎた。少し冷ましてから入ろう。　・熱を冷ます。
☞〈自〉冷める

さまたげる　ヲ妨げる
[動] ★2　prevent, impede / 妨碍, 阻碍 / 저해하다, 방해하다 / ngăn chặn

・過保護は子供の成長を妨げる。　・議員たちが騒いで、議事の進行が妨げられた。
類 ヲ妨害する、ヲ邪魔(を)する　(名) 妨げ(例. 放置自転車が通行の妨げになっている。)

さめる　ガ覚める
[動] ★3　wake up; sober up / 醒, 醒来；苏醒, 清醒 / 깨다, 정신을 차리다 / thức dậy, tỉnh dậy

① ・昨夜は暑くて、夜中に何度も目が覚めた。
② ・酔いが覚める。　・夢{が／から}覚める。
☞〈他〉覚ます

さめる　ガ冷める
[動] ★3　get cold; lose passion / 变凉；(热情) 降低 / 식다 / nguội (thức ăn), không tích cực

・この料理は冷めるとおいしくない。
対 ガ温まる
☞〈他〉冷ます

さも
[副] ★1　evidently / 非常, 好像 / 마치 / thực sự

・おじいさんたちが、さも気持ち良さそうに温泉につかっている。
・彼女の提案を拒否すると、彼女はさも不満そうな顔で私を見た。
※「～そうだ」と一緒に使うことが多い。　類 いかにも

さゆう　ヲ左右スル
[名] ★1　left and right, influence / 左右方向，左边和右边，影响 / 좌우 / sang trái và phải

① ・道を渡るときは左右に注意すること。
② ・米の収穫量は天候に左右される。
合 前後__
類 ガ影響スル

さよう　ガ作用スル
[名] ★1　effect / 作用, 起作用 / 작용 / tác dụng

・薬の副作用で胃が悪くなった。　・この薬は神経に作用して痛みを和らげる。
連 __を及ぼす　合 副__、反__

さらに

[副] ★2

still more; again; moreover／更，更加；再次，重新；并且／더욱더, 다시 한 번, 또한／hơn nữa

① ・7月も暑かったが、8月になるとさらに暑さが増した。
  ※「もっと」よりかたい言葉。　類 いっそう、一段と
② ・一度断られたのだが、さらに頼んでみることにした。　類 もう一度、重ねて
③ [接] ・朝から雨が降っていたのだが、さらに夕方からは雷まで鳴りだした。
  類 その上

さる　ガ去る

[動] ①★2・②★1

pass; last ~ / last／离去，已经过去的／지나가다, 떠나다 / 지난／trôi qua

① ・冬が去って春になった。　・｛台風／危険 …｝が去る。
  合 ガ立ち__、ガ走り__、ガ逃げ__、ガ消え__・ヲ消し__、ヲ取り__、ヲ捨て__
  慣 世を去る
② ・去る7月10日、創立50周年の式典が行われた。
  ※年月日を表す言葉の前に付ける。　対 来る　類 この前の

さわぐ　ガ騒ぐ

[動] ★3

to make a noise, to be excited, to make a fuss／吵闹，哄嚷，慌张，轰动／떠들다, 아우성치다／làm ầm ĩ

① ・遠足に行く子供たちが電車の中で騒いでいる。
② ・試合の判定をめぐって、観客たちが騒いだ。
  (名) 騒ぎ(例. 昨日、駅前で騒ぎがあった。)
③ ・兄は何があっても騒いだりせず、いつも落ち着いている。　対 ガ落ち着く
④ ・あのピアニストは子供の頃、「天才」と騒がれたものだ。

さわやかな

[ナ形] ★2

refreshing; fresh and agreeable／清爽，爽朗；爽快，清楚，嘹亮／상쾌하다, 시원스럽다, 명쾌하다／sảng khoái

① ・朝の空気はさわやかだ。　・さわやかな｛風／天気／気分／味 …｝　類 爽快な
② ・さわやかな｛人／人柄／笑顔／声 …｝　・さわやかにあいさつする。
合 ①②さわやかさ

さわる　ガ触る

[動] ★2

touch／触, 碰；摸／손을 대다, 닿다, 만지다／chạm

① ・切れた電線に触ると危ない。
  合 手触り→ __がいい⇔悪い(例. この布は手触りがいい。)
② ・テニスが趣味だが、最近忙しくて全然ラケットに触っていない。

195

類 ①②ガ触れる　※「触る」は意志的な場合に使う。

さわる　　ガ障る

[動] ★1
to affect, harm, get on one's nerves / 有坏影响, 妨碍, 刺耳 / 해롭다, 지장이 있다, 거슬리다 / trở ngại, có hại, bất lợi

① ・「そんなに仕事ばかりしていると体に障るよ」　・私生活の乱れは仕事に障る。
　関 ガ差し支える、ガ邪魔になる、ガ妨げになる　(名) 障り→ ＿がある
② ・ガラスをひっかく音は神経にさわる。　　　　連 気に＿、しゃくに＿

さんか　　ガ参加(ヲ)スル

[名] ★3
participation
参加 / 참가
tham gia

・ボランティア活動に参加する。
合 ＿者　対 不参加（○不参加だ　×不参加する）

ざんぎょう　　ガ残業(ヲ)スル

[名] ★3
overtime work
加班 / 잔업
làm thêm

・残業が多くて疲れた。
合 ＿代、＿時間

さんこう　　参考

[名] ★2
reference, consultation
参考 / 참고
tham khảo

・いろいろな資料を参考にしてレポートを書いた。
・留学を決めるとき、先輩のアドバイスが参考になった。
連 ＿になる・＿にする　合 ＿書、＿資料、＿文献、＿人

ざんこくな　　残酷な

[ナ形] ★1
cruel, harsh
残酷, 残忍 / 잔혹한, 참혹한
tàn nhẫn, tàn khốc

・映画で残酷な場面を見て、思わず目を背けた。　・残酷な｛仕打ち／運命　…｝
合 残酷さ、残酷性　関 残忍な

さんざん

[副] ★1
to one's heart's content, utterly, severe
程度很深, 倒霉 / 실컷, 호되게, 단단히, 엉망
dữ tợn

・あの人はさんざん遊び回ったあげく、財産を無くして行方不明になってしまったそうだ。
・さんざん苦労して育てた部下に裏切られ、泣くに泣けない。
(ナ形) さんざんな（例.・さんざんな目にあった。　・さんざんに殴られた。）

さんせい　ガ賛成スル
[名] ★3
agreement, support
赞成，同意／찬성
tán thành

・「賛成の人は手を挙げてください」
・私はその{提案／意見}に{賛成だ／賛成する}。
合 ＿意見　対 ガ反対スル

さんち　産地
[名] ★2
source, growing area
产地／산지
địa phương

・青森県は、りんごの産地として有名だ。
関 原産、原産地、[名詞]＋産（例.・青森産のりんご　・この牛肉はカナダ産だ。）

サンプル
[名] ★2
sample
样本, 样品／샘플, 상품 견본
mẫu

・食堂の入り口に料理のサンプルが置いてある。
・化粧品を買う前に、まずサンプルで試してみる。
類 見本

しあがる　ガ仕上がる
[動] ★2
be finished, be completed
做完, 完成／완성되다
hoàn thành

・恋人にあげるマフラーがやっと仕上がった。　・{作品／論文 …}が仕上がる。
・苦労したが、いい作品に仕上がった。
類 ガでき上がる、ガ完成する　（名）仕上がり（例.「仕上がりは明日になります」）
☞〈他〉仕上げる

しあげる　ヲ仕上げる
[動] ★2
finish, complete
做完, 使完成／완성하다, 마무르다
hoàn thành

・「この仕事は月末までに仕上げてください」　・{作品／論文 …}を仕上げる。
・苦労して、いい作品に仕上げた。
類 ヲし終える、ヲ完成する　（名）仕上げ（例.最後の仕上げをする。）
☞〈自〉仕上がる

しあわせな　幸せな
[ナ形] ★3
happy
幸福的／행복하다
hạnh phúc

・幸せな人生　・いい家族や友達がいて、私は幸せだ。
対 不幸せな　類 幸福な⇔不幸な　（名）幸せ⇔不幸せ（＝幸福⇔不幸）

シーズン ★2
[名] season / 季节, 时期, 旺季 / 시즌, 철 / mùa

・日本では12月から2月にかけてが受験のシーズンだ。
・この海岸は、シーズン中は海水浴客で混雑する。

合 [名詞]＋シーズン（例. 受験シーズン、行楽シーズン）、__オフ、オフ__
類 季節、時期、最盛期

しいる　ヲ強いる ★1
[動] to force, coerce / 强迫 / 강요하다 / cưỡng bức, bắt buộc

・同窓会館の改築のために寄付を強いられた。　・会社は彼女に単身赴任を強いた。

合 ヲ無理強いスル　類 ヲ強制する、ヲ強要する、ヲ押し付ける

しえん　ヲ支援（ヲ）スル ★1
[名] support, assistance / 支援 / 지원 / chi viện, viện trợ

・公害の被害者を支援する団体を立ち上げた。　・この活動は国の支援を受けている。

連 __を受ける　合 __者、__団体、__金　類 ヲ援助（ヲ）スル、ヲサポートスル
関 ヲ後押し（ヲ）スル

ジェンダー ★1
[名] gender / 男女社会性差异 / 성별 / giới tính

・ジェンダーとしての男女の役割は、昔と大きく違ってきている。

類 （社会的な意味での）性、性別　※「セックス」は生物学的な性、性別。

しおくり　ヲ仕送り（ヲ）スル ★3
[名] to send an allowance / 寄生活费 / 생활비 등을 보냄 / nhà văn được giải Nobel

・彼女は留学中の息子に、毎月10万円仕送りしている。

しかい　司会 ★2
[名] master of ceremonies, chair / 主持；司仪, 主持人 / 사회 / dẫn chương trình

・友人に結婚式の司会を頼んだ。　・|会議／番組 …| の司会をする。

合 __者

しかく　資格 ★3
[名] qualification; being worthy / 资格；条件；身分 / 자격 / bằng cấp, tư cách

① ・弁護士の資格を取る。　　　　　　　　　連 __を取る、__を与える　合 __試験
② ・彼女は奨学金をもらう資格が十分ある。
③ ・「あなたも同じことをしたのだから、あなたに彼を悪く言う資格はない」

連 ②③__がある⇔ない

じかく　ヲ自覚スル
[名] ★1　self-awareness
自知, 认识到, 自我感觉／자각
tự giác

① ・「新入社員の皆さん、社会人としての自覚を持って働いてください」
　連 __を持つ、__がある⇔ない、__が足りない、__に欠ける
② ・この病気は、初期の頃は自覚症状がない。　　　　　　　　　　合 __症状
関 ①②ヲ意識スル

しかけ　仕掛け
[名] ★1　device, trick, display
装置, 手法, 挑衅, 设置／장치, 속임수
thủ thuật

・このおもちゃは簡単な仕掛けで動く。
・〈手品〉「このハンカチには、種も仕掛けもありません」　・仕掛け花火
連 __がある⇔ない　（動）ヲ仕掛ける

しかける　ヲ仕掛ける
[動] ★1　set (up), plant
发动, 设置／걸다, 장치하다, 설치하다
làm cho, khiến cho

① ・相手に｜攻撃／わざ／論戦　…｜を仕掛ける。
② ・｜わな／爆弾　…｜を仕掛ける。　　　　　　　　　　　　　　（名）仕掛け

しかた（が）ない　仕方（が）ない
[イ形] ★2　cannot help (doing); have to accept; hopeless; that's the way it goes／没办法, 只好；迫不得已；不象话；没用／달리 방법이 없다, 틀려 먹다, 어쩔 수 없다／Không có cách nào (nhưng)

① ・借金を返すには、休日も働くよりほか（に）仕方ない。
② ・気が進まない仕事だが、社長の命令ならしかたがない。　　類 ①②やむを得ない
③ ・「田中はまた彼女と別れたんだって。しかたないやつだな」
④ ・終わった後で悔やんでもしかたがない。
類 ①〜④しようがない、しょうがない、どうしようもない

じかに
[副] ★2　directly; at first hand
直接, 当面／직접, 바로
trực tiếp

・何も敷かないで、じかに地面に座った。　・社長とじかに話す機会があった。
類 直接

しがみつく　ガしがみつく
[動] ★1　to cling
紧紧抓住, 不放手／매달리다, 집착하다
níu lấy, bám vào

・ジェットコースターに乗ったとき、ずっと前の手すりにしがみついていた。
・生活のため、どんな目に遭っても会社にしがみつかなくてはいけないと、覚悟した。

関 ガつかまる、ヲつかむ　慣 過去の{栄光／思い出}にしがみつく

しかも
[接] ★2
moreover, besides
而且；并且／게다가
hơn nữa

① ・このあたりの夏は気温が高く、しかも湿度も高い。
② ・彼女は18才で司法試験に合格した。しかも、1回で。
類 その上
類 それも　※「しかも」の方がかたい言葉。

じき　時期
[名] ★2
time; point, stage
期间；时期／시기
thời kì

① ・3月から4月は、うちの会社にとって忙しい時期だ。
② ・この計画は時間がかかるので、実行に移すのはまだ時期が早い。
連 ＿が早い⇔遅い、＿がいい⇔悪い　合 ＿尚早(な)

じきに／もうじき
[副] ★1
soon, before long
眼看，马上／머지않아, 곧
sớm, ngay

・12月になった。ふるさとではもうじき初雪が降るだろう。
・「仕事、終わった？」「うん、じきに終わるから、ちょっと待ってて」
※話し言葉的。　類 すぐに、もうすぐ

しきゅう　至急
[副] ★2
immediately, urgently
即刻，火速／즉각, 매우 급함
ngay khi có thể

・この患者は至急病院へ運ぶ必要がある。　・「至急おいでください」
合 大＿

しきる　ヲ仕切る
[動] ★1
to partition, manage
隔开，掌管／칸막이하다, 도맡아서 처리하다
phân vùng

① ・子供部屋をベッドとタンスで仕切って、二人で使っている。
類 ヲ区切る、ヲ分ける
② ・忘年会は全て彼に任せて仕切ってもらおう。　合 ヲ取り＿
(名) ①②仕切り

しく　ヲ敷く
[動] ★2
lay; spread; build; have policies, install／铺，铺上；铺设；施行／깔다, 부설하다, 널리 펴다
trải

① ・床にふとんを敷く。
② ・国中に鉄道が敷かれている。
③ ・この国は軍政を敷いている。
合 敷きぶとん、敷きもの、ふろ敷

しくみ　仕組み
[名] ★1　structure, mechanism / 結構／짜임새 / cơ chế, thể chế

- ラジオを分解して、その仕組みを調べた。
- {体／社会 …}の仕組みについて学ぶ。

類 構造、メカニズム　（動）ヲ仕組む

しげき　ヲ刺激スル
[名] ★2　stimulus; provocation / （物理）刺激；（精神）刺激／자극 / kích thích kinh tế

① ・筋肉に電気で刺激を与えると、ぴくりと動く。　合 __物、__臭
② ・ゴルフの好きな友達に刺激されて、私もゴルフを始めた。

連 ①② __を与える⇔受ける、__がある⇔ない

③ ・彼は今感情が不安定だから、刺激しない方がいい。

合 __的な（例.・刺激的な小説　・彼の意見はとても刺激的だ。）

しげる　ガ茂る
[動] ★1　to be in full leaf, grow thickly / （草木）繁茂／우거지다, 무성하다 / rậm rạp, um tùm

- 山は木が茂って暗いくらいだった。　・この木は、葉は茂るが花は咲かない。

合 ガ生い__

しげん　資源
[名] ★3　resources / 資源／자원 / tài nguyên

- 資源を有効に利用する。

連 __が{豊かだ／豊富だ}⇔乏しい　合 天然__、地下__　関 石油、石炭

じけん　事件
[名] ★3　incident, event / 事件, 案件／사건 / sự vụ

- 近所で子供が次々といなくなるという事件があった。

連 __が起きる・__を起こす、__が発生する、__を解決する　合 [名詞]+事件（例. 殺人事件、盗難事件）

じこ　事故
[名] ★3　accident / 事故／사고 / sự cố

- 事故の原因を調べる。

連 __が起きる・__を起こす、__に遭う、__が発生する　合 交通__

しじ ヲ支持スル

[名] ★2
support
支持／지지
hỗ trợ

・私は首相を支持している。 ・高橋氏の意見は多くの支持を得た。

[連] __を得る [合] __者 [対] 不支持 [関] ヲ支援スル

しじ ヲ指示(ヲ)スル

[名] ★2
instruction; indication
命令,指示；指,指出／지시
lệnh

① ・部長は田中さんに会議のレポートを出すよう指示した。

[連] __を与える、__を受ける、__に従う、__を守る、__がある⇔ない

[関] ヲ命令(ヲ)スル

② ・ポインターで表やグラフを指示しながら発表した。

[合] __語、方向__器 [関] ヲ指す

しじゅう 始終

[副] ★1
continuously, from beginning to end
总是／항상, 언제나
liên tục

・弟は体が弱く、始終風邪をひいている。

[類] しょっちゅう、絶えず、いつも

じしゅく ヲ自粛スル

[名] ★1
self-control/self-discipline
自我约束／자숙
cẩn thận trong lời nói việc làm

・たばこに対する社会の見方が厳しくなったので、たばこ業界はテレビCMを自粛した。

・節電のため、政府は飲食業者に深夜営業の自粛を求めた。

[連] __を求める、__を促す [合] 営業__ [関] ヲ自制スル

ししゅつ 支出

[名] ★2
expenses
支出, 开支／지출
chi tiêu

・今年は支出が収入を上回って赤字になった。

・予算オーバーだ。少し支出を減らそう。

[連] __を抑える、__を削る [対] 収入

じじょう 事情

[名] ★2
circumstances, reasons; conditions
缘故, 原因；情形, 状况／사정
tình hình

① ・「このたび、事情により退社することになりました」

[連] __がある [慣] 人には人の事情がある

② ・彼女はヨーロッパの事情に詳しい。

連 __が変わる、__が許さない、__が許す限り　合 [名詞]＋事情（例．交通事情、住宅事情、経済事情）　類 状況

じしん　自信
[名] ★3　confidence／自信／자신／tự tin

・体力に自信がある。
・「この成績ならだいじょうぶですよ。もっと自信を持ってください」
連 __がある⇔ない、__を持つ、__がなくなる・__をなくす、__を失う、__がつく・__をつける

システム
[名] ★2　system／系統，体系／시스템／hệ thống

・今、教育システムの見直しが進んでいる。
・新製品を生産するため、工場のシステムを変更した。
合 [名詞]＋システム（例．精算システム、料金前払いシステム）、__エンジニア
類 仕組み、体系、制度

しずまる　ガ静まる／鎮まる
[動] ★2　become quiet, subside, be calmed down／安静下来，平静下来；痛止住，平息／조용해지다，가라앉다，진정되다／lắng xuống

[静]・先生が入ってくると、教室がしいんと静まった。　・{騒ぎ／嵐 …}が静まる。
合 ガ静まり返る、ガ寝静まる
[鎮]・薬を飲んだら痛みが鎮まった。　・{興奮／怒り／気 …}がしずまる。
☞〈他〉静める／鎮める

しずむ　ガ沈む
[動] ★2　sink; set; cave in; get depressed／下沉，太阳落山；下降；消沉／가라앉다，지다，침울해지다，차분하다／chìm

①・台風で船が海に沈んだ。　・ダムの建設で村が水に沈んだ。
合 浮き沈み（例．浮き沈みの激しい人生）　対 ガ浮く、ガ浮かぶ　関 ガ沈没する
②・太陽が沈む。　　　　　　　　　　　　　　　　　　　対 ガ昇る
③・地下水をくみ上げすぎて地盤が沈んだ。
④・{気持ち／気分／気}が沈む。　・沈んだ{表情／声／色 …}
☞〈他〉沈める

しずめる　ヲ沈める
[動] ★2　sink; sink ~ into ~／弄沉，使……陷入，沉入／가라앉히다, 몸을 깊이 묻다／làm chìm

①・台風が船を海に沈めてしまった。　・このガラスは、水に沈めると見えなくなる。

②・ソファーに深く体を沈めて座った。
☞〈自〉沈む

しずめる　ヲ静める／鎮める

[動] ★2　quiet, relieve, calm down／使安静；平息，止痛／조용하게 하다, 가라앉히다, 진정시키다／làm lắng xuống

[静]・司会者は騒がしい場内を一言で静めた。
[鎮]・警察は市民の暴動を鎮めた。　・痛みを鎮める。　関 ヲ鎮圧する、鎮静剤
☞〈自〉静まる／鎮まる

しせい　姿勢

[名] ★2　posture; attitude／姿势；态度, 姿态／자세／thái độ

①・彼女はダンスをやっているので、いつも姿勢がいい。
　連 __がいい⇔悪い、__を直す、__を正す
②・首相は外交に{積極的な／意欲的な／前向きの　…}姿勢をとっている。
　連 ~__をとる、~__を示す、__を正す　合 低__　関 態度

しせつ　施設

[名] ★1　facility, institution／设施, 福利设施／시설／thiết bị, cơ sở vật chất

・駅のそばに、図書館や市民ホールなど、公共の施設がいくつかある。
・私は子供の頃両親をなくし、(養護)施設で育った。
合 公共__、娯楽__、医療__、養護__、老人福祉__

しせん　視線

[名] ★1　line of sight, gaze／视线／시선／ánh mắt

・視線を感じて振り向くと、知らない人が私を見ていた。
・私は身長が2メートルもあるので、どこへ行っても好奇の視線を浴びる。
連 __が合う・__を合わせる、__をそらす、__を外す、__を浴びる

しぜん　自然

[名] ★3　nature／大自然；自然；当然／자연, 자연스러움／tự nhiên

①・山や海へ行って、自然の中で過ごす。　合 __環境、__保護　対 人工
②[ナ形] 自然な・好きな人と一緒にいたいと思うのは、自然なことだ。
　対 不自然な
③[副] 自然に／と・意地が悪い人は、自然{に／と}、友達が少なくなる。

じぜん　事前
[名] ★2　prior; advance／事先／사전／trước

・インタビューの相手に、事前に質問を伝えておいた。
・何事も、事前の準備が大切だ。
[合] ＿準備、＿連絡　[対] 事後→＿報告　[関] 前もって、あらかじめ

じぞく　ガ持続スル
[名] ★2　duration, lasting／持续，维持／지속／duy trì

・この薬の効果は6時間持続する。
・最近{集中力／やる気／体力 …}が持続しなくて困る。
[合] ＿力、＿時間、＿的な、＿可能な　[関] ガ続く、ガ/ヲ継続スル、ガ長続きスル

じたい　事態
[名] ★2　situation, state of affairs／事态／사태／tình trạng

・預金している銀行が倒産するという、大変な事態になった。
・政府は非常事態宣言を出した。　・緊急事態が発生した。
※マイナスの意味で使うことが多い。　[連] 不測の＿　[合] 非常＿、緊急＿

しだいに　次第に
[副] ★2　gradually／逐渐，渐渐／서서히, 차츰／phụ thuộc

・冬至を過ぎると、日はしだいに長くなる。　・景気は次第に良くなっているようだ。
※「少しずつ」「だんだん」よりかたい言葉。　[類] 徐々に

したう　ヲ慕う
[動] ★1　to adore, miss／爱慕，敬仰，怀念／연모하다, 따르다, 그리워하다／hâm mộ

・彼女は子供の頃から慕っていた男性とついに結婚した。
・田中先生は学生たち{から／に}慕われている。
[関] ヲ愛する、ヲ懐かしむ

したがう　ガ従う
[動] ★2　obey, follow, go along／听从；按照；跟随；沿着／따르다／tuân theo

① ・「非常の際は係員の指示に従って避難してください」
　　[連] {指示／命令／言いつけ …}に＿
② ・説明書に従ってパソコンをセットした。
③ ・流れにしたがって川を下る。　　　　　　　　　　　　　　[類] ①〜③ガ沿う
④ ・生徒たちは引率の先生にしたがって遠足に出発した。　　　[類] ガついて行く

〈他〉従える(例. 部長は部下を従えて飲みに行った。)

したがって　　　　　　　　　　　　　　　[接] therefore, consequently
★2　因此，因而／따라서, 그러므로
và do đó

・A社は大企業で給料も高い。したがって、入社希望者も多い。
・日本でマンモスの骨が発見された。したがって、日本列島は昔、大陸とつながっていたと考えられる。

※「だから／それで→そのため→したがって」の順にかたい表現になる。
※「したがって」は根拠と結論を言うときに使う。原因と結果を言うときには使えない。(例. 業績が悪化した。{○そのため／×したがって}社長が辞任した。)
※ていねいな会話では「したがいまして」と言う。

したく　　ガ支度(ヲ)スル　　　　　　　[名] preparation
★2　准备，预备／채비, 준비
chuẩn bị, sửa soạn

・「出かけるから支度しなさい」　・{食事の／旅行の／出かける …}支度をする。
合 身支度　類 ヲ準備(ヲ)スル

したしい　　親しい　　　　　　　　　　[イ形] intimate
★3　亲密, 亲近, 亲切／친하다, 가깝다
thân thiết, thân mật

・私は田中さんと親しい。
・母親同士が親友なので、家族同士も親しくつき合っている。
合 親しさ、親しみ→ ニ__を感じる、ニ__を持つ、ニ__がある　(動)ガ親しむ

したしむ　　ガ親しむ　　　　　　　　　[動] to become close to
★1　亲切, 接触, 接近／접하다, 즐기다
thân thiết, thân mật

①・彼女は親しみやすい人柄だ。
　合 親しみやすい　(名)親しみ　→__を感じる、__を持つ　(イ形)親しい
②・子供のときから自然に親しんできた。　　合 慣れ__　関 ガ接する

したたかな　　　　　　　　　　　　　　[ナ形] strong-willed, determined
★1　厉害, 顽强／강한, 씩씩한
rắn chắc, khỏe

・彼女は弱そうに見えて、実はけっこうしたたかなところがある。
・混乱の時代を、彼はしたたかに生き抜いた。
※マイナスの意味で使うことが多い。　合 したたかさ　関 たくましい

したどり　ヲ下取りスル
[名] ★1　trade in, part exchange／折价回收／인수／mua lại

・新しい車や大型電気製品を買うと、古い方は普通、業者が下取りしてくれる。

連 __に出す　合 __価格

しつ　質
[名] ★3　quality／质量，品质／질／chất lượng

・このメーカーの製品は質がいい。

連 __がいい⇔悪い、__が高い、__が上がる⇔下がる・__を上げる⇔下げる、__が落ちる　対 量　関 品質

しっかく　ガ失格スル
[名] ★2　disqualification／失去资格；不合格／실격／không đủ tư cách

①・試合でひどい反則をすると失格になる。
②・汚職をするなんて、政治家として失格だ。

合 ①②__者

しっかり(と)　ガしっかりスル
[副] ★3　firmly, hard; reliable／牢牢地，好好地；可信，可靠／튼튼히，열심히，꽉，똑똑히，정신 차려서／chắc chắn, đáng tin cậy

①・まず基礎をしっかり(と)身につけることが大切だ。
②・長女はしっかりしているとよく言われるが、本当だろうか。

しつぎょう　ガ失業スル
[名] ★3　unemployment／失业／실업／thất nghiệp

・会社が倒産して失業した。

合 __率、__者、__保険　関 くび、リストラ

じっくり(と)
[副] ★1　without rushing, slowly／慢慢地，仔细地／곰곰이，시간을 들여 정성껏／cẩn thận

・すぐに答えを出そうとせず、じっくり考えてみることも大切だ。
・骨付き肉をじっくりと煮込むと、いいスープになる。

関 ゆっくり(と)

しっけ　湿気
[名] ★3　being humid, moisture／湿气／습기／hơi ẩm

・日本の夏は湿気が多い。

連 __が多い⇔少ない　関 湿度、ガ除湿(ヲ)スル、蒸し暑い

じつげん　ガ/ヲ実現スル
[名] realization 実现/실현 thực hiện ★2
・長年の夢{を/が}実現した。　・その計画は実現不可能だ。

しつこい
[イ形] persistent; heavy; obstinate /执拗, 过重的; 油腻/顽固/집요하다, 산뜻하지 않다, 개운하지 않다/ dai dẳng ★2
① ・店で店員にしつこく勧められて困った。　・子供{に/を}しつこく注意する。
② ・この料理は油っこくてしつこい。
対 ①②あっさりした　類 ①②くどい
③ ・しつこい風邪
合 ①〜③しつこさ

じっこう　ヲ実行スル
[名] implementation, practice 执行, 实践/실행 thực hiện, thực thi ★3
・この計画は実行が難しい。　・作戦を実行する。
合 __力

じっさい(に)　実際(に)
[副] actually; really 实际, 事实, 事实上/실제로, 정말로, 실제 thực tế ★2
・簡単そうに見えても、実際にやってみるとうまくできないことも多い。
・働きやすい会社だと聞いて入社したが、実際、社員を大切にしてくれる。
[(名)] ・働きやすい会社だと聞いて入社したが、実際は違った。

じっし　ヲ実施スル
[名] enforcement, practice 实施, 执行/실시 triển khai ★2
・大会は予定どおり実施された。　・計画の実施を見送った。
関 ヲ実行スル

じっせん　ヲ実践スル
[名] practice 实践/실천 thực hành ★1
・あの政治家は言うことは立派だが、実践が伴っていない。　・理論を実践に移す。
・彼女は計画を立てると、それをきちんと実践するところが偉い。　・実践的研究
合 __的な　類 ヲ実行スル

じったい　実態
[名] reality 实际状态/실태 tình hình thực tế ★1
・あの会社はもうかっているように見えるが、実態はひどいらしい。
・実態を調査する。

合 __調査　類 実状

しっと　ガ嫉妬スル
[名] ★1
jealousy
嫉妒／질투
ghen

・子供は生まれたばかりの弟に嫉妬して、弟を泣かせた。
・ライバルの才能に嫉妬する。　・田中さんは嫉妬心が強い。
合 __心　類 やきもち、妬み（※「ヲ妬む」の名詞形）

しつど　湿度
[名] ★3
humidity
湿度／습도
độ ẩm

・今年の夏は特に湿度が高い。　・今日は湿度が60%で蒸し暑い。
連 __が高い⇔低い　関 湿気、蒸し暑い

じっと　ガじっとスル
[副] ★3
intently, patiently; still
聚精会神地，一动不动地，／가만히，지그시
chăm chú, kiên nhẫn, nhẫn nại

・じっと｛見る／考える／がまんする　…｝。
・小さい子供はなかなかじっとしていない。

じつに　実に
[副] ★2
actually; really
真，确实／참으로，매우
thực sự

・この小説は実に面白かった。　・「実にすばらしい！」
類 本当に、まったく

じつは　実は
[副] ★3
to tell the truth, actually／说真的，说实在的，事实上，其实／실은，사실은
thật ra là, nói thật là…

・「昨日言ったことは、実はうそなんです」
・「あら、鈴木さん。何かご用ですか」「ええ、実は、お願いがあって……」

しっぱい　ガ失敗スル
[名] ★3
failure
失败／실패
thất bại

・入試に失敗する。　・このパソコンを買ったのは失敗だった。
合 ガ大__スル　対 ガ成功スル

じつぶつ　実物
[名] ★2
original
实物，实际的东西／실물
thật

・このダイヤモンドは、写真で見ると大きく見えるが、実物はずっと小さい。
合 __大（例.「この写真のダイヤモンドは実物大です」）

じつりょく　実力　[名]　ability／实力／실력／thực lực　★3

・試合で実力を出す。

連 ＿がある⇔ない、＿がつく・＿をつける、＿を出す、＿を発揮する

しつれいな　失礼な　[ナ形]　rude／没礼貌的；对不起／무례하다, 실례이다／thất lễ, vô lễ　★3

① ・あいさつしても返事もしない。なんて失礼な人だろう。
　(名) 失礼(例. 客に失礼のないようにする。)
② ・「失礼ですが、田中さんでいらっしゃいますか」
③ [(動) ガ失礼する]・〈あいさつ〉「お先に失礼します」

してき　ヲ指摘スル　[名]　identification, indication／指出／지적／chỉ chích　★1

・経済評論家は、景気の悪さの原因を的確に指摘した。
・次の文の誤りを指摘しなさい。

してん　視点　[名]　focus, point of view, opinion／视线, 观点／시점／góc độ　★1

① ・事故後の彼は視点が定まらず、きょろきょろしていた。
② ・視点を変えて考えてみる。　・新しい視点から開発された商品　類 観点

じどう　自動　[名]　automation／自动／자동／tự động　★3

・このドアは自動だから、手で開けなくてもいい。

合 ＿ドア、＿販売機、全＿(例. 全自動洗たく機)、＿的な　対 手動

しなびる　ガしなびる　[動]　to shrivel, wither, wrinkle／枯萎, 干瘪／쭈글쭈글하다, 시들다／teo lại　★1

① ・1週間前に買ったみかんがしなびてきた。
　関 ガしおれる、ガしぼむ、ガ枯れる　※「枯れる」は回復不能な状態。
② ・しなびた手の皮膚を見て、年をとったと感じた。

しなやかな　[ナ形]　flexible, supple／柔美, 优美／유연한, 우아한／mềm dẻo, co giãn, đàn hồi　★1

① ・柳のようなしなやかな木ほど折れにくい。　・しなやかな{布／体 …}
② ・彼は芸術家だけあって、考え方や感性がしなやかだ。

※①②プラスの意味で使う。　合 ①②しなやかさ　類 ①②柔らかい、柔軟な

しばしば

[副] ★2
very often, frequently
屡次, 再三／자주, 여러 차례
thường

・年のせいか、しばしば物忘れをするようになった。
・私はいたずらっ子で、先生に怒られることもしばしばだった。

類 しょっちゅう、たびたび　※「しょっちゅう→たびたび→しばしば」の順にかたい表現になる。

しはらう　ヲ支払う

[動] ★2
pay
支付, 付款／지불하다, 치르다
thanh toán

・買い物の代金をカードで支払う。　・給料は銀行振り込みで支払われる。

類 ヲ払う　(名) 支払い

しばらく

[副] ★3
for a moment, for a while
一会儿, 暂时, 不久／잠시, 얼마 동안
một chút, một thời gian

・「ただ今窓口が込んでいますので、もうしばらくお待ちください」
・〈友人の子供に久しぶりに会って〉「しばらく会わないうちに大きくなったね」

しばる　ヲ縛る

[動] ★2
tie, bind ／捆, 绑；束縛, 限制
묶다, 붙들어 매다, 속박하다, 얽매이다
buộc

① ・古い雑誌を重ねてひもで縛る。　・傷口を布で縛って出血を止める。
② ・学生を校則で縛る。　・毎日忙しく、時間に縛られている。　(名) 縛り

合 ①②ヲ縛り付ける(例．・柱に縛り付ける。　・学生を規則で縛り付ける。)

シビアな

[ナ形] ★1
severe, serious
严厉, 毫不留情／엄격한
khắc nghiệt

・あの先生は評価がとてもシビアらしい。　・景気の状況はかなりシビアだ。
・この計画は、シビアな予算で行わなければならない。

類 厳しい

しぶい　渋い

[イ形] ★1
bitter, sober, grim, tight-fisted ／涩, 素雅, 不快, 吝啬／떫다, 수수하다, 떨떠름하다, 인색하다／chát

① ・お茶の葉を入れすぎて、お茶が渋くなってしまった。　合 渋み
② ・母は好んで渋い色の着物を着ている。　類 落ち着いた／ている
③ ・姉が大学院に進学したいと言うと、父は渋い顔をした。
④ ・あの会社は支払いが渋い。　合 ①②④渋さ　(動) ④ヲ渋る

シフト　ガ/ヲシフトスル　[名] ★1
shift
换班，转移／시프트，이동
chuyển đổi

① ・来週学校のテストがあるので、アルバイトのシフトを変えてもらった。
② ・多くのメーカーが、生産拠点を国内から海外へシフトした。　[類] ガ/ヲ移行スル

しぼう　ガ死亡スル　[名] ★3
death
死亡／사망
chết, tử vong

・死亡の原因を調べる。　・事故で3名死亡した。
[合] ＿者、＿率　[関] ガ死ぬ、ガ亡くなる

しぼむ　ガしぼむ　[動] ★1
to wilt, wither, shrivel
凋谢，瘪，落空／시들다，오므라들다
khô héo

① ・朝顔の花は、朝早く咲いて、昼前にはしぼむ。　[関] ガしおれる、ガしなびる
② ・風船をもらったが、1日で空気が抜けてしぼんでしまった。　[対] ガ膨らむ

しぼる　ヲ絞る／搾る　[動] ★2
squeeze; shout at the top of one's voice, rack (one's brain); turn down / squeeze; grill ／拧，绞／拼命发高声，绞尽脑汁；调小，榨，挤；申斥，严加责备／짜다, 쥐어짜다, 즐이다, 짜내다, 혼내다／siết chặt

[絞] ① ・水にぬらしたタオルを絞る。
② ・[頭／知恵]をしぼる。　[合] ヲ絞り出す、ヲふり絞る
③ ・うるさいのでテレビの音を絞った。
[搾] ① ・牛の乳を搾る。　・ひまわりの種から油をしぼる。　[類] ヲ搾り取る
② ・仕事でミスをして上司にしぼられた。　・練習でコーチにしぼられた。

しまう　ヲしまう　[動] ★2
put back
收藏，保存／치우다, 간수하다
cất

・春になったので、冬物をしまった。　・洗った食器を食器棚にしまう。
[合] ヲしまい込む　[関] ヲ片付ける、ヲ保管する

じまん　ヲ自慢(ヲ)スル　[名] ★3
pride, boast
引以为豪, 炫耀／자랑
tự mãn, tự hào

・自慢の料理を作る。　・母親は皆に有名大学に入った息子を自慢している。
[合] ＿話

しみじみ(と)　[副] ★1
keenly, fully, earnestly
痛切，感慨地／절실히, 깊게
sâu sắc

① ・たまに病気をすると、健康の有り難さをしみじみ感じる。
② ・冬の夜、10年ぶりに会った友人と、人生についてしみじみと語り合った。

※ 名詞修飾では「しみじみ（と）した」となる。（例．しみじみとした気持ち）

じみな　地味な
[ナ形] plain／朴素, 普通, 不起眼／수수하다／trầm, giản dị
★3

・じみな｛人／性格／服／化粧／デザイン／生活　…｝
・あの人は若いのに、地味なかっこうばかりしている。

[合] 地味さ　[対] 派手な

シミュレーション
ヲシミュレーション(ヲ)スル
[名] simulation／模拟试验／시뮬레이션／mô phỏng
★1

・パイロットの飛行訓練では、機械で実際の操縦のシミュレーションを行う。
・経済シミュレーションで、来年の景気動向を予測する。

[連] __をする　[合] __ゲーム、__実験、__装置、経済__　[関] 模擬実験

しみる　ガ染みる
[動] to permeate, sting／沾染, 渗透, 刺痛／배어들다, 스며들다, 따갑다, 아리다／thấm, ngấm
★1

① ・喫煙席に座ったら、服や髪にたばこの臭いが染み付いた。

[合] ガ染み込む（例．雨が土に染み込む。）、ガ染み付く

（名）染み（例．服にコーヒーの染みがついた。）

② ・この目薬は目にしみる。

しめきり　締め切り
[名] deadline／期限, 截止时间／마감／thời hạn
★3

・レポートの締め切りは30日です。　・申し込みは明日が締め切りだ。

[連] __が延びる・__を延ばす　（動）ヲ締め切る（例．「この講座の申し込みは、30人で締め切ります」）

しめす　ヲ示す
[動] show; express; indicate; represent; point／出示；表示；显示；指示／보이다, 가리키다／hiển thị
★2

① ・このビルに入るには身分証を示さなければならない。

（名）示し　→ __がつく⇔つかない（例．上司が仕事を怠けていては、部下に示しがつかない。）

② ・彼は新しいことにはすぐ関心を示す。　　　　　　　　　　　　[類] ①②ヲ見せる
③ ・最近の異常な暑さは、地球温暖化が進んでいることを示している。　[類] ヲ表す
④ ・方向を手で示して教える。　　　　　　　　　[合] ヲ指し__　[類] ヲ指す

213

しめる　ガ湿る
[動] ★2　become damp; moisten / 潮湿 / 눅눅해지다, 축축해지다 / ướt

・朝干した洗濯物がまだ湿っている。　・{空気／部屋／服／髪 …}が湿る。

合 湿り気、湿っぽい　関 湿気、湿度、ガ乾燥する　(名) 湿り

しめる　ヲ占める
[動] ★2　occupy; hold (a position) / 占, 占有, 占据 / 차지하다 / chiếm

① ・この会社の製品は、市場の8割を占めている。　・賛成派が多数を占めた。
② ・この国は平和国家として世界の中で確かな地位を占めている。
③ ・部屋の真ん中をベッドが占めている。　　　　　　　　関 ガ占領する

じもと　地元
[名] ★1　local area / 当地 / 현지 지역 / địa phương, trong vùng

① ・親元から離れたくないので、地元の会社で働きたい。　　関 出身地
② ・あの政治家は地元の声に耳を傾けている。

しや　視野
[名] ★1　view, outlook / 视野, 见识 / 시야 / tầm nhìn, tầm hiểu biết

① ・山頂に着くと、360度視野が開けた。　・突然人影が視野に入ってきた。
連 __が開ける⇔遮られる、__を遮る、__に入る⇔__から消える　類 視界
② ・息子には留学して視野を広げてほしい。　・視野の広い人
連 __が広い⇔狭い、__が広がる・__を広げる、__に入れる

しゃかい　社会
[名] ★2　society; world; (enter) the workforce / 社会；(同类人的)集合, 届 / 사회 / xã hội

① ・定年退職後は社会の役に立つことをしたい。
合 __的な、[名詞]＋社会(例. 国際社会、地域社会、学歴社会、文明社会)、社会＋[名詞](例. 社会主義、社会体制、社会問題、社会保険、社会生活、社会貢献)
② ・学校を卒業し、社会に出て働く。　　連 __に出る　合 __人、__的な、__性
③ ・{医者／アリ …}の社会

しゃがむ　ガしゃがむ
[動] ★2　squat / 蹲, 蹲下 / 쭈그리고 앉다 / cúi mình núp

・子供が道にしゃがんで地面の虫を見ている。

合 ガしゃがみ込む

じゃっかん　若干

[副] ★1　somewhat, to a certain extent, few / 少许；若干 / 약간 / vừa phải

・会議の進行が予定より若干遅れぎみだ。
[(名)]・〈乗り物、劇場など〉席にはまだ若干の余裕がある。
 合 __名　類 少し、いくらか　※「若干」の方がかたい言葉。

じゃまな　邪魔な

[ナ形] ★2　bothersome / 碍事的 / 방해가 되는 / rườm rà

① ・仕事をするため、まず机の上のじゃまな物を片付けた。　合 邪魔者
②[(名)]ヲ邪魔(ヲ)スル・「今忙しいから邪魔をしないでください」
③[おじゃまする]・「明日3時ごろ、お宅におじゃましてもいいでしょうか」
　・〈訪問時〉「どうぞお入りください」「おじゃまします」

しゅうかく　ヲ収穫スル

[名] ★2　harvest; gain / 收获, 收成；成果 / 수확, 수확 / thu hoạch

① ・農作物を収穫する。　連 __をあげる　合 __物、__高、__量、__期
② ・パーティーはつまらなかったが、いろいろな人と知り合えたのは収穫だった。
　連 __がある⇔ない

しゅうきょう　宗教

[名] ★3　religion / 宗教 / 종교 / tôn giáo

・世界にはいろいろな宗教がある。
連 __を信じる　関 イスラム教、キリスト教、仏教、ユダヤ教

しゅうごう　ガ集合スル

[名] ★2　gathering; set / 集合；集合体 / 집합 / tập hợp

①「面接を受ける人は、予定時間の30分前に会場に集合してください」
　合 __時間、__場所　対 ガ/ヲ解散スル
② ・人間の体は、分子の集合でできている。　合 __体　対 ガ/ヲ分散スル
関 ①②ガ集まる

じゅうこうな　重厚な

[ナ形] ★1　imposing, dignified / 稳重, 厚重 / 중후한 / to lớn đồ sộ

・社長室には重厚な応接セットが置いてある。
・重厚な｛建物／家具／デザイン／作風／絵画／映画　…｝
合 重厚さ　類 重々しい、どっしりした／している

じゅうし　ヲ重視スル

[名] thinking a great deal of ~, take ~ seriously
重視／중시
★2　quan trọng

・この仕事は経験が重視される。
・車を買うときは、デザインよりも安全性を重視している。

対 ヲ軽視スル　類 ヲ重要視スル

しゅうじつ　終日

[副] all day, whole day
整天／종일
★1　cả ngày

・大雪のため、飛行機は終日欠航となった。
・旅行の二日目は終日市内観光だった。

※ 名詞としても使う。　類 一日中

じゅうじつ　ガ充実スル

[名] fullness, enrichment
充实／충실
★1　đầy đủ, sự sung túc

・充実した毎日を送っている。
・この本は高いだけあって、内容が充実している。

× 充実だ　合 ＿感（例．充実感を味わう。）

しゅうしゅう　ヲ収集スル

[名] gathering; collection
收集；收藏／수집
★2　thu thập

① ・ごみは可燃・不燃に分別して収集する地域が多い。
② ・趣味は切手の収集です。

関 ①②ヲ集める

しゅうしょく　ガ就職スル

[名] getting employed, finding employment
就业，参加工作／취직
★3　tìm kiếm việc làm

・旅行会社に就職する。

合 ＿活動、＿試験、＿難　対 ガ退職スル　関 履歴書

しゅうせい　ヲ修正(ヲ)スル

[名] revision, correction
修正，修改／수정
★2　sửa chữa

・{文章／デザイン／計画／軌道 …}を修正する。

連 ＿を加える　合 軌道＿　類 ヲ手直しスル　関 ヲ訂正(ヲ)スル

じゅうたい　ガ渋滞スル

[名] congestion
交通堵塞，堵车／정체
★3　tắc đường

・道路が渋滞していて、会議に遅刻した。

合 交通＿　関 ガ込む⇔すく、ガ混雑スル

216

じゅうだいな　重大な
[ナ形] serious
重大的, 严重的／중대하다, 중요하다
★2 trọng đại

・政治の混乱を招いた首相の責任は重大だ。
・この問題はそれほど重大に考えなくてよい。

合 重大さ、重大問題、重大事件、重大発表、責任重大な、ヲ重大視スル

しゅうちゅう　ガ／ヲ集中スル
[名] concentration
集中／집중
★2 tập trung

・人口は大都市に集中している。　・心配事があって、仕事に集中できなかった。

連 {神経／意識／精神 …}を__する　合 __力、__的な、__豪雨　対 ガ／ヲ分散スル

じゅうな　自由な
[ナ形] free
任意的, 自由的；自由／자유롭다
★3 tự do

① ・赤ちゃんがいるので、自由な時間がほとんどない。
　合 自由時間、自由席、自由行動
②[(名)自由]・政治についてどう考えるかは個人の自由だ。
　連 __がある⇔ない　合 __主義

じゅうなんな　柔軟な
[ナ形] flexible
柔软, 灵活／유연한
★1 mềm

① ・体が柔軟でないと、バレリーナになるのは無理だ。
　合 柔軟体操、柔軟剤　類 柔らかい　対 硬い
② ・「緊急事態に際しては、柔軟に対処してください」・柔軟な{考え方／姿勢 …}
　関 しなやかな、杓子定規な
　合 ①②柔軟さ、柔軟性

しゅうにゅう　収入
[名] income
收入／수입
★2 thu nhập

・彼は喫茶店を経営して収入を得ている。

連 __がある⇔ない、__が高い⇔低い、__が上がる・__を上げる、__が下がる、__を得る　合 臨時__、__源、高__⇔低__　対 支出　関 年収、月収、所得

じゅうぶんな　十分な
[ナ形] satisfactory, enough
充足, 充分, 足够／충분한
★1 đủ

・健康のためには、十分な睡眠と栄養が必要だ。　・準備の時間は十分(に)ある。
・「いくら空腹でも、それだけ食べればもう十分だろう」

※「十分」の形で副詞としても使う。　対 不十分な

しゅうへん　周辺　[名] ★2
circumference, around
周边，四周／주변
xung quanh

・山火事が起こり、周辺の住民たちは避難した。
・大都市周辺の街は、多くがベッドタウンになっている。

類 周り、周囲、あたり　関 付近

じゅうような　重要な　[ナ形] ★3
important
重要的／중요하다
quan trọng

・今日は午後から重要な会議がある。　・情報技術は、将来ますます重要になるだろう。

合 重要さ、重要性　類 大事な、大切な

しゅうり　ヲ修理(ヲ)スル　[名] ★3
repair
修理／수리
sửa chữa

・パソコンが壊れたので、修理に出した。　・父にエアコンを修理してもらった。

連 __に出す　関 ヲ直す、ガ故障スル

しゅぎ　主義　[名] ★2
principle, belief
主张，主义／주의
chủ nghĩa

・私は、一度言ったことは必ず最後まで貫く主義だ。
・政治家は、主義や主張が違っても、国民のことを第一に考えなければならない。

合〈社会体制〉{資本／民主／社会／共産／自由／全体／独裁／封建 …}主義
〈考え方・性格〉{個人／集団／平和／合理／楽天／利己／菜食 …}主義
〈芸術〉{古典／ロマン／印象／写実 …}主義

しゅくしょう　ガ／ヲ縮小スル　[名] ★2
reduction, curtailment
缩小／축소
giảm thiểu

・B4をA4に縮小してコピーした。
・事業の縮小により、数十人の社員が辞めさせられた。

合 __コピー　対 ガ／ヲ拡大スル

じゅけん　ヲ受験(ヲ)スル　[名] ★2
examination; taking an examination
报考，应试，应考／수험
dự thi

・東京の大学を受験した。　・司法試験の受験のために、5年間も勉強した。

合 __勉強、__生、__者、{中学／高校／大学}__、__料、__票　関 ヲ受ける

しゅさい　ヲ主催スル
[名] organizer, sponsor / 主办 / 주최 / sự chủ tọa ★1

・今日の会議の主催は部長だ。　・企業が主催する展覧会がよく開かれている。
合 __者　関 ヲ共催スル

しゅし　趣旨
[名] point, aim / 宗旨 / 취지, 목적 / ý đồ, mục đích ★1

・「本日の会議の趣旨をご説明いたします」　・会費を取るのはこの会の趣旨に反する。
連 __に反する⇔沿う　類 意図

しゅじゅつ　ヲ手術(ヲ)スル
[名] surgery, operation / 手术 / 수술 / phẫu thuật ★3

・胃の手術を{した／受けた}。
連 __を受ける　合 外科__、整形__、移植__

しゅしょく　主食
[名] staple food / 主食 / 주식 / lương thực chính ★1

・日本人は米を主食にしている。
対 副食、おかず　関 ご飯

しゅじん　主人
[名] owner (of a shop); master; husband / 店主；主人；丈夫 / 주인, 바깥양반 / chồng tôi ★2

① ・あのそば屋の主人はまだ若いが、腕はいい。
② ・犬は主人に忠実だと言われる。　・主人に仕える。
③ ・「鈴木さんのご主人をご存じですか」
対 従業員　関 マスター

しゅだん　手段
[名] means / 手段, 方法 / 수단 / cách thức, phương tiện ★3

・問題を解決するために必要な手段をとる。　・目的のためには手段を選ばない。
連 {必要な／強引な…}__をとる　合 交通__　関 方法

しゅちょう　ヲ主張スル
[名] insistence, assertion / 主张 / 주장 / tuyên bố ★2

・会社側に労働者の権利を主張する。　・会議で自分の主張を堂々と述べた。
合 ガ自己__(ヲ)スル(例. あの人は自己主張が激しい。)

しゅっきん　ガ出勤スル
[名] going to work / 上班 / 출근 ★2 / tới công ty
・毎朝8時に出勤している。　・多くの会社では、出勤時間は9時だ。
合 __時間、休日__、時差__　対 ガ欠勤スル、ガ退勤スル　関 ガ登校スル

しゅっさん　ヲ出産スル
[名] birth, delivery / 生孩子，分娩 / 출산 ★2 / sinh sản
・先日、姉が女の子を出産した。
合 __祝い　関 ヲ産む

しゅつじょう　ガ出場スル
[名] participation (in athletic event) / 出場，参加(比賽) / 출장 ★3 / tham gia (đại hội thể thao…)
・オリンピックへの出場が決まった。　・全国大会に出場する。
合 __者　関 ガ出る

しゅっしん　出身
[名] origin, homeland / 出身；籍貫 / 출신 ★3 / xuất thân
・「ご出身はどちらですか」「東京です」　・私は{東京／東京大学　…}(の)出身です。
合 __地、__校、[地名／学校名 …]＋出身

しゅっせ　ガ出世(ヲ)スル
[名] success in life / 出人头地，事业成功 / 출세 ★2 / thăng tiến
・出世もしたいが、仕事ばかりの人生も嫌だ。
・同期の中で、山口さんが一番出世が早い。
関 ガ昇進スル

しゅっせき　ガ出席スル
[名] attendance / 出席，参加 / 출석 ★3 / vắng mặt
・ミーティングに出席する。　・出席を取る。
合 __者　対 ガ欠席スル

しゅっぴ　ヲ出費スル
[名] expenditure, expenses / 开支 / 출비 ★1 / chi phí
・今年は子供の進学で出費がかさんだ。
連 __が多い⇔少ない、__がかさむ、__を切り詰める

しゅのう　首脳
[名] ★1
leader
首脳，领导／정상，수뇌
đầu não, người lãnh đạo

・世界各国の首脳が集まって、会談を行った。
・与党首脳部は政策失敗の責任を取って全員辞職した。

合 ＿会談、＿会議、＿部、＿陣　関 トップ

しゅみ　趣味
[名] ★3
hobby, interest; taste
爱好；趣味，品味／취미
sở thích, thị hiếu, khiếu thẩm mỹ

① ・趣味は読書です。　　　　　　　　　　　　　　　　連 ＿が広い
② ・彼女はいつも趣味のいい服を着ている。　　　　　連 ＿がいい⇔悪い

じゅみょう　寿命
[名] ★2
life, life span
寿命；使用寿命／수명
tuổi thọ

・医学の進歩によって、人間の寿命は100年前に比べるとずいぶん伸びた。
・この時計は最近よく止まる。20年も使っているから寿命が来たのだろうか。

連 ＿が伸びる・＿を伸ばす、＿が来る　合 平均＿

じゅよう　需要
[名] ★2
demand
需要，需求／수요
nhu cầu

・物の値段には、需要と供給の関係が影響している。
・夏と冬は電力の需要が増える。

連 ＿がある⇔ない、＿が増える⇔減る、＿が増す、＿が高まる、＿を満たす
対 ヲ供給スル　類 ニーズ

しゅような　主要な
[ナ形] ★2
principal, main
主要／주요하다
chủ yếu

・会の主要な役員が集まって今後の方針を議論した。
※名詞修飾で使うことが多い。　合 主要＋[名詞]（例．主要点、主要人物、主要都市、主要産業）　類 主な

じゅりつ　ガ／ヲ樹立スル
[名] ★1
establishment
建立，创造／수립
thành lập

① ・昨日、新政権が樹立した。　・新党を樹立する。　　合 国交＿
② ・マラソンで谷内選手が世界新記録を樹立した。　　類 ヲ打ち立てる

しゅるい　種類
[名] ★3　type, kind / 种, 种类 / 종류 / loại, dạng

・公園にはいろいろな種類の花がある。　・形容詞には2種類ある。

連 ＿が多い⇔少ない、＿が豊富だ　合 [数字]＋種類　関 種

じゅんかん　ガ循環スル
[名] ★1　circulation, circle / 循环 / 순환 / tuần hoàn

・血液の循環が悪い。　・このバスは市内を循環している。
・やせるために運動すると、おなかがすいて食べて太る。悪循環だ。

連 ＿がいい⇔悪い　合 悪＿、＿器、＿バス　関 ガ回る、ガ巡る

じゅんじょ　順序
[名] ★2　order / 顺序, 次序 / 순서, 차례 / tuần tự

・子供たちが教室に順序よく並んで入っていく。
・セットアップの順序を間違えたのか、パソコンがうまく動かない。

合 ＿よく　類 順番、順

じゅんすいな　純粋な
[ナ形] ★2　pure; genuine / 纯真; 纯粋, 纯净 / 순수하다 / tinh khiết

①・あの人は純粋な心の持ち主だ。
②・この話は純粋なフィクションだ。

合 純粋さ　対 不純な　関 清純な、純情な
合 純粋性、純粋培養

じゅんちょうな　順調な
[ナ形] ★2　satisfactory, favorable / 顺利 / 순조롭다 / thuận lợi

・計画は順調に進んでいる。　・手術後の経過は順調だ。　・新作は順調な売れ行きだ。

合 順調さ　類 好調な、快調な　関 調子

じゅんばん　順番
[名] ★3　order, sequence / 顺序, 次序 / 순번 / trình tự, trật tự

・発表の順番を決める。　・大きい商品から順番に並べる。

連 ＿が来る、＿を待つ　類 順、順序　関 番

じゅんび　ヲ準備(ヲ)スル
[名] ★3　preparation / 准备 / 준비 / chuẩn bị

・引っ越しの準備が終わった。　・会議の資料を準備する。

類 ヲ用意(ヲ)スル

しよう　ヲ使用スル
[名] ★2
use
使用／사용
sử dụng

・今は、文書の作成にはパソコンが使用されることが多い。
・〈電車で〉「優先席の近くでは携帯電話のご使用はお控えください」
合 __料　関 ヲ使う、ヲ利用スル

しょうか　ヲ消化スル
[名] ★2
digestion, assimilation, consumption
消化；理解；处理，用完／소화
tiêu hóa

① ・私は胃腸が弱いので、消化{が／に}いいものを食べるようにしている。
連 __{が／に}いい⇔悪い　合 __不良、__器官、__剤、__薬、ヲ__吸収スル
② ・調べたことを自分なりに消化しなければ、レポートを書くのは難しい。
③ ・厳しいスケジュールだったが、何とか消化できた。・年度内に予算を消化する。

しょうがい　障害
[名] ★2
hindrance, difficulty; disorder
障碍，妨碍；毛病，残疾／장애
chướng ngại, cản trở

① ・彼は目が見えないという障害を乗り越えて、ピアニストになった。
・独身なので、海外赴任に何の障害もない。
連 __を乗り越える、__を取り除く　合 __物　類 支障　関 困難
② ・心臓に障害があるので、激しいスポーツはできない。　合 __者
連 ①②__がある⇔ない

じょうきょう　状況
[名] ★2
situation, conditions
状况／상황
tình hình

・今、経済の状況が良くない。・学生の生活状況を調査する。
合 社会__、経済__、生活__、学習__、__判断　関 状態、現状

しょうきょくてきな　消極的な
[ナ形] ★3
passive, negative
消极的／소극적이다
tiêu cực, bị động

・消極的な{人／性格…}　・今の首相は、教育問題に消極的だ。
対 積極的な

しょうげき　衝撃
[名] ★1
shock
撞击，冲击／충격
cú sốc

① ・壁にぶつかった車は衝撃でひっくり返った。　合 __波
② ・そのニュースは世界中に衝撃を与えた。　連 __を受ける⇔与える　合 __的な

じょうけん　条件
[名] ★3
condition
前提，条件／조건
điều kiện

・運転免許を持っていることが採用の条件だ。　・このアルバイトは条件がいい。

連 __がある⇔ない、__が合う、__がいい⇔悪い　合 必要__

しょうさいな　詳細な
[ナ形] ★1
detailed
詳細／상세한
chi tiết

・あの作家は事実を詳細に調べた上で小説を書くそうだ。
・上司は部下に詳細な報告を求めた。

類 詳しい　(名) 詳細（例．事件の詳細については、現在捜査中だ。）

じょうし　上司
[名] ★3
boss
上司，上級／상사
cấp trên

・上司に相談してから決定する。

対 部下　関 同僚

じょうしき　常識
[名] ★2
common sense
常識，清理／상식
ý nghĩa thông thường

・ミスをしたらきちんと責任をとるのが社会人の常識だ。　・あの人には常識がない。

連 __がある⇔ない　合 __的な、非__な（例．あの人は非常識だ。）、一般__、社会__

しょうじきな　正直な
[ナ形] ★3
honest
老实，正直／정직하다
thật thà

・彼は正直な人だから、うそをつくことができない。
・「どうしていたずらしたの。正直に話しなさい」

合 正直さ　対 不正直な

しょうしょう　少々
[副] ★2
a little; a moment
一些，少许，稍稍／조금, 약간, 보통
hơi

・〈料理〉魚は水気を取り、塩を少々ふっておきます。　・「少々お待ちください」
※「少し」よりかたい言葉。

しょうじょう　症状
[名] ★3
symptom
病情，症状／증상
dấu hiệu mắc bệnh

・かぜの症状は、熱、せき、鼻水などだ。

連 __が軽い⇔重い、__が出る

じょうしょう　ガ上昇スル
[名] rise / 上升, 上涨 / 상승 / tăng lên　★2

・午後から気温が急激に上昇した。　・物価／人気／飛行機 … が上昇する。

[合] ガ急__スル、__気流　[対] ガ下降スル、ガ低下スル　[関] ガ上がる

しょうじる　ガ/ヲ生じる
[動] occur; cause, generate / 发生；产生 / 생기다, 생겨나다 / phát sinh　★2

①・計画の途中で問題が生じた。　・両者に差が生じた。

　[類] ガ生まれる、ガ起こる

②・金属にさびが生じる。　・摩擦によって熱が生じる。　[類] ガ/ヲ発生する

※「生ずる」という形もある。

しょうたい　正体
[名] true character, true identity / 真面目 / 정체 / tính cách thực của ai đó　★1

①・それまで誠実そうに見えた彼女が、突然詐欺師の正体を現した。
②・その俳優は正体を隠して、観光地を巡った。

[連] ①②__を現す、__を隠す、__を暴く、__をつかむ

じょうたい　状態
[名] condition, state / 状态 / 상태 / tình trạng　★3

・あの会社は、今経営の状態がよくない。

[合] 健康__、精神__　[類] 状況

しょうだく　ヲ承諾スル
[名] consent, agreement / 同意 / 승낙 / chấp hành, chấp thuận　★1

・先生は学生の承諾を得て、彼の作文をみんなに読ませた。
・上司の承諾を得ずに外出して注意された。　・父に結婚の承諾を得る。

[連] __を得る　[合] __書

じょうだん　冗談
[名] joke / 玩笑, 笑话 / 농담 / chuyện đùa, chuyện phiếm　★3

・冗談を言ったら、みんなが本気にした。

[連] __を言う　×冗談する

しょうちする　ヲ承知する
[動] agree, all right; understand; understanding, knowledge / 明白, 清楚, 了解 / 들어주다, 알고 있다 / đồng ý　★2

①・「この仕事、明日までに頼みます」「承知しました」　[類] ヲ承諾(ヲ)する

225

② ・私の学力では合格は難しいと承知しているが、それでも受験したい。
・無理を承知の上で頼みを引き受けた。 類 ヲ了解する 関 ガわかる、ヲ理解する

じょうちょ／じょうしょ　情緒　[名] ★1
emotion, spirit
情趣，情緒／정서
cảm xúc

① ・このあたりには下町の情緒が残っている。　・情緒豊かな港街を散歩する。
連 __がある⇔ない　合 __的な、異国__、下町__、__豊かな　類 情趣
② ・彼女は失恋して以来、情緒が不安定だ。　合 __不安定、__障害　関 精神、感情

しょうどう　衝動　[名] ★1
urge, impulse
冲动／충동
rung động

・ときどき、大声で叫び出したい衝動に駆られる。　・衝動を抑える。
連 ～__に駆られる、__を抑える、激しい__　合 __買い、__的な

じょうとうな　上等な　[ナ形] ★2
fine, superior; good enough
上等，高档／优秀／높은 등급이다, 뛰어나다
rất tốt

① ・上等なお菓子をお土産にいただいた。　合 上等さ　関 上質な、高級な
② ・優勝は難しいだろう。3位以内に入れれば上等だ。

しょうとつ　ガ衝突(ヲ)スル　[名] ★3
collision, conflict
撞上；冲突，争吵／충돌
va chạm, xung đột

① ・電車の衝突の場面を見た。　・バスがトラックと衝突した。
② ・クラスで意見の衝突がある。　・部長と課長が衝突して、周囲が困っている。
関 ①②ガぶつかる

しょうばい　ガ商売(ヲ)スル　[名] ★3
business
买卖／장사
buôn bán

・父は衣料品の商売をしている。

しょうひ　ヲ消費(ヲ)スル　[名] ★3
consumption
消費／소비
tiêu thụ

・牛乳の消費が減っている。　・運動してカロリーを消費する。
合 __者、__税、__量　対 ヲ生産(ヲ)スル

しょうひん　商品　[名] ★3
product
商品／상품
sản phẩm

・店に商品を並べる。

じょうひんな　上品な
[ナ形] ★2
refined, elegant
高档，有品位，高雅／품위가 있다, 고상하다
tinh tế

・彼女はいつも上品な服を着ている。
・上品に 話す／食べる／ふるまう …|。

合 上品さ　対 下品な　類 品がある　関 品、品性、気品

しょうぶ　ガ勝負(ヲ)スル
[名] ★2
game; victory or defeat
比赛；输赢，胜负／승부, 승패
trò chơi

①・どちらがテストでいい点を取るか、友達と勝負をした。
　合 真剣__　関 競争、戦い、試合
②・〈スポーツ〉延長戦でやっと勝負がついた。
　連 __がつく・__をつける、__が決まる・__を決める　類 勝敗

じょうほ　ガ譲歩スル
[名] ★1
compromise, concession
让步／양보
nhượng quyền

・政府は誘拐犯の要求に一歩も譲歩しなかった。
・労使双方の譲歩により、定期昇給の金額が決まった。
関 ヲ譲る

じょうほう　情報
[名] ★3
information
信息, 资讯／정보
thông tin

・テレビからいろいろな情報を得る。
連 __を得る、__が入る、__が流れる・__を流す、__を交換する　合 __(化)社会、__交換、__源

しょうめい　ヲ証明(ヲ)スル
[名] ★3
evidence
证明／증명
chứng minh

・銀行口座を開くときには、身分を証明するものが必要だ。　・無実を証明する。
合 __書、身分__

しょうもう　ガ／ヲ消耗スル
[名] ★2
consumption; exhaustion
消耗；劳累, 疲乏／소모
tiêu hao

①・最近コピーの量が増えて、紙の消耗が激しい。
　連 __が速い、__が激しい　合 __品　類 ヲ消費スル
②・山で遭難したときは、体力を消耗しないようにじっとしていたほうがいい。

しょうらい　将来
[名] ★2　future / 将来, 未来, 前途 / 장래, 미래 / tương lai
・将来の希望は海外で働くことだ。　・日本の将来を考える。
[副]・「あなたは将来何になりたいですか」
類 未来
連 近い__

しょうり　ガ勝利スル
[名] ★1　win, victory / 勝利 / 승리 / thắng lợi
・AチームはBチームに勝利した。
・今回の選挙で、野党は与党に対し勝利を収めた。
連 __を収める　合 大__、__者、__投手、__宣言　対 ガ敗北スル　関 ガ勝つ

しょうりゃく　ヲ省略スル
[名] ★3　abbreviation, omission / 省略 / 생략 / lược bớt, lược bỏ
・くわしい説明を省略して簡単に話す。
関 ヲ省く

しょうれい　ヲ奨励スル
[名] ★1　incitement, stimulation / 奨励 / 장려 / khuyến khích
・学校は生徒に読書を奨励した。　・スポーツ振興のため、国は奨励金を出した。
合 __金　関 ヲ勧める

じょがい　ヲ除外スル
[名] ★1　exclusion / 除外 / 제외 / loại trừ
・応募者のうち、未経験者を除外した。
・ここは駐車禁止区域だが、救急車などは除外の対象となる。
関 ヲ除く

しょくもつ　食物
[名] ★1　food / 食物, 食品 / 음식 / thực phẩm
・食物によって引き起こされるアレルギーもある。
・食物本来のおいしさを味わうには少し硬めに煮た方がいいそうだ。
合 __繊維、__連鎖

しょくよく　食欲
[名] ★2　appetite / 食欲 / 식욕 / cảm giác muốn ăn
・今、かぜをひいて食欲がない。
・食堂のそばを通ると、いいにおいで食欲がわいてくる。

連 __がある⇔ない、__が湧く、__を満たす　合 __不振、__旺盛な

しょくりょう　食料／食糧

[名] ★2
food, provisions
食物；粮食／식료（품）, 식량
thực phẩm

[食料]・日本は食料の自給率が低いと言われる。
合 __品、__自給率　類 食べ物、食物　関 食品

[食糧]・戦後はしばらく食糧難の時代が続いた。
※主に米、麦などの主食を言う。　合 __難

じょじょに　徐々に

[副] ★2
little by little
慢慢地, 渐渐地／서서히, 차차
dần dần

・車は徐々にスピードを落とし、やがて止まった。
・病人は徐々に回復に向かっている。
※「少しずつ」「だんだん」よりかたい言葉。　類 次第に

じょせい　女性

[名] ★3
woman
女性, 女子／여성, 여자
nữ giới, phụ nữ

・理想の女性と結婚する。　・「あの{○女性／○女の人／×女}はだれですか」
対 男性　関 男女、性別

しょぞく　ガ所属スル

[名] ★1
member
属于／소속
sự thuộc về

・人事異動で営業部の所属になった。　・私は区のボランティア会に所属している。
関 ガ属する

しょち　ヲ処置（ヲ）スル

[名] ★2
measures, disposal, treatment
措施, 处理／처치, 조치, 치료
điều trị

・問題に対して適切な処置をとる。　・処置が早かったので、命が助かった。
・大きくなったペットの処置に困って捨てる人がいる。
連 ～__をとる、__に困る　合 応急__　関 ヲ処理（ヲ）スル

ショック

[名] ★3
shock
震动, 冲击；打击／쇼크, 충격
sốc

① ・彼女にほかの恋人がいて、ショックだった。
② ・シートベルトをすれば、衝突のショックが小さくなる。
連 ①②__が大きい⇔小さい、二__を受ける、__を与える、__が軽い、__が激しい
類 ①②衝撃

しょっちゅう [副] ★2
always, frequently
常常／항상, 언제나
thường

・この路線のバスはしょっちゅう遅れるから困る。
※話し言葉的。　類 たびたび、しばしば　※「しょっちゅう→たびたび→しばしば」の順にかたい表現になる。

しょとく　所得 [名] ★1
income
収入／소득
thu nhập

・所得の範囲内で生活する。
・第二次世界大戦後、政府は「所得倍増計画」を打ち出した。
連 __が高い⇔低い　合 __格差、__税　関 収入

しょぶん　ヲ処分(ヲ)スル [名] ★2
disposal; punishment
処理；処分, 惩处／처분, 처벌
thanh lý

① ・引っ越しするとき、不用品を全部処分した。
　　合 __品、廃棄__　関 ヲ処置(ヲ)スル、ヲ処理(ヲ)スル
② ・不正を行った社員が処分された。　連 __を受ける　合 退学__、懲戒__

しょみん　庶民 [名] ★1
the masses, ordinary people
老百姓, 平民／서민
dân thường, dân đen

・こんな立派で広い家は、庶民には縁がない。
合 __的な(例. 彼女は庶民的なアイドルとして人気がある。)、__階級

しょゆう　ヲ所有スル [名] ★2
possession
所有, 拥有／소유
sở hữu

・山本家は広い畑を所有している。
連 __者、__物、__権　類 ヲ所持スル　関 ヲ持つ

しょり　ヲ処理(ヲ)スル [名] ★2
disposal, handling
処理, 処置／처리
xử lý

・たまった仕事をてきぱきと処理する。　・この問題は簡単には処理できない。
合 __能力、情報__、ごみ__(場)　関 ヲ処置(ヲ)スル、ヲ処分(ヲ)スル、ヲ片付ける

しょるい　書類 [名] ★3
form, document
文件, 資料／서류
tài liệu

・留学の手続きに必要な書類を準備する。　・会議の書類を作る。
合 重要__、__審査

しらせ　知らせ
[名] notification, news
消息，通知／알림, 통지
★3　thông báo

・父が入院したという知らせがあった。
[連] __がある、__が届く　（動）ヲ知らせる

しりあい　知り合い
[名] acquaintance
认识的人，熟人，友人／아는 사람
★3　người quen

・知り合いに息子の就職を頼む。
[類] 知人　[関] 友達、友人、親友

シリーズ
[名] series
系列，丛书／시리즈
★2　loạt

・この映画は、評判がよかったのでシリーズ化された。
・『語彙トレーニング』の本は、シリーズで出ている。
[合] __物、ヲ__化スル

じりつ　ガ自立スル
[名] independence, self-reliance
自立，独立／자립
★1　tự lập

・女性の自立には経済的自立が重要だと思う。
・彼は精神的に自立していない。
[合] __的な、__性、__心　[関] ガ独立スル、ガ自活スル

しるし　印
[名] mark, sign, pledge
记号，标记；象征／표시, 상징
★3　dấu hiệu, biểu hiện, tượng trưng

① ・地図の目的地に印をつける。　　　　　[連] __をつける　[合] 目印
② ・ハトは平和のしるしだ。　・愛のしるしに恋人に指輪を贈る。

しわ
[名] wrinkle
皱纹，皱褶／주름, 구김살
★2　nếp nhăn

・年を取ると顔のしわが増える。　・洗濯物のしわをアイロンで伸ばす。
[連] __ができる、__がよる、__が伸びる・__を伸ばす、__を取る　[合] __くちゃ（な）

しわよせ　しわ寄せ
[名] stress, strain
不良影响的后果／영향, 여파
★1　ảnh hưởng xấu

・不況のしわ寄せでうちの会社が倒産しそうだ。
・彼のいい加減な仕事のしわ寄せが私達に来た。
[連] __が来る⇔行く、__を受ける

しんか　ガ進化スル
[名] ★1　evolution, progress／演化, 进步／진화／tiến hóa

① ・人間はサルから進化したらしい。　　合 __論、__論者　対 ガ退化スル
② ・掃除機も進化して、拭き掃除までできるものがある。
連 ①② __を遂げる

しんがい　ヲ侵害スル
[名] ★1　violation, infringement／侵害, 侵犯／침해／xâm hại, xâm phạm

・コピー商品は著作権の侵害だ。　・人権を侵害する。
・防犯カメラはプライバシーの侵害に当たるという声もある。
合 人権__　対 ヲ保護スル

しんがく　ガ進学スル
[名] ★3　going to a higher school／升学／진학／học lên cao (ví dụ từ đại học lên thạc sỹ)

・子供の進学について考える。　・大学院に進学する。
合 __率

シングル
[名] ★1　single／单人, 单身, 单亲, 单张, 单打／싱글／đơn

① ・シングルサイズのピザを注文した。　・ホテルのシングルルーム
　合 __サイズ、__ベッド、__ルーム　対 ダブル
② ・彼はまだシングルだ。　　合 __ライフ、__マザー　類 独身
③ ・{CDのシングル盤／シングルCD}
④ ・〈スポーツ〉{テニス／バドミントン／卓球 …}のシングルス　対 ダブルス

しんけい　神経
[名] ★2　nerve; nerves／(体内)神経；精神作用／신경／thần kinh

① ・虫歯が痛いので神経を抜いた。　合 運動__、自律__、__痛
② ・彼は神経が鋭くて、ちょっとしたことでもすぐに気づく。
連 __が鋭い⇔鈍い、__が細かい、__が細い⇔太い、__にこたえる、__に障る、__を集中する／させる、__を逆なでする　合 __質な、__過敏(な)、無__な(例.人の気持ちを考えないで言いたいことを言うのは無神経だ。)

しんけんな　真剣な
[ナ形] ★2　serious／认真／진지하다／sự nghiêm trang

・二人は結婚するつもりで真剣につき合っている。　・問題解決に真剣に取り組む。

連 __{目／表情／態度 …} 合 真剣さ、真剣み、真剣勝負 類 本気、まじめな

じんこう　人工
[名] ★2
artificial
人工／인공
con người tạo ra

・このスキー場では人工の雪を降らせている。
・人工ダイヤモンドは工業用に使われる。

合 __呼吸、__衛星、__着色料、__甘味料　対 自然、天然　関 人造

しんこくな　深刻な
[ナ形] ★2
grave; serious
严重的；严肃的／심각하다
nghiêm trọng

① ・猛暑によって深刻な水不足が起きた。
　連 __事態に陥る　合 深刻さ、ガ深刻化スル
② ・彼はものごとをすぐ深刻に考える癖がある。　・深刻な{顔／表情／悩み …}
　連 深刻になる、ヲ深刻に受け止める　合 深刻さ

じんざい　人材
[名] ★1
human resources, people, employees
人材／인재
nhân lực

・我が社には有能な人材が集まっている。　・管理職の仕事は人材を育てることだ。
・他社から人材をスカウトする。　・人材を活用する。

連 __が不足する、__を登用する、__を集める　合 __不足、__派遣（業）

しんしゅつ　ガ進出スル
[名] ★1
expansion, advancement, launch
进入, 发展／진출
tiến lên, tiến ra

① ・日本製品の海外進出が進んだ。　　　　　　　　　対 ガ撤退スル
② ・高校野球で、母校が決勝戦に進出した。

しんじる　ヲ信じる
[動] ★3
believe; believe in (a religion)
相信；坚信；信任；信仰／믿다, 확신하다
tin tưởng, tin (tín ngưỡng, tôn giáo)

① ・「昨日、ゆうれいを見たよ」「うそ！　信じられない！」
② ・がんばれば成功すると信じている。
③ ・友人を信じてお金を預けた。　　　対 ①〜③ヲ疑う　類 ③ヲ信用する
④ ・「私は仏教を信じています」　　　類 ヲ信仰する　関 宗教

しんせい　ヲ申請（ヲ）スル
[名] ★3
application
申请／신청
xin cấp

・パスポートの申請　・大使館でビザを申請する。
合 __書類、__書

じんせい　人生
[名] life / 人生 / 인생 / cuộc sống ★2
・幸せな人生を送る。　・人生経験が豊富な人の話は面白い。
連 ～＿を送る　合 ＿経験、＿観　類 一生、生涯

しんせき　親戚
[名] relative / 亲戚 / 친척 / họ hàng ★2
・うちの親戚はみな近くに住んでいる。　・彼女は私の遠い親戚に当たる。
連 遠い＿　類 親類、親族

しんせんな　新鮮な
[ナ形] fresh / 新鲜的；崭新的 / 신선하다 / tươi, mới ★3
① ・新鮮な魚はおいしい。　・「この冷蔵庫は野菜を新鮮に保ちます」
② ・山で新鮮な空気を胸一杯に吸いこんだ。
③ ・新鮮な気持ちで新学期を迎えた。
合 ①～③新鮮さ

じんそくな　迅速な
[ナ形] swift, rapid / 迅速 / 신속한 / nhanh ★1
・事故が発生した際には、迅速な対処が望まれる。　・問題を迅速に解決する。
・「時間がないので、迅速に行動してください」
合 迅速さ、迅速性　類 速やかな、素早い、スピーディーな

しんちょう　身長
[名] body height / 身高 / 신장, 키 / chiều cao ★3
・身長を測る。　・兄は身長が高い。
連 ＿が高い⇔低い、＿が伸びる　類 背

しんちょうな　慎重な
[ナ形] prudent, cautious / 慎重，稳重，谨慎 / 신중하다 / thận trọng ★2
・私は慎重な性格なので、よく考えてからでなければ行動しない。
・慎重な{人／態度／行動 …}　・慎重にものごとを進める。
合 慎重さ　対 軽率な、軽々しい　類 注意深い　関 優柔不断な

しんと／しいんと
ガしんと／しいんとスル
[副] quiet, silent / 静悄悄, 安静 / 조용히, 잠잠히 / yên lặng ★2
・先生が大声で怒ると、子供たちはしんとなった。

・みんな出かけているらしく、家の中はしいんとしていた。

しんどう　ガ振動スル
[名] ★1　vibration, swing／振動／진동／chấn động

・このマンションは大通りに面しているので、振動がひどい。
・携帯電話が振動した。

連 __が激しい　合 __計、__公害、__数　類 揺れ　関 公害、騒音

しんねん　信念
[名] ★1　belief, conviction／信念／신념／niềm tin, đức tin

・彼は政治的信念を貫いて、当局に逮捕された。
・彼は伝統は守るべきだという信念の持ち主だ。

連 __がある⇔ない、__を持つ、__を抱く、__を貫く、__が揺らぐ、__に従う

しんぱん　ヲ審判(ヲ)スル
[名] ★2　referee; judgment／裁判；審判／심판／trọng tài

① ・審判が笛を吹いて、試合が始まった。　類 レフェリー、ジャッジ
② ・選挙は政治に対する国民の審判だ。　連 __を下す　類 ジャッジ

しんぴ　神秘
[名] ★1　mystery／神秘／신비／bí ẩn

・研究者になって宇宙の神秘を解き明かしたい。
・生命の誕生は神秘のベールに包まれている。

連 __に包まれる、__に満ちている、__を解き明かす　合 __的な、__主義(者)

じんぶつ　人物
[名] ★2　person, figure; character／人物；人品／인물／nhân vật, người

① ・これは歴史上の人物を描いた小説だ。　・{登場／重要／危険 …} 人物
② ・短い面接だけでは、どんな人物かまではわからない。　関 人柄、人間性

シンプルな
[ナ形] ★1　simple／簡単、簡朴／심플한／đơn giản

① ・彼女はシンプルなデザインの服がよく似合う。　対 華美な　類 簡素な
② ・ものごとをシンプルに考える。　対 複雑な　類 単純明快な

合 ①②シンプルさ

しんぽ　ガ進歩スル

[名] ★3　progress／進歩／진보／tiến bộ, tiến triển

・英語を勉強しているが、進歩がない。　・科学技術が進歩する。

[連] __がある⇔ない、__が速い⇔遅い　[合] __的な（例．進歩的な考え）

シンポジウム　＞シンポ

[名] ★1　symposium／专题研讨会／심포지엄, 토론회／hội thảo chuyên đề

・教育関係者を集め、学校教育についてのシンポジウムが開かれた。

[連] __を行う、__を{開く／開催する}　[関] 公開討論会、パネルディスカッション

しんよう　ヲ信用スル

[名] ★2　confidence, trust／相信，信任，信赖／신용, 신망／tín dụng

・{人／人の言葉}を信用してお金を貸す。　・信用していた人にだまされた。

[連] __がある⇔ない、__が落ちる・__を落とす、__を得る⇔失う、__を回復する、__に関わる、二__がおける　[合] __金庫、__組合　[関] ヲ信じる、ヲ信頼スル

しんらい　ヲ信頼スル

[名] ★2　confidence, trust, reliance／信赖／신뢰／tin tưởng

・彼は信頼できる指導者だ。　・上司の信頼に応えていい仕事をしたい。

[連] __に応える⇔__を裏切る、二__をおく　[合] __関係　[関] ヲ信用スル

すいしん　ヲ推進スル

[名] ★1　propulsion, implementation／推进，推动／추진／đẩy

①・スクリューで船を推進する。　・この飛行機はプロペラが推進力になっている。
②・野党は規制緩和を推進する法案を提出した。

[合] ①②__力　[類] ①②ヲ進める、ヲ推し進める

すいせん　ヲ推薦スル

[名] ★2　recommendation／推荐／추천／giới thiệu

・重役たちは、田中氏を次期社長に推薦した。
・この本は、高校生に読ませたい本として多くの教師が推薦している。

[合] __者、__人、__状、__入学、自己__、__図書　[関] ヲ推す、ヲ薦める

すいそく　ヲ推測スル

[名] ★2　guess, conjecture／推测，臆测／추측／đoán

・相手の気持ちを推測する。　・新聞記者は推測で記事を書いてはいけない。

[連] __がつく⇔つかない　[類] ヲ推量スル　[関] ヲ推定スル

ずいぶん

[副] considerably / 非常, 很, 相当, 相当厉害／몹시, 대단히／đáng kể, nhiều…
★3

・しばらく会わない間に、チンさんはずいぶん日本語が上手になっていた。
・「けがの具合はどうですか」「ずいぶんよくなりましたが、まだ運動はできません」
※「思った以上に」という気持ちが入る。

すいみん　睡眠

[名] sleep / 睡眠／수면／ngủ
★2

・アンケートの結果、睡眠時間は平均7時間という人が最も多かった。
・「最近どうも疲れがとれなくて……」「睡眠は足りていますか」

[連] ＿を取る、＿が深い⇔浅い　[合] ＿時間、＿不足　[類] 眠り　[関] ガ眠る、ガ寝る

すいり　ヲ推理スル

[名] deduction, reasoning / 推理／추리／suy luận
★1

・状況から犯人を推理する。

[合] ＿小説、＿作家、＿力　[関] ヲ推量スル、ヲ推測スル、ヲ推定スル

ずうずうしい

[イ形] impudent / 不要脸的, 厚颜无耻的／뻔뻔스럽다／vô liêm sỉ
★2

・レジの列にずうずうしく割り込む人がいる。
・前に借りた金も返していないのに、また借りに来るなんて、ずうずうしい人だ。

[合] ずうずうしさ　[類] あつかましい

すえおく　ヲ据え置く

[動] to erect, defer / 放置, 维持／설치하다, 유지하다／trì hoãn, để chậm lại, để nguyên như vốn có
★1

① ・校門の横に創立者の銅像が据え置かれた。　[関] ヲ設置する
② ・労使の交渉により、賃金は据え置かれることになった。
　　[関] ヲ維持する、ヲ保つ　(名) 据え置き

すかさず

[副] without hesitation, straight away / 立刻／즉시, 즉각, 당장／không chần chừ
★1

・野口さんは頭が良く、議論であいまいなことを言うと、すかさず追及してくる。
・〈ボクシング、レスリングなどで〉松田選手は攻撃されると、すかさず反撃に出た。

[関] 間をおかず

すがた　姿

[名] ★2
figure, appearance; state
外形，姿态；身影，形影；样子，情形／모습
dáng vẻ bên ngoài

① ・姉の後ろ姿は、母にそっくりだ。　　合 後ろ__　類 かっこう、見かけ
② ・人の声が聞こえているのに姿が見えない。　・月が雲のかげから姿を見せた。
　連 __が消える・__を消す、__が見える・__を見せる、__を現す、__を隠す、
　__をくらます
③ ・この写真は被災地の今の姿を伝えている。　　　　　　　　　　　　類 ようす

すきとおる　ガ透き通る

[動] ★2
be transparent, be clear
透明，（声音）清脆／투명하다, 맑다
trong suốt

・川の水が透き通っている。　・透き通った{ガラス／グラス／空気／声 …}
関 透明な

すぎる　ガ過ぎる

[動] ★3
pass by, elapse
过，经过；（时间）逝去／지나가다, 지나다
đi qua, đi quá, quá thời gian

① ・列車は広島駅を過ぎた。　・デモ行進が過ぎて行った。　　合 通り__
② ・約束の時間{が／を}過ぎても友達は来なかった。
　合 [時を表す名詞]＋過ぎ（例．昼過ぎ、8時過ぎ）

すくう　ヲ救う

[動] ★2
save, relieve
救，救助，挽救／구하다
cứu

・ペニシリンの発見は、多くの人々の命を救った。
・{国家の危機を／国家を危機から}救う。　・危ないところを救われた。
類 ヲ助ける　（名）救い

すくなくとも　少なくとも

[副] ★3
at least
至少, 起码／최소한, 적어도
ít nhất thì

・ここから駅まで歩いたら、少なくとも30分はかかるだろう。
・「毎日予習をしてください。少なくとも、言葉の意味は調べてきてください」

すぐ（に）

[副] ★3
immediate(ly); right
立刻, 马上；附近／바로
ngay lập tức, ngay gần

① ・チャイムを鳴らすと、すぐにドアが開いた。
② ・うちのすぐ近くで殺人事件があって、とてもこわかった。

すぐれる　ガ優れる
[動] ★2　excel, excellent; (do not) feel well／出色, 优秀；(脸色, 身体等)／好／뛰어나다, 훌륭하다, 좋은 상태이다／ưu, tốt

① ・彼は運動能力{が／に}優れている。　　関 優秀な
② ・{気分／顔色／体調／健康 …}がすぐれない。　※ 常に「～ない」の形で使う。

スケジュール
[名] ★3　schedule／时间表, 日程安排／스케줄, 계획／lịch trình

① ・今週のスケジュールを確認する。　運 ＿を立てる、＿を組む　合 ＿表、＿帳
② ・週末はスケジュール{が／で}いっぱいだ。

類 ①②予定

すごい
[イ形] ★3　ferocious; incredible, great／厉害, 非常；了不起, 惊人／굉장하다, 대단하다／làm sửng sốt, làm kinh ngạc, khủng khiếp

① ・昨日の台風はすごかった。　・演奏が終わると、すごい拍手だった。
② ・「コンテストで優勝したんです」「それはすごい！」

※ 話し言葉的。　合 ①②すごさ

すこしも　少しも
[副] ★3　(not) at all／一点儿也(不), 丝毫／조금도, 전혀／hoàn toàn (không) (đi kèm với dạng phủ định)

・毎日運動しているのに、少しも体重が減らない。
・あの人がうそをついているとは、少しも思わなかった。
※ 否定的な表現と一緒に使う。　類 全然、全く、ちっとも（※ 話し言葉的）

すごす　ヲ過ごす
[動] ★3　spend (time)／度, 度过／지내다, 보내다／tiêu khiển (thời gian), sống tại…

・大学時代を東京で過ごした。　・日曜日は家でテレビを見て過ごすことが多い。

すこやかな　健やかな
[ナ形] ★1　healthy／健康／건강한／khỏe mạnh

・赤ん坊は両親の愛情のもとで健やかに育った。　・健やかな{体／心 …}
合 健やかさ

すじ　筋
[名] ★2　plot; reason; sinew; string; source／情节, 梗概；道理, 条理；肌肉；行, 条, 道；某方面／줄거리, 조리, 힘줄, 줄기, 관계자, 소식통／cốt truyện

① ・昔読んだ小説の筋を忘れてしまった。
　合 あら＿、＿書き、本＿（例. ・話が本筋からそれる。　・話を本筋に戻す。）
② ・彼の話は、いつも筋が通っている。

連 ＿が通る・＿を通す　合 ＿違い、大＿、＿道、＿合い（例．何の関係もないあなたにそんなことを言われる筋合いはない。）
③・この肉は筋だらけで固い。　・テニスのやりすぎで腕の筋を痛めた。
④・涙がひとすじ流れた。　・父は営業ひと筋に働いてきた。
⑤・この話は信頼できる筋から聞いたから間違いない。
合 関係＿、情報＿、政府＿、消息＿

すすぐ　ヲすすぐ
[動] ★2
rinse
洗濯，漱口／헹구다，입을 가시다
xả

・洗剤で洗った洗濯物を水ですすぐ。　・歯をみがいて口をすすぐ。

類 ヲゆすぐ　（名）すすぎ

すすむ　ガ進む
[動] ★3
move forward; progress; advance／往前，前進;进行，进展;发展,进步(钟,表等)快；升学，升级;(病情等)发展，进展／전진하다，진행되다，발달하다，빨라지다，진학하다
tiến về phía trước, phát triển (khoa học, tình trạng bệnh), chạy nhanh (đồng hồ)

①・出口に向かって進む。　・「1歩前にお進みください」　対 ガ下がる
②・工事は予定通り進んでいる。
③・日本は科学技術が進んでいる。
④・この時計は5分進んでいる。　対 ②〜④ガ遅れる
⑤・4月から高校に進みます。　・チームは決勝戦に進んだ。
⑥・病気はかなり進んでいる。　・近視が進んだ。
☞〈他〉進める

すすめる　ヲ進める
[動] ★3
move forward; proceed with; set forward／使……前進，推进；拨快(钟表)／전진시키다，진행하다，빨리 가게 하다／thúc đẩy, tiến hành, tiến về phía trước chính nhanh (đồng hồ)

①・〈駐車の時〉「もう少し車を前に進めてください」　対 ヲ下げる
②・会議の準備を進める。　・オフィスのコンピューター化を進める。
③・時計を10分進める。　対 ヲ遅らせる
☞〈自〉進む

すすめる　ヲ勧める
[動] ★3
recommend; offer
劝，劝告；提供／권하다
rủ rê, mời mọc, gợi ý

①・ダイエットしている友人に、一緒にウォーキングをしようと勧めた。
　（名）勧め（例．親の勧めで公務員になった。）
②・客にお茶を勧めた。

すすめる ヲ薦める
[動] ★3
recommend, suggest
推荐，推挙，挙荐／추천하다
gợi ý, tiến cử

・先生に薦められた本を買った。
・「おすすめの店があったら教えてください」
類 ヲ推薦する

すする ヲすする
[動] ★2
slurp; sniffle／小口喝，啜饮；抽(鼻涕等)
후루룩거리며 마시다, 훌쩍이다
mút, hút

① ・そばを音をたててすする。 ・｛お茶／汁 …｝をすする。
② ・｛鼻／鼻水｝をすする。

スター
[名] ★2
star
明星，名演员／스타
ngôi sao

・映画がヒットし、主演俳優はたちまち世界的なスターになった。
合 人気__、大__、映画__、トップ__、スーパー__、オール__、__選手 関 ファン

スタイル
[名] ①★3、②③★2
figure; style
身材，体型；打扮；方式／스타일, 양식
phong cách

① ・彼女はとてもスタイルがいい。 連 __がいい⇔悪い 類 プロポーション
② ・結婚式にはフォーマルなスタイルで出席するのが普通だ。
　　合 ヘア__　類 身なり、服装、かっこう　関 スタイリスト
③ ・日本人の生活のスタイルは、50年前と比べて大きく変化した。
　　合 ライフ__　類 様式

スタミナ
[名] ★1
energy, stamina
体力，精力／스태미나
sức bền

・明日は大事な試合だから、栄養をとってスタミナをつけておこう。
・荷物運びの途中で、スタミナが切れて動けなくなってしまった。
連 __がある⇔ない、__がつく・__をつける、__が続く⇔切れる、__がもつ、__を使う、__を消費する 合 __ドリンク、__切れ 類 精力

すたれる ガ廃れる
[動] ★1
to go out of fashion, become obsolete／衰退，过时／한물가다, 사라지다, 활기가 없다
suy yếu

・現代社会では、流行は廃れるのも早い。
・かつてこのあたりで盛んだった林業は、今ではすっかり廃れてしまった。
類 ガ衰える

すっかり　　［副］ completely, quite／完全, 全部／몽땅, 완전히／hết, hoàn toàn　★3

・さくらの花はもうすっかり散ってしまった。
・「病気の具合はどうですか」「おかげさまで、すっかりよくなりました」
※ものごとが完全に変化したときに使う。

すっきり　　ガすっきりスル　　［副］ refreshed; straightforward, neat／舒畅, 轻松；简洁流畅／상쾌하게, 산뜻이, 깔끔하게／thoải mái　★2

① ・眠かったが、顔を洗うとすっきりした。　・悩みが解決して、すっきりした気分だ。
　[関] ガさっぱりスル
② ・すっきりしたデザイン／部屋／文章 …　　　　　　　　　　　　　　　[関] シンプルな

すっと　　ガすっとスル　　［副］ quickly; (feel) refreshed／迅速地, 痛快, 爽快／훌쩍, 상쾌해지다／nhanh như chớp, phát　★2

① ・彼女はすっと立ち上がって、部屋を出て行った。
② ・言いたいことを言ったら胸がすっとした。
③ ・このガムをかむと、口の中がすっとする。

ずっと　　［副］ by far; very; all the time／更, ……得多, 很久；一直／훨씬, 아주, 줄곧／suốt, nhiều hơn/ít hơn hẳn　★3

① ・バスよりも地下鉄で行く方がずっと速い。　・太陽は地球よりもずっと大きい。
② ・あの人とはずっと前に一度会ったことがある。
③ ・昨日は体調が悪かったので、ずっと寝ていた。

すっぱい　　酸っぱい　　［イ形］ sour／酸／시다, 시큼하다／chua　★3

・レモンはすっぱい。　・古い牛乳のパックを開けたら、酸っぱいにおいがした。
[合] 酸っぱさ、甘酸っぱい

すでに　　［副］ already／已经／이미, 벌써／đã　★2

・私が駅に着いたとき、終電はすでに出た後だった。
・彼女が出会ったとき、彼はすでに結婚していたそうだ。
※「もう」よりかたい言葉。　[対] いまだに、まだ

ステレオタイプな
[ナ形] ★1
stereotype, stereotypical
定向思維, 固有概念／스테레오 타입인, 틀에 박힌
kiểu lập thể

・創造力をつけるためには、ステレオタイプ{な／の}考え方を捨てることだ。
・日本人は、血液型を聞くと、その人の性格についてステレオタイプなイメージを持ちやすい。

[関] 紋切り型

ストーリー
[名] ★3
story
故事情节／스토리, 줄거리
câu chuyện

・「あの映画のストーリーを教えてください」

[関] あらすじ

ストップ　ガ／ヲストップスル
[名] ★2
stop
停止, 中止／스톱, 정지
dừng

・踏切事故で電車が1時間ストップした。　・電力の供給をストップする。
・駅前開発計画は、住民の反対でストップしている。

[連] __がかかる・__をかける　[合] ドクター__　[類] ガ／ヲ停止スル

ストレス
[名] ★3
stress
精神紧张, 精神压力／스트레스
stress

・ストレスがたまったときは、カラオケに行く。　・ストレスで胃に穴があいた。

[連] __が大きい⇔小さい、__がたまる・__をためる、__を与える、__を発散する、__を解消する　[合] __解消　[関] プレッシャー

すなおな　素直な
[ナ形] ★2
gentle, mild; obedient
直率；听话, 順从／순진하다, 순순하다
đơn giản

①・この童話を読むと、子供のような素直な気持ちになれる。
　[連] __{人／性格／態度　…}　[対] 頑固な　[関] 純情な、純真な
②・いつも反抗的な学生が、今日は素直だ。　[対] 反抗的な、ひねくれた　[関] 従順な

[合] ①②素直さ

すなわち
[接] ★2
that is
即, 也就是／즉, 바로
tức là

・一郎君は妻の兄の子供、すなわち、おいに当たる。
・私にとって、歌うことはすなわち生きることであった。

[類] つまり　※「すなわち」の方がかたい言葉。　※「すなわち」には「つまり」や「要す

るに」のように、前に言ったことをまとめる働きはない。

スパイス　[名] ★1
spice
香辣调味料，辛辣／스파이스, 향신료
gia vị

・私はスパイスのきいた料理が好きだ。　・料理にスパイスを加える。
・この小説は温かいだけでなく、ぴりっとしたスパイスもきいている。

連 __がきく・__をきかせる　類 香辛料

ずばぬける　ガずば抜ける　[動] ★1
to be outstanding, tower above
出类拔萃／두드러지다, 빼어나다, 뛰어나다
nổi bật, xuất chúng, lỗi lạc

・田中選手のテクニックは、チームの中でもずば抜けている。
・彼女はずば抜けて優秀だ。　・ずば抜けた才能の持ち主

※「ずば抜けている」「ずば抜けた+名詞」「ずば抜けて+形容詞／動詞」という形で使う。

類 ガ飛び抜ける

すばやい　素早い　[イ形] ★1
fast, quick
快速，敏捷／재빠르다, 민첩하다
mau

・どちらの条件が有利か、彼は頭の中で素早く計算した。
・「もう着替えたの？　素早い！」　・素早い{動き／行動／処置　…}

合 素早さ

スピード　[名] ★3
speed
速度／스피드, 속도
tốc độ

・「運転手さん、もう少しスピードを上げてください」
・先生の話すスピードが速すぎて理解できない。

連 __が速い⇔遅い、__が出る・__を出す、__が上がる⇔落ちる・__を上げる⇔落とす　合 __違反、ガ／ヲ__アップスル、ガ／ヲ__オーバースル

ずぶぬれ　[名] ★1
a soaking, a drenching
全身湿透／흠뻑 젖음
ướt đẫm

・歩いていると、急に雨が降り出し、ずぶぬれになった。　・ずぶぬれの服

関 ガぬれる

スペース　[名] ★2
space, room
空间；空白／스페이스, 공간, 여백
không gian

① ・部屋に大型テレビを置きたいが、スペースがない。　類 余地、空間
② ・この紙面は、行と行の間のスペースが広い。　類 余白、間隔

連 ①②＿がある⇔ない、＿が大きい⇔小さい、＿が広い⇔狭い、＿を空ける⇔詰める、＿を取る

すべて
[副] ★2
everything
一切, 所有, 全部／모두, 전부
tất cả

・問題はすべて解決した。
[(名)]・｛出席者のすべて／すべての出席者｝がその案に賛成した。
※「全部」「みんな」よりかたい言葉。

すべる　ガ滑る
[動] ★3
skate; slip
滑行, 滑动；打滑／미끄러지다
trơn, trượt

①・新しいスケート場はきれいで、楽しくすべることができた。
②・雨の日は道が滑りやすいので注意してください。　・足がすべった。

スポンサー
[名] ★1
sponsor
赞助单位／스폰서
nhà tài trợ

・この番組のスポンサーは電機メーカーだ。
・本を自費出版する際、知り合いがスポンサーになってくれた。
関 出資者

すませる／すます　ヲ済ませる／ヲ済ます
[動] ★3
finish; make do with
完, 做完；将就, 凑合／끝내다, 때우다
kết thúc, chấp nhận (mặc dù không thỏa mãn)

①・お金の支払いを済ませる。　・早く仕事を済ませて帰ろう。
②・朝はパンと牛乳ですます。
☞〈自〉済む

すみ　隅
[名] ★1
corner
角落, 边上／구석
góc

・「その箱、邪魔だから、部屋の隅に置いといて」
・写真の隅に写っているのが私です。
合 ＿っこ　※くだけた話し言葉。　対 真ん中、中央　慣 隅から隅まで（例．隅から隅まで探したが見つからなかった。）、隅に置けない

すみやかな　速やかな
[ナ形] ★1
speedy, quick
迅速／신속한, 빠른
nhanh chóng

・「地震の揺れが収まったら、速やかに屋外へ避難してください」
・近所で強盗事件が発生した。速やかな解決を望みたい。

合 速やかさ　**類** 迅速な、素早い、スピーディーな

すむ　ガ済む
[動] ★3　finish; get by with/without ／完,完成；不用,不必／끝나다,충분하다／kết thúc, đủ … để làm/không làm gì đó (ví dụ, trời ấm nên không cần mặc áo khoác)

① ・仕事が済んだらすぐ帰る。
② ・今日は暖かいから、コートを着ないですんだ。
☞ 〈他〉済ませる／済ます

すむ　ガ澄む
[動] ★2　become clear; clear　清澈,澄清／맑다／trong lành

・山の空気は澄んでいる。　・澄んだ｛水／色／目／声／心 …｝
合 ガ澄み切る(例．澄み切った青空のもとで、体育祭が行われた。)、ガ澄み渡る
対 ガ濁る

スムーズな
[ナ形] ★1　smooth, smoothly, without problem　順利／순조로운, 원활한／trơn tru

・転校した当初は、周りの環境にスムーズに溶け込めなかった。
・スムーズな｛操作／動き／手続き／進行／交渉／コミュニケーション …｝
類 円滑な、滑らかな　**関** すんなり(と)

ずらす　ヲずらす
[動] ★2　shift; put off; stray from (the point)　移動,挪动；错开,偏离／조금 옮기다, 늦추다／chuyển lệch

① ・机を少しずらして床を掃除した。　・帽子を斜めにずらしてかぶった。
② ・旅行の予定を1週間ずらした。
③ ・「論点をずらさずに、きちんと答えてください」　**類** ヲ外す
☞ 〈自〉ずれる

ずらりと
[副] ★2　in a row　成排,一大排／죽／trong một dãy

・息子の本棚にはずらりとマンガが並んでいる。
・洋服ダンスには流行の服がずらりとかけてあった。
※「ずらりと」のくだけた形は「ずらっと」。

すりかえる　ヲすり替える
[動] ★1　to switch (secretly), change the subject, substitute　／顶替,偷换／바꿔치다, 바꾸다／tráo đổi, hoán đổi

① ・スパイ映画で、本物と偽物をすり替える場面にはらはらした。
② ・彼は都合が悪くなると、すぐ話をすり替える。

[類] ①②ヲ取り換える、ヲ置き換える、ヲ入れ替える
(名) ①②すり替え(例. 問題のすり替え)

スリル
[名] ★1　thrill／惊险／스릴／cảm giác kinh hãi

・ジェットコースターでスリルを味わった。
・この高いつり橋を渡るのはスリル満点だ。

[連] __がある⇔ない　[合] __満点　[関] スリラー、スリリングな、ガはらはらスル

ずるい
[イ形] ★2　cunning, dishonest／狡猾, 耍滑头／교활하다／xảo quyệt

・うちの上司はずるくて、いつも部下の成果を自分のものにしてしまう。
・「お兄ちゃんだけパパにプレゼントをもらって、ずるい！」

[合] ずるさ、ずる賢い　[関] 卑怯な

すると
[接] ★2　just then; in that case／于是；那么说／그러자, 그렇다면／sau đó

① ・カーテンを開けた。すると、目の前に海が見えた。
② ・「その時間には、家で寝ていました」「すると、事件現場にはいなかったわけですね」

するどい　鋭い
[イ形] ★2　sharp; stabbing; keen／尖利, 锐利；锋利；(意見)尖锐／날카롭다, 예리하다, 예민하다／sắc nét

① ・熊は鋭い爪を持っている。　・彼は鋭い目で私をにらんだ。
② ・ナイフで切られたような鋭い痛みを感じた。　　　　　　[対] 鈍い
③ ・彼の意見はいつも鋭い。

[合] ①〜③鋭さ

すれちがう　ガすれ違う
[動] ★3　pass each other; miss／交错；擦肩错过／마주 지나가다, 엇갈리다／tránh nhau (giữa 2 xe...), đi lệch hướng

① ・この道はせまいので、自動車がすれ違うのは大変だ。
② ・子供を学校まで迎えに行ったが、すれ違って、会えなかった。

(名) ①②すれ違い

ずれる　ガずれる
[動] ★2　slip (out of place), be not in the right place; deviate, be off the point／错位, 移动；偏离, 跑题／조금 벗어나다, 빗나가다／trượt

① ・地震で鉄道のレールがずれた。　・写真を撮るとき、ピントがずれてしまった。

② ・彼の考え方は一般から少しずれている。　　　　　　　　　　　　　類 ガ外れる

(名) ①②ずれ　→__がある⇔ない(例. ・二人の意見には少しずれがある。　・印刷にずれがある。)　☞ 〈他〉ずらす

すんなり(と)　ガすんなり(と)スル　[動] ★1
{ slim, slender, without difficulty / 苗条, 順利 / 호리호리, 쉽게, 수월히, 순조롭게 / mảnh mai }

① ・彼女は若い頃と変わらず、すんなりしている。

　対 ガずんぐりスル　類 ガすらりとスル、ガすらっとスル

② ・反対されるかと思っていたが、私の案はすんなり会議を通った。

　類 あっさり(と)、スムーズに　関 すらすら

せいえん　ヲ声援スル　[名] ★1
{ support / 声援, 支持 / 성원 / tiếng hoan hô cổ vũ }

・オリンピックで自国の選手に声援を送った。
・恋人の声援を受けて、彼は大活躍した。　・大きな声で声援する。

　連 __を送る⇔受ける　関 ヲ応援スル

せいか　成果　[名] ★1
{ results / 成果 / 성과 / kết quả }

・この高得点は、今までの努力の成果だ。　・彼は研究の上で輝かしい成果をあげた。

　連 __がある⇔ない、__をあげる、__を収める　関 好結果

せいかく　性格　[名] ★3
{ personality, character / 性格, 脾气 / 성격 / tính cách }

・あの人は性格がいいので、みんなに好かれている。
・｛明るい／まじめな／おとなしい／積極的な　…｝性格

　連 __がいい⇔悪い　類 性質

せいかくな　正確な　[ナ形] ★3
{ exact, accurate, punctual / 正确的, 准确的 / 정확하다 / chính xác }

・正確な数はわからないが、この観客は5,000人ぐらいだろう。
・山本さんは時間に正確で、待ち合わせに絶対遅れない。

　合 正確さ

せいかつ　ガ生活(ヲ)スル　[名] ★3
{ life / 生活, 过日子 / 생활 / sinh hoạt }

・健康的な生活を送る。　・「もう日本の生活に慣れましたか」

連 __が苦しい⇔楽だ、{楽しい／苦しい／豊かな …} __を送る　合 __費、学生__、社会__、結婚__、年金__　類 暮らし

せいき　世紀
[名] century／世紀／세기／thế kỷ ★3
・21世紀が始まった。

せいぎ　正義
[名] justice, right／正义／정의／công lý ★1
・正義のために戦う。　・彼は正義感が強い。　・正義の味方
合 __感　関 不正

せいきゅう　ヲ請求(ヲ)スル
[名] request, demand／要求, 索取, 账单／청구／yêu cầu thanh toán ★2
・大学に資料を請求する。　・彼は離婚するとき、1,000万円の慰謝料を請求された。
合 __書　関 ヲ要求スル

ぜいきん　税金
[名] tax／税, 税款／세금／tiền thuế ★3
・年度末に税金を払う。
連 __を納める、__がかかる・__をかける
関 消費税、所得税、関税、ガ／ヲ増税(ヲ)スル⇔ガ／ヲ減税(ヲ)スル、ヲ脱税(ヲ)スル

せいけつな　清潔な
[ナ形] clean／干净的, 清洁的／청결하다／sạch sẽ ★3
・清潔な服を身につける。　・トイレはいつも清潔にしておきたい。
合 清潔さ、清潔感→ __がある⇔ない　対 不潔な

せいげん　ヲ制限(ヲ)スル
[名] restriction／限制／제한／hạn chế ★2
・「食べ放題」は時間に制限がある。　・この道路は速度が40キロに制限されている。
連 __がある⇔ない、__を加える、__を緩める　合 食事__、年齢__、時間__、カロリー__、速度__、__速度　対 無制限(な)　類 ヲ規制(ヲ)スル

せいこう　ガ成功スル
[名] success／成功／성공／thành công ★3
・実験に成功する。　・実験は大成功だった。
合 ガ大__スル　対 ガ失敗スル

せいさく　ヲ製作／制作スル　[名] ★2
manufacture, production
制作，创作／제작
sản xuất

[製作]・｛機械／ロボット／家具 …｝を製作する。　関 ヲ作製スル、ヲ製造スル
[制作]・｛絵／彫刻／番組／映画 …｝を制作する。

せいさん　ヲ生産(ヲ)スル　[名] ★3
production
生产／생산
sản xuất

・日本は農作物の生産が少ない。　・工場でカメラを生産する。
合 __者、__量、__高、大量__　対 ヲ消費(ヲ)スル

せいさん　ヲ精算(ヲ)スル　[名] ★1
settlement (bill, fare, etc.)
结算／정산
tính toán chính xác, thanh toán

・切符の精算をする。　・「一人がまとめて払って、後からみんなで精算しよう」
合 __所、__額、__書

せいしきな　正式な　[ナ形] ★2
formal, official
正式／정식이다
chính thức

・日本のお札の正式な名称は「日本銀行券」だ。
・3カ月の試用期間を経て、正式に社員として採用された。
※「正式の」という形になることもある。　合 正式名称、正式採用、正式発表
対 略式｛な／の｝　関 公式、本式、正規、本格的な

せいしつ　性質　[名] ★3
property; disposition
性质，特点；性格／성질
bản chất, tính chất

① ・この布は燃えにくい性質を持っている。　・羊はおとなしい性質の動物だ。
② ・人は持って生まれた性質をなかなか変えられない。　類 性格

せいじつな　誠実な　[ナ形] ★2
honest
诚实／성실하다
chân thành

・男女とも、「誠実な人と結婚したい」という若者が多い。　・誠実な人柄
合 誠実さ　対 不誠実な　関 真面目な

せいじゅく　ガ成熟スル　[名] ★1
maturity, ripeness
成熟／성숙
trưởng thành

① ・果物が成熟する。　・これは100年ものの成熟したワインです。
② ・最近の子供は成熟が早い（＝早熟だ）。
③ ・成熟した市民社会では一人一人の信頼の下に共同体が成立している。

合 ①~③__期　対 ①~③未成熟(な)　関 ①~③未熟な

せいしゅん　青春
[名] ★1　youth／青春／청춘／tuổi trẻ, thanh niên

・青春時代を懐かしく思い出す。
合 __時代

せいじょうな　正常な
[ナ形] ★1　normal／正常／정상적인／bình thường

・患者は意識を失っているが、血圧、脈拍は正常だ。
・この機械は修理したので、現在は正常に動いている。
合 正常さ、ガ／ヲ正常化スル　対 異常な
(名)正常(例. 鉄道は停電のため一時ストップしたが、現在は正常のダイヤに戻った。)

せいしん　精神
[名] ★2　mind; spirit／精神；理念／정신／tinh thần

① ・精神と肉体は結びついている。　・精神を集中して考える。　・精神を鍛える。
合 __的な、__力、__統一、__衛生(例. あれこれ悩むのは精神衛生に悪い。)
類 心　関 心理
② ・ガンジーは最後まで「非暴力」の精神を持ち続けた。　合 __性、__主義

せいじん　ガ成人スル
[名] ★3　adult／成人／성인／thành niên

・日本では二十歳以上の人を成人という。　・息子は成人して働いている。
合 __式　対 未成年　関 大人

せいぜい
[副] ★2　at most／最多／기껏해야, 고작／tối đa

・うちから駅までは、歩いてもせいぜい10分ぐらいです。
・この仕事だと、時給はせいぜい800円ぐらいだろう。
類 多くても

せいぞう　ヲ製造スル
[名] ★2　manufacture, production／制造／제조／sản xuất

・この会社は車を製造している。　・レコードは何年も前に製造が中止された。
合 __年月日　関 ヲ製作スル、ヲ作製スル

せいだいな　盛大な
[ナ形] ★1
grand, magnificent
隆重，热烈／성대한
to lớn, nồng nhiệt

- 選手団の激励会が盛大に行われた。
- 演奏が終わると、盛大な拍手が湧き上がった。

合 盛大さ

ぜいたくな
[ナ形] ★2
luxurious, (use ~) lavishly; demanding too much／讲究，豪华；奢侈；过分的／사치스럽다, 호화롭다／sang trọng

① ・ぜいたくな暮らしをする。　合 ぜいたくさ、ぜいたく品　対 質素な　関 豪華な
[(名) ぜいたく] ・貧しいころは、お正月にごちそうを食べるのが年に一度のぜいたくだった。　連 __をする、__を控える

② 「このクリームは美容成分をぜいたくに使用しています」
連 ヲぜいたくに使う　関 豊かな

③ ・恵まれた環境で何の不自由もないのに、毎日が退屈とはぜいたくな悩みだ。

せいちょう　ガ成長スル
[名] ★3
growth
成长，长大；发展／성장
trưởng thành, phát triển

① ・子供の成長を喜ぶ。　・りっぱな大人に成長する。　　関 ガ育つ
② ・事業の成長　・経済が大きく成長した。　　合 高度経済__、__率

せいど　制度
[名] ★2
system, institution
制度／제도
chế độ

- 日本に郵便の制度ができたのは明治時代だ。　・国民健康保険の制度を改める。

連 __を設ける　合 ヲ__化スル、[名詞]+制度(例. 社会制度、教育制度、入試制度、選挙制度)　類 システム　関 [名詞]+制(例. 税制、封建制)、体制

せいとうな　正当な
[ナ形] ★1
justifiable, legitimate, proper
正当，公正／정당한
hợp pháp

- 労働者を正当な理由なく解雇することは許されない。　・正当な{権利／報酬 …}
- あの画家は生前は正当に評価されなかった。

合 正当性、ヲ正当化スル(例. 彼はいつも自分を正当化しようとする。)　対 不当な

せいねんがっぴ　生年月日
[名] ★3
date of birth
出生年月／생년월일
ngày tháng năm sinh

- 書類に生年月日を記入する。

関 誕生日

せいのう　性能
[名] ★2　efficiency, performance／性能／성능／tính năng

・この車はエンジンの性能がいい。
・今のパソコンは5年前のものと比べると、相当性能が高まっている。

連 __がいい⇔悪い、__が高い、__が高まる・__を高める、__が優れる　合 高__(な)
関 能力、機能

せいび　ヲ整備スル
[名] ★1　maintenance, revise／維修, 完善／정비／nâng cấp, chỉnh bị

・練習後、次に備えてグラウンドを整備する。　・法の整備を進める。
合 __員、__工、__工場

せいひん　製品
[名] ★3　product／产品／제품／sản phẩm

・完成した製品を検査する。
合 電気__、家電__、プラスチック__　関 [名詞]+製(例. 日本製、プラスチック製)

せいふく　制服
[名] ★3　uniform／制服／제복, 교복／đồng phục

・日本の中学校には制服のある学校が多い。
対 私服　関 ユニフォーム

せいぶん　成分
[名] ★1　component, ingredient／成分／성분／thành phần

・最近の食品には成分表示がしてあるものが多い。　・米の主要な成分はデンプンだ。
合 __表示、__分析、主要__

せいみつな　精密な
[ナ形] ★1　precise／精密, 精确／정밀한, 정확한／chính xác

① ・この機械は極めて精密にできている。　　合 精密機械　類 精巧な　関 緻密な
② ・この機械を使えば、距離を精密に測定することができる。
合 精密検査　類 詳しい　関 綿密な
合 ①②精密さ

せいめい　声明
[名] ★1　statement, announcement／声明／성명／lời tuyên bố, lời công bố

・政府は事故について公式声明を出した。　・住民は市長に抗議声明を手渡した。

連 __を出す、__を発表する　合 __書、__文、共同__、公式__、抗議__

せいよう　西洋
[名] ★3　the West, the Occident／欧美，西方／서양／tây âu

・東洋の文化と西洋の文化を比べる。
合 __人、__風、__文化、__料理　対 東洋　関 欧米、ヨーロッパ

せいり　ヲ整理(ヲ)スル
[名] ★3　organizing, arrangement; disposal／整理／정리／sắp xếp, thu gọn

① ・資料の整理　・勉強の前に机の上を整理する。
② ・引っ越しの前に不要品を整理した。　・不要品の整理
関 ①②ヲ片付ける

せいりつ　ガ成立スル
[名] ★2　formation, passage／成立／성립／thành lập

・{国家／法律／予算／条約／契約／取引／商談 …}が成立する。
対 不成立(例. 新法案は、結局不成立になった。×不成立した)

せいりてきな　生理的な
[ナ形] ★1　physiological／生理(上)／생리적인／tính sinh lí

① ・食欲や排泄欲は生理的な欲求だ。
合 生理的欲求、生理的反応　(名) 生理→ __現象
② ・ゴキブリには生理的な嫌悪感を覚えてしまう。　・生理的に受け付けない。

せいりょく　勢力
[名] ★1　power, strength, influence／勢力，权勢／세력／thế lực

① ・今社内で二つのグループが勢力を争っている。　・台風の勢力が衰えた。
連 __がある⇔ない、__が強い⇔弱い、__を持つ、__を得る、__が増す、__を伸ばす、__が衰える、__を失う、__を{争う／競う}　合 __争い、__範囲
② ・政界に新しい勢力が現れた。　連 ～__が台頭する　合 新__、新興__、対立__

セーフ
[名] ★1　just and no more, safe／来得及，及格，安全进垒／세이프, 안전／an toàn

① ・式に遅刻するかと思ったが、急いでぎりぎりセーフだった。
② ・〈野球〉ランナーはベースにすべり込んで、セーフとなった。
対 ①②アウト

せおう　ヲ背負う

[動] ★2　carry ~ on one's back; be burdened with, shoulder／背，背負／짊어지다, 등에 업다, 떠맡다／gánh vác

① ・背中にリュックを背負う。　　※話し言葉では「しょう」と言う。
② ・新しい会社を立ち上げるため、彼は大きな借金を背負った。

[連] 借金を__、責任を__

[類] ①②ヲ負う

せかす　ヲせかす

[動] ★1　to rush　催促／재촉하다, 독촉하다／giục

・外出しようとする母親は、小さい子供を「早く早く」とせかした。
・せかされるとかえって時間がかかることも多い。

[類] ヲ急がせる　[関] ヲ促す

せきにん　責任

[名] ★3　responsibility　責任／책임／trách nhiệm

・「この失敗はあなたの責任ではない」　・社長は倒産の責任をとって辞めた。

[連] __がある⇔ない、__をとる、__を持つ、__を果たす、__が重い⇔軽い、__を感じる、__を追及する　[合] __者、無__な、__感（例．責任感がある⇔ない、責任感が強い⇔弱い）

セクハラ　＜セクシャルハラスメント

[名] ★1　sexual harassment　性騷扰／성희롱／quấy rối tình dục

・上司が部下にセクハラを働いたとして、免職処分になった。
・職場では、セクハラ防止のためのさまざまな活動を行っている。

[連] __をする、__を働く、__を受ける　[合] __発言　[関] パワハラ＜パワーハラスメント、アカハラ＜アカデミックハラスメント

せけん　世間

[名] ★1　world, society　社会，世間／세상／thiên hạ, thế giới

① ・汚職事件が世間を騒がせている。　・彼女はまだ若いから、世間を知らない。

[合] __知らず、__話、ガ__離れスル、__並み　[類] 世の中、社会

[慣] 〈ことわざ〉渡る世間に鬼はなし

② ・1億円の宝くじに当たったが、世間の口がうるさいので彼は黙っていた。

[合] __体　[連] __が狭い⇔広い

（お）せじ　（お）世辞　[名] ★2
(empty) compliment; flattery
恭维，应酬话／아첨, 입에 발린 소리
nịnh

・「いいネクタイですね」とお世辞を言った。
・彼の作品はお世辞抜き｛に／で｝すばらしい。

連 __を言う、__抜きに／で　慣 お世辞にも～とは言えない（例．その料理はお世辞にもおいしいとは言えなかった。）

ぜせい　ヲ是正スル　[名] ★1
correction
订正，更正／시정
điều chỉnh

・最近の超円高を是正する方策が見当たらない。
・選挙における1票の格差については早期の是正が望まれる。

関 ヲ改正スル、ヲ修正スル、ヲ訂正スル

せたい　世帯　[名] ★1
household, family
家庭／세대
hộ gia đình, gia đình

・都市部は一人住まいが多いので、世帯数が多い。
・二世帯住宅で、三世代が一緒に暮らしている家庭もある。

合 __主、__数、二__住宅、[数字]＋世帯

せだい　世代　[名] ★2
generation
辈；时代／세대
thế hệ

① ・我が家は三世代が一緒に住んでいる。
② ・若い人と話していると、世代の差を感じる。

合 同__、[名詞]＋世代（例．若者世代）　合 __交代　関 年代

せつ　説　[名] ★2
theory, opinion
学说，见解／설, 학설, 의견
thuyết

・人類はアフリカから始まったという説がある。
・インフルエンザワクチンについては、有効かどうかで説が分かれている。

連 ～__を立てる、__が分かれる　合 学__、定__、仮__、[名詞]＋説（例．地球滅亡説、人類アフリカ起源説）

せっかく　[副] ★2
come all the way to; long-awaited; kindly
特意，难得；好不容易／모처럼, 일부러
cất công

① ・せっかく都心の美術館まで行ったのに、満員で入れなかった。
② ・せっかく帰省したのだから、昔の友人たちにも会っていこう。

せっきょくてきな　積極的な　[ナ形] active, positive / 积极的，主动地 / 적극적이다 / tích cực, chủ động　★3

- 積極的な｛人／性格／行動 …｝
- 日本語を身につけるため、積極的に日本人の友達を作った。

対 消極的な　関 積極性→　＿がある⇔ない

せっけい　ヲ設計(ヲ)スル　[名] plan, design / 设计 / 설계 / thiết kế　★2

- このロボットは、設計から製作まですべて大学生たちが行った。
- うちの家は、知り合いの建築士に設計してもらった。

合 ＿士、＿図、＿事務所　関 ヲデザイン(ヲ)スル

せつじつな　切実な　[ナ形] urgent, serious / 切身，迫切 / 절실한 / cấp bách, khẩn cấp　★1

① ・子供が小さいので、受験はまだそれほど切実な問題ではない。

連 ＿問題　関 深刻な、重大な

② ・自分がけがをして、バリアフリーの必要性を切実に感じた。

連 ＿訴え、＿願い　類 痛切な

合 ①②切実さ

せっしゅ　ヲ摂取スル　[名] intake, assimilation / 摄取，吸收 / 섭취 / tiêu thụ　★1

- 日本人は塩分の摂取が多い傾向にある。
- ｛養分／ビタミン …｝を摂取する。

合 ＿量、栄養＿　関 ヲ取り入れる

せっしょく　ガ接触スル　[名] contact, touch / 接触，相碰，交往 / 접촉 / tiếp xúc　★1

① ・CDプレーヤーが動いたり止まったりする。どこか接触が悪いのだろうか。

連 ＿が悪い

② ・刑事は容疑者に接触しようとした。

連 ＿を断つ　合 ＿事故、＿感染

せっする　ガ／ヲ接する　[動] be close (to ~); meet; come in contact with ~; receive / 邻接；接待；接触；接到 / 접하다, 인접하다, 만나다, 상대하다, 경험하다, 받다 / tiếp xúc　★2

① ・長野県は海に接していない。　・A国とB国は国境を接している。
② ・彼女とは今まで親しく接したことがない。　・来客に接する。
③ ・学生時代に外国文学に接して大きな影響を受けた。

類 ガ触れる

④・知人の突然の訃報に接した。

せっせと
[副] ★2
hard, diligently
勤勤恳恳地, 不停地／부지런히
chăm chỉ, siêng năng

・彼は若いときにせっせと働いてお金をためた。
・働き者の祖母は、いつ見ても、せっせと手を動かしている。
※ 話し言葉的。

ぜったい(に)　絶対(に)
[副] ★3
absolutely; never ／絕對；一定, 絕對地／절대로／nhất định là, tuyệt đối (không) (đi kèm với dạng phủ định)

①・今年は絶対(に)合格┆するつもりだ／したい／しなければならない …┆。
　[類] 必ず
②・明日は大事な試験だから、絶対遅刻できない。
　※ 否定的な表現と一緒に使う。　[類] 決して

せっち　ヲ設置(ヲ)スル
[名] ★2
installation
安装, 设置／설치
cài đặt

・工場に新しい機械を設置する。　・その問題について検討する委員会を設置した。
[関] ヲ置く

せっちゅう　ヲ折衷スル
[名] ★1
blend, combination
折衷, 合璧／절충
có thỏa hiệp

・日本には洋間と和室がある和洋折衷の家が多い。
・A案とB案を折衷したC案が新たに提出された。
[合] 和洋__、__案

せってい　ヲ設定(ヲ)スル
[名] ★2
fixing, setting up
设定／설정
thiết lập

・エアコンの温度を26度に設定する。
・携帯電話の料金には、さまざまなプランが設定されている。
[合] 料金__、初期__

セット　ヲセットスル
[名] ★3
set, setting (a clock)
一组, 一套；设定, 调好／세트
bộ đặt (chuông đồng hồ...)

①・テーブルといすをセットで買う。
②・目覚まし時計を6時にセットした。

[合] [数字]＋セット

せつど　節度
[名] ★1　moderation／适度, 节制／절도／chừng mực

・「旅行中は節度のある行動をとるように」と先生がおっしゃった。
・金儲けにも節度がある。何をしてもいいというわけではない。

連 __を守る、__がある⇔ない、__をわきまえる　関 分別

せっとく　ヲ説得スル
[名] ★1　persuasion／说服, 劝说／설득／thuyết phục

・親を説得して留学を認めてもらった。
・悪い仲間と付き合わないよう友人を説得した。

合 __力（例.・説得力がある⇔がない ・説得力に欠ける）　関 ヲ説く、ヲ説き伏せる

せつない　切ない
[イ形] ★1　heartrending, distressing／心痛, 悲伤／애달프다, 안타깝다／đau đớn

・お金がない我が家のことを思って何もほしがらない娘の気持ちを考えると、切なくなる。
・この映画は少女の切ない恋を描いている。

合 切なさ

せつび　設備
[名] ★2　equipment, facilities／设备／설비／thiết bị

・うちの大学はスポーツ設備が充実している。　・近代的な設備の工場

連 __がいい⇔悪い、__が整う・__を整える　合 __投資

ぜつぼう　ガ絶望スル
[名] ★1　despair, hopelessness／绝望／절망／tuyệt vọng

・すべてを失った彼は、人生に絶望して自殺を図った。
・事故の被害者の救出は絶望的な状況だ。

合 __的な、__感

せつやく　ヲ節約（ヲ）スル
[名] ★3　saving (money, electricity, etc.)／节约／절약／tiết kiệm (điện, chi phí...)

・生活費の節約　・電気や水を節約する。

対 ヲ浪費（ヲ）スル　類 ヲ倹約（ヲ）スル

せのび　ガ背伸び(ヲ)スル
[名] ★1　stretch, stand on tiptoes, push oneself (to the limit) /挺胸, 逞能 /발돋움 /kéo dài, làm quá sức

① ・身長を計るとき、背伸びして3センチ高くした。
② ・思春期に、背伸び(を)して、よくわからないのにジャズを聴いたりたばこを吸ったりしたものだ。

関 ガ大人ぶる

ぜひ
[副] ★3　really (want to do), by all means /一定, 无论如何, 务必 /꼭 /rất muốn làm (bằng mọi cách)

・若いときに、ぜひ留学したいと思っている。
・「日本へいらっしゃったら、ぜひ私のうちに泊まってください」
※ふつう、「～たい」「～てほしい」「～てください」と一緒に使う。

ぜひ　是非
[名] ★1　pros and cons /是非 /시비 /chắc chắn

・憲法改正の是非を問う国民投票が行われた。
連 ＿を問う　関 是か非か(＝良いか悪いか)

せまる　ガ／ヲ迫る
[動] ★2　approach; rise sharply; press (a person to do) /迫近；临近；逼近；接近；挨近；强迫 /육박하다, 다가오다, 닥치다, 직면하다, 독촉하다 /tiếp cận

〈自〉① ・後ろのランナーが前のランナーにだんだん迫ってきた。
② ・結婚の日が目前に迫ってきた。　・{締め切り／期限／死期…}が迫る。
③ ・{危険／敵…}が迫る。
④ ・大会で世界記録に迫る好タイムが出た。
⑤ ・この地方は山が海{に／まで}迫っている。
慣 {胸／心}に迫る、真に迫る

類 ①～④ガ近づく

〈他〉・相手に借金の返済を迫る。　・必要に迫られて車を買った。

ゼミ　＜ゼミナール
[名] ★1　tutorial /研讨会 /세미나 /cuộc hội thảo

・私は大学で田中先生のゼミに所属している。　・授業はゼミ形式で行われる。
合 ＿形式、＿発表

セミナー
[名] ★1　seminar /研讨会 /세미나 /cuộc hội thảo

・大学で学生のための就職セミナーが行われている。
連 ＿をする、＿を行う、＿を{開く／開催する}　合 [名詞]+セミナー

せめて　[副] ★2
at least / 至少 / 하다못해, 최소한 / ít nhất

・せめて日曜日くらいはゆっくり休みたい。
・恋人と会えないときは、せめて声だけでも聞きたい。
※願望の表現と一緒に使うことが多い。　類 少なくとも

せめる　ヲ攻める　[動] ★2
attack / 攻, 进攻 / 공격하다 / tấn công

・敵を攻める。・積極的に相手チームを攻めて勝利した。
合 ガ攻め込む、ヲ攻め立てる　対 ヲ守る　類 ヲ攻撃する

せめる　ヲ責める　[動] ★2
blame / 責备, 責怪 / 꾸짖다, 나무라다, 괴롭히다 / đổ lỗi

・相手の失敗を責める。・過ちを犯した自分を激しく責めた。
合 ヲ責め立てる

せわ　世話　[名] ★3
care, support / 照料, 关照 / 보살핌, 신세 / chăm sóc, giúp đỡ

・うちではペットの世話は私の仕事だ。
・今度の仕事では、山本さんに大変お世話になった。
連 __をする、__になる　慣〈あいさつ〉「お世話になり{ます／ました}」

せん　栓　[名] ★2
cap; tap / 瓶塞, 盖子; 龙头, 开关 / 마개, 꼭지 / nắp

①・ビールの栓を抜く。　　連 __を抜く、__をする　合 __抜き　類 ふた
②・水道の栓を閉める。　　連 __を閉める⇔開ける、__を緩める
合 水道__、ガス__、消火__、元__　関 レバー、ノブ、ハンドル、コック、取っ手

せんきょ　選挙　[名] ★3
election / 选举 / 선거 / bầu cử

・1月に選挙が行われる。・選挙で市長を選ぶ。・「明日、役員の選挙をします」
連 __をする　合 __運動、__権、直接__⇔間接__

せんこう　ヲ専攻スル　[名] ★2
major / 攻读, 以……为专业 / 전공 / chuyên công

・私は大学で経済学を専攻した。
関 専門

せんこく　ヲ宣告(ヲ)スル

[名] verdict, sentence, declaration
宣判，宣告／선고
★1 tuyên cáo

① ・彼は医者に余命3カ月の宣告を受けた。
② ・裁判官は被告に懲役10年を宣告した。
③ ・審判は選手に退場の宣告をした。

合 破産__、死刑__

連 ①〜③__を受ける　関 ①〜③ヲ告げる

センサー

[名] sensor
传感器／센서, 감지기
★1 cảm biến

・ガスが漏れると、報知機のセンサーが働いて警告するようになっている。
・この電気ストーブには過熱防止のための温度センサーがついている。

連 __が働く　合 温度__、ガス__

せんざい　洗剤

[名] detergent
洗涤剂／세제
★3 chất tẩy rửa, làm sạch

・洗剤で食器を洗う。

合 合成__　関 せっけん

ぜんしん　全身

[名] the whole body
全身／전신, 온몸
★2 toàn thân

・玄関に、全身を映す大きな鏡が置いてある。　・全身傷だらけになった。

センス

[名] sense
品位，审美能力／센스
★2 cảm giác

・彼女はいつもセンスのいい服を着ている。　・彼は文学的なセンスに恵まれている。

連 __がある⇔ない、__がいい⇔悪い　類 感覚、感性

せんそう　ガ戦争(ヲ)スル

[名] war
战争／전쟁
★3 chiến tranh

・A国とB国の間で戦争が起きた。　・戦争が終わって平和になった。

合 受験__　対 平和

センター

[名] center; center field; center, middle
中心；中场手；中央／센터, 중견수, 중앙
★2 trung tâm

① ・駅前のショッピングセンターで買い物をする。

合 サービス__、カルチャー__、文化__、消費者__

② ・〈球技〉センターを守る。

③・舞台のセンターに立つ。　　　　　　　　　　　　　　　　類 中央

ぜんたい　全体
[名] ★2　whole／所有的, 整体／전체／toàn bộ

・この会社の従業員は、全体で500人ぐらいだ。
・文化祭の準備で学校全体が活気にあふれている。

合 __的な、__像、[名詞]＋全体（例. 学生全体、地球全体）　類 全部　対 部分、一部

せんたく　ヲ選択(ヲ)スル
[名] ★2　choice, selection／选择／선택／lựa chọn

・大学では、授業を自由に選択することができる。
・仕事にやりがいが持てない。職業の選択を誤ったかもしれない。

連 __を誤る、__を迫る、__を迫られる、__の余地がある⇔ない　合 __科目、__授業、__肢、ヲ取捨__スル　関 ヲ選ぶ

せんたん　先端
[名] ★1　cutting edge, tip／前端／첨단, 선단／mũi nhọn, tiên phong

①・この車は時代の先端を行く装備を備えている。　・流行の先端のファッション
連 __を行く　合 最__、__的な、__技術　関 先頭、トップ
②・ケーブルの先端にカメラを取り付けて深海を探った。　　　類 先

せんでん　ヲ宣伝(ヲ)スル
[名] ★3　publicity／宣传／선전／tuyên truyền

・バーゲンセールの宣伝が始まった。　・新商品をテレビで宣伝する。

連 __が流れる・__を流す　関 広告、コマーシャル／CM、ダイレクトメール／DM

せんにゅうかん　先入観
[名] ★1　prejudice／成见, 偏见／선입관／thành kiến, định kiến

・派手な身なりの彼女に悪い先入観を抱いてしまった。
・「先入観を捨てて判断しなさい」

連 __を持つ、__を抱く、__を捨てる　関 偏見、予断

せんねん　ガ専念スル
[名] ★1　absorption, (give) undivided attention (to)／专心致志／전념／say mê, miệt mài

・勉強に専念するためにアルバイトをやめた。

せんぱい　先輩

[名] ★3　senior／前輩；（先进公司的）同事／선배　tiền bối, người vào trước (trong công ty, trường học…)

・田中さんと私は同じ年だが、職場では彼の方が先輩だ。

対 後輩

ぜんはん　前半

[名] ★3　first half　前半部分，上半场／전반　nửa đầu

・映画の前半は退屈だったが、後半はおもしろかった。

せんもん　専門

[名] ★3　specialty　专业／전문　chuyên môn

・専門は言語学です。

合 __家、__知識、__分野、__的な

ぜんりょく　全力

[名] ★2　best, all one's strength　全力以赴，竭尽全力／전력, 온 힘　toàn lực

・ボールを全力で投げた。　・与党は法案の成立に全力を尽くした。
・政府は国の復興に全力をあげて取り組んだ。

連 __を出す、__をあげる、__を尽くす　合 __投球

そう　ガ沿う／添う

[動] ★2　line ~; go along with ~; satisfy, based on ~　沿着；按照，满足，与……一致　따르다, 부응하다／theo, đính kèm

[沿] ① ・駅を出て線路に沿って歩いた。

合 [名詞]＋沿い（例．線路沿い、道沿い、川沿い）

② ・計画／方針／マニュアル …｜に沿って行う。　類 ガ従う

[添] ・「ご期待に添えるよう、精一杯がんばります」
・相手の｜意向／希望 …｜に添う。

合 ガ付き__、付き添い、ガ寄り__、ガ連れ__　☞〈他〉添える

そういえば　そう言えば

[接] ★2　come to think of it　那么说来，这么一说／그러고 보니　nói đến đó thì

・「同窓会の会場、予約しました」「ありがとう。そう言えば、山口先生が本を出されたそうですよ。知ってました？」

※それまでの話から、新しく連想した話題を出すときに使う。

ぞういん　ガ/ヲ増員スル
[名] ★2　increase in the number of personnel / 増加人員 / 증원 / tăng người

・アメリカ大統領来日に当たり、警備員が増員された。　・定員を増員する。

対 ヲ削減スル

そうおう　相応
[名] ★1　suitability / 相称 / 맞는, 상응하는, 알맞은 / tương ứng, sự phù hợp

・「学生なんだから分相応の生活をしなさい」　・年相応の服装
・努力した人には相応の評価が与えられるべきだ。

合 分＿、年＿　関 ふさわしい、釣り合った/ている

そうきゅうな/さっきゅうな　早急な
[ナ形] ★1　urgently / 迅速, 尽早, 緊急 / 조급한, 급한, 신속한 / khẩn cấp

※本来は「さっきゅう」と読む漢字だが、最近は「そうきゅう」と言うことが多い。
・この問題については、早急に対処する必要がある。　・早急な対処が望まれる。
・「次のような症状が出たら、早急に受診してください」

類 速やかな　関 すぐに、直ちに、至急、すぐさま、素早い

そうこ　倉庫
[名] ★2　warehouse / 仓库 / 창고 / kho

・港には多くの倉庫が並んでいる。

そうご　相互
[名] ★2　mutual / 相互 / 서로 / sự tương hỗ qua lại

※「相互に」の形で副詞的に使う場合が多い。
・よく話し合って、相互に理解し合うことが大切だ。

合 ＿理解、＿作用、＿扶助、＿依存　類 互いに

そうごう　ヲ総合スル
[名] ★2　synthesis; together / 综合 / 종합 / tổng hợp

・皆の意見を総合して、結論を出した。

合 ＿的な、＿病院、＿大学、＿商社　関 ヲまとめる

そうさ　ヲ操作(ヲ)スル
[名] ★2　operation, handling; manipulation / 操作；篡改 / 조작 / hoạt động

①・機械/ロボット…を操作する。　・このおもちゃは、リモコンの操作で動く。

合 ＿ミス、遠隔＿　関 ヲ運転(ヲ)スル、ヲ操る、ヲコントロールスル

② ・遺伝子を操作して、新しい品種のバラを作った。　　　　　　　　合 遺伝子__
③ ・この病院は、医療ミスを隠すためにカルテを操作していた。

そうしき　葬式　　　　　　　　　　[名]　funeral／葬礼／장례식／tang lễ　★1

・知人の葬式に参列した。　・父の葬式は仏式で行った。　・叔母の葬式に行った。
連 __をする、__を出す、__に参列する　類 葬儀　関 埋葬、墓地、墓、墓参り

そうじゅう　ヲ操縦スル　　　　　　[名]　controlling, piloting／驾驶，操纵／조종, 꽉 잡다／mệnh lệnh　★1

① ・将来は飛行機を操縦するパイロットになりたい。　・船を操縦する。
※「操縦」は飛行機や船舶などを動かすときに使う。
合 __かん(例. 操縦かんを握る)、__士、__席、__性　関 ヲ運転スル、ヲ操る
② ・あの家は、妻が夫をうまく操縦している。　　　　　　　　　　　　類 ヲ操る

ぞうぜい　ガ／ヲ増税スル　　　　　[名]　tax increase／加税，增税／증세／tăng thuế　★2

・労働人口が減少し、政府は増税を考えているらしい。　・所得税が増税された。
対 ガ／ヲ減税スル

そうぞう　ヲ想像(ヲ)スル　　　　　[名]　imagination／想象，设想／상상／tưởng tượng　★3

・想像と現実は違う。　・100年後の未来を想像する。
連 __がつく　合 __力

そうぞうしい　騒々しい　　　　　　[イ形]　noisy; turbulent／吵闹的, 喧嚣；不安宁／떠들썩하다, 뒤숭숭하다／ồn ào　★2

① ・先生が怒ったら、騒々しかった教室は静かになった。　対 静かな　類 うるさい
② ・世の中が騒々しくなり、犯罪も増えた。　　　　　　　対 平穏な、穏やかな
合 ①②騒々しさ　類 ①②騒がしい

ぞうだい　ガ／ヲ増大スル　　　　　[名]　increase／增大, 增加／증대／gia tăng　★2

・時が経つとともに、不安が増大した。　・軍事費{が／を}増大する。
対 ガ減少スル　類 ガ増加スル　※「増加」は具体的な物の数、「増大」は抽象的なことがらについて言うことが多い。　関 ガ／ヲ増す

そうとう　相当
[副] ★2
considerably
很，相応的／꽤, 상당
đáng kể

・彼の表情からすると、相当強く叱られたようだ。
・去年の台風で、この地方は相当の被害を受けた。

類 かなり

そうとうする　ガ相当する
[動] ★2
correspond (to ~)
相当，相応／상당하다
tương đương

・月給の3カ月分に相当する指輪を婚約者に贈った。　・1万円相当の食事券

合 それ相当（例．それ相当の理由）　類 ガ当たる

そうなん　ガ遭難スル
[名] ★2
distress
遇難／조난
nạn

・｛山／海｝で遭難する。　・船が遭難する。　・雪崩で5人が遭難した。

合 ＿事故、＿者

ぞうりょう　ガ／ヲ増量スル
[名] ★2
increase (in weight; in number)
増量，増多／증량
tăng trọng

・〈宣伝〉「現在、1割増量サービス中です」　・病気が悪化し、薬が増量された。

対 ガ／ヲ減量スル

そえる　ヲ添える
[動] ★2
attach (to ~), add (to ~); put; garnish
附上；伸手；増添／곁들이다, 거들다, 더하다
thêm vào, đính thêm

① ・花束にカードを添えて贈る。　合 ヲ書き＿、添え書き、添え物　類 ヲ付ける
② ・けがをした人に手を添えて歩くのを助けた。　合 介添え
③ ・料理に彩りを添えるために花を飾った。　慣 彩りを添える、花を添える

☞〈自〉沿う／添う

そがい　ヲ阻害スル
[名] ★1
obstruction
妨碍，阻碍／저해
ngăn chặn

・親の過剰な干渉は子供の自立を阻害することもある。
・保護主義は公平な競争を阻害している。

合 ＿要因　対 ヲ促進スル　関 ヲ邪魔スル、ヲ妨げる

そくざに　即座に
[副] ★1
immediately
立即／당장, 즉석에서
ngay lập tức

・京都への転勤を打診されたとき、私は即座に「行きます」と返事をした。
・チケットは売り出されると即座に売り切れた。

類 すぐに、直ちに、すぐさま

そくしん　ヲ促進スル　[名] ★1
promotion, encouragement
促进／촉진
thúc đẩy, xúc tiến

・脱原発を図るため、自然エネルギーの開発を促進する。
・販売促進のため、キャンペーンを行った。

合 販売＿　対 ヲ阻害スル　関 ヲ推進スル

ぞくする　ガ属する　[動] ★2
belong to
属，属于；参加，归于／속하다
thuộc

① ・クジラは哺乳類に属している。　・国会は三権のうち立法に属する。
② ・彼女は反対派に属している。

関 ガ所属する

※「属す」という形もある。

ぞくぞく（と）　続々（と）　[副] ★2
one after another
陆陆续续，不断／잇달아, 연이어
liên tiếp

・客が続々と詰めかけ、会場はすぐに満員になった。
・新聞に広告が載ると、続々と注文が来た。

関 次々（と）

そくばく　ヲ束縛スル　[名] ★1
restraint, restriction, confinement
束縛／속박
trói buộc, giam cầm

・恋愛は多かれ少なかれ相手を束縛するものだろう。　・自由を束縛されたくない。

関 ヲ縛る、ヲ抑制スル、ヲ制限スル

そこ　底　[名] ★3
bottom
底，底部，深处／바닥
đáy,đế

・くつの底に穴があく。　・あの人は心の底では何を考えているかわからない。

そこそこ　[副] ★1
reasonably, fairly well, in a hurry, about
还算凑合，草草了事，大约／어느 정도, 그런 대로, 하는 둥 마는 둥／khiêm tốn

① ・あの学生はそこそこできるが、研究者向きではない。　類 まあまあ、まずまず
② ・せっかくの日曜日なのに、夫は朝食もそこそこに出かけてしまった。

連 ～もそこそこに＋[動詞]

③ ・あそこは学生向けの飲食店なので、1,000円そこそこでおなかいっぱい飲み食いできる。

そこで

[接] ★3 | and so / 于是，因此／그래서, 그런 까닭으로 / do vậy, vì vậy

・新しいパソコンが必要になった。そこで、銀行から貯金を少しおろすことにした。
・今までの薬では治らなかった。そこで、新しい薬を試してみることにした。

そこなう　ヲ損なう

[動] ★1 | to harm, damage / 损坏，损害／해치다, 손상시키다 / làm tổn hại

・たばこの箱には「たばこの吸いすぎは健康を損なうおそれがあるので注意しましょう」と書いてある。
・｛美観／景観／機嫌／命／器物　…｝を損なう。
類 ヲ損ねる、ヲ損じる

そしき　ヲ組織スル

[名] ★2 | organization; tissue / 团体组织；结构组织／조직 / tổ chức

① ・ユニセフは国際連合の組織だ。　・新しい組織を作る。
　連 ＿＿を立ち上げる　合 ＿＿的な、ヲ＿＿化スル　類 機関
② ・｛体／内臓／神経／細胞　…｝の組織

そしつ　素質

[名] ★1 | talent, potential / 素质, 资质／소질 / tố chất

・あの子は音楽の素質がある。　・教師は生徒の素質を見抜いた。
連 ＿＿がある⇔ない　類 才能

そせん　祖先

[名] ★2 | ancestor / 祖先／조상, 선조 / tổ tiên

・人類の祖先は、アフリカで発生したと考えられている。
・うちの祖先は武士だったらしい。
関 先祖、子孫

そそぐ　ガ／ヲ注ぐ

[動] ★2 | flow into; shine into; pour; concentrate (on) / 流进, 注入；(阳光)照射, 倒, 灌；倾注／흘러가다, 쏟아지다, 붓다, 쏟다 / đổ

〈自〉① ・この川は太平洋に注いでいる。　　　　　　　　　　合 ガ注ぎ込む
　　② ・太陽の光がさんさんと降り注いでいる。　　　　　　合 ガ降り＿＿
〈他〉① ・湯のみにお茶を注ぐ。　　　　　　　　　　　　　慣 火に油を注ぐ
　　② ・新しい仕事に｛力／全力　…｝を注いでいる。
　　　　合 ヲ注ぎ込む（例. 子供に愛情を注ぎ込む。）

そそっかしい [イ形] ★2
careless / 举止慌张的，粗心大意的／덜렁대다／cẩu thả

・片方ずつ違った靴下をはくなんて、そそっかしい人だ。

合 そそっかしさ　関 慌て者

そだつ　ガ育つ [動] ★3
grow; be trained / 发育，生长；成长／자라다／mọc (cây), được đào tạo

① ・雨が多い年は、米がよく育つ。
② ・あの大学では優秀な研究者がたくさん育っている。

類 ガ成長する

☞〈他〉育てる

そだてる　ヲ育てる [動] ★3
raise (children); grow (flowers); train / 养育，培育，喂养；培养／기르다, 키우다／nuôi (con), mọc (cây, hoa), đào tạo

① ・母は5人の子供を育てた。　・朝晩水をやって草花を育てている。
② ・あの会社は人材を育てるのが上手だ。

☞〈自〉育つ

そち　ヲ措置スル [名] ★1
measures / 措施，处理办法／조치／biện pháp

・警察はドラッグ使用に断固とした措置をとった。
・ハッカーの被害を受けて、各省庁は情報流出防止の措置を講じた。

連 ～＿を取る、＿を講じる　合 特別＿　関 ヲ処置スル、ガ対処スル、ガ対応スル

そっくりな [ナ形] ★3
look-alike / 一模一样的，极像的／똑 닮다／giống

・兄は父に顔も声もそっくりだ。　・髪を切ったら、母親とそっくりになった。
・有名な画家の絵をまねしてそっくりに描いた。

(名) そっくり（例. 本物そっくりの偽ブランドバッグ）

そっけない　素っ気ない [イ形] ★1
curt / 冷淡／무뚝뚝한, 쌀쌀한, 퉁명스러운／lỗ mãng, bất lịch sự

・私が愛想よく話しかけても、彼女は素っ気なく「うん」と言っただけだった。
・素っ気ない態度を取る。　・素っ気ない返事

合 素っ気なさ　類 愛想がない　関 冷たい、よそよそしい

そっちょくな　率直な
[ナ形] ★2
frank, straightforward
直率，坦率，坦白／솔직하다
thẳng thắn

・彼は率直な人で、言うべきことをきちんと言う。
・率直な{考え／感想／意見／反応 …}　・率直に{話す／述べる／わびる …}。
合 率直さ　関 正直な、単刀直入な

そっと　ヲそっとスル
[副] ★3
quietly; gently; leaving alone／轻轻地，小心地，不惊动地／살그머니, 살짝, 가만히
yên lặng, nhẹ nhàng, để một mình

① ・寝ている人を起こさないように、そっと部屋を出た。
② ・壊さないように、そっと持ってください。
③ ・「今はだれとも話したくないので、そっとしておいてください」
※「そっとしておく」の形で使うことが多い。

ぞっとする　ガぞっとする
[動] ★1
to shudder
心有余悸／오싹해지다, 소름이 끼치다
rùng mình

・先日自転車で転んだ。もしあの時、車がそばを走っていたらと思うとぞっとする。
関 怖い、恐怖

そなえる　ヲ備える
[動] ★2
furnish; possess, be endowed with; prepare
设置，备置；具备；准备，防备／갖추다, 비치하다, 대비하다／cung cấp

① ・学校には火災報知機が備えてある。
　合 ヲ備え付ける(例. この寮は各部屋にエアコンと冷蔵庫が備え付けられている。)、
　備え付け　関 設備
② ・高い性能を備えたロボット　　　　　　　　　　　　　　　合 ヲ兼ね備える
③ ・将来に備えて貯蓄をする。　関 ③ヲ準備する　(名)①③備え→ ＿＿がある⇔ない
☞〈自〉備わる

そなわる　ガ備わる
[動] ★2
be equipped (with); possess, be endowed with／装有，装备；具备／갖추어지다, 구비되다／được cung cấp

① ・新幹線にはさまざまな安全装置が備わっている。
② ・犬には鋭い嗅覚が備わっている。　・彼女には作家としての素質が備わっている。
☞〈他〉備える

そのうえ　その上
[接] ★3
what's more
又，而且，加上／또한, 게다가
hơn nữa

・彼女は優秀な研究者だ。その上、性格もいいので、みんなから尊敬されている。

・かぜをひき、その上、おなかも壊して、結局試験を受けられなかった。
　類 さらに、しかも

そのうち(に)
[副] ★2
someday, shortly
不久／가까운 시일 안에, 머지않아
Rốt cuộc

・「そんなめちゃくちゃな生活をしていたら、そのうち病気になるよ」
・来日当初は日本の習慣に驚くことが多かったが、そのうちに慣れた。
※あまり長い時間は経っていないときに使う。　類 やがて

ソフトな
[ナ形] ★1
soft, gentle, software
柔軟, 温柔, 软件／부드러운, 소프트
mềm

①・柔軟剤は、洗濯物をソフトな手触りにする。　・人にソフトに接する。

合 ソフトさ、ソフトクリーム、ソフトボール、ソフトドリンク

対 ハードな、固い　類 柔らかい

②[名] ソフト]・コンピューターのソフト(ウェア)　　　対 ハード(ウェア)

そぼくな　素朴な
[ナ形] ★1
simple
简单, 单纯／소박한
mộc mạc, đơn thuần

①・この民宿は田舎ならではの素朴な料理が売り物だ。　・素朴な人柄

類 飾り気がない　関 質素な

②・子供の素朴な疑問に答えるのは案外難しい。　　　関 簡単な、単純な

合 ①②素朴さ

そまる　ガ染まる
[動] ★2
be dyed; be tinged with; be affected by
染色, 染上; 变得; 沾染／물들다, 감화되다
nhuộm

①・染料｛で／に｝布が染まる。　・この染料は革にもよく染まる。
②・恥ずかしさ｛で／に｝ほおが赤く染まった。　・夕日に染まった部屋
③・｛新しい思想／土地の風習／悪 …｝に染まる。

☞〈他〉染める

そむく　ガ背く
[動] ★1
to go against, disobey
不听从, 不服从, 辜负／거역하다, 저버리다
làm trái với, phản bội

①・彼は親の言いつけに背いてギャンブルに手を出した。　・恩師に背く。

類 ガたてつく、ガ逆らう　関 ガ反する、ガ反抗する

②・あのタレントは、ファンの期待に背いて、また薬物使用で逮捕された。

連 期待に＿　類 ガ反する

そめる ヲ染める
[動] ★2
dye; blush, tinge; have (a hand) in ~／染，染色；变得／물들이다，염색하다，관계하다／nhuộm

① ・染料で布を染める。　・白髪を黒く染めた。
② ・恥ずかしさ{で／に}ほおを赤く染めた。　・夕焼けが空を真っ赤に染めた。
[慣] 手を染める（例．犯罪に手を染める。）☞〈自〉染まる

そらす ヲそらす
[動] ★2
divert; turn (one's eyes) away／离开轨道，转移(话题、视线、注意力等)／돌리다, 빗나가게 하다／chuyển hướng, làm lệch

① ・「話をそらさないでちゃんと答えてください」
② ・じっと見つめると、彼は私から目をそらした。　　[慣] 目をそらす
[類] ①②ヲ外す、ヲずらす　☞〈自〉それる

それぞれ
[名] ★3
each／每个人，各自／각각, 각자／từng người, mỗi người, mỗi cái, mỗi việc

※ 副詞的に使うことも多い。
・みんなはそれぞれ意見を言った。　・これらの絵には、それぞれよいところがある。
・うちは家族のそれぞれがパソコンを持っている。

それで
[接] ★3
so, then／因此，因而；那么，后来／그러므로, 그래서／do vậy, vì vậy, như vậy thì…

① ・今朝駅で事故があった。それで、2～3時間電車が遅れた。
　[類] だから、そのため
② ・「今の仕事、辞めようかと思っているんだ」「それで、その後どうするつもり？」
　[類] そして
※ 話し言葉的。

それとも
[接] ★3
or／还是／아니면, 그렇지 않으면／hay là

・「コーヒーにしますか、それとも紅茶にしますか」
・卒業後は国に帰るか、それとも日本で就職するか、迷っている。
※ 疑問文に使う。

それる ガそれる
[動] ★2
digress, miss／偏离轨道，偏向一边，(话)跑题／빠지다, 빗나가다／lệch, chệch

・台風の進路が北にそれた。　・話がそれる。　・大通りから脇道にそれる。
[関] ガ外れる、ガずれる　☞〈他〉そらす

そろう　ガそろう
[動] ★3　gather; be collected together; match／齐, 到齐；相同, 整齐；一致／빠짐없이 모이다, 갖추어지다, 일치하다／tập hợp, tụ họp lại, cho đồng (màu), đồng phục, được thu thập, thu lượm

① ・「全員がそろったら出発しましょう」
② ・カーテンとカーペットの色がそろっていると、部屋がきれいに見える。
　(名)（お）そろい（例．くつとそろいのバッグ）
③ ・みんなの意見がなかなかそろわない。　・声がそろった美しいコーラス
☞〈他〉そろえる

そろえる　ヲそろえる
[動] ★3　bring together; get everything ready; match／使……到齐, 使……齐备；使……一致；弄整齐／채우다, 갖추다, 맞추다, 가지런히 하다／tập hợp, tụ họp lại, cho đồng (màu), đồng phục, sẵn sàng

① ・マージャンをするため、メンバーをそろえた。
② ・カーテンとカーペットの色をそろえる。
③ ・脱いだくつはそろえておくのがエチケットだ。
☞〈自〉そろう

そん　損
[名] ★2　loss; coming out on the losing end／赔, 亏损；吃亏／손해, 불리함, 성과가 없음／tổn thất

・株が下がって損をした。　・この商品は買って損はない。
[連] __をする、__になる　[合] 大損、__得、__害　[対] 得　[類] 損失
(ナ形) 損な（例．私は、誤解されやすい損な性格だ。）

そんがい　損害
[名] ★1　damage, loss／损失, 损害／손해／tổn hại

・今回の火災で2億円の損害が出た。　・私のミスで会社に損害を与えてしまった。
[連] __が出る・__を出す、__を与える⇔{受ける／被る}、__を償う、__を賠償する
[合] __額、__賠償、__保険

そんけい　ヲ尊敬スル
[名] ★2　respect／尊重, 敬仰／존경／tôn trọng

・マザー・テレサは世界中の人々に尊敬されている。
[連] __を集める、二__の念を抱く　[合] __語　[関] ヲ敬う、敬意、敬語、謙譲

そんざい　ガ存在スル
[名] ★2　existence; being／在, 存在／존재／sự hiện diện

① ・世界にはUFOの存在を信じる人が多くいる。
② ・彼女はクラスの中では目立たない存在だ。

合 ＿感（例．あの人は個性が強くてとても存在感がある。）

そんちょう　ヲ尊重スル　[名] ★2　respect / 尊重 / 존중 / tôn trọng

・人の意見を尊重する。　・{個性／プライバシー／人権　…}を尊重する。
※「尊重」は価値のあるものに対して、「尊敬」は人に対して使うことが多い。

だいいち　第一　　　[副] ★1　first of all／首先／우선, 무엇보다도／đầu tiên, quan trọng nhất

・「結婚なんて、まだまだ先ですよ。第一、相手がいません」
・「カナダ支社への赴任は河野君が適任だと思います。仕事もできるし、英語もできるし、第一、本人が強く希望しています」
※ 他のことより何よりこれが一番の理由だと言いたいときに使う。
※ 副詞だが、接続詞のように使う。　類 何より

たいおう　ガ対応スル　　　[名] ★1　correspondence, response／对应, 应对／상응, 대응／đối ứng

① ・日本の漢語は、中国語の単語と対応していないものも多い。
② ・サービス業では、客にうまく対応できる人が必要とされている。
合 __策　関 ヲ措置スル、ガ応対スル、ガ対処スル

たいがく　ガ退学スル　　　[名] ★3　expulsion, dropping out／退学／퇴학／bỏ học giữa chừng

・退学の理由を説明する。　・病気で大学を退学した。
合 __届、__処分　関 ガ中退スル

たいぐう　ヲ待遇スル　　　[名] ★1　treatment, reception／待遇／대우／đãi ngộ

① ・あの会社は給与も高く、従業員の待遇がいい。
　合 [名詞]+待遇(例．彼は部長待遇で入社した。)、__改善　関 ヲ処遇スル
② ・ホームステイで、ホストファミリーから温かい待遇を受けた。　関 もてなし
連 ①②__がいい⇔悪い、～__を受ける

たいくつな　退屈な　　　[ナ形] ★3　boring／无聊的／지루하다, 심심하다／tẻ nhạt

・ほかの観客は笑いながら見ていたが、私には退屈な映画だった。
・今日は、何もすることがなくて退屈だ。
合 退屈さ（名）ガ退屈スル（例．校長先生の話が長くて退屈した。）

たいけん　ヲ体験スル　　　[名] ★2　experience／体验, 经历／체험／trải nghiệm

・日本では、戦争を体験したことのない世代が増えている。
合 __者、__談、実__　類 ヲ経験スル

たいこう　ガ対抗スル
[名] ★1　opposition, rival／対抗, 抗衡／대항, 대응／đối kháng

・数学では彼に対抗できる学生はいない。
・クラス対抗リレーで私のクラスが優勝した。

合 __策、__馬、__戦、[名詞]＋対抗（例．国別対抗）

たいざい　ガ滞在スル
[名] ★2　stay／逗留；旅居／체재, 체류／ở lại

・今回の海外出張は、約1カ月の滞在になる予定だ。
・多くの芸術家がパリに滞在した。

合 {長期／短期}__、__期間

たいさく　対策
[名] ★2　countermeasure／対策／대책／biện pháp đối phó

・少子化を止める有効な対策を立てる必要がある。
・新しい感染症に対して、政府はまだ何の対策もとっていない。

連 __を立てる、~__をとる、__を講じる　合 緊急__、地震__、防災__

だいさんしゃ　第三者
[名] ★1　third party／第三者, 局外人／제삼자／bên thứ ba

・粉飾決算が明らかになり、A社は役員会に第三者を加えることになった。
・「家族間の問題は複雑なので、第三者に調停を依頼しよう」

対 当事者

たいした
[連] ★2　not ~ much; huge, fantastic／没有什么, 了不起的／별, 대단한／to tát

①・「けがの具合はどうですか」「たいしたことはありません」
　　※ 否定的な表現と一緒に使う。　関 たいして＋[動詞／形容詞]
②・この難しい試験に1回で合格するとは、たいしたものだ。

たいして
[副] ★2　(not) very, (not) particularly／并不太, 并不怎么／그다지, 별로／không ... nhiều

・その映画は面白いと聞いて見に行ったのだが、たいして面白くなかった。
・「大変でしたか」「いいえ、たいして時間はかかりませんでした」

※ 否定的な表現と一緒に使う。　類 それほど、あまり　関 たいした＋[名詞]

たいじゅう　体重
[名] body weight 体重／체중 ★3 cân nặng

・<u>体重</u>を測る。　・父の<u>体重</u>は60キロだ。

連 __が多い⇔少ない、__が増える⇔減る　合 __計　関 ガ太る⇔やせる

たいしょ　ガ対処スル
[名] handling, treatment 処理／대처 ★1 đối xử

・問題に<u>対処</u>するため、緊急に話し合いが行われた。
・客の苦情への<u>対処法</u>を考える。

合 __法、__療法　関 ガ対応スル、ヲ処置スル

たいしょく　ガ退職スル
[名] resignation, retirement 退職；退休／퇴직 ★3 thôi việc

・母の介護のため、<u>退職</u>を決めた。　・長年勤めた会社を<u>退職</u>した。

合 定年__、__金　対 ガ就職スル　関 ガ辞職スル

だいたい　大体
[副] most; about 大致，大部分，大约／대개，대략 ★3 khoảng, hầu như

① ・今日の試験は<u>大体</u>できた。
② ・1ヵ月の収入は<u>だいたい</u>15万円ぐらいです。

類 およそ

だいたんな　大胆な
[ナ形] daring, audacious 大胆／대담한 ★1 gan dạ

・未経験者が冬山に一人で登るなんて、<u>大胆</u>というより無謀だ。
・あのデザイナーは<u>大胆</u>なデザインで人気がある。　・<u>大胆</u>な改革

合 大胆さ、大胆不適な　対 小心な、臆病な

たいてい
[副] usually, mostly 大部分，大多；一般，大部分／대개，대부분 ★3 hầu hết, thường là…

・日曜日は<u>たいてい</u>うちにいます。
・<u>たいてい</u>の人が田中さんの意見に賛成した。

類 ほとんど

たいど　態度
[名] attitude 態度，表現／태도 ★3 thái độ

・あの学生は、授業中の<u>態度</u>が悪い。　・好きか嫌いか、<u>態度</u>をはっきりさせる。

連 __がいい⇔悪い、{あいまいな／ふまじめな／厳しい／冷たい　…}__をとる

たいとう　ガ台頭スル
[名] appearance (of), prominence / 出现，抬头 / 대두 / tăng lên
★1

・短距離走の世界に新勢力が台頭してきた。
・経済悪化の状況で保護主義の台頭が懸念される。
[関] ガ出現スル、ガ進出スル

タイトル
[名] title / 标题 / 타이틀, 제목 / tiêu đề chức vụ
★3

・タイトルをよく見てから文章を読む。
・有名な映画のタイトルが思い出せない。
[類] 題名

だいなし　台無し
[名] a mess / 糟蹋，弄糟 / 엉망 / làm hỏng
★1

・せっかく美容院で結ってもらった髪が、雨で台無しになってしまった。
・「君たちのけんかのせいで、パーティーが台無しだ」
[連] ＿になる・＿にする　[関] めちゃくちゃ

ダイナミックな
[ナ形] dynamic / 有力的，生动的 / 다이내믹한, 활동적인 / năng động
★1

・高橋選手は、鉄棒でダイナミックな技を次々と披露した。
・この絵は、人間の感情をダイナミックに表現している。
[合] ダイナミックさ　→＿がある⇔ない、＿に欠ける　[類] 躍動的な

だいひょう　ヲ代表スル
[名] representative, representation / 代表，做代表；有代表性的 / 대표 / đại diện
★3

① ・クラスの代表として会議に参加する。
② ・富士山は日本を代表する山だ。
[合] {日本／学校　…}＋代表
[合] ＿的な、＿作

タイプ
[名] type, sort / 类型；型号 / 타입 / kiểu
★3

① ・このクラスにはいろいろなタイプの学生がいる。・彼女は私の理想のタイプだ。
② ・このタイプのパソコンはもう売っていない。
[類] 型

だいぶ／だいぶん　大分
[副] mostly, fairly / 相当，很，……得多 / 상당히, 많이 / hầu hết, phần nhiều
★3

・病気は大分よくなった。　・仕事がまだだいぶん残っている。
※話し言葉的。　[類] かなり

たいへん　大変

[副] ★3　terribly, greatly / 非常，厉害，了不得／대단히 / rất

・朝夕は電車が大変込むので疲れる。　・「これまで大変お世話になりました」

[類] とても、非常に

たいへんな　大変な

[ナ形] ★3　tough; awful / 够爱的；严重的，糟糕的／힘들다, 대단하다 / khó khăn, vất vả, dai dẳng

① ・子育て中のお母さんは大変だ。
② ・昨日新宿で大変な火事があったらしい。

[合] 大変さ　[慣] 大変な目にあう

たいぼう　ヲ待望スル

[名] ★1　anticipation, long-awaited / 盼望，期待／갈망 / trông mong

・待望の子供が生まれた。　・ようやく待望の我が家を手に入れた。

[関] ヲ待ち望む、ヲ期待スル

たいまんな　怠慢な

[ナ形] ★1　negligent / 懒怠／태만한 / cẩu thả

・対策をとるのが遅れ、被害が増大したのは行政の怠慢だ。
・会社は職務に怠慢な社員のリストラを検討している。

[合] 怠慢さ、職務怠慢　[関] ヲ怠ける

タイミング

[名] ★1　timing / 时机／타이밍 / thời điểm

・気になる人に声をかけたいが、タイミングがつかめない。
・会社を作りたいが、不況の今はタイミングが悪い。

[連] ＿がいい⇔悪い、＿をつかむ⇔逃す、＿をはかる　[合] グッド＿、＿よく　[類] 間

だいめい　題名

[名] ★3　title / 题目，标题／제목, 타이틀 / tên sự việc

・コンクールに出す作品に題名をつける。

[連] ＿をつける　[類] タイトル

ダイヤ　<ダイヤグラム

[名] ★2　(train) schedule, timetable / 时刻表／철도의 운행표 / kim cương

・事故で列車のダイヤが乱れたが、数時間後に復旧した。

[連] ＿が乱れる、＿に乱れが出る、＿が復旧する、＿を組む　[合] 臨時＿

たいよう　太陽

[名] sun / 太阳／태양 / mặt trời
★3

・<u>太陽</u>が昇って、暖かくなった。

連 __が昇る⇔沈む　類 日　関 地球、月、星

たいらな　平らな

[ナ形] flat, smooth / 平坦, 整平／평탄한, 평평한 / phẳng
★1

・このあたりの道は<u>平ら</u>なので走りやすい。　・石の表面を削って<u>平ら</u>にする。

関 平たい、でこぼこ（な）

だいり　代理

[名] representation, substitution / 代理／대리 / đại lý
★2

・父の<u>代理</u>で親戚の結婚式に出席した。　・部長<u>代理</u>
・この店では、一番先輩の店員が店長の<u>代理</u>をしている。

連 〜の__をする　合 __人、__出産、__母、[役職名]＋代理　関 代わり

たいりつ　ガ対立スル

[名] opposition / 対立／대립 / mâu thuẫn
★2

・国会は与党と野党の<u>対立</u>が激しくなった。
・親の残した財産をめぐって、兄と弟が<u>対立</u>している。

連 __が激しい

たいりょく　体力

[名] physical strength / 体力／체력 / thể lực
★3

・若者の<u>体力</u>が低下している。　・「たくさん食べて、<u>体力</u>をつけてください」

連 __がある⇔ない、__がつく・__をつける、__が落ちる、__が向上する⇔低下する
関 気力、精神力

ダウン　ガ／ヲダウンスル

[名] down, reduction, being down (with a cold) / 下降；倒下／다운, 맥을 못 춤 / xuống, giảm, đuối sức (vì bị cảm…)
★3

① ・給料<u>ダウン</u>で生活が苦しい。

合 ガ／ヲ｛レベル／イメージ／スピード／コスト …｝＋ダウンスル
対 ガ／ヲアップスル　関 ガ下がる・ヲ下げる

② ・かぜで<u>ダウン</u>した。

たえず　絶えず
[副] ★2　continuously / 总是，不断／끊임없이, 항상 / liên tục

- 妹は体が弱くて、絶えず風邪をひいている。
- うちの前の道路はたえず車が走っている。

類 始終

たえる　ガ絶える
[動] ★1　to stop, cease, be discontinued / 断绝，消失／끊기다 / dừng

- 山本先生の話は面白いので、いつも授業中、笑い声が絶えない。
- ｛消息／連絡／子孫／家系／息／国交 …｝が絶える。

類 ガ途絶える

たえる　ガ耐える
[動] ★1　to endure, withstand / 忍耐，承受，经受／참다, 견디다 / chịu được

① ダイエットの一番の課題は空腹に耐えることだ。　類 ヲ我慢する、ヲ辛抱する
② この家は象の重さにも耐えるコマーシャルで話題になった。

関 ガ／ヲもちこたえる

たおす　ヲ倒す
[動] ★3　knock over; defeat / 弄倒，打败／쓰러뜨리다, 꺾다 / chặt đổ, lật đổ, làm tiêu tan

① 花びんを倒して割ってしまった。
② ボクシングでチャンピオンをたおした。

☞ 〈自〉倒れる

たおれる　ガ倒れる
[動] ★3　fall over, collapse / 倒，倒塌／쓰러지다 / đổ, ngã, đổ bệnh, bất tỉnh

① 台風で木が倒れた。　・道で倒れている人を助けた。
② 父は働きすぎてたおれてしまった。

☞ 〈他〉倒す

だが
[接] ★2　however, though / 但是，可是／그러나, 그렇지만 / nhưng

- 必死に勉強した。だが、不合格だった。
- あの歌手は声はいい。だが、歌はあまり上手ではない。

※「だけど→でも／けれども→しかし／だが」の順にかたい表現になる。

たがいに　互いに
[副] ★3
- each other
- 相互／서로
- lẫn nhau

・彼らは互いにはげまし合って練習した。

関 お互い様　(名) 互い(例．国際理解のためには、(お)互いの文化を尊重しなければならない。)

たかまる　ガ高まる
[動] ★3
- rise
- 变高，高涨／높아지다
- tăng lên, dâng cao

・台風が近づき、波が高まっている。
・｛期待／関心／人気／感情／能力／教育水準 …｝が高まる。

(名) 高まり　☞ 〈他〉高める

たかめる　ヲ高める
[動] ★3
- raise
- 提高／높이다
- nâng lên, đẩy lên

・若者はもっとコミュニケーション能力を高める必要がある。
・｛評価／人気／やる気／教育水準 …｝を高める。

☞ 〈自〉高まる

たがやす　ヲ耕す
[動] ★1
- to cultivate
- 耕种／갈다，일구다
- cấy

・農家は田畑に肥料をまいて耕す。

だきょう　ガ妥協スル
[名] ★1
- compromise
- 妥协／타협
- sự thỏa hiệp

・彼女は何事にも妥協しない人だ。
・この法律は与野党間の妥協の産物だった。

連 ＿の余地がない　合 ＿点、＿案　関 ガ協調スル

たく　ヲ炊く
[動] ★3
- cook (rice)
- 煮(饭)，烧(菜)／짓다
- nấu (cơm)

・ご飯をたく。
〈自〉炊ける(例．ご飯が炊けた。)

だく　ヲ抱く
[動] ★3
- hold, hug
- 抱／안다
- ôm, giữ

・子供を両手でしっかりと抱く。
・恋人の肩を抱く。

たくましい [イ形] ★1
sturdy, resolute, robust
健壮，坚强／늠름하다, 씩씩하다, 왕성하다
mạnh mẽ

① ・運動選手だけあって、彼はたくましい体つきをしている。　合 筋骨__
② ・戦後の混乱期を、母はたくましく生き抜いた。　・商魂たくましい売り込み
　合 商魂__　関 したたかな

合 ①② たくましさ

たくわえる ヲ蓄える [動] ★2
save, store; have a great reserve of／存储, 储备；积累, 保存／모아 두다, 비축하다, 저축하다, 쌓다
lưu trữ

① ・お金を蓄える。　・食料を貯蔵庫に蓄える。　・植物は葉に養分を蓄えている。
　(名) 蓄え (例. 失業したが、しばらくはそれまでの蓄えで生活できた。)
　→ __がある⇔ない　関 ヲためる
② ・本を読んで知識を蓄える。　・{力／体力 …} を蓄えておく。

たけ 丈 [名] ★1
length, height, (to) pour your heart out
长短，全部／기장, 길이, 전부
vạt, chiều dài

① ・スカートの丈を詰める。　連 __を詰める　合 背__　類 長さ
② ・彼女は彼に思いのたけをぶつけた手紙を書いた。　慣 思いのたけ

たしかな 確かな [ナ形] ★3
definite, certain; probably
准确无误的，确凿的；肯定, 确实／확실하다
chắc chắn, xác thực

① ・新聞は確かな事実だけを伝えなければならない。
　合 確かさ　類 確実な　関 ヲ確かめる
② [(副) 確か] ・「レポートの締め切りは、確か15日でしたね」

たしかめる ヲ確かめる [動] ★3
check, confirm
确认／확인하다
xác nhận lại

・ファックスが届いたかどうか、相手に電話して確かめた。
・飲み会の参加人数を確かめた。
類 ヲ確認する　関 確かな

たしょう 多少 [副] ★2
a little; (regardless of) the amount
精微，多少／다소, 폐, 많음과 적음
phần nào

① ・寒い日が続いているが、今日は多少暖かい。
　※「ちょっと→少し→少々／多少」の順にかたい言葉になる。
② [(名)] ・「お買い上げ商品の多少にかかわらず、無料でお届けします」

たす ヲ足す

[動] ★3
add
添加；加／더 넣다, 더하다
cộng, bổ sung

① ・味が薄かったので塩を足した。　・風呂の湯が少なくなったので、足しておいた。
② ・4に6を足すと10になる。　・4たす6は10だ。

～だす　～出す

1) 中から外に出す

[Take out, Out] let ~ out ／（从里向外）拿出, 取出／안에서 밖으로 꺼내다
bỏ ra ngoài

ききだす ヲ聞き出す

[動] ★2
get (information) out of ~
问出来／물어서 알아내다, 캐내다
hỏi ra

・相手から情報を聞き出す。

もちだす ヲ持ち出す

[動] ★2
carry out, take out
拿出去, 带出去／들고 나가다, 반출하다
mang ra ngoài

・この本は図書館から持ち出さないでください。　（名）持ち出し

2) 中から外に出る

[Take out, Out] go out
（从里往外）出去／안에서 밖으로 나오다
bỏ ra ngoài

とびだす ガ飛び出す

[動] ★2
spring out; rush out; protrude／跳出来；离开, 出走；突出来／뛰어나오다, 뛰어나가다, 뛰쳐나오다, 뛰어나오다, 튀어나오다
bay ra ngoài

① ・箱を開けるとカエルが飛び出した。　・車道に飛び出すな。　（名）飛び出し
② ・くぎが飛び出していて危ない。

3) 内にあるものを、外から見えるようにする

[Take out, Out] make something inside visible from the outside／让外界看出来／안에 있는 것을 밖에서 보이게 하다／bỏ thứ bên trong ra để nhìn thấy được từ bên ngoài

かきだす ヲ書き出す

[動] ★2
write (down)
写出来／쓰기 시작하다
bắt đầu viết

・今日の予定をノートに書き出した。

さがしだす ヲ探し出す

[動] ★2
find out, discover
找到, 搜寻到, 查出／찾아내다, 찾기 시작하다
tìm ra

・行方不明になっていたペットを探し出した。

4) その行為を始める（例：泣き出す、降り出す、など）

[Take out, Out] start doing ~ ; ~ movements start／开始做……／그 행위를 시작하다, 움직임이 시작되다／bắt đầu hành động

たすかる ガ助かる

[動] ★3
survive; be helpful
得救, 省力, 变轻松／살아나다, 도움이 되다
hữu ích

① ・飛行機が落ちたが、3人が助かった。
② ・このへんは物価が安くてとても助かる。

☞〈他〉助ける

たすける　ヲ助ける
[動] ★3　save (someone); help
救助；帮助，帮忙／구하다, 돕다
cứu, giúp

① ・川に落ちた子供を助けた。　・「だれか助けてー」　　類 ヲ救助する
② ・困っているとき、友達が助けてくれた。
合 ガ助け合う→　助け合い　関 ヲ手伝う
類 ①②ヲ救う　(名) ①②助け→　__を{呼ぶ／求める}　☞〈自〉助かる

たずさえる　ヲ携える
[動] ★1　to carry/take someone/something with you
携帯，借同／손에 들다, 지니다, 데리다
mang, xách, cầm

① ・見知らぬ娘が紹介者の手紙を携えて訪れた。　　関 ヲ持ち運ぶ
② ・家族を大事にする彼は、家族を携えて赴任した。　関 ヲ連れて行く
☞〈自〉携わる

たずさわる　ガ携わる
[動] ★1　to engage in
参与，从事／종사하다, 관계하다
tham gia vào việc, làm việc

・「お仕事は？」「製薬に携わっています」　・開発に携わる仕事がしたい。
関 ヲ行う、ヲ営む　☞〈他〉携える

たずねる　ヲ尋ねる
[動] ★3　ask
询问／묻다
hỏi thăm

・交番で警官に市役所までの道を尋ねた。　・「ちょっとおたずねしますが……」
類 ヲ聞く、ヲ質問する

たずねる　ヲ訪ねる
[動] ★3　visit
拜访／방문하다
hỏi thăm

・友人の家を訪ねた。　・「さっきあなたを訪ねて、お客さんがいらっしゃいましたよ」
関 ヲ訪問スル

ただ
[副] ★3　just; only
只是；只，仅仅／그저, 단지
chỉ

① ・子供は何を聞いてもただ泣いているだけだった。
② ・その学校で、私はただ一人の日本人だった。
※話し言葉では「たった」とも言う。

ただ
[接] ★2　but, provided that ~
就是，不过／단, 다만
đơn giản

・あのレストランは味もいいし、値段も安い。ただ、場所がちょっと不便だ。

・勝ててよかった。ただ、私自身はあまり活躍できなかったのが残念だ。
※ 主な内容に、逆接的、例外的なことをつけ加えるときに使う。

たたかう　ガ戦う／闘う
[動] ★2　make war; fight; fight (in a court); struggle with ～／打仗；竞争，比赛；抵抗，作斗争　싸우다，겨루다，다투다，맞서다／chiến đấu

① ・国と国とが領土をめぐって戦う。
　[類] ガ争う、ガ戦争する　[関] 武力、武器
② ・オリンピックでは各国が正々堂々と戦った。　・選挙で10人の候補が戦った。
　[類] ②ガ争う　[関] ①②[名詞]＋戦（例．決勝戦、優勝戦、選挙戦、地上戦）
③ ・賃金をめぐって労働側と会社側が闘った。　　　　　[類] ガ争う、ガ闘争する
④ ・|悪／不正／困難／偏見／病気／眠気 …|と闘う。
※「戦」は戦争・試合・選挙などに、「闘」は抽象的な対象や小さい範囲の争いに用いることが多い。　（名）①～④戦い／闘い

たたく　ヲ叩く
[動] ★3　spank, tap, knock; clap　打，拍／두드리다，치다　đánh, gõ, vỗ

① ・子供のおしりを叩く。　・隣の人の肩をたたく。　　　　　　　　[関] ヲ殴る
② ・スピーチが終わったので、手をたたいた。

ただし　但し
[接] ★1　but, however,　但是／단지　tuy nhiên, nhưng

・「試験が合格点に満たなかった場合は、再試験が受けられます。ただし、有料です」
・〈医院の掲示〉「日曜・祝日、休診。ただし、急患の場合はこの限りにあらず」
※ 前のことがらに条件や例外を付け加えるときに使う。

ただちに　直ちに
[副] ★2　immediately; directly　立刻，马上；即／곧，바로　ngay lập tức

① ・事故の情報はただちに社長に伝えられた。　・「全員ただちに集合せよ」
　※「すぐに」よりかたい言葉。
② ・栄養不足の子供たちにとって、肺炎は直ちに死を意味する。　[類] 直接

たたむ　ヲ畳む
[動] ★3　fold　叠，折叠／개다，접다　gấp

・洗たく物を畳む。　・かさをたたんでバッグに入れる。

ただよう　ガ漂う
[動] ★1
to float, hang in the air, wander
漂，飄蕩，飄落／감돌다，떠다니다
nổi, trôi nổi

① ・ふと見上げると、雲が空を漂っていた。　・あたりに梅の香りが漂っている。
② ・意見がまっぷたつに分かれ、険悪な空気が漂った。
類 ①②ガ流れる

たちあがる　ガ立ち上がる
[動] ★2
stand up
站起来，起立／일어서다
đứng lên

① ・いすから立ち上がる。
② ・プロジェクトが立ち上がる。
(名) 立ち上がり　☞〈他〉立ち上げる

たちあげる　ヲ立ち上げる
[動] ★2
start up, launch
启动／시동하다，활동을 시작하다
vùng lên

① ・コンピューターを立ち上げる。
② ・｛新店舗／プロジェクト　…｝を立ち上げる。
(名) 立ち上げ　☞〈自〉立ち上がる

たちどまる　ガ立ち止まる
[動] ★2
stop, stand still
站住，停步／멈추어 서다
dừng lại

・道で声をかけられて立ち止まった。
・自分の人生はこのままでいいのか、少し立ち止まって考えてみたい。

たちば　立場
[名] ★2
position, viewpoint
立场，境地／입장
vị trí

・自分の意見を主張するだけでなく、相手の立場に立って考えてみることも大事だ。
・会議で上司に反対の立場をとった。　・苦しい立場に置かれる。
連 ～＿に立つ、～＿をとる、～＿に置かれる、～＿に追い込まれる、苦しい＿

たちまち
[副] ★2
instantly
不大工夫，立刻／갑자기，순식간에
ngay lập tức, đột nhiên

・空が暗くなったかと思うと、たちまち雨が降り始めた。
・コンサートのチケットはたちまちのうちに売り切れた。
※ 変化が急であることを表す。　類 すぐに

たつ　ガ経つ
[動] ★3　elapse, pass / （岁月）流逝 / 지나다 / trôi qua (thời gian)

- 日本へ来てから10年が経った。
- 子供がいつまでたっても帰って来なくて心配だ。

たつ　ガ立つ
[動] ★3　stand, be put up / 站, 立 ; 竖立 / 서다 / đứng, cho dựng lên

① ・「名前を呼ばれたら立ってください」
② ・店の前に大きな看板が立っている。
☞〈他〉立てる

たつ　ガ建つ
[動] ★3　be constructed / 建, 造 / 서다 / được xây dựng

- 家の前に大きなマンションが建った。　・丘の上に白いホテルが建っている。
☞〈他〉建てる

たつ　ガ立つ(発つ)
[動] ★2　leave / 离开, 出发 / 출발하다 / xuất phát

- 8月末に海外赴任でヨーロッパへ立つ予定だ。
- 10時30分の便で成田空港を発った。
類 ガ出発する

たつ　ヲ断つ／絶つ
[動] ★1　to sever, abstain from / 断绝, 戒, 绝命, 消失 / 단절되다, 끊다 / đoạn tuyệt, kết thúc

① ・両国は国交を断つに至った。　　　　　　　　　関 ガ／ヲ断絶する
② ・失恋した青年は、山の中で命を絶った。　・会社再建の望みは絶たれた。
③ ・亡命した彼は、消息を絶った。　・家系が断たれる。　・|連絡／退路 …|を絶つ。

たっする　ガ／ヲ達する
[動] ★2　reach, arrive at / 到达 ; 完成 ; 达到 ; 实现 / 도달하다, 달성하다, 이루다 / đến

〈自〉① ・5時間登って山頂に達した。　・目的地に達する。　類 ガ到達する、ガ至る
　　② ・売上高が目標に達した。　　　　　　　　　　類 ガ到達する、ガ届く
　　③ ・|疲労／ストレス／我慢 …|が限界に達した。
〈他〉　・目的を達する。　　　　　　　　　　　　　　　　　　　　類 ヲ遂げる

たっせい　ヲ達成スル
[名] ★2
achievement, attainment
完成, 达成／달성
đạt được

・5年かかって、やっと目標を達成した。
・予定より1カ月早く、入場者数100万人を達成した。
※これ以外の使い方はあまりしない。

たった
[連] ★3
just
只, 仅, 仅仅／단지, 겨우
chỉ (đi kèm theo sau đó là số)

・5,000人の会場に、たった(の)100人しかお客さんが来なかった。
・あの人にはたった一度会っただけなのに、なぜか忘れられない。
※数字と一緒に使う。「ただ」のくだけた形。　類 ほんの、僅か

だって
[接] ★2
because, as
因为／왜냐면, 하지만
vì

・「どうして食べないの？」「だって、嫌いなんだもん」
・「どうしてけんかしたんだ？」「だって、あいつ、人の嫌がることばっかりするんだ」
※くだけた話し言葉。

たっぷり　ガたっぷりスル
[副] ★2
sufficiently; a good ~; easy; loose／足够, 多; 至少, 起码; 宽绰／충분히, 듬뿍, 넉넉히
rất nhiều

① ・時間はたっぷりあるから、急がなくてもいい。　・たっぷり寝たら、疲れが取れた。
　合 愛情__, 栄養__, 自信__　類 たくさん、いっぱい、十分
② ・うちから駅までどんなに急いでも、たっぷり15分はかかる。
③ ・私はぴったりした服より、たっぷりした服の方が好きだ。　類 ガゆったりスル

たてる　ヲ立てる
[動] ★3
put up, stand
竖起, 竖立／세우다
dựng

・屋根の上にアンテナを立てる。　・玄関にかさを立てて置く。
☞〈自〉立つ

たてる　ヲ建てる
[動] ★3
construct
盖, 建造／세우다, 짓다
xây dựng

・都心に家を建てるのは大変だ。　・うちの会社は今年新しいビルを建てた。
類 ヲ建築する、ヲ建設する　☞〈自〉建つ

たとえる　ヲ例える
[動] ★2　compare, liken / 比喩 / 비유하다 / ví, so sánh

・人生はよく旅に例えられる。　・恋人を太陽に例える。
(名) 例え

たどる　ガたどる
[動] ★1　to pursue, trace / 沿路前进，追寻 / 더듬어 찾다, 더듬다 / theo dấu, lần theo

① ・海辺へと続く小道をたどる。　・家路をたどる。
　連 {悪化／破滅　…}の一途を＿、平行線を＿、～軌跡を＿
② ・事件の日のアリバイを聞かれ、記憶をたどってみた。　・話の筋をたどる。

たにん　他人
[名] ★2　another person; others / 陌生人；别人 / 타인, 남, 제삼자 / người dưng

・友達だと思って声をかけたら、全くの他人だった。
・他人にはわからない家族の事情がある。

たね　種
[名] ★1　seed/stone, subject, trick / 种子, 话题, 秘密 / 씨, 거리, 소재, 술책, 트릭 / hạt giống

① ・庭にアサガオの種をまいた。　・桃は種が大きい。
　連 ＿をまく、＿を採る　合 ＿なし (例. 種なしぶどう)
② ・いつまでたっても心配の種が尽きない。　・小説の種を探す。
　連 悩みの＿、心配の＿、話の＿　慣 自分でまいた種
　※ 俗語で「ネタ」という言い方がある。(例. 話のネタ　・寿司のネタ)
③ ・手品の種を教えることはできない。　連 ＿を明かす　合 ガ＿明かし(ヲ)スル

たのしみ　楽しみ
[名] ★3　fun / 乐趣，愉快 / 낙, 즐거움 / sự vui thích

・来週のパーティー{が楽しみだ／を楽しみにしている}。
連 ヲ＿にする　(動) ヲ楽しむ

たのみ　頼み
[名] ★3　request / 请求, 要求 / 부탁 / đề nghị

・「あなたに頼みがあるんです」
連 ＿がある、＿を聞く　類 お願い　(動) ヲ頼む

たばねる　ヲ束ねる
[動] ★1
to tie up, bundle, manage
包, 捆, 扎, 管理／묶다
bó lại, quản lý

類 ヲくくる

① ・古新聞を束ねて回収日に出した。
② ・この会社の部長は50人の部下を束ねている。

たびたび
[副] ★2
often, frequently, many times
再三, 常常／여러 번, 자주, 번번이
thường

・田中さんとは仕事以外でもたびたび会うようになった。
・弟が失敗して落ち込むのはたびたびのことだ。

類 しょっちゅう、しばしば　※「しょっちゅう→たびたび→しばしば」の順にかたい表現になる。

ダブる　ガダブる
[動] ★2
be doubled, fall on
重, 重复／겹치다
trùng lập

・目が疲れてパソコンの字がダブって見える。
・うっかりして同じ日に予定をダブって入れてしまった。

関 ガ重なる、二重　(名) ダブり

ダブル
[名] ★1
double
双人, 双重, 双打／더블
đôi

① ・ダブルサイズのピザを注文した。　・ホテルのダブルルーム

合 __サイズ、__ベッド、__ルーム　対 シングル　類 二倍　関 トリプル、〈ホテル〉ツインルーム

② ・失業と失恋のダブルパンチを食らった。

合 __パンチ、__スクール、〈野球〉__プレー、〈劇〉__キャスト　類 二重

③ ・〈スポーツ〉{テニス／バドミントン／卓球 …}のダブルス　対 シングルス

だます　ヲだます
[動] ★3
deceive
欺骗, 哄骗／속이다
lừa lọc

・彼は「独身だ」とだまして5人の女性とつきあっていた。
・ブランド品だと思ったらにせものだった。だまされた。

たまたま
[副] ★2
by chance
偶然, 无意中／우연히, 마침
hiếm, đôi khi

・たまたま入った喫茶店で、友達に会った。
・「私は事件とは関係ありません。たまたま通りかかっただけです」

類 偶然

たまに
[副] ★2
occasionally
偶尔，少有／이따금，어쩌다，간혹，모처럼
đôi khi

・最近運動不足なので、たまにたくさん歩くと疲れる。
・このあたりは、雪はたまにしか降らない。
※「たまたま」とは意味が違う。　類 ときたま

たまる　　ガたまる
[動] ★3
(money) is saved up, accumulate, build up／积，存，积累，积攒／모이다，괴다，쌓이다／được tích lũy (tiền, nước), được tích tụ (bài tập, stress...)

・｛お金／水／ごみ／ストレス …｝がたまる。
☞〈他〉ためる

だまる　　ガ黙る
[動] ★3
be silent; do without permission／沉默，不说话；不打招呼／침묵하다，무단으로 하다
im lặng, không xin phép

① ・先生が質問したが、だれも答えないで黙っている。　・「うるさい。だまれ」
　合 ガ黙り込む(例．母は不機嫌になると黙り込む。)
② ・授業中だまって教室を出てはいけない。

ダム
[名] ★2
dam
水坝，水库／댐
đập

・山奥にダムが建設された。
関 水力発電

ためいき　　ため息
[名] ★1
sigh
叹气，长吁短叹／한숨
thở dài

・減っていく貯金残高を見つめながら、彼女は｛深い／大きな｝ため息をついた。
連 ＿をつく、深い＿、＿が漏れる・＿を漏らす　合 ＿まじり

ためす　　ヲ試す
[動] ★3
try, test
试，尝试／시험하여 보다
thử

・洋服が似合うかどうか、着て試してみた。
・自分の実力を試すために、テストを受けた。
［試しに］・似合うかどうか、試しに着てみた。
類 ヲ試みる　関 ヲ試着(ヲ)する、ヲ試食(ヲ)する

ためらう　ヲためらう　[動]★2
hesitate
犹豫, 踌躇／주저하다, 망설이다
đắn đo

・申し込みをためらっているうちに、締め切りが過ぎてしまった。
・社長には気軽に話しかけるのがためらわれる。
類 ヲ躊躇する　(名) ためらい

ためる　ヲためる　[動]★3
save (money), pile up／存, 积存, 存储／모으다, 미루어 두다／tích lũy (tiền, nước...), chồng, tích tụ (bài tập, stress...)

・｛お金／水／ごみ／ストレス　…｝をためる。
・宿題をためてしまい、休みの最後の日にまとめてやった。
☞〈自〉たまる

たもつ　ヲ保つ　[動]★1
to maintain, preserve
保持, 維持／유지하다, 지키다
bảo quản, giữ

①・この部屋は、コンピューターにより、20℃に保たれている。　・秩序を保つ。
②・モデルたちはスタイルを保つため、厳しい食事制限をしている。
類 ①②ヲ維持する

たやすい　[イ形]★1
easy, simple
容易, 不难, 轻易／쉽다
đơn giản, dễ dàng

・毎日運動した方がいいとわかってはいても、実行するのはたやすいことではない。
・私がなかなか身に付けられない技術を、友人はたやすく身に付けてしまった。
合 たやすさ　対 難しい　類 易しい、簡単な

たよる　ヲ頼る　[動]★2
rely on, depend on; count on
依赖；投靠／의지하다, 연줄을 찾다
phụ thuộc

①・彼は学費を親に頼らず、自分で働いて払っている。
②・東京にいる親戚を頼って日本へ来た。
　[(名) 頼り]・ガイドブックを頼りに旅行をした。連 ヲ_に、ガ_になる・ヲ_にする

だらしない　[イ形]★2
untidy／衣冠不整的；不检点, 邋遢
단정하지 않다, 칠칠치 못하다
lôi thôi

①・「暑いからといって、そんなだらしない格好をするな」　・だらしない生活
　対 きちんとした
②・彼はだらしない。部屋も汚いし、時間に遅れるし、借りたものもすぐなくす。
　対 きちょうめんな

合 ①②だらしなさ

だらだら（と）　ガだらだらスル

[副] ★1　leisurely, sluggish, going on and on, slowly / 磨磨蹭蹭；緩坡；滴滴答答／질질, 완만하게, 줄줄 / lười biếng, uể oải

① ・夏休みは特に何もせず、だらだら過ごしてしまった。　　　関 ガだらける
② ・だらだらと続く坂道　・山道をだらだらと下る。
③ ・傷口から血がだらだらと流れた。　　　　　　　　類 たらたら（と）

たりる　ガ足りる

[動] ★3　be sufficient / 足够／충분하다 / đầy đủ

・この収入では生活するのに全然足りない。
・今日の試験は難しくて、時間が足りなかった。

だるい

[イ形] ★1　sluggish / 困倦／나른하다 / mệt mỏi, uể oải

・熱があって全身がだるい。　・｛足／腕｝がだるい。

合 だるさ、気__

たるむ　ガたるむ

[動] ★1　to sag, slack / 松弛, 不振／느슨해지다, 처지다, 해이해지다 / cong xuống

① ・洗濯物を干すロープがたるんでいたので、張り直した。
　　関 ガ緩む　（名）たるみ→　__がある⇔ない
② ・「こんな大事なときに風邪をひくなんて、精神がたるんでいる！」

たれる　ガ／ヲ垂れる

[動] ★1　to hang, droop, drip ／低垂, 下垂, 流下, 低下／늘어지다, 처지다, 떨어지다, 숙이다 / treo rủ, chảy nhỏ giọt

① ・柳の枝が垂れている。　　　　　　　合 ガ垂れ下がる　類 ガ下がる
② ・冬の朝、屋根の氷が溶けて水滴が垂れてくる。　　類 ガ落ちる
③ ・校則違反をして捕まった学生たちは、首を垂れて校長の叱責を聞いていた。
〈他〉垂らす（例.｛髪／釣り糸／よだれ／鼻水 …｝を垂らす。）

たんい　単位

[名] ★1　unit, credit / 単位,（课程的）学分／단위, 학점 / đơn vị, giờ học

① ・リットルは量の単位で、1リットルは1,000ccに当たる。
② ・夫婦は家族の最小単位だ。　　　　　　　　　　合 最小__
③ ・大学に入ったら、1年生のうちにできるだけ多くの単位を取りたい。
　連 __を取る、__を収める、__を取得する

たんしゅく ヲ短縮スル
[名] ★2　shortening; reduction / 縮短 / 단축 / rút ngắn

・冬は動物園の営業時間が短縮される。　・{時間／距離 …}を短縮する。

合 __授業　対 ヲ延長スル　関 時短（＜時間短縮）

たんじゅんな 単純な
[ナ形] ★2　simple; simple-minded; simply / 简单；单纯 / 只是 / 단순하다 / đơn giản

① ・この機械は単純なしかけで動く。　・同じ作業を繰り返す単純な仕事

　　合 単純さ、単純作業、単純明快な　対 複雑な　類 簡単な、シンプルな

② ・私は単純な性格だから、お世辞でもほめられるとうれしい。　・単純な人
③ ・これは単純に私個人の問題だ。　　　　　　　　　　　　類 ただ、単に

たんじょう ガ誕生スル
[名] ★3　birth / 出生，诞生 / 탄생 / sinh, ra đời

① ・新しい命の誕生を祝う。　・結婚２年目に子供が誕生した。　合 __日
② ・新政権が誕生する。

関 ①②ガ生まれる

だんせい 男性
[名] ★3　man / 男性，男子 / 남성，남자 / nam giới, đàn ông

・理想の男性と結婚する。　・「あの{○男性／○男の人／×男}はだれですか」

対 女性　関 男女、性別

だんたい 団体
[名] ★3　group / 团体 / 단체 / đoàn thể

・博物館で団体のチケットを買う。

合 __旅行、__割引、__行動、政治__、宗教__　対 個人

たんてきな 端的な
[ナ形] ★1　frank, to the point / 直率，直截了当 / 단적인 / rõ ràng, thẳng thắn

① ・この事件には現代の矛盾が端的に現れている。

　　連 __例　類 明白な、はっきりした／している

② ・「要点だけを端的に述べてください」　　　　　　　　　　　類 簡潔に

たんとう ヲ担当スル
[名] ★2　charge / 担当，负责 / 담당 / chịu trách nhiệm về

・会社で営業を担当している。　・担当の医師から検査結果の説明を受けた。

合＿者

たんに　単に
[副] ★2　only, simply／单单，只不过／단순히, 단지, 그저／đơn thuần

① ・環境問題は単に先進国のみの問題ではない。
　※「だけ」「のみ」などの言葉と一緒に使うことが多い。　類 ただ
②[(連) 単なる]・事故の原因は単なるミスだった。　類 ただの

たんのうな　堪能な
[ナ形] ★1　proficient, satisfaction／擅长, 享受／능숙한, 만끽한／thành thạo

① ・語学に堪能な佐藤課長は海外出張も多い。　類 上手な
②[(動) ヲ堪能する]・香港で本場の中華料理を堪能した。
　※「〜に堪能する」という表現もある。　関 ガ満足する

たんぱくな　淡白／淡泊な
[ナ形] ★1　plain, simple, frank／清淡, 淡泊, 坦率／담백한, 욕심이 없는／thanh tao, thẳng thắn

① ・一般に、年を取ると淡白な味を好むようになると言われる。
　対 濃厚な、濃い　類 さっぱりした／している、あっさりした／している
② ・上原さんは金銭に淡白な人だ。　・淡白な性格　類 あっさりした／している
合 ①②淡白さ

だんぼう　暖房
[名] ★3　heater／暖气设备, 供暖／난방／máy sưởi

・寒いので暖房をつける。　・この部屋は暖房がきいていて暖かい。
連 ＿をつける⇔消す、＿を入れる、＿を止める、＿がきく　対 冷房
関 エアコン、ヒーター、ストーブ、クーラー

だんらん　ガ団らんスル
[名] ★1　family/social gathering／团圆／단란／đoàn tụ

・大きなテーブルは家族団らんのシンボルだ。
・冬は家族で鍋を囲んで団らんしたい。
合 一家＿、家族＿

ちあん　治安
[名] ★1　safe (area), (public) security／治安／치안／an ninh

・この辺は治安がいいので安心だ。
連 ＿がいい⇔悪い、＿を維持する⇔乱す　合 ＿情勢、＿維持(法)

ちい　地位
[名] ★2　post, status / 地位／지위 / địa vị

・地位が上がるとともにストレスも増える。
・彼女は女性の地位の向上に力を尽くした。

連 __が高い⇔低い、__が上がる⇔下がる、__が向上する、～__につく、__を得る⇔失う　合 社会的__　関 立場、身分

チーム
[名] ★3　team / 团队，小组／팀 / tổ, đội

・私達のチームが勝った。　・チームを組んで調査する。

連 __を組む　合 __プレー、__ワーク、__メート、{野球／サッカー　…}＋チーム

チームワーク
[名] ★1　teamwork / 团队合作／팀워크 / làm việc theo nhóm

・チームワークの取れた会社は、いい仕事ができる。
・このチームは選手個々の力はあるのだが、チームワークが今一つだ。

連 __がある⇔ない、__がいい⇔悪い、__が取れる

チェンジ　ガ／ヲチェンジスル
[名] ★1　change, substitute / 改变，更换／체인지，교체，교대 / thay đổi

①・彼女は髪を切ってイメージチェンジした。　・車のモデルチェンジ

　合 イメージ__、モデル__　類 ガ変化スル

②・「この席、前の人の頭で舞台がよく見えないわ」「じゃ、僕の席とチェンジする？」

　合 メンバー__　類 ヲ交換スル、ガ／ヲ交替スル

ちか　地下
[名] ★3　underground, basement / 地下／지하 / dưới mặt đất

・大都市は地下の開発が進んでいる。　・地下2階、地上8階のビル

合 __鉄、__道、__街　対 地上

ちがい　違い
[名] ★3　difference / 不同，区别／차이 / sự khác nhau

・この二つの違いがわからない。
(動) ガ違う

ちかう　ヲ誓う
[動] ★2
swear
发誓, 立誓, 宣誓／맹세하다, 서약하다
thề

- 将来は必ず医者になって病気の人を救おうと心に誓った。
- ｛神／親／自分 …｝に誓う。

運 将来を__、心に__　関 ヲ宣誓する　(名) 誓い→ __を立てる

ちかぢか　近々
[副] ★1
soon
不久／머지않아
ngay

- 近々引っ越す予定だ。

類 もうすぐ、もうじき　※「近々」の方がかたい言葉。

ちかづく　ガ近づく
[動] ★3
approach
接近；临近／접근하다, 다가오다
tới gần

① ・目的地｛が／に｝近づいてきた。　・台風が日本列島に近づく。
② ・春休みが近づいてきた。　・帰国の日が近づき、忙しい。

☞〈他〉近づける

ちかづける　ヲ近づける
[動] ★3
move (something) nearer
接近, 靠近／가까이 대다, 접근시키다
cho tới gần, để tới gần

- 車を道のわきに近づける。　・絵に顔を近づけてよく見る。

☞〈自〉近づく

ちかみち　ガ近道(ヲ)スル
[名] ★3
shortcut
近路, 近道／지름길, 빠르게 질러감
đi tắt, lối tắt

- 駅への近道を通る。　・遅刻しそうなので、近道する。

対 ガ遠回り(ヲ)スル　関 ガ回り道(ヲ)スル

ちかよる　ガ近寄る
[動] ★2
approach
接近, 靠近／다가가다, 가까이하다
tới gần

- 物音がしたので窓に近寄って外を見た。
- 「この川は危険なので近寄らないでください」

類 ガ近づく　合 近寄りがたい(例. あの先生は立派すぎて近寄りがたい。)

ちきゅう　地球
[名] ★3
earth
地球／지구
trái đất

- 地球の環境が悪化している。

合 __温暖化　関 太陽、月、星

ちぎる　ヲちぎる
[動] ★1
to tear, rip
撕／뜯다，(잘게) 찢다
xé

・レタスは手でちぎった方が味がしみこんでおいしい。　・紙を手でちぎる。
合 ヲかみ__、ヲ食い__、ヲほめ__　☞〈自〉ちぎれる

ちぎれる　ガちぎれる
[動] ★1
to tear, break off
扯断，撕裂，撕掉／찢어지다，끊어지다
bị xé, đứt

・みんなで引っ張ったので、ひもがちぎれた。　・寒さで耳がちぎれそうだ。
関 ガ切れる、ガ破れる　☞〈他〉ちぎる

ちくせき　ガ／ヲ蓄積スル
[名] ★1
accumulation
蓄积，过度／축적
tích luỹ, lưu trữ

・放射線そのものは体内に蓄積されないということだ。
・|資本／富／知識／疲労 …|の蓄積
連 ～__がある⇔ない

ちこく　ガ遅刻(ヲ)スル
[名] ★3
arriving late
迟到／지각
đến muộn

・寝坊して授業に遅刻する。　・面接では1分の遅刻も許されない。

ちしき　知識
[名] ★3
knowledge
知识／지식
tri thức, kiến thức

・本を読んで知識を身につける。
連 __が豊富だ⇔乏しい、__が身につく・__を身につける、__を得る　合 専門__

ちぢまる　ガ縮まる
[動] ★2
shrink, shorten
缩小，缩短／줄어들다
co lại

・マラソンの世界記録はだんだん縮まっている。　・トップとの差が縮まってきた。
対 ガ伸びる　☞〈他〉縮める

ちぢむ　ガ縮む
[動] ★2
shrink, shorten
缩，收缩，退縮／줄다，작아지다，움츠러들다
co lại

・洗濯したらセーターが縮んでしまった。　・年を取ると背が縮んでくる。
合 ガ縮み上がる(例．あまりの怖さに縮み上がった。)　対 ガ伸びる　(名)縮み
慣 身が縮む(例．人前で大失敗して身が縮む思いだった。)

ちぢめる　ヲ縮める

[動] ★2　shorten ／使……收缩，使……变小／줄이다, 단축시키다, 움츠리다／rút ngắn

・ズボンが長すぎたので少し丈を縮めた。
・2位のランナーが1位との{距離／差}を縮めた。

対 ヲ伸ばす　慣 身を縮める（例．寒さで身を縮める。）、命を縮める（例．酒で命を縮める。）　☞〈自〉縮まる

ちつじょ　秩序

[名] ★1　order／秩序／질서／thứ tự

・震災後、日本人は秩序をもって行動したと世界に報道された。
・法廷では、秩序を保つため、許可されない発言は禁止である。　・秩序ある行動

連 __がある⇔ない、__が乱れる・__を乱す、__を保つ、__を維持する、__を回復する
合 社会__　対 無秩序(な)　関 規律

ちっとも

[副] ★3　(not) at all／一点儿也(不)，毫(无)／조금도, 전혀／hoàn toàn (không) (đi kèm với dạng phủ định)

・「あの二人、付き合っているらしいよ」「へえ、ちっとも知らなかった」
・周りがうるさいので、ちっとも勉強が進まない。
※ 話し言葉的。否定的な表現と一緒に使う。　類 全然、全く、少しも

ちなみに

[接] ★1　incidentally／附带说一下／근데／thêm vào đó

・「4月からアメリカへ赴任することになりました。ちなみに、単身赴任です」
※ 簡単な補足などを付け加えるときに使う。

ちほう　地方

[名] ★3　region; the provinces／地方，地区；(相对中央来说的)地方，外地／지방／địa phương

① ・雨が多い地方では、植物がよく育つ。
　合 {東北／関東／熱帯 …}＋地方　類 地域
② ・地方から都会へ出て働く。
　合 __都市、__自治体　対 中央　類 田舎　関 都会

ちみつな　緻密な

[ナ形] ★1　carefully thought out, accurate／细致，细密，周到／세밀한／chính xác

・私は緻密に計画を立てて行動する方だ。　・緻密な{計算／研究 …}

合 緻密さ、緻密性　類 綿密な　関 精密な

ちめいてきな　致命的な
[ナ形] fatal／致命的／치명적인／nghiêm trọng ★1

・食品会社にとって、食中毒事件を起こすことは致命的な打撃になる。
・致命的な失敗をしてしまった。　・致命的な重傷を負う。
関 致命傷

チャイム
[名] chime／組钟, 铃／차임, 초인종／chuông ★3

・授業が始まるとき、チャイムが鳴る。
連 ＿が鳴る・＿を鳴らす　関 ベル、ブザー

ちゃくしゅ　ガ着手スル
[名] launch, start／着手／착수／bắt đầu ★1

・そのチームは新しいプロジェクトに着手した。
・がれきの撤去作業は明日にも着手される。
合 ＿金　関 ヲ始める、ガ着工スル

ちゃくちゃくと　着々と
[副] steadily／稳步而顺利／척척, 착착／chăn ★1

・工事は予定通り、着々と進んでいる。　・{仕事／勉強／計画 …}が着々と進む。
連 ＿進む・＿進める

ちゃくもく　ガ着目スル
[名] attention, focus／着眼, 注目／주목／quan tâm ★1

・免疫の働きに着目して、新しい治療法が開発された。
・売上だけに着目していると、利益率を見逃してしまうことがあるので要注意だ。
関 ガ着眼スル、ガ注目スル、ヲ注視スル

ちやほやする　ヲちやほやする
[動] to make a fuss of／奉承／추어올리다／nuông chiều, làm hư ★1

・あの若いタレントは、ちやほやされてすっかりいい気になっている。

チャレンジ　ガチャレンジスル
[名] challenge, try／挑战／도전／thách thức ★1

・自分の実力より少しレベルの高い大学だが、チャレンジしてみよう。
・難問にチャレンジする。　・彼女はチャレンジ精神が旺盛だ。
合 ＿精神　類 ガ挑戦スル　関 チャレンジャー、ガトライスル

ちゃんと　ガちゃんとスル
[副] ★2
neatly; carefully, perfectly ／整洁；好好地，像样地／단정하게, 확실하게, 충분히
nghiêm chỉnh

① ・「面接にはちゃんとした服を着ていくこと」
② ・〈あいさつしない人に〉「部屋に入るときは、ちゃんとあいさつしなさい」
類 ①②きちんと　※「ちゃんと」の方がくだけた言葉。

ちゅうかん　中間
[名] ★2
middle
中间，二者之间／중간
giữa

・名古屋は東京と大阪の中間にある。
・二国間の意見の中間を取った声明が発表された。
合 __試験、__報告、__色、__管理職　類 間

ちゅうけい　ヲ中継スル
[名] ★1
broadcast
（广播，电视）转播，直播，中转／중계
truyền hình

・イギリス王室の結婚式の模様は、世界中に中継された。
・テニスの試合を中継する。
合 __放送、衛星__、生__、実況__、__局、__車

ちゅうし　ヲ中止スル
[名] ★3
to cancel
中止，停止／중지
ngừng lại, bị đình chỉ

・雨のため、野球の試合が中止になった。
連 __になる　類 取りやめ

ちゅうじつな　忠実な
[ナ形] ★1
faithful, loyal
忠实，忠诚／충실한
trung thành, trung thực

① ・犬は飼い主に忠実だと言われる。　・言いつけを忠実に守る。　・忠実な部下
② ・これは小説を忠実に映画化している。　類 正確に、ありのままに
合 ①②忠実さ

ちゅうしゃ　ガ駐車スル
[名] ★2
parking
停车／주차
đậu xe

・日曜日の都心は駐車するところがない。　・駐車違反で捕まった。
合 __場、__禁止、__違反　関 ガ停車スル

ちゅうしょうてきな　抽象的な
[ナ形] ★2
abstract
抽象／추상적이다
trừu tượng

・名詞は形のない抽象的なものごとも表す。　・抽象的な {話／議論 …}
・この理論は抽象的すぎてよくわからない。

対 具体的な　関 抽象性、抽象画、ヲ抽象化スル

ちゅうしん　中心
[名] ★3
center
中心/중심
trung tâm

・街の中心　・月は地球を中心に回っている。
合 ＿的な、＿人物

ちゅうせん　ガ抽選スル
[名] ★2
lot
抽签/추첨, 제비뽑기
xổ số

・抽選に当たってテレビをもらった。
・応募者が多い場合は、抽選で当選者を決めることになっている。
連 ＿に当たる⇔外れる、＿に漏れる　関 ガくじびき(ヲ)スル、ガ当選スル

ちゅうだん　ガ/ヲ中断スル
[名] ★2
interruption, suspension
中断/중단
gián đoạn

・雨で試合が中断した。　・なかなか結論が出ず、会議は一時中断された。
対 ガ/ヲ継続スル　関 ヲ中止スル　※「中断」は始まっていることについてしか使えないが、「中止」はものごとが始まる前でも使える。(例．明日の試合は台風の接近のため {○中止／×中断} になりました。)

ちゅうもく　ガ注目(ヲ)スル
[名] ★3
attention
注目, 关注/주목
chú ý

・有名歌手の結婚が注目を集めている。　・新しいファッションに注目する。
連 ＿を集める、＿を浴びる

ちゅうもん　ヲ注文(ヲ)スル
[名] ★3
order; request
订购, 点(菜); 提要求/주문
đặt hàng, yêu cầu

① ・注文の品が届く。　・喫茶店でコーヒーを注文する。　連 ＿をとる
② ・工事を早くするように注文をつける。　連 ニ＿をつける

ちょうか　ガ超過スル
[名] ★2
excess
超过/초과
dư thừa

・彼女の荷物は規定の重量を10キロも超過していた。
・計算してみると、予算を超過していた。
合 ＿料金、＿勤務　類 ガオーバースル　関 ガ超える

ちょうさ　ヲ調査(ヲ)スル
[名] ★3
investigation, survey
调查／조사
điều tra, tìm hiểu

・調査を行う。　・学生の希望を調査する。
合 [名詞]＋調査(例．アンケート調査)

ちょうし　調子
[名] ★3
condition; tone ／情况, 样子；势头, 劲头；语调, 口气／컨디션, 진행 상태, 어조
tình trạng (hoạt động, sức khỏe...)

① ・{体／機械 …}の調子がいい。　・あの選手は最近調子がいい。
　連 ＿がいい⇔悪い、＿が崩れる・＿を崩す、＿が上がる⇔下がる・＿を上げる⇔下げる　関 好調(な)⇔不調(な)、体調
② ・仕事に慣れて調子が上がってきた。　連 ＿が上がる⇔下がる
③ ・強い調子で話す。

ちょうしょ　長所
[名] ★2
good point, merit
优点, 长处／장점
sở trường

・「あなたの性格の長所と短所を言ってください」
・この車の長所は燃費がいいことだ。
連 ＿を伸ばす、＿を生かす　対 短所、欠点　関 美点、取り柄

ちょうせい　ヲ調整スル
[名] ★2
adjustment
调整／조정
điều chỉnh

・テレビの映りが悪いので、アンテナの向きを調整した。
・{日程／スケジュール／利害 …}を調整する。
合 年末＿、ヲ微＿スル

ちょうせつ　ヲ調節(ヲ)スル
[名] ★2
control, regulation
调节, 调整／조절
điều tiết

・リモコンで温度の調節をする。　・いすの高さを調節する。
合 温度＿

ちょうせん　ガ挑戦スル
[名] ★3
challenge
挑战／도전
thử thách, kích thích

・{難しい課題／チャンピオン …}に挑戦する。　・世界記録への挑戦
合 ＿者

305

ちょうだいする　ヲ頂戴する
[動] ★2
receive, accept; give; please
領愛，得到；吃；请／받다，얻다．(해) 주세요
cho tôi

① ・「これ、お土産です」「ありがとうございます、頂戴します」　類 ヲいただく
② [ちょうだい]・〈友達に〉「あ、おいしそうなケーキ。私にもちょうだい」
　・〈母親が子供に〉「ちょっとお使いに行ってきてちょうだい」
　類 ください　※「ちょうだい」はくだけた言い方。

ちょうてん　頂点
[名] ★2
vertex, top
顶点，山顶，最高处／꼭짓점，정상，절정
đỉnh

・三角形の頂点　・山の頂点に立つ。　・あの歌手は今、人気の頂点にある。
連 ＿に立つ、＿に達する、＿に登りつめる　関 頂上、山頂、頂、てっぺん

ちょうなん　長男
[名] ★2
oldest son
长子／장남
trưởng nam

・日本では、長男は大事にされる傾向があった。
関 次男、三男、長女、次女、三女、末っ子

ちょうほうな　重宝な
[ナ形] ★1
convenient, useful
方便，爱惜／편리한，쓸모가 있는
quý báu, tiện lợi

・電子レンジは重宝な調理器具だと思う。
合 重宝さ
[動] ヲ重宝する・「部屋が寒いので、いただいた膝掛けを重宝しています」

ちょうわ　ガ調和スル
[名] ★1
harmony
调和，协调，搭配，和谐／조화
điều hòa, cân bằng

・ファッションでもインテリアでも、全体の調和がとれている方が美しい。
・あの建物は新しいが、古い町並み{と／に}よく調和している。
連 ＿がある⇔ない、＿がとれる・＿をとる、＿を欠く　関 釣り合い、バランス、ヲ統一スル

ちょきん　ヲ貯金(ヲ)スル
[名] ★3
savings, depositing
储蓄，存款／저금
tiết kiệm

・貯金が増える。　・銀行にボーナスを貯金する。
連 ＿をおろす、＿を引き出す　合 ＿通帳、＿箱　類 預金

ちょくせつ　直接

[副] ★3
directly, on one's own
直接／직접
trực tiếp

・新聞記者は、関係者から直接話を聞く必要がある。
・集合時間に遅れたので、一人で直接目的地に行かなければならなかった。

合 直接的な⇔間接的な

ちょくちょく

[副] ★1
often, now and then
经常／자주
thường

・白井さんとはちょくちょく飲みに行く間柄だ。
・「もっとちょくちょく顔を見せてよ」
※話し言葉的。　類 よく、たびたび、しばしば

ちょくめん　ガ直面スル

[名] ★1
confrontation, face
面临／직면
đối mặt

・今我が国は大変な問題に直面している。
※マイナスの内容に使うことが多い。　連 問題に＿する

ちらかす　ヲ散らかす

[動] ★2
litter, scatter; mess up
弄得乱七八糟／어지르다、흩뜨리다
làm bừa bộn

・うちの子はすぐに部屋を散らかしてしまう。　・部屋に雑誌が散らかしてある。

☞〈自〉散らかる

ちらかる　ガ散らかる

[動] ★2
litter; be in a mess
零乱，放得乱七八糟／흩어지다、널브러지다
bừa bộn

・兄の部屋はいつも散らかっている。　・部屋に雑誌が散らかっている。

☞〈他〉散らかす

ちらす　ヲ散らす

[動] ★3
spread, scatter
弄散，吹散／흩뜨리다、흩어 놓다
làm bay, làm rụng

・風が桜を散らしてしまった。

☞〈自〉散る

ちらばる　ガ散らばる

[動] ★2
scatter, spread, disperse
分散；分布／어질러지다、흩어지다、산재하다
rải rác

①・路上にごみが散らばっている。
②・彼の子孫は日本中に散らばっている。

関 ①②ガ散る

類 ガ散乱する
類 ガ点在する

ちりょう　ヲ治療(ヲ)スル
[名] treatment / 治疗 / 치료 / điều trị ★3

・病気を治療した。　・虫歯の治療を{した／受けた}。
[連] ＿を受ける　[関] ヲ治す

ちる　ガ散る
[動] fall; be scattered / 落，谢，凋谢 / 떨어지다, 지다 / rơi, rụng, tàn ★3

・風で桜が散ってしまった。
[合] ガ飛び＿　[☞]〈他〉散らす

ちんもく　ガ沈黙スル
[名] silence / 沉默 / 침묵 / im lặng ★1

・出席者は皆、沈黙したまま下を向いていた。最初に沈黙を破ったのは野村氏だった。
・当事者が沈黙を守ったので、真実は誰にもわからなかった。
[連] ＿を守る、＿を破る　[関] 無言、ガ黙る　[慣]〈ことわざ〉沈黙は金

つい
[副] in spite of oneself, involuntarily / 不由自主地，不禁 / 무심코, 그만 / vô tình (không cố ý, không chủ tâm) ★3

・禁煙しようと思うのだが、食事の後などについ吸ってしまう。
・疲れていたので、会議中についい居眠りしてしまった。

ついか　ヲ追加スル
[名] addition / 追加 / 추가 / thêm ★2

・飲み会でビールを追加する。　・「さっきの注文に追加したいんですが」
[合] ＿料金

ついきゅう　ヲ追及スル
[名] interrogation, pursuit / 追究，追查 / 추궁 / điều tra ★1

・事故を起こした会社の責任を追及するため、裁判を起こした。
・{原因／犯人／犯行の動機／事件　…}を追及する。

ついきゅう　ヲ追求スル
[名] pursuit / 追求 / 추구 / tìm kiếm ★1

・若者には理想を追求してもらいたい。　・{幸福／利益　…}を追求する。
[類] ヲ追い求める、ヲ追う

ついきゅう　ヲ追究スル
[名] ★1
enquiry/inquiry, investigation
追求，追究／추구
truy cứu, theo đuổi

・学者の仕事は真理を追究することだ。　・｛真実／本質／美　…｝を追究する。

ついせき　ヲ追跡スル
[名] ★1
tracking, pursuit, following
追跡／추적
truy đuổi

① ・警察は警察犬を使って犯人を追跡した。
② ・これは10組の双子を20年に渡って追跡した結果をまとめたものである。

[合] ＿＿調査

[類] ①②ヲ追う、ヲ追いかける

ついでに
[副] ★2
on one's way to ~; at one's convenience
順便，得便的時候／하는 김에, 하는 기회에
tiện thể

・「散歩に行くんだったら、ついでにこの手紙を出してきて」
・出張で大阪に行ったついでに、親戚の家に寄ってきた。

[(名) ついで]・「ついでのときに、これをコピーしておいてください」

ついに
[副] ★3
at long last, in the end
終于，到底；直到最后／드디어，결국，끝끝내
cuối cùng thì

① ・若いころの夢をついに実現することができた。
② ・がんばって練習したが、ついに全国大会に出場することはできなかった。
　※ 否定的な表現と一緒に使う。

[類] ①②とうとう　※「ついに」の方が改まった言葉。

ついやす　ヲ費やす
[動] ★2
spend
花，花費／쓰다，낭비하다
trải, tiêu phí

・週末の時間のほとんどを趣味に費やしている。
・｛時間／お金／労力　…｝を費やす。

[類] ヲ使う　[関] ヲかける

つうか　ガ通過スル
[名] ★2
passage
通过／통과
vượt qua

・国境を車で通過する。　・コンテストで一次審査を通過した。

[合] ＿＿駅、＿＿点、＿＿地点　[関] ガ通り過ぎる、ガパススル

つうかん　ヲ痛感スル
[名] ★1
full realization
深切地认识到／통감
thấu cảm

・チームが連敗していることに対し、彼は監督として責任を痛感しているようだ。
・{力不足／無力さ …}を痛感する。

つうきん　ガ通勤スル
[名] ★3
commuting (to work)
上下班／통근
đi làm

・私は毎日1時間かけて通勤している。
合 __時間　関 ガ通学スル、ガ通院スル

つうじる　ガ通じる
[動] ★3
be understood, lead to, get through／懂, 理解；通往, 通到；(电话等) 接通／통하다, 연결되다／hiểu được (ngôn ngữ), dẫn tới, thông

①・日本に来たとき、私の日本語が通じるかどうか心配だった。
②・この地下道は駅に通じている。
③・コンサートチケット申し込みの電話がやっと通じた。

つうせつな　痛切な
[ナ形] ★1
keenly, acute, deep
深切／통절한, 절실한
sâu sắc, thấm

・病気のときなどは、家族のありがたさを痛切に感じる。
類 切実な　関 痛烈な

つうやく　ヲ通訳(ヲ)スル
[名] ★3
interpretation, interpreter
口语翻译；翻译, 口译者／통역
biên dịch

①・英語を日本語に通訳する。
②・国際会議の通訳になる。　・首相の通訳をつとめる。
関 ヲ翻訳(ヲ)スル、ヲ訳す

つかいすて　使い捨て
[名] ★1
disposable
一次性的／일회용
dùng một lần rồi vứt

・使い捨ての紙コップは便利だが、資源の無駄になるかもしれない。
・何でも使い捨てにせず、大切に使うようにしたい。
連 __にする

つかえる　ガ仕える
[動] ★1
to work for, serve
伺候, 奉侍／모시다, 섬기다, 시중들다
phục vụ

・責任感のない上司に仕えた部下は苦労する。
・{神／国／主君／(人の)そば …}に仕える。

つかまえる　ヲ捕まえる

[動] ★3　arrest, catch／抓, 抓住／붙잡다, 잡다／bắt được, tóm được

- 警察がどろぼうを捕まえた。　・川で魚を捕まえる。

☞〈自〉捕まる

つかまる　ガ捕まる

[動] ★3　be arrested, caught／被抓住；拽住／잡히다／bị bắt, bắt lấy

- 犯人が警察に捕まった。

☞〈他〉捕まえる

つかむ　ヲつかむ

[動] ①②★3、③④★1　to catch, get (win), grasp (get the hang of), capture (win)／抓住, 賺大錢, 得人心, 領會／잡다, 불잡다, 쥐다, 터득하다, 사로잡다／tóm, lấy được, nắm được

① ・警官は逃げようとする犯人の腕をつかんだ。

[合] ガつかみかかる　[類] ヲ握る　[慣]〈ことわざ〉溺れるものは藁をもつかむ

② ・宝くじに当たって思いがけない大金をつかんだ。　・チャンスをつかむ。

[合] ヲつかみ取る（例．チャンスは自分でつかみ取るものだ。）

③ ・スケートの練習でジャンプのこつをつかんだ。　[連] こつを__

④ ・彼女は人々の心をつかみ、大スターへと上り詰めた。　・固定客をつかむ。

[類] ①③④ヲ捉える

〈自〉つかまる（例．電車で立っているときはいつもつり革につかまっている。）

つかる　ガつかる

[動] ★2　be flooded, soak; absorb in, devote oneself／淹, 泡, 沉浸／잠기다／tràm vào

① ・大雨で家の床まで水につかった。　・肩まで湯につかる。　[類] ガ浸る

② ・日々の生活にどっぷりつかって初心を忘れていた。

[慣] ぬるま湯につかる　☞〈他〉つける

つかれ　疲れ

[名] ★3　fatigue／疲劳／피로／sự mệt mỏi, mệt nhọc

- 仕事で疲れがたまっている。

[連] __がたまる、__がとれる　(動) ガ疲れる

つき〜　突き〜

1) 激しい勢いで〜する、間近に〜する

To do (something) very forcefully, to do (something) close at hand／激烈地〜, 就在眼前（做某事）／격렬한 기세로 〜하다／아주 가까이에서 〜하다／làm việc gì đó quyết liệt

| つきかえす　ヲ突き返す | [動] ★1 | to reject 退回／되돌리다 trả lại |

・上司から「もっと詳しく書け」と、報告書を突き返された。

| つきとばす　ヲ突き飛ばす | [動] ★1 | to push someone away 撞倒／들이받다, 들이밀치다 đẩy bay |

・犯人は捕まえようとした警官を突き飛ばして逃走した。

2)最後まで〜する

To do (something) until it is completed
坚持到最后〜／마지막까지 ~ 하다
quyết tâm là đến cùng

| つきつめる　ヲ突き詰める | [動] ★1 | to think something through 追究到底／지나치게 생각하다, 추궁하다 làm rõ tường tận |

・彼女は何でも突き詰めて考えすぎる。　　・不明な点を最後まで突き詰める。

つきあう　ガ付き合う

[動] ★3　associate with, keep company with; date
交往；作陪；（男女）交往／사귀다, 같이 하다
hẹn hò, quan hệ, kết giao, kết bạn

① ・隣の家の人と親しく付き合っている。
② ・先週の土曜日は上司のゴルフに付き合わされた。
　(名)付き合い→　①__がある⇔ない、②__がいい⇔悪い
③ ・彼らは付き合って5年目に結婚した。　　　　　　　類 ①③ガ交際する

つきあげる　ガ／ヲ突き上げる

[動] ★1　to thrust, be under pressure from ／高举、（下级对上級）施加压力、(从下往上) 冲出／들어 올리다, 밀어 닥치다／đẩy mạnh

〈他〉① ・こぶしを突き上げて抗議の意思を示す。
　　② ・若手に突き上げられ、執行部も路線を変更せざるを得なかった。
　　(名)突き上げ
〈自〉・腹の底から怒りが突き上げてきた。　　　　　　　　類 ガこみ上げる

つきあたる　ガ突き当たる

[動] ★2　come to the end (of a street); run into, run up against／走到尽头；碰到（困難, 問題）／막다르다, 부딪치다／đụng

① ・「この道をまっすぐ行って、突き当たったら左に曲がってください」
　(名)突き当たり
② ・計画は予算不足という問題に突き当たった。

つきあわせる　ヲ突き合わせる

[動] ★1　to face, compare
促膝谈心, 对照／맞대다
đối diện

① ・膝を突き合わせて相談する。
② ・原本と写本を突き合わせて、違いを探す。　　　　　　(名)突き合わせ

つきだす　ヲ突き出す
[動] ★1
to stick out, hand over
抬出，交出／내밀다，넘기다／chống, trình

① ・彼女は不満そうにあごを突き出した。
② ・電車の中でスリを捕まえて警察に突き出した。

〈自〉突き出る

つぎつぎに／と　次々に／と
[副] ★3
one after another／一个接一个，陆续，连续／不断地／잇달아，계속하여／lần lượt

・新しいタイプのインスタント食品が次々に発売されている。
・あの小説家は次々と新しい作品を発表している。

つきつける　ヲ突きつける
[動] ★1
to thrust at
頂着，摆出／들이대다／chĩa vào, đưa ra

① ・強盗は住人にナイフを突きつけて「金を出せ」と脅した。
② ・犯人は証拠を突きつけられて自白した。

つきとめる　ヲ突き止める
[動] ★1
to determine, ascertain
查明／밝혀내다，알아내다／làm sáng tỏ

・刑事たちはようやく犯人の隠れ家を突き止めた。
・{理由／原因／責任の所在 …}を突き止める。　　関 ヲ探し当てる

つきはなす　ヲ突き放す
[動] ★1
to let go
放手／뿌리치다，내버려두다／bỏ mặc

・子供を自立させるためには、時には突き放すことも必要だ。

つきまとう　ガ付きまとう
[動] ★1
to follow around
纠缠，缠住，影响／따라다니다／ám ảnh

① ・最近、好きでもない人にしつこく付きまとわれて困っている。
　　関 ストーカー、ストーキング
② ・高所での仕事には危険が付きまとう。　・不安につきまとわれる。

つきる　ガ尽きる
[動] ★1
to be used up, be exhausted, come to an end, be based only on／用完，穷尽，终结／떨어지다，다 하다，끝나다，그치다／cạn kiệt, kết thúc, kết thúc

① ・貯金を切り崩して生活していたが、ついにお金が尽きてしまった。
　　連 力が__　　類 ガなくなる、ガ底をつく、ガ切れる、ガ枯渇する
② ・いくつになっても悩みは尽きることがない。　　類 ガ果てる
③ ・今回のトラブルの原因は、関係者の共通認識ができていなかったことに尽きる。

☞〈他〉尽くす③

つく　ガ付く
[動] ★3　be stained with, ; be gained; come with ／附着，沾上；长进，增加；附带，附加，随从；有味道／묻다，붙다，따르다，나다／bị dính (vết bẩn..), được kèm theo, dính kèm, có vị (thức ăn)

① ・けがをしてシャツに血が付いた。　　・新しいバッグにすぐ傷が付いてしまった。
② ・ウォーキングを毎日したら体力がついた。
③ ・このおかしにはおまけが付いている。　・この本には英語の訳が付いている。
④ ・このスープには味が付いていない。

☞〈他〉付ける

つく　ヲ突く
[動] ★2　stab, prick; walk on ~, put one's seal on ~; attack; pierce／戳，刺；撑，柱，按；说中；(味道)冲鼻，受刺激／치다，찍다，찌르다，떠밀다，짚다，괴다／đâm, chọc

① ・けんかして相手の胸を手で突いた。　　・フォークで肉を突く。
② ・転んでとっさに地面に手を突いた。　・つえをついて歩く。　・書類に判をつく。
③ ・話の｜核心／矛盾 …｜を突く。　・相手の不意を突く。
④ ・悪臭が鼻を突いた。　・母の涙に胸を突かれた。

つく　ガ就く
[動] ★2　get (a job), become; get to ／就(职)，从事；就(寝)，踏上／취업하다，취임하다，오르다，잠자리에 들다／trở thành

① ・大学を卒業して教職に就いた。　　・入社して10年目に部長のポストに就いた。
② ・眠りにつく。　　　　　　　　　　　　　　　　　〖慣〗床に就く(＝寝る)

つぐ　ヲつぐ
[動] ★2　pour／斟，倒入，盛饭／붓다，따르다，떠 담다／rót

・水をコップにつぐ。　・茶わんにご飯をつぐ。
〖合〗ヲつぎ足す　〖関〗ヲ注ぐ

つぐ　ガ次ぐ
[動] ★2　come next to, 接着／次于／다음가다, 잇따르다／tiếp theo

・大阪は東京に次ぐ大都市だ。　・事業で成功に次ぐ成功を収めた。　〖関〗次
［副］次いで］・パーティーでは、まず主催者のあいさつがあり、次いで乾杯が行われた。
〖類〗次に　※「次いで」の方がかたい言葉。

つぐ　ヲ継ぐ／接ぐ
[動] ★1　to succeed (follow in someone's footsteps), graft／继承, 嫁接／계승하다, 이어받다, 잇다, 접붙이다, 보충하다／kế thừa, thêm vào

① ・「私は将来父の会社を継ぐつもりです」　・｜家業／意志／王位／跡 …｜を継ぐ。
〖連〗～の｜後／跡｜を＿　〖合〗後継ぎ　〖類〗ヲ継承する　〖関〗後継者、跡取り

② ・この野菜はじゃがいもにトマトを接いで作られたものだ。　　　　　　　　　合 接ぎ木

つくす　　ヲ尽くす
[動] ★1　to try/do everything, do one's best, consume ／尽力，达到极点，弄完／다하다 cống hiến, phục vụ, hết sức

① ・行方不明になった娘を両親は手を尽くして探した。　・「最善を尽くします」
　　連 手を＿、最善を＿、〜の限りを＿
② ・社会に尽くすために政治家になりたい。　　　　　　　　関 ガ奉仕する
③ ［動詞ます形＋尽くす］・火事は町中を焼き尽くした。　・食料を食べ尽くす。
　☞〈自〉尽きる

つくづく（と）
[副] ★1　thoroughly, seriously, completely 仔細，深切／자세히, 절실히, 정말 triệt để

① ・最近鏡でつくづくと自分の顔を眺め、父に似てきたなあと思った。
　　類 よくよく、じっくり（と）、じっと
② ・自分は運のいい人間だとつくづく思う。　　　　　類 心から、しみじみ

つぐなう　　ヲ償う
[動] ★1　to compensate, atone for 賠償，赎罪／보상하다, 갚다 bồi thường

① ・株取引で会社に損害を与えた彼は、損害を償うために1,000万円払った。
　　類 ヲ賠償する、ヲ補償する
② ・人の命を奪ったとき、どんな方法で罪を償えるのだろうか。
　（名）償い→　＿をする

つける　　ヲ付ける
[動] ★3　put on; gain; assign; attach (conditions) ／涂上，抹上；增长；派，使……随从，附带；写，记／바르다, 익히다, 붙이다, 내다, 쓰다／để vào, đặt lên, thu được, đính kèm, kèm theo (điều kiện), nêm gia vị (thức ăn)

① ・パンにジャムをつける。　・口紅をつける。
② ・日本へ来ていろいろな知識を身につけた。　　　　　　　　　連 身に＿
③ ・英語ができない人に通訳をつける。
④ ・塩でスープに味を付ける。　・採用のとき、いろいろと条件を付けられた。
⑤ ・毎日日記をつけている。
☞〈自〉付く

つける　　ヲつける
[動] ★2　soak 浸, 泡／담그다, 잠그다 ngâm

・汚れが落ちにくいときは、洗剤の液にしばらくつけておくとよい。
・大豆を一晩水につけて柔らかくする。

類 ヲ浸す　☞〈自〉つかる

～つける

1）相手に強く～する、強い勢いで～する　[To strongly do (something) to someone, to do (something) with force ／对对方强烈地～，以强势对对方～／상대방에게 강하게 ～하다，강한 기세로 ~ 하다／làm gì ép ai đó]

おくりつける　ヲ送りつける　［動］★1　[to send (unsolicited) ／强送／보내다／quyết tâm là đến cùng]

・断ったのに、彼は自分の書いた本を私に送りつけてきた。

かけつける　ガ駆けつける　［動］★1　[to rush to ／赶到／달려가다, 달려오다／không có「取り」thì ý nghĩa cũng không thay đổi.]

・お世話になった上司が入院したと聞き、病院に駆けつけた。

たたきつける　ヲ叩きつける　［動］★1　[to slam, pelt ／粗暴地扔、砸／내던지다, 내동댕이치다, 두드리다／đập vào, đánh vào]

① ・父は怒って、持っていた新聞を机に叩きつけた。
② ・たたきつけるように降る雨

2）ものに何かを付けるようにする　[To attach something to an object ／给某样物品添加上什么东西／어떤 것에 뭔가를 달도록 하다／đính cái gì đó vào vật gì đó]

かざりつける　ヲ飾り付ける　［動］★1　[to decorate ／装饰／장식하다／trang trí]

・クリスマスツリーに豆電球を飾り付けた。　　　　（名）飾り付け

3）～することに慣れている、いつも～している　[To be used to doing (something), to do (something) all the tim ／习惯于～，一直在做～／~ 하는 것에 익숙해 있다, 항상 ~ 하고 있다／có thói quen]

いきつける　ガ行きつける　［動］★1　[to go somewhere frequently ／常去／자주 가다／đi nhiều, thường đi]

・海外旅行は行きつけているから、特に緊張することもない。
（名）行きつけ（例．行きつけの店）

やりつける　ヲやりつける　［動］★1　[to be used/accustomed to ／做惯／익숙하다／làm nhiều, thông thạo]

・今日はスピーチなどという、やりつけないことをしたので疲れた。

つげる　ヲ告げる　［動］★1　[to inform, tell ／告诉，告知／고백하다, 알리다／thông báo]

① ・彼女は長年付き合った恋人に別れを告げた。　　　　類 ヲ言う
② ・にわとりの声が朝を告げた。・時報が正午を告げた。　　類 ヲ知らせる

つごう　ヲ都合スル

[名] ★3
reason, unavailable
原因，方便／사정，변통
điều kiện, tình hình

① ・原田さんは家庭の都合で退職したそうだ。

　連 __がいい⇔悪い、__により（例．「本日は都合により、臨時休業とさせていただきます」）　**類** 事情

② ・明日のパーティーには出席したいが、時間の都合がつかない。

　連 __がつく⇔つかない

③ [(動) ヲ都合する]・明日までに100万円都合できなければ、倒産してしまう。

つじつま

[名] ★1
coherence, consistency
道理／조리，이치
sự chặt chẽ, gắn kết

・うそをついたら話のつじつまが合わなくなり、結局うそだとばれてしまった。

　連 __が合う・__を合わせる

つたえる　ヲ伝える

[動] ★3
tell; teach; introduce; conduct／转达，转告；传授，传播；导，传导／알리다，전하다
truyền đạt, giới thiệu, tuyên truyền dẫn (nhiệt)

① ・電話で用事を伝える。　・〈あいさつ〉「みなさんによろしくお伝えください」
② ・ふるさとの料理を若い人に伝える。
③ ・ザビエルがキリスト教を日本に伝えた。
④ ・金属は熱をよく伝える。

☞〈自〉伝わる

つたわる　ガ伝わる

[動] ★3
be spread; be handed down; be introduced; be transmitted／传，流传；传说；传播；传导／알려지다，전해지다 lan truyền, được tuyên truyền, giới thiệu (tín hiệu, âm thanh) được truyền/phát

① ・彼が結婚するといううわさが伝わってきた。
② ・この地方には昔から伝わる不思議な話がある。
③ ・漢字は中国から伝わってきた。
④ ・空気がないと音は伝わらない。

☞〈他〉伝える

つづく　ガ続く

[動] ★3
continue, occur repeatedly, follow／继续，连续；接连发生／계속되다，뒤따르다 tiếp tục, liên tiếp xảy ra theo (ví dụ, đi theo người đằng trước)

① ・雨の日が続く。　・美しい砂浜が続いている。
② ・地震が続いて起こる。　・〈駅で〉「前の人に続いてお乗りください」

(名) 続き(例．このマンガの続きが早く読みたい。)　☞〈他〉続ける

つづける　ヲ続ける
[動] ★3　continue, happen in a row
继续，持续不断；连续，接连／계속하다
tiếp tục, liên tiếp

① ・もう3時間も会議を続けている。
② ・3回続けて遅刻して、先生に怒られた。
☞〈自〉続く

つつしむ　ヲ慎む
[動] ★1　to be careful, avoid, abstain from
謹慎，慎重，节制／조심하다, 삼가다
cẩn thận, thận trọng, nín nhịn

① ・「上司に対して失礼です。言葉を慎みなさい」・言動を慎む。
[合] 慎み深い　[類] 気をつける　(名) 慎み→ ＿＿がある⇔ない（例. 慎みのある人）
[関] 慎ましい
② ・胃の調子が悪いので、辛いものを慎んでいる。　[類] ヲ控える　[慣] 身を慎む

つつむ　ヲ包む
[動] ★3　wrap
包／싸다, 포장하다
đóng gói

・プレゼントをきれいな紙｛で／に｝包む。・残ったおかしを包んで持って帰る。
[合] 包み紙　(名) 包み→ ＿＿を｛開ける／開く｝

つとまる　ガ務まる
[動] ★2　be fit (for)
能担任，胜任／맡은 바 임무를 할 수 있다
được đảm nhiệm

・こんな難しい役が私に務まるだろうか。・｛役職／仕事 …｝が務まる。
☞〈他〉務める

つとめる　ヲ務める
[動] ★2　serve as
担任／역할을 하다, 맡다
đảm nhiệm

・会議で議長を務めた。・4年間首相を務めた。
(名) 務め（例. 子供の教育は親の務めだ。）→ ＿＿を果たす　☞〈自〉務まる

つとめる　ガ努める
[動] ★2　try, endeavor; make an effort to
努力；尽力／노력하다, 힘쓰다
cố gắng

① ・できるかぎり問題の解決に努めたい。　[類] ガ努力する
②[(副) 努めて]・心配ごとがあっても、努めて明るくふるまった。

つとめる　ガ勤める
[動] ★2　work; be employed
工作，任职／근무하다
làm việc

・会社に勤める。・定年まで無事に勤め上げた。
[合] 勤め先、勤め口、勤め人、ガ／ヲ勤め上げる　[類] ガ勤務する

(名) 勤め（例.「お勤めはどちらですか」）　→＿に出る、＿を辞める

つながる　　ガつながる
[動] ★3
be connected; lead to; extend; (call) gets through ／連接；通往，导向；排列；排队；（电话等）接通／이어지다，연결되다／được kết nối, nói tới, dẫn tới, kéo dài kết nối với (điện thoại)

① ・本州と四国は橋でつながっている。
② ・この道は駅につながっている。　　・努力が合格につながった。
③ ・渋滞で車が1キロもつながっている。
④ ・やっと電話がつながった。

(名) つながり（例.人と人とのつながりを大切にしたい。）☞〈他〉つなぐ、つなげる

つなぐ　　ヲつなぐ
[動] ★3
connect, join ／系，接，连接；拉(手)；接(电话)／잇다，연결하다／kết nối, nắm (tay), nối (điện thoại)

① ・この橋は本州と四国をつないでいる。　　　　　　　　　　　　関 ヲ結ぶ
② ・恋人と手をつないで歩く。
③ ・「もしもし、102号室をお願いします」「はい、おつなぎします」
☞〈自〉つながる

つなげる　　ヲつなげる
[動] ★3
tie to ／接，连接／잇다，연결하다／dẫn tới, nối tới

・このチャンスをぜひ成功につなげたい。
☞〈自〉つながる②

つねに　　常に
[副] ★2
always, at all times ／常，不断／늘，항시／luôn luôn

・鈴木さんは常に努力をおこたらない、すばらしい学生だ。
・「お客様には常に笑顔で接するように注意してください」
※「いつも」よりかたい言葉。

つのる　　ガ／ヲ募る
[動] ★1
to appeal for, invite, become stronger ／募捐，招募，思念，越来越厉害／모으다, 더해지다, 깊어지다, 심해지다／trưng cầu

〈他〉・被災地に贈るための募金を募る。　　・新しいスポーツジムが会員を募っている。
関 ヲ募集する、ヲ募金する、ヲ集める
〈自〉・国の恋人への思いが募るばかりだ。　　・望郷の念が募る。　　類 ガ増す

つぶ　　粒
[名] ★2
grain; (all) talented ／颗，粒；水平一样高／알, 개／hạt

① ・ぶどうを一粒食べる。　　・大粒の涙　　合 大＿、小＿、[数字]+粒

②・今年の新入社員は粒がそろっている(＝全員優秀だ)。

　　　連 ＿＿がそろう　　合 ＿＿ぞろい

つぶす　　ヲつぶす

[動] ★2　crush; collapse; bankrupt; kill (time); waste (time) ／搞碎，错过(机会)；使破产；打发(时间) ／으깨다, 찌그러뜨리다, 망치다, 파산시키다, 시간을 보내다, 손상하다 ／làm vỡ

①・ゆでたじゃがいもをつぶしてサラダを作った。

　　　合 ヲ踏み＿＿、ヲ握り＿＿、ヲ押し＿＿

②・せっかくのチャンスをつぶしてしまった。　　　　　　　　　連 チャンスを＿＿

③・彼は、経営力のなさから会社をつぶしてしまった。

④・友達を待っている間、本屋で時間をつぶした。　　　　　　連 時間を＿＿

慣 {顔／面子}をつぶす　　☞〈自〉つぶれる

つぶやく　　ヲつぶやく

[動] ★2　mutter ／嘟囔，(小声)嘀咕／중얼거리다, 투덜거리다 ／thì thầm

・彼女は下を向いて、何かぶつぶつつぶやいていた。

関 ヲささやく　(名)つぶやき

つぶれる　　ガつぶれる

[動] ★2　be crushed; collapse; go bankrupt; waste (time) ／压坏；告吹，倒闭；(时间)浪费／찌부러지다, 깨지다, 부서지다, 파산하다, 소비되다, 손상되다 ／vỡ nát

①・箱が落ちて、中のケーキがつぶれてしまった。

②・資金不足で計画がつぶれてしまった。

③・会社がつぶれた。　　　　　　　　　　　　　　　　　類 ガ倒産する

④・会議で半日つぶれてしまった。

慣 {顔／面子}がつぶれる　　☞〈他〉つぶす

つまずく　　ガつまずく

[動] ★2　stumble; fail ／绊倒，摔倒；受挫／발이 걸려 넘어질 뻔하다, 실패하다, 차질이 생기다 ／vấp

①・道で石につまずいて転んでしまった。

②・映画製作は、資金集めの段階でつまずいている。

(名)①②つまずき

つまむ　　ヲつまむ

[動] ★1　to pinch, pick at, pick up ／捏住，挟，吃／쥐다, 집다, (집어) 먹다 ／nắm, gắp, bốc

①・ひどい臭いに、思わず鼻をつまんだ。　・食卓のてんぷらをつまんで食べた。

　　　合 ヲつまみ上げる　(名)つまみ(例.・酒のつまみに枝豆を頼んだ。・ふたのつまみ)

②・今日のお昼はサンドイッチを少しつまんだだけだ。

[合] ヲかい＿（例.「要点をかいつまんでお話しします」）

つまり

[接] ★3
that is, in other words
就是说／즉, 요컨대
nghĩa là, nói cách khác

・彼は、父の姉の息子、つまり私のいとこに当たる。
・「この仕事は、知識と経験が必要だと思いますが、私にはありません」「つまり、あなたには無理だということですか」

つまる　　ガ詰まる

[動] ★3
be packed; be clogged; be close together
堵塞, 不通／꽉 차다, 막히다, 줄다
bị dồn, bị tắc, bị nhét, được rút ngắn lại

① ・かばんにたくさん荷物が詰まっていて重い。
② ・トイレがつまった。　・かぜをひいて鼻がつまっている。
③ ・前の選手と後ろの選手の差がつまってきた。

☞〈他〉詰める

つむ　　ヲ積む

[動] ★3
pile; lay (bricks); load; accumulate／堆, 垒；装载／쌓다, 싣다, 거듭하다／tích lũy (kinh nghiệm, chất (hàng hóa, sách), chồng (gạch)

① ・机の上に本がたくさん積んである。　・レンガを積んで家をつくる。
[合] ヲ積み上げる
② ・車に荷物を積む。　　　　　　　　　　　[対] ヲ降ろす／下ろす
③ ・働いて経験を積む。　・もっと練習を積まなくてはならない。

つむ　　ヲ摘む

[動] ★1
to pick
摘, 采／따다, 뜯다, 뽑다
cấu, ngắt

・花を摘む。　・茶を摘む。　・〈慣用表現〉悪い芽は早めに摘み取ったほうがいい。
[合] ヲ摘み取る

つめかける　　ガ詰めかける

[動] ★1
to pack (into)
蜂涌而至／몰려들다
mang đi

・大物政治家の記者会見に、大勢の記者が詰めかけた。
[類] ガ押しかける

つめる　　ヲ詰める

[動] ★3
pack, fill; reduce (distance), shorten
填, 装入；挨近, 缩短／담다, 줄히다, 줄이다
nhét, dồn, rút ngắn khoảng cách

① ・かばんに荷物を詰める。　・弁当箱にご飯を詰める。
[合] 缶詰め、びん詰め、箱詰め、ヲ詰め込む→　詰め込み（例. 詰め込み教育）、ヲ詰め合わせる→　詰め合わせ

② ・前の車との距離をつめる。　・ズボンの{ウエスト／丈}をつめる。
☞〈自〉詰まる

つもる　ガ積もる

[動] accumulate
积，堆积／쌓이다
★3　tích tụ lại (bụi, tuyết)

・昨日降った雪が積もっている。
・全然そうじをしていないので、ほこりが積もっている。

つや　艶

[名] sheen, gloss, shine
光泽／광택, 윤기
★1　độ bóng, sự nhẵn bóng

① ・{家具／廊下／漆器　…}を磨いて艶を出す。　・艶のある紙
　連 __が出る・__を出す、__がある⇔ない　合 __消し　類 光沢
② ・祖母は80才だが、艶のある肌をしている。　・艶のある{髪／声　…}
　連 __がある⇔ない　合 色__（例. 顔の色つやがいい。）
関 ①②ガつやつやスル（例. つやつやした {肌／りんご　…}）

つゆ　梅雨

[名] rainy season
梅雨／장마
★3　mùa mưa

・6月から7月は梅雨の時期だ。
連 __に入る⇔__が明ける　合 __入り⇔__明け　関 梅雨前線

つよきな　強気な

[ナ形] firm; aggressive／要強的；強硬的
아귀차다, 적극적이다, 강경하다
★2　tăng

① ・彼女は強気な性格で、ときどき周りと衝突する。　対 気弱な　関 勝気な
② ・首相は、政策は必ず成功させると強気{な／の}発言を繰り返した。
　対 弱気な
(名) ①②強気（例. あの人は相手が弱いとみると強気{になる／に出る}。）

つよまる　ガ強まる

[動] strengthen
変強／세지다
★3　mạnh thêm

・台風の勢力はますます強まっている。　・{雨／風／火／力／揺れ　…}が強まる。
対 ガ弱まる　（イ形）強い　☞〈他〉強める

つよめる　ヲ強める

[動] strengthen, confirm
加强／세게 하다
★3　đẩy mạnh

・{火／力／自信　…}を強める。　・台風は勢力を強めながら日本へ近づいている。

対 ヲ弱める （イ形）強い ☞〈自〉強まる

つらい　辛い

[イ形] ★2　painful; harsh／痛苦的，艰难的；刻薄的，残酷的／괴롭다, 가혹하다
dau đớn

① ・子供は辛い経験を乗り越えて成長する。　　　　合 辛さ　類 苦しい
② ・いらいらして、つい子供に辛く当たってしまった。　　　　類 きつい

つらぬく　ガ／ヲ貫く

[動] ★1　to pass (go) through, hold true (to a belief)／穿过, 贯通, 坚持／관통하다, 가로지르다, 관철하다／xuyên qua, xuyên thủng qua, đi qua

〈他〉・山本氏は信念を貫き、最後まで戦争に反対した。
　　・｛原則／初心／意志／愛 …｝を貫く。
　　類 ヲ貫徹する

〈自〉・ピストルの弾が私の肩を貫いた。　・山を貫くトンネル工事が始まった。
　　類 ガ貫通する

つりあう　ガ釣り合う

[動] ★1　to balance, go well together　平衡, 相称／알맞다, 어울리다　cân đối

・今月は収入と支出が釣り合っていて、赤字にならなかった。
・恋愛心理学では、人は自分と釣り合う人を好きになる傾向があるそうだ。
関 バランス、均衡　（名）釣り合い　→＿が取れる・＿を取る

つる　ガ／ヲつる

[動] ★1　to cramp, slant, put up, hang　吊, 悬, 挂／쥐가 나다, 달다, 매다　treo

① ・泳いでいるときに、急に足がつって溺れそうになった。
② ・台所に棚をつった。　・犯人は首をつった状態で発見された。
合 ガつり上がる・ヲつり上げる

☞〈他〉つるす

つるす　ヲつるす

[動] ★1　to hang, suspend　吊, 悬, 挂／매달다, 걸다　treo

・ベランダに風鈴をつるした。　・洋服はたたむよりつるした方が探しやすい。
☞〈自／他〉つる

つれる　ヲ連れる

[動] ★3　take/bring (someone)　带, 领／데리다, 동반하다　dẫn (ai đó) (đi chơi, đi dạo…)

※「連れて＋移動動詞」の形で使う。
・子供を動物園へ連れて行った。　・犬を連れて散歩する。

合 ヲ連れ出す(例．いやがる娘をむりやり連れ出して病院へ行った。)、子連れ、親子連れ　(名) 連れ(＝一緒に行く人)

であう　ガ出会う
[動] ★3
meet (by chance)
遇見，遇到／마주치다, 만나다
gặp gỡ (tình cờ)

・駅で偶然大学時代の友人{に／と}出会った。
・ここは両親が初めて出会った場所だそうだ。
(名) 出会い

てあて　ヲ手当(て)(ヲ)スル
[名] ★2
medical treatment; preparation; allowance
治疗；准备, 对付的方法；津贴／처치, 준비, 수당／trợ cấp

①・けがの手当てをする。
②・店を作る資金の手当てはできた。
③・給料には基本給以外にさまざまな手当が付く。
※③は慣用的に「手当」と書く。

合 応急__　類 ヲ治療(ヲ)スル
関 ヲ準備(ヲ)スル
合 通勤__、残業__、住宅__、家族__、扶養__

ていあん　ヲ提案(ヲ)スル
[名] ★3
proposal
提案, 提议／제안
đề xuất

・会議で提案をする。　・上司に新しい計画を提案した。

ていか　定価
[名] ★2
fixed price
定价／정가
giá không đổi

・本はどこでも定価で売られている。　・日本のデパートは定価販売をしている。
関 ヲ割引スル、ヲ値引きスル

ていか　ガ低下スル
[名] ★2
fall; decline
下降, 降低；减退／저하
suy giảm

①・高く登れば登るほど、気温は低下する。
②・年を取ると、記憶力が低下する。

対 ガ上昇スル　関 ガ下がる
対 ガ向上スル　関 ガ落ちる

ていこう　ガ抵抗スル
[名] ★2
resistance; repulsing
抵抗, 反抗；反感；阻力／저항
kháng cự

①・彼は政府に抵抗して逮捕された。　・「抵抗しても無駄だ。銃を捨てて出て来い」
合 __運動、__力(例．体の抵抗力が衰えると、病気にかかりやすくなる。)
②・社長のやりかたには抵抗を感じる。
連 __を感じる、__を覚える
③・銅は電気抵抗が低い。

ていさい　体裁　[名] ★1
appearance／体面，门面，样式／보기，겉보기，겉모양，형식，체재／thể diện

① ・家族内の問題がよその人に知られるなんて、体裁が悪い。
　連 __が悪い、__を気にする、__を気にかける、__を繕う　関 世間体、外聞、外見
② ・料理を体裁よく皿に盛りつける。　　合 __よく　関 外観、外見、見た目
③ ・これは論文としての体裁をなしていない。・体裁を整える。　関 形式

ていし　ガ／ヲ停止スル　[名] ★2
stop; suspension／停住，停止；禁止／정지／dừng lại

① ・そのスーパーは停電のため、営業を停止した。
　合 一時__、一旦__　類 ガ／ヲストップスル
② ・A 選手はドーピングで出場停止処分を受けた。　　合 出席__、出場__

ていしゅつ　ヲ提出スル　[名] ★2
presentation, submission／交，提交／제출／nộp

・願書の提出は10月31日までだ。・会社に報告書を提出する。
・「成績は試験、出席、提出物の状況でつけます」
合 __物、__期限

ディスプレイ　[名] ★1
display／装饰，显示器／디스플레이，전시／màn hình hiển thị

① ・クリスマスシーズンは、ウィンドーのディスプレイも華やかになる。
　連 __をする　類 飾り付け
② ・コンピューターのディスプレイ　　関 画面

ていせい　ヲ訂正(ヲ)スル　[名] ★2
correction／订正，改正／정정／đính chính

・間違いを訂正する。
合 __箇所　類 ヲ直す　関 ヲ修正(ヲ)スル　※「訂正」は書いたり言ったりしたことを直すときに使う。

ていたい　ガ停滞スル　[名] ★1
congestion／停滞／정체／đình trệ

・地震で道路網が大きな被害を受け、物資の輸送が停滞している。
・景気の停滞が続く。
合 __前線　関 ガ滞る、ガ渋滞スル

ていでん　ガ停電スル
[名] blackout
停电／정전
★3　mất điện

・雷が落ちて停電した。

ていど　程度
[名] level, degree; extent; about
程度，水平；限度；左右／수준，정도
★2　mức độ

① ・彼女の学校は教育の程度が高い。

　[連] __が高い⇔低い　[合] ある__（例．会話はある程度できるが漢字は難しい。）

　[類] レベル

② ・落第しない程度に授業に出席する。
③ ・「会議に30分程度遅れるので、先に始めておいてください」

　[類] くらい／ぐらい

ていれ　ヲ手入れ(ヲ)スル
[名] to care, to raid
拾摄，捜捕／손질，단속
★2　chăm sóc

① ・服や靴は、脱いだ後すぐに手入れをしておくと長持ちする。
② ・暴力団事務所に警察の手入れがあり、5人が逮捕された。

データ
[名] data
数据／데이터
★3　dữ liệu

・研究のために、データを集めている。

　[連] __を集める、__を採る　[合] __ベース、__バンク

テーマ
[名] theme, topic
主题，中心思想／테마，주제
★3　chủ đề

・この映画のテーマは「愛」だ。　・論文のテーマが決まらない。

　[合] __ソング、__音楽、__パーク　[類] 主題

てがかり　手がかり
[名] clue, track, handhold
线索，抓处／단서，실마리
★1　dấu vết, tay vịn

① ・新聞によると、犯人の手がかりはまだつかめないそうだ。

　[連] __がある⇔ない、__をつかむ　[関] 糸口

② ・何の手がかりもない絶壁を登るのは、素人には無理だ。　[関] 足がかり

てがるな　手軽な
[ナ形] with no circumstance, readily
简单，方便／손쉽다，간편하다
★2　dễ dãi

・ジョギングはだれでも手軽にできるスポーツだ。　・手軽な{レジャー／方法 …}

・レトルト食品は手軽に食べられて便利だ。
合 手軽さ

てき　敵
[名] ★2
enemy
敵人；对手／적, 상대
dịch

① ・兄弟は敵と味方に分かれて戦った。　・彼女は敵に回すと怖い。
② ・敵のチームに大勝した。　・対戦相手は強敵だ。
連 ①②ヲ__に回す、__味方に分かれる　合 ①②油断大__、__国、__地、ヲ__視スル
対 ①②味方

てきおう　ガ適応スル
[名] ★1
adaptation, conformity
适应, 顺应, 适合／적응
thích ứng

・弟は気が弱く、新しい環境になかなか適応できないのに対し、私は適応力がある方だ。
・動物は環境に適応したものが生き残る。
合 __力(例. 適応力がある⇔ない)、__性(例.・適応性に富む　・適応性に欠ける)、
__症(例.〈薬の説明書〉この薬の適応症は以下の通りです。)　類 ガ順応スル

てきかくな　的確な
[ナ形] ★2
correct, accurate, exact
确切, 正确／적확하다, 정확하다
chính xác

・上司は部下に的確な指示を与えることが大切だ。
・的確な|判断／評価／方法　…|　・状況を的確に把握する。
※「適確」という表記もある。　合 的確さ　対 不的確な　関 確実な、正確な

できごと　出来事
[名] ★3
happening
事情, 事件／사건, 생긴 일
sự kiện, sự việc

・大きなできごと　・毎日の出来事をブログに書く。

てきする　ガ適する
[動] ★2
be suitable; deserve, be worthy (of~)
适应, 适合；合适／적합하다, 적격이다
phù hợp

① ・キャベツは、冷涼な気候に適した野菜だ。　　類 ガ向く
② ・新しい会長には、田中さんが最も適していると思う。　関 ふさわしい
関 ①②適当な⇔不適当な

てきとうな　適当な
[ナ形] ★3
suitable, proper; convenient (response), irresponsible
合适的；恰当的；敷衍的, 马虎的／적당하다, 적당하다
thích hợp, phù hợp. đại khái (hành động)

① ・家庭教師を探しているが、適当な人がなかなかいない。　対 不適当な
② ・肉と野菜を適当な大きさに切ってカレーを作る。

327

③・親が結婚しろとうるさくて、そのたびに適当に返事をしている。
  合 適当さ　類 いい加減な

てきどな　適度な
[ナ形] ★2　appropriate, moderate
適度，適当／알맞다, 적당하다
vừa phải

・健康のためには、適度な運動が大切だ。　・酒は適度に楽しむのがいい。
類 ちょうどいい、適当な

てきぱき（と）
[副] ★1　briskly, quickly
麻利，爽快／척척, 재빠르게
linh hoạt

・母は午前中にてきぱきと家事をこなし、午後からはパートに行っている。
・てきぱき｛働く／片付ける …｝。
関 きびきび（と）、のろのろ（と）、ぐずぐず（と）

できる　ガ出来る
[動] ★3　be built; arise; make; can do／建成，出現，做出，做好；成績好，辦得好；做成／생기다, 완성되다, 잘하다, 만들어지다／có thể, làm bằng (gỗ, vàng…), hoàn thành

①・駅前に新しいスーパーができた。
②・2時間もかかって、やっと料理ができた。　類 ガ／ヲ完成する
③・筆記試験はできたのだが、面接で失敗してしまった。
　（名）でき→　＿がいい⇔悪い（例．今年の米はできがいい。）
④・このいすは木でできている。

できるだけ
[副] ★2　as ~ as possible
尽可能，尽量／최대한, 가능한 한
nhiều nhất có thể

・「できるだけ早くお返事ください」
・子供には、できるだけのことはしてやりたい。
類 できる限り（※「できるだけ」よりかたい言葉。）　関 なるべく

できれば／できたら
[副] ★2　if possible, if one can
可能的话，行的话／될 수 있으면, 가능하면
nếu có thể

・「この仕事、できたら今日中にお願いします」
・将来、できれば自分の店を持ちたい。
※「できたら」は「できれば」より話し言葉的。

てぎわ　手際
[名] ★1　skill, tact
本領，技巧／솜씨, 수완
tài nghệ, bản năng

・母は短い時間で夕食を作ってしまう。本当に手際がいい。

・課長はいつもトラブルを手際よく処理する。
連 __がいい⇔悪い
合 __よく、不__(な)(例. 準備の不手際で会議の開始が遅れた。) 関 手腕

テクニック
[名] technique 技巧／테크닉, 기술 ★1 kỹ thuật
・あのピアニストは素晴らしいテクニックを持っている。
・高度なテクニックが必要な作業
連 __がある⇔ない、__を持つ、高度な__ 類 腕、技、技能、技術 関 テクニシャン

テクノロジー
[名] technology 技术／과학 기술 ★1 công nghệ
・テクノロジーの進歩によって、人間の生活は飛躍的に向上した。
・新しいコンピューターには、最先端のテクノロジーが応用されている。
合 ハイテク＜ハイテクノロジー、バイオ__、ナノ__ 類 科学技術

てこずる　ガ手こずる
[動] to have a hard time 棘手, 难对付／애를 먹다 ★1 khó làm, khó xử
・このパズルは難しくて、かなり手こずった。
・教師をしているが、クラスのわがままな子供に手こずらされている。
類 ガ手を焼く

でこぼこ　ガでこぼこスル
[名] uneven; bumpy 凹凸不平, 坑坑洼洼／울퉁불퉁 ★2 gồ ghề
・でこぼこの土地を平らにする。　・この道はでこぼこしていて走りにくい。
連 __がある　関 へこみ、出っ張り

デコレーション　ヲデコレーション(ヲ)スル
[名] decoration 装饰／데코레이션, 장식 ★2 trang trí
・12月になると、多くの店がクリスマスのデコレーションをする。
合 __ケーキ　類 ヲ飾り付け(ヲ)スル

てごろな　手ごろな
[ナ形] reasonable; suitable 合适；容易上手, 正合适的／적당하다, 알맞다 ★2 giá cả phải chăng
① ・この店では手ごろな値段でおいしいフランス料理が食べられる。
② ・このゲームは難しすぎず、初心者には手ごろだ。
合 ①②手ごろさ

デザート
[名] ★3
dessert
甜点／디저트
tráng miệng

・デザートにアイスクリームを食べる。

デザイン　ヲデザイン(ヲ)スル
[名] ★3
design
设计，(图案) 制作／디자인
thiết kế

・あのドレスは色もデザインもいい。
・私達の学校の制服は、有名なデザイナーがデザインしたものだ。

[合] グラフィック＿、インテリア＿　[関] デザイナー

てさぐり　手探り
[名] ★1
fumbling, groping
摸索／손으로 더듬음, 암중모색
dò dẫm, mò mẫm

①・停電で真っ暗になった建物の中を手探りで進んだ。　・手探りで探す。
②・新しい事業がうまくいくかどうか、まだ手探りの段階だ。

デジタル
[名] ★3
digital
数码／디지털
kỹ thuật số

・デジタルの時計は見やすい。

[合] ＿カメラ＞デジカメ、＿時計　[対] アナログ

でたらめな
[ナ形] ★2
nonsense, unreasonable
瞎写，胡说八道／아무렇게나 하다, 엉터리이다
nhảm nhí

・テストで答えをでたらめに書いたら、偶然合っていた。　・でたらめな話をする。
[合] でたらめさ　[類] いい加減な　(名) でたらめ(例. ・この翻訳は全くのでたらめだ。
・でたらめを言う。)

てぢかな　手近な
[ナ形] ★1
handy, familiar, near
近旁, 常见／가까운, 손에 닿는, 흔한
gần gũi

・この本に載っている料理は、手近な材料で作れるものばかりだ。
・今日は忙しいから、お昼は手近なところで済ませよう。
(名) 手近(例. 防災グッズはいつも手近に置くようにしている。)

てっきり
[副] ★1
surely
一定, 必定／영락없이
chắc chắn

・待ち合わせ場所に誰もいなかったので、てっきり私が場所を間違えたのだと思ったが、実際はみんなが遅刻したのだった。
・「えっ、誕生日、来週なの？　てっきり今日だと思って、プレゼント持って来ちゃった」

※「思う」と一緒に使うことが多い。　※話し言葉的。

てっする　ガ徹する

[動] ★1　to devote oneself to, go through / 徹底；徹夜 / 전념하다, 밤을 새우다 / tin tưởng, xuyên qua

類　ガ専念する

① ・今回は裏方に徹して働こうと思う。
② ・夜を徹して話し合う。

てつだい　手伝い

[名] ★3　help / 帮忙 / 도와줌 / giúp đỡ

・引っ越しの手伝いをする。
(動) ヲ手伝う

てつづき　ガ手続き(ヲ)スル

[名] ★2　procedure / 手续 / 수속, 절차 / thủ tục

・入学の手続きをする。　・正規の手続きを経て商品を輸入した。

てってい　ガ／ヲ徹底スル

[名] ★2　be thorough; out-and-out / 彻底, 不折不扣, 贯彻到各个角落 / 철저 / triệt để

・指導を徹底する。　・彼は徹底した無神論者だ。
・緊急時には連絡を徹底させることが重要だ。
合 __的な

てっていてきな　徹底的な

[ナ形] ★2　thoroughly; complete / 彻底, 搞到底 / 철저 한 / tính triệt để

・問題を徹底的に検討する。　・この事故は徹底的な調査が必要だ。
(名) ガ／ヲ徹底スル

てつや　ガ徹夜(ヲ)スル

[名] ★3　staying up all night / 通宵, 熬夜 / 철야, 밤새움 / thức đêm

・徹夜が続く。　・仕事で徹夜する。

では

[接] ★2　well then; in that case / 那么；如果那样……, 那么 / 그럼, 그렇다면 / bây giờ

① ・「みなさん、お集まりですね。では、出発しましょう」
　※前置きの後、本題に入るときに使う。
② ・「月曜日はちょっと……」「では、火曜日はどうですか」
※①②くだけた話し言葉では「じゃ(あ)」になる。

てはい　ヲ手配スル
[名] ★1　arrangement, organization, search / 安排, 通缉／준비, 수배 / thu xếp

① ・同窓会の幹事をしている。そろそろ会場を手配しなければならない。
② ・警察は父親殺害の容疑者として、長男を指名手配した。　　合 指名__

デビュー　ガデビュースル
[名] ★1　debut / 初次登台, 初出茅庐／데뷔 / lần đầu ra mắt

・芸能界に新しいアイドルがデビューした。
・彼はわずか16才で文学賞を受賞し、衝撃的なデビューを飾った。　　連 __を飾る

てほん　手本
[名] ★1　example / 范本, 示范, 榜样／본보기, 예 / mẫu

① ・字を習うときは、手本をよく見て書くことが大切だ。
② ・ダンスの先生が手本を見せてくれたが、その通りには踊れない。

連 __にする・__になる　　類 模範

てま　手間
[名] ★2　time, trouble / 工夫／품, 수고, 시간 / thời gian, công sức

・和食を作るのは手間がかかる。　・娘は手間のかからない育てやすい子供だった。
・ノーアイロンの生地が増え、アイロンをかける手間が省けた。

連 __がかかる・__をかける、__が省ける、__を省く　　合 __暇、片__、二度手間

でまわる　ガ出回る
[動] ★1　to be on the market, in circulation / 上市, 出现／나오다, 나돌다 / xuất hiện trên thị trường

・4月なのに市場にスイカが出回り始めた。　・1万円の偽札が出回っている。

類 ガ流通する

デモ　＜デモンストレーション
[名] ★2　demonstration / 示威游行／데모, 시위 / bạo động

・増税に抗議して、国のあちこちでデモが行われた。
※「デモンストレーション」から来た言葉だが、主に上の意味で使う。

連 __をする、__に出る、__に参加スル、__が起きる　　合 __行進、__隊、反対__、抗議__　　関 抗議集会

てもちぶさたな　手持ち無沙汰な
[ナ形] ★1　being at a loose end / 闲得无聊／무료한 / không có việc làm, nhàn rỗi

・定年退職後、家にいても手持ち無沙汰で落ち着かない。

てら　寺
[名] ★3　temple／庙, 寺院／절／chùa

・寺に|参る／お参りする|。

関 神社、墓

てらす　ヲ照らす
[動] ★2　shine; in the light of／照, 照耀／对照, 参照／비추다, 비추어 보다／chiếu sáng

① ・懐中電灯で足元を照らしながら夜道を歩いた。　☞〈自〉照る
② ・犯罪は、法律に照らして処分される。　合 ヲ照らし合わせる　関 ヲ照合する

てる　ガ照る
[動] ★2　shine／照, 照耀／비치다, 개다／tỏa sáng

・日が照っているうちに洗濯物を干そう。・月が明るく照る。

合 照りつける(例．日が強く照りつける。)、日照り(例．日照りが続いて農作物がだめになった。)、かんかん照り　☞〈他〉照らす①

てれる　ガ照れる
[動] ★1　to be shy／羞涩, 难为情／쑥스러워지다, 부끄러워하다／ngượng ngùng, lúng túng

・先生に、成績がいいのに謙虚だとほめられて照れてしまった。

合 照れくさい、照れ屋

てわけ　ガ手分け(ヲ)スル
[名] ★1　division (of labor)／分头, 分工／분담／phân chia

・近所の子供が行方不明になり、みんなで手分けをして探すことになった。
・この仕事は、一人では無理だが、何人かで手分けしてやれば、今日中に終わるだろう。

類 ヲ分担スル

てんか　ヲ添加スル
[名] ★1　addition／添加／첨가／thêm

・食品に防腐剤を添加する。

合 ＿物、食品＿物　関 ヲ加える

てんかい　ガ／ヲ展開スル
[名] ★1　evolution, development, unfolding／展开, 开展, 展现／전개／triển khai

① ・二人の学者は激しい論争を展開した。　関 ヲ繰り広げる、ガ進展スル
② ・飛行機の窓から下を見ると、すばらしい景色が展開した。　類 ガ広がる

てんけい　典型　[名]★2
model; typical／典型，地道的／전형／đại diện

・この寺は江戸時代の仏教建築の<u>典型</u>だと言われている。
合 __的な（例．イギリスのホームステイ先のご主人は<u>典型的</u>な英国紳士だった。）

てんこう　天候　[名]★2
weather／天气，날씨／khí hậu

・今日の運動会は<u>天候</u>にも恵まれて、とてもいいものだった。
・山は<u>天候</u>が変わりやすいので、注意が必要だ。
連 __に恵まれる　合 悪__、__不順　関 天気、気候　※「天気→天候→気候」の順に意味が広くなる。

でんごん　ヲ伝言(ヲ)スル　[名]★3
message／口信，留言／전언／nhắn nhủ

・留守番電話に<u>伝言</u>を残す。　・欠席した人に<u>伝言</u>する。
・かぜで欠席したら、先生から<u>伝言</u>があった。
連 __がある、__を残す　合 __板

でんせん　ガ伝染スル　[名]★2
infection; running／传染／전염／lây nhiễm

・この病気は動物から人に<u>伝染</u>する。
・教室で思わずあくびをしたら、<u>伝染</u>してみんながあくびをし始めた。
合 __経路　関 ガうつる、感染症

といあわせる　ヲ問い合わせる　[動]★2
inquire, check／询问，咨询／조회하다，문의하다／hỏi, tìm hiểu

・住民登録について、区役所に<u>問い合わせた</u>。
(名) 問い合わせ→　__をする

とう　ヲ問う　[動]★2
ask about; charge; require; matter, be called into question／询问，追究，问罪；不成问题；需要，当作问题／묻다，추궁하다，문제 삼다／hỏi

① ・あんなことを言った彼の本心を<u>問い</u>たい。　・｛真意／安否／民意 …｝を<u>問う</u>。
※「聞く・尋ねる」よりかたく書き言葉的。テ形・夕形は「問うて・問うた」。
合 ヲ問いかける、ヲ問い合わせる、問い合わせ　類 ヲ聞く、ヲ尋ねる、ヲ質問する
(名) 問い
② ・党首に選挙で負けた責任を<u>問う</u>。　　　　　　　　　類 ヲ追及する

③・この仕事は、年齢・性別・学歴を問わない。　※否定の形で使う。
④・政策の実施には、首相の指導力が問われる。　※受身の形で使う。

どうい　ガ同意スル
[名] ★2　agreement, consent／同意／동의／đồng ý

・大勢の人が私の意見に同意してくれた。　・提案に同意{○する／×だ}。
連 __を求める　類 ガ賛成スル

とういつ　ヲ統一スル
[名] ★2　unification／統一／통일／thống nhất

・EUは通貨をユーロに統一した。　・精神を統一して試合に臨む。
連 __がとれる・__をとる、__に欠ける、__を欠く　合 __見解、__行動、__感、__性、精神__、不__な　対 ガ分裂スル、ヲ分割スル

どうか
[副] ★2　please; (go) wrong／请；不正常／아무쪼록, 어떻게, 이상함／bằng cách này hay cách khác

①・「どうかよろしくお願いします」　類 どうぞ
②・暑くて頭がどうかなりそうだ。　・あんないい話を断るなんてどうかと思う。
連 __なる、__している、__と思う

どうかん　ガ同感スル
[名] ★2　sympathy, agreement／同意, 同感／동감／đồng cảm

・中山さんの話に私も同感した。
・「最近、年齢より若々しい人が増えましたね」「同感です」
関 ガ共感スル（×共感だ）

どうき　動機
[名] ★2　motive／动机／동기／động cơ

・「わが社の求人に応募した動機は何ですか」　・刑事たちは犯行の動機を調べた。
連 __が不純だ

とうけい　統計
[名] ★1　statistics／統計／통계／thống kê

・統計によれば、日本の貯蓄率は世界的に見ても高いそうだ。
連 __をとる　合 __的な、__学、__調査

どうさ　動作
[名] ★2
movement
动作／동작
di chuyển

・彼女の<u>動作</u>は優雅で美しい。　・体の小さい動物ほど<u>動作</u>がすばやいそうだ。
関 身振り、手振り

とうさん　ガ倒産スル
[名] ★3
bankruptcy
倒闭，破产／도산，파산
phá sản

・会社が<u>倒産</u>する。

とうじ　当時
[副] ★2
in those days, then
当时，那时／당시
tại thời điểm đó

・私は京都出身だが、<u>当時</u>住んでいた家はもうない。
・来日<u>当時</u>は、日本語は全くできなかった。
※名詞としても使う。

どうじ　同時
[名] ★3
simultaneity
同时／동시
đồng thời

① ・二人は<u>同時</u>にゴールした。　・二人のゴールは<u>同時</u>だった。
② ・駅から近いアパートは便利だが、<u>同時</u>に、家賃も高い。

とうじつ　当日
[副] ★2
that day
当天／당일
ngày hôm đó

・入試<u>当日</u>、熱を出してしまった。
・決勝戦は1週間後だ。<u>当日</u>は朝から応援に行くつもりだ。
※名詞としても使う。　合 ＿券　関 前日、翌日

どうしても
[副] ★3
by all means, no matter what; just (can't) ／不管怎么样也，无论如何也；怎么也／어떤 일이 있어도，아무리 해도／bất cứ giá nào, làm mọi cách vẫn (không) (đi kèm với dạng phủ định)

① ・このレポートはどうしても明日までに完成させなければならない。
② ・この問題がどうしてもわからない。
※否定的な表現と一緒に使う。

とうしょ　ガ／ヲ投書(ヲ)スル
[名] ★1
readers' letters (newspaper/magazine, etc.)
投稿，(给有关部门)写信／투서
thư gửi người biên tập

・新しい法律についての意見を新聞に<u>投書</u>した。
・<u>投書</u>欄を見ると、いろいろな考え方があることがわかる。
合 ＿欄　関 ヲ投稿スル

とうじょう　ガ登場スル

[名] entrance, appearance
上场, 出演, 登场／등장
★2　xuất hiện

・舞台に俳優が登場する。　・この作家はすい星のように登場した。

合 __人物　対 ガ退場スル

どうじょう　ガ同情スル

[名] sympathy, compassion
同情／동정
★2　sự cảm thông

・苦しんでいる人々に同情する。　・被害者に同情{○する／×だ}。

連 __が集まる・__を集める、__を引く　合 __的な　関 思いやり、哀れみ

どうせ

[副] anyhow, in any case
反正, 横竖／어차피, 이왕에
★2　đằng nào thì

・どうせ不合格に決まっているが、やっぱり受けたい。
・どうせ遅刻なんだから、ゆっくり歩いていこう。

とうせん　ガ当選スル

[名] election; winning
当选；中奖／당선, 당첨
★2　được bầu

① ・先日の選挙で、知り合いが市長に当選した。　合 __者、__確実　対 ガ落選スル
② ・宝くじに当選し、賞金1,000万円を手に入れた。　合 __者、__番号

とうぜんな　当然な

[ナ形] natural, expected
理所应当的／당연하다
★3　đương nhiên, kết quả đoán trước được

・お金を借りたら、返すのが当然だ。　・「結婚しても仕事は続けるの？」「当然よ」

類 当たり前な
(名) 当然(例. 不合格になった。勉強しなかったのだから、当然の結果だ。)
(副) 当然(例. 彼は弁護士だから、当然法律には詳しいだろう。)　類 もちろん

とうそつ　ヲ統率スル

[名] leadership
领导, 统领／통솔
★1　lãnh đạo

・上司には部下を統率する力が求められる。
・サルの群れは一匹のボスによって統率されている。

合 __力 (例. 統率力がある⇔ない)　関 ヲ率いる、ヲ指揮(ヲ)スル

とうてい

[副] utterly, (not) at all
无论如何也／도저히
★1　hoàn toàn, tuyệt đối

・今からではどんなにがんばっても、とうてい間に合わないだろう。
・1週間でこの仕事を仕上げるなんて、とうてい無理だ。

※ 否定的な表現と一緒に使う。　類 とても

とうとう　[副] ★3
finally, at long last, after all
终于，终究；到底／마침내，결국
rốt cuộc, sau cùng, cuối cùng thì..

① ・長い間使っていた洗たく機がとうとう壊れてしまった。　・とうとうできた。
② ・3時間待ったが、彼はとうとう来なかった。　※ 否定的な表現と一緒に使う。
類 ①②ついに　※「とうとう」の方が話し言葉的。

どうにか　[副] ★2
somehow (manage to); (do) something
勉强，总算；想点办法／겨우, 어떻게든
bằng mọi cách

① ・家から走り続けて、どうにか7時の電車に間に合った。
② ・「お宅の犬の鳴き声、どうにかなりませんか」
連 ＿なる・＿する　合 ＿して(例. どうにかして留学したい。)
類 ①②何とか

どうにも　[副] ★2
nothing to do
怎么也，无论怎么样／도무지, 아무리 해도
dù sao đi nữa

・助けてあげたかったが、私の力ではどうにもできなかった。
※ 否定的な表現と一緒に使う。　連 ＿ならない、＿できない

とうひ　ガ逃避スル　[名] ★1
escape, evasion
逃避／도피
trốn

・現実から目を背け、夢の世界に逃避しても、何の解決にもならない。
合 現実＿　類 ガ逃げる　関 ガ逃亡スル　※「逃避」は精神的な意味で使うことが多い。

とうひょう　ガ投票スル　[名] ★2
vote
投票／투표
bỏ phiếu

・選挙でA候補に投票した。
・野党が提出した法案は投票で否決された。
合 ＿所、＿箱、＿用紙、＿率、国民＿、人気＿、決戦＿

とうぼう　ガ逃亡スル　[名] ★1
escape, flight
逃走，亡命／도망
trốn thoát

・犯人は5年の逃亡の末、警察に捕まった。　・海外へ逃亡する。
関 ガ逃げる、ガ逃走スル

とうめいな　透明な
[ナ形] ★2
transparent, clear
透明／투명하다
minh bạch

・水や空気は無色透明だ。　・透明な {氷／ガラス／プラスチック …}

合 透明さ、透明性（例．情報の透明性を高める。）、透明感、半透明、無色透明
対 不透明な　類 透き通った

どうやら
[副] ★1
it seems like, somehow or other
好歹, 仿佛／간신히, 아무래도, 아마
rồi thì cũng

① ・最後は徹夜をして、どうやら論文を締め切りに間に合わせることができた。
　　類 何とか、どうにか、やっと
② ・黒い雲が出てきた。どうやら雨になりそうだ。
　※ 推量の表現と一緒に使う。　類 どうも

とうよう　東洋
[名] ★3
the East, the Orient
亚洲, 东方／동양
đông âu

・東洋の文化と西洋の文化を比べる。
合 __人、__風、__文化　対 西洋　関 アジア

どうよう　同様
[名] ★2
similarity
同样, 一个样／마찬가지, 같음, 다름없음
tương đồng, giống

・リサイクルショップには新品同様のものもある。
・私も {姉同様／姉と同様に} アレルギー体質だ。
(ナ形) 同様な

どうよう　ガ動揺スル
[名] ★1
agitation
不安, 心神动摇／동요
dao động

・面接で思わぬことを聞かれて動揺し、うまく答えられなかった。
・心の秘密を言い当てられ、動揺を抑えることができなかった。
連 __が激しい、__を抑える

どうろ　道路
[名] ★3
road
路, 马路, 公路／도로
đường

・道路が込む。　・日本では、車は道路の左側を走る。
合 高速__　類 道

とおざかる　ガ遠ざかる
[動] ★1　to get further away, be removed from／远离／멀어지다／đi xa, xa cách

① ・恋人を乗せた飛行機がだんだん遠ざかって行った。
② ・最近忙しくて、趣味のテニスから遠ざかっている。

対 ①②ガ近づく　類 ①②ガ遠のく　☞〈他〉遠ざける

とおざける　ヲ遠ざける
[動] ★1　to move away, to separate／远离，疏远／멀리하다／cho ra xa

① ・歌を歌うときはマイクを遠ざけたり近づけたりすると上手に聞こえる。
② ・息子の恋人が気に入らない母親は、息子から彼女を遠ざけようとした。

類 ヲ遠のける

対 ①②ヲ近づける　☞〈自〉遠ざかる

とおす　ガ／ヲ通す
[動] ★3　pass (through something); run through; push (a proposal)／透过, 渗透；穿穿, 貫穿；通；通过；让到里面；(提案等) 通过／통과시키다, 통하게 하다, 안내하다／thông, thông qua (đề nghị), chạy qua (đường)

〈自〉　・カーテンを通して光が部屋の中に入ってくる。
〈他〉① ・この布は、空気は通すが水は通さない。
② ・針に糸を通す。
③ ・隣の県まで鉄道を通す。
④ ・〈混雑した所で〉「すみません、ちょっと通してください」
⑤ ・客を応接室に通す。
⑥ ・この提案を会議で通したい。

☞〈自〉通る

とおりかかる　ガ通り掛かる
[動] ★2　happen to pass by／恰巧路过／마침 그곳을 지나가다／đi ngang

・ラーメン屋の前を通りかかると、大勢の人が行列していた。

(名) 通りがかり (例. 通りがかりの人)

とおる　ガ通る
[動] ★3　pass through; pass (exam), be accepted／通过, 走过；通, 穿过；透；通过 (考试)；(意见等)得到承认／지나가다, 통과하다, 인정되다／thông qua, đi qua, đỗ (thi), được thông qua (đề nghị, đề xuất)

① ・この道は車がたくさん通る。　　　　　　　　　　類 ガ通行する
② ・改札を通ってホームに上がる。
③ ・私の町の真ん中に大きな道が通っている。

(名) 通り (例. 通りを歩く。) → 大通り

④・この肉はよく火が通っていない。
⑤・無事、試験に通った。　　　　　　　　　　　　　　類 ガパスする
⑥・会議で私の意見が通った。
☞〈他〉通す

トーン
[名] ★1　tone, timbre／声調, 色调／톤, 소리／giai điệu

①・説明の重要な部分は、声を大きくし、トーンを上げて話すようにしている。
　連 __が高い⇔低い、__を上げる⇔下げる　類 音調、語調
②・柔らかいトーンの絵　　　　　　　　　　　　　　　類 色調

とかい　都会
[名] ★2　city／都市／도회, 도시／thành phố

・田舎の高校生だった私は、都会に憧れていた。
　連 __に出る　合 __的な　対 田舎　関 都市、都心、下町

とがめる　　ガ／ヲとがめる
[動] ★1　to feel guilty, blame, take to task／过意不去, 責备, 盘问／가책을 받다, 책망하다, 검문하다／đỗ lỗi, trút tội

〈自〉・親友より先に昇進して、ちょっと気がとがめる。
　　・本当のことを言わなかったので良心がとがめた。
　連 気が__、良心が__　（名）とがめ
〈他〉・仕事のミスを上司にとがめられた。
　　・警官が歩道を走っている自転車をとがめた。
　合 見__　関 ヲ責める、ヲ注意する

とがる　　ガとがる
[動] ★2　get pointed [sharp]／尖, 弄尖, 噘嘴／뾰족해지다／nhọn sắc

・この靴は先がとがっている。　・鉛筆を削ってとがらせる。

どきどき／どきりと　　ガどきどき／どきりとスル
[副] ★2　thump; beat fast／七上八下, 忐忑不安／두근두근, 철렁／đập thình thịch

・緊張で胸がどきどきする。　・隠していたことを指摘されて、どきりとした。

とぎれる　　ガ途切れる
[動] ★1　to pause, be interrupted／间断, 中断／끊어지다, 중단되다／ngừng, dán đoạn

・車の流れが途切れないので、道が渡れない。

・会話の途中で話が途切れ、気まずい雰囲気になった。

[合] 途切れ途切れ（例．彼女は途切れ途切れに状況を語った。） [関] ガ途絶える

とく／とかす　ヲ解く／溶く／溶かす

[動] ★3　solve; melt; dissolve／解答, 溶化, 溶解　풀다, 녹이다／giải (bài tập), hòa tan (đường, muối…), đun chảy (bơ…)

[解]　・数学の問題を解く。
[解／溶]・電子レンジでバターをとかす。
[溶]　・コーヒーにさとうを溶かす。
☞〈自〉解ける／溶ける

とく　得

[名] ★2　profit; advantage　利益, 赚头；合算／이득, 이익, 유리함　lợi

・株を買ったらすぐに値上がりして得をした。

[連] __をする、__になる　[合] 損__、お買い得　[対] 損　[類] 利益

(ナ形) 得な（例．社長には逆らわない方が得だ。）

とぐ　ヲ研ぐ

[動] ★1　to sharpen, wash (rice)　磨快, 磨光, 淘米／갈다, 씻다　mài, mài sắc, vo gạo

① ・切れなくなった包丁を研ぐ。[合] ヲ研ぎ澄ます（例．神経／感覚を研ぎ澄ます。）
② ・米を研ぐ。

どく　ガどく

[動] ★2　move out of the way, step aside　躲开, 让开／비키다　di chuyển

・「ちょっとそこをどいてください」
☞〈他〉どける

どく　毒

[名] ★1　poison, temptation, venom　毒, 害处, 恶意／독, 독기　độc, hại

① ・このキノコには毒があるから、食べてはいけない。

[連] __がある⇔ない　[合] 有__⇔無__、消__、中__、__物、__薬、__殺

② ・たばこの吸い過ぎは体に毒だ。　[慣] 目の毒
③ ・意地悪な彼女は、ライバルに毒を含んだ言葉を浴びせかけた。[関] 毒々しい

とくいな　得意な

[ナ形] ★3　strong, proud, smug　拿手的；得意洋洋地／잘하다, 자랑스러워하다／sở trường

① ・彼女は{ギター／作文／料理 …}が得意だ。

[連] ヲ得意にする　[対] 苦手な、不得意な

② ・弟はテストで100点をとって<u>得意</u>になっている。　　　　　　　　　　　　連 得意になる

とくしゅな　　特殊な　　　[ナ形] ★2　special, particular / 特殊, 特別 / 특수하다 / đặc biệt

・この仕事には<u>特殊</u>な技能が必要だ。
・<u>特殊</u>な{物質／能力／職業／事情／例／ケース …}
合 特殊性、特殊撮影、特殊技能　　対 普通の、一般的な、普遍的な
関 特別な、独特な

どくしょ　　ガ 読書(ヲ)スル　　[名] ★3　reading / 读书, 阅读 / 독서 / đọc sách

・趣味は<u>読書</u>だ。　・休日に<u>読書</u>をする。

どくせん　　ヲ 独占スル　　[名] ★1　monopoly / 独占, 垄断 / 독점 / độc quyền, độc chiếm

・サッカーワールドカップで、ヨーロッパのチームが上位を<u>独占</u>した。
・A社が市場をほとんど<u>独占</u>している。
合 ＿的な、＿欲（例. 彼は<u>独占</u>欲が強い。）、＿インタビュー、＿企業、＿禁止法

とくちょう　　特徴　　　[名] ★3　feature, distinctiveness / 特征 / 특징 / đặc trưng

・商品の<u>特徴</u>を確かめる。　・彼女は<u>特徴</u>のある顔をしている。
連 ＿がある⇔ない　　合 ＿的な　　類 特色

とくてい　　ヲ 特定スル　　[名] ★1　specific, particular / 特定, 固定 / 특정 / đặc định, đã định trước

① ・「権力は腐敗する」というのは一般論で、<u>特定</u>の政治家に当てはめられるわけではない。
　対 不特定(な)（例. 不特定多数）
② ・残された指紋から、警察はBを犯人と<u>特定</u>した。

どくとくな　　独特な　　　[ナ形] ★2　unique, peculiar / 独特, 特有 / 독특하다 / khác thường

・ブルーチーズには<u>独特</u>な香りがある。　・<u>独特</u>な{方法／表現／文体／考え …}
※「独特の」という形もよく使われる。　　類 独自な、特有な、固有な

とくに　　特に　　　[副] ★3　especially, in particular / 特別 / 특히, 특별히 / đặc biệt

① ・果物は何でも好きですが、<u>特</u>にメロンが好きです。　　　　　　　　　類 特別

343

② ・「何かほしいもの、ある？」「特にないよ」　　　　　　　　類 別に

とくべつな　　特別な
[ナ形] special; particular / 特殊的；特別／특별하다 / đặc biệt　★3
① ・彼女には音楽家としての特別な才能がある。
②[副]特別] ・今年の冬は寒いが、今日は特別寒い。　　　　　類 特に

とくゆう　　特有
[名] characteristic, uniqueness / 特有, 独特, 确定／특유 / vốn có, cố hữu　★1
・この植物には特有の匂いがある。　・この地方特有の習慣を守っていきたい。
類 固有、独特（な）

どくりつ　　ガ独立スル
[名] independence / 独立／독립 / độc lập　★2
・アメリカはイギリスから独立した。　・佐藤さんは独立して店を開いた。
合 __記念日、__戦争、__宣言、__採算　　関 ガ自立スル

とげ
[名] thorn, splinter, cutting, sharp (words) / 刺／가시 / gai　★1
① ・バラにはとげがある。
② ・古い木材を触っていたら、とげが刺さってしまった。　・とげを抜く。
　連 ①②__が刺さる、__を抜く
③ ・とげのある言葉　　　　　連 ①③__がある⇔ない　　関 ③とげとげしい

とけこむ　　ガ溶け込む
[動] to fit in, melt into / 融洽, 溶进／적응하다, 융화되다 / hòa nhập, tan vào　★1
① ・あの新入生は、もうすっかりクラスに溶け込んだようだ。　　類 ガなじむ
② ・この水には有害物質が溶け込んでいる。

とける　　ガ解ける／溶ける
[動] be solved; melt; dissolve ／解开；融化；溶化 / 풀리다, 녹다／được giải quyết (bài tập), tan (tuyết), rã ra, tan ra　★3
[解]　　・3時間かかって、やっと問題が解けた。　　・長い間の疑問が解けた。
[解／溶]・春になって雪がとけた。　・暑いので、チョコレートがとけた。
[溶]　　・この洗剤は冷たい水に溶けにくい。
☞〈他〉解く／溶く／溶かす

とげる　ヲ遂げる　[動]★1
to achieve, accomplish / 完成，达到 / 이루다 / đạt được

① ・目的を遂げるまで、国へは帰らないつもりだ。
　[合] ヲやり＿、ヲ成し＿　[類] ヲ果たす
② ・あの学生は短期間にすばらしい成長を遂げた。
　[連] 進歩を＿、進化を＿、発展を＿、〜成長を＿

どける　ヲどける　[動]★2
get ~ out of the way, remove / 挪开，移开 / 치우다 / chuyển ra chỗ khác

・「通行のじゃまになるので、自転車を歩道からどけてください」
・机の上に積んだ本をわきにどけて仕事をした。
　[類] ヲどかす　☞〈自〉どく

ところが　[接]★2
but / 然而，可是 / 그런데, 그러나 / tuy nhiên

・8時には到着する予定だった。ところが事故で渋滞し、9時過ぎになってしまった。
・Aチームが勝つだろうと思っていた。ところが、意外にもBチームが大差で勝った。
※後件には予想外の事実が来る。(例．肉はAスーパーが安い。｛○しかし／×ところが｝魚はBスーパーが安い。)

ところで　[接]★2
by the way / （转换话题）对了 / 그런데 / nhân đây

・「今日はお疲れ様でした。ところで、今晩のご予定は？」「いえ、別に……」「それでは、ご一緒に食事でもいかがですか」
※話題を変えるときに使う。　[類] それはそうと

ところどころ　所々　[副][名]★2
here and there; (in) places / 这儿那儿，有些地方 / 여기저기, 군데군데 / đây đó, đây đó

・地震で、塀がところどころ崩れた。
[(名)] ・この本は所々に書き込みがある。

とざす　ヲ閉ざす　[動]★1
to close, shut / 关闭，封闭，封上，封堵 / 닫다, 다물다, 갇히다 / đóng cửa

① ・この部屋の扉はもう長いこと閉ざされている。　・門を閉ざす。　[類] ヲ閉める
② ・彼は心を閉ざして、家族の誰とも口をきかなかった。　[類] ①②ヲ閉じる
③ ・バリケードで道を閉ざす。　・雲に閉ざされた空　[類] ヲ塞ぐ

対 ①~③ヲ開く

とし　年
[名] year, age / 年，一年；年纪／해, 나이 / năm
★3

① ・年の初めに１年の計画を立てる。
　連 __が始まる⇔終わる、__が明ける、__が過ぎる　合 __明け
② ・父は年より若く見える。　連 __を取る　合 （お）__寄り　類 年齢

とし　都市
[名] city / 都市，城市／도시 / thành phố
★3

・都市に人口が集中する。　・新しい都市を建設する。
合 大__、{工業／商業 …}＋都市、__部　類 都会(⇔田舎)　関 都心

としうえ　年上
[名] elder / 年长，岁数大／손위，연상 / nhiều tuổi hơn
★3

・年上の友達　・彼女は私{より／の}三つ年上だ。
対 年下　関 年長

とじまり　ガ戸締まり(ヲ)スル
[名] locking/closing up / 锁门／문단속 / cửa khóa
★1

・寝る前に戸締まりを確かめた。　・しっかり戸締まり(を)して出かけた。

とじる　ガ／ヲ閉じる
[動] close / 关；关上；结束营业／닫히다, 닫다, 그만두다 / (cửa) đóng, đóng (cửa, cửa hàng…)
★3

〈自〉・エレベーターのドアが閉じた。　対 ガ開く、ガ開く　類 ガ閉まる
〈他〉① ・寒いのでドアを閉じた。　・{本／目}を{○閉じる／×閉める}。
　　対 ヲ開ける
　　② ・売り上げが減ったので、店を閉じることにした。
　　対 ①②ヲ開く　類 ①②ヲ閉める

とだえる　ガ途絶える
[動] to stop, cease / 断绝，消失／끊어지다 / ngừng, đi đến điểm ngừng
★1

・登山隊からの連絡が途絶えた。遭難した恐れがある。
・このあたりは、夜８時を過ぎると人通りが途絶える。
類 ガ絶える、ガなくなる　関 ガ途切れる

とち　土地
[名] ★2
ground, soil; region
土地；当地，某地方／토지，땅，그 고장
đất

① ・土地を買って家を建てる。　・土地を耕す。
② ・旅行に行くと、その土地の名産を買ってくる。　・「ここは初めての土地です」
合 ＿柄、＿勘（例．土地勘がある⇔ない）

とっきょ　特許
[名] ★1
patent
专利／특허
bằng sáng chế

・A社は新製品の特許を取り、大きな利益を上げた。
※正式には「特許権」と言う。　連 ＿を取る、＿を得る、＿を申請する

とっくに
[副] ★2
already, long before
早就，老早／훨씬 전에
từ rất lâu

・「松井さんは？」「とっくに帰ったよ」
※話し言葉的。　関 とっくの昔（例．「そんなこと、とっくの昔に知ってたよ」）

とっさに
[副] ★1
suddenly, at once
瞬間，立刻／순식간에，얼떨결에
ngay lập tức

・転びそうになり、とっさに手をついて体を支えた。
・突然英語で道を聞かれ、とっさのことだったので、うまく言葉が出てこなかった。
連 とっさの｛こと／場合／判断／反応　…｝

とつじょ　突如
[副] ★1
all of a sudden, suddenly
突然／갑자기，별안간
đột ngột

・突如地面が揺れ、次の瞬間、家はつぶれていた。
・突如として体に力が入らなくなり、その場に倒れてしまった。
連 ＿として　類 突然、急に、不意に

とつぜん　突然
[副] ★3
suddenly
突然，忽然／갑자기
đột nhiên

・子供が突然飛び出して来たので、急ブレーキをかけた。
・友人が亡くなった。突然のことで、まだ信じられない。
類 急に

どっと
[副] ★2
burst (into laughter); all at once
一齐，哄堂；一下子／와，우르르，왈칵，덜컥
bất chợt

① ・その冗談を聞いて、人々はどっと笑った。

② ・非常ベルが鳴ると、観客たちはどっと非常口に押し寄せた。

とっぱ　ガ突破スル

[名] ★1　break-through, exceeding　突破, 冲破／돌파　bước đột phá

① ・友人は倍率10倍の難関を突破して、国費留学生に選ばれた。

[連] 難関を＿する　[合] ＿口（例．突破口を開く。）

② ・昨年、この国の人口は1億人を突破した。　[関] ガ超える

トップ

[名] ★2　first, top／第一, 首位；率先；最高层　톱, 선두, 첫째；수뇌　hàng đầu

① ・100メートル走でトップでゴールインした。　・トップを｛走る／行く｝。

[連] ＿に立つ、＿を争う　[合] ＿選手、＿クラス、＿レベル、＿グループ、＿ランナー　[類] 第一位、首位、先頭

② ・選挙では田中氏がトップを切って立候補した。

[連] ＿を切る　[合] ＿ニュース、＿記事、＿バッター　[類] 最初、一番

③ ・財界のトップが集まって、経済情勢について話し合った。　[合] ＿会談　[類] 首脳

とても

[副] ★3　very; hardly　很, 非常；怎么也, 无论如何也／매우, 도저히　rất, khó

① ・このレポートはとてもよく書けている。　・「このケーキ、とってもおいしい」

※「とっても」は「とても」のくだけた形。

② ・こんな大変な仕事、私にはとても｛できそうもない／無理だ｝。

※ 否定的な表現と一緒に使う。

とどく　ガ届く

[動] ★3　be delivered; reach　寄到；够得着／도착하다, 닿다　đến (hàng hóa), với (tay) tới

① ・父から手紙が届いた。

② ・本棚の上の方に手が届かない。

☞〈他〉届ける

とどける　ヲ届ける

[動] ★3　deliver; notify　寄, 送；报告, 申报／보내다, 신고하다　đưa đến, chuyển đến, thông báo

① ・隣の家に旅行のおみやげを届けた。

② ・「住所が変わった場合は、すぐに学校に届けてください」

（名）届け→　＿を出す　☞〈自〉届く

とどこおる　ガ滞る
[動] ★1　to delay / 堵塞，积压，拖延 / 정체되다, 밀리다 / đình trệ

① ・トラック運転手のストのため、物流が滞っている。
　（名）滞り→　＿なく（例．式は滞りなく終わった。）
② ・会社の経営状態がよくないらしく、最近は給料の支払いも滞りがちだ。

ととのう　ガ整う／調う
[動] ★2　be ready; proper, well-formed / 齐备，谈妥；整齐，匀称，端正 / 갖추어지다, 성립되다, 정돈되다 / sẵn sàng

① ・準備が整った。　・|商談／結婚の話 …|が|整った／調った|。
　[関] ガまとまる
② ・きちんと整った服装をする。　・整った文章を書く。　　[対] ガ乱れる
☞〈他〉整える／調える

ととのえる　ヲ整える／調える
[動] ★2　prepare; fix; adjust / 准备好，整理，齐整；调味儿，갖추다, 가다듬다, 조절하다 chỉnh, điều chỉnh

① ・準備を整えた。
② ・面接の前に服装や髪を整える。　・文章を整える。　　[対] ヲ乱す
③ ・味を調える。
☞〈自〉整う／調う

とどまる　ガとどまる
[動] ★1　to remain, stay, be limited to / 留在，只限于／머무르다, 머물다, 남다, 멈추다／dừng lại

① ・A国で内戦が始まったが、大使館員はなお現地にとどまっている。
　[合] ヲ思い＿、ガ踏み＿
② ・3,000人収容の会場だったのに、入場者は1,000人にとどまった。
　[慣] とどまるところを知らない（例．最近の円高はとどまるところを知らない。）
☞〈他〉とどめる

とどめる　ヲとどめる
[動] ★1　to retain, stay, stop / 留下，停下，只限于／남기다, 멈추다, 새기다 đóng lại, kẹp lại, chặn lại

① ・バスの運転手は乗客を車内にとどめたまま自分だけ降り、道にあった障害物を取り除いた。
② ・駅の中で写真展が開かれると、多くの人が足をとどめて見入っていた。
　[合] ①②ヲ押し＿、ヲ引き＿　[類] ②ヲ止める　[慣] 足をとどめる
③ ・災害時の被害を最小限にとどめたい。　　　　　　　　　[類] ヲ抑える

349

④・衝突事故を起こした車は、原形もとどめぬほど壊れていた。　　　[類] ヲ残す

☞〈自〉とどまる

どなる　　ガ／ヲ怒鳴る　　[動] ★2
shout, yell
大声喊叫，大声斥责／소리치다, 고함치다
hét lên

・「そんなに大声でどならなくても聞こえますよ」
・父親に「出て行け！」とどなられた。

[合] ヲ怒鳴りつける（例．コーチは練習を怠けてばかりいる選手を怒鳴りつけた。)、ヲ怒鳴りちらす、怒鳴り声

とにかく　　[副] ★2
anyway, anyhow
姑且，总之／어쨌든, 아무튼
trước tiên

①・できるかどうかわからないが、とにかくやってみよう。　　　[類] ともかく
②・最近とにかく忙しくて、家族と話す時間もない。

とばす　　ヲ飛ばす　　[動] ★3
fly; let fly, blow away; skip／放飞；溅起，飞溅起；跳过(号码等)／날리다, 튀기다, 건너뛰다／bay, bỏ qua,

①・紙飛行機を飛ばす。　・風船を飛ばす。
②・つばを飛ばして話す。　・風で洗たく物が飛ばされてしまった。
③・文章を1行飛ばして読んでしまった。　　　[類] ヲ抜かす

☞〈自〉飛ぶ

とび～　　飛び～

とびおきる　　ガ飛び起きる　　[動] ★1
to jump up
(从床上)一跃而起／벌떡 일어나다
vùng lên

・目が覚めたのが家を出る15分前。飛び起きて、慌ててしたくをし、家を飛び出した。

とびおりる　　ガ飛び降りる　　[動] ★1
to jump off
跳下／뛰어내리다
bay xuống, nhảy xuống

①・高いところから飛び降りる。　　　[対] ガ飛び上がる
②・走っている電車から飛び降りる。　　　[対] ガ飛び乗る

とびちる　　ガ飛び散る　　[動] ★1
to scatter
飞散, 飘落／흩날리다, 튀다
bay khắp nơi, tung tóe

・床に落ちたグラスが割れ、破片が飛び散った。　・｜汗／火花　…｜が飛び散る。

とびはねる　　ガ飛び跳ねる　　[動] ★1
to jump up and down, hop
又蹦又跳, 跳跃／날뛰다
nhảy lên

・妹は合格がわかり、飛び跳ねて喜んだ。　・ウサギが飛び跳ねている。

とびあるく　ガ飛び歩く
[動] ★1
to walk/travel around
到处奔走／돌아다니다
đi khắp

・兄はセールスマンとして全国を飛び歩いている。

とびこえる／とびこす　ガ飛び越える／飛び越す
[動] ★1
to jump over
跳过，超过／뛰어넘다
bay qua, vượt qua

① ・幅2メートルくらいの川なら、走って飛び越せるだろう。
② ・上野氏は先輩社員を飛び越えて部長になった。

とびつく　ガ飛びつく
[動] ★1
to jump on
扑过去，赶（时髦）／달려들다
nhảy vào, bay vào

① ・子供は帰ってきた父親に飛びついた。
② ・彼女は新しい流行にすぐ飛びつく。

とびまわる　ガ飛び回る
[動] ★2
fly about; rush about, rush from place to place／飞来飞去，跑来跑去／东奔西走
날아다니다, 뛰어다니다／bay bay

① ・ミツバチがぶんぶん飛び回っている。
② ・忙しい父は海外を飛び回って仕事をしている。

とぶ　ガ飛ぶ
[動] ★3
fly; splash; rush; (pages) are missing, disappear／飞，飞翔；飞溅；飞跑；飞往；（号码等）不衔接；（数据）丢失
날다, 뛰다, 달려가다, 날아가다, 없어지다／bay, phóng tới, thiếu (trang..), biến mất

① ・鳥が空を飛んでいる。
② ・みかんの汁が飛ぶ。　・ボールが飛んできて、頭に当たった。
③ ・子供が事故にあったと聞いて、病院へ飛んで行った。
④ ・彼女は彼を追ってパリへ飛んだ。
⑤ ・資料のページが飛んでいないかどうか、確認してください。　類 ガ抜ける
⑥ ・パソコンのデータが飛んでしまった。　類 ガ消える

☞〈他〉飛ばす

とほ　徒歩
[名] ★2
walk, on foot
徒步／도보
đi bộ

・駅からうちまで、徒歩10分です。　・会社に徒歩で通っている。

とぼける　ガとぼける
[動] ★1
to feign ignorance, play the innocent
装糊涂／시치미를 떼다, 모르는 체하다
lần thần, giả nai

① ・父は都合が悪くなると、年のせいにしてとぼける。
② ・あのお笑い芸人は、いつもとぼけたことを言って笑わせる。

とぼしい　乏しい
[イ形] ★1
poor, limited
缺乏／모자라다, 부족하다
nghèo nàn, ít

・日本は地下資源が乏しく、多くを輸入に頼っている。
・彼は能力は高いが経験に乏しい。　・|資金／知識／才能 …|が乏しい。

[合] 乏しさ　[対] 豊かな　[類] 不足している、足りない　[関] ガ富む

とまどう　ガ戸惑う
[動] ★1
to be perplexed, not know what to do
困惑, 不知所措／망설이다, 당황하다
lạc đường, lạc mất phương hướng

・新しい職場で、前の会社とのやり方の違いにとまどっている。
・会議で突然指名されて戸惑った。

[関] ガまごつく　(名)戸惑い→ ＿＿を覚える

とむ　ガ富む
[動] ★1
to be rich
富裕, 丰富, 富于／부유하다, 풍부하다
giàu có

① ・世界には富んだ国と貧しい国がある。
② ・あの国は地下資源に富み、将来性がある。　　　　　　　[関] ガ恵まれる

[関] ①②豊かな

ともかく
[副] ★2
anyway; setting ~ aside
姑且, 暂且不提／여하튼, 어쨌든
dù thế nào

① ・引き受けてくれるかどうかわからないが、ともかく頼んでみるつもりだ。
　　[類] とにかく
② ・あのタレントは、歌はともかく、ダンスは上手だ。

ともすれば／ともすると
[副] ★1
liable to, prone to／往往, 每每, 动不动
자칫하면／가끔, 때때로
tùy trường hợp

・人はともすれば楽な方へと流れがちだ。
・私はともすると消極的になるので、そうならないよう気をつけている。

[類] ややもすれば、ややもすると

ともなう　ガ/ヲ伴う
[動] ★2　be involved; be accompanied by; along with; involve; accompany／伴有，伴随；随从；随着；帶着／따르다, 동반하다／bao gồm

〈自〉① ・この仕事には危険が伴う。　・この薬はよく効くが、副作用が伴う。
　　② ・社長の出張には秘書が伴った。
　　③ ・経済の発展に伴ってさまざまな社会問題が生じた。
〈他〉① ・この仕事は危険を伴う。　・インフルエンザは体の痛みを伴う。
　　② ・社長は秘書を伴って出張に行った。
類　ヲ連れる

ともに　共に
[副] ★2　with, together; along with／一同，一块儿；同时／함께, 같이／cùng

① ・毎年正月には、家族とともに祖父母の家に行くことになっている。　類　一緒に
② ・娘が結婚した。うれしいと共に寂しくもある。
③ ・梅雨が開けるとともに、気温が急に高くなった。　類　②③同時に

ともばたらき　ガ共働き(ヲ)スル
[名] ★2　working of both of the couple／双职工，夫妇都工作／맞벌이／vợ chồng cùng có thu nhập

・「結婚20年、ずっと共働きです」
・給料が少ないので、共働きしないと食べていけない。

合　＿世帯　類　共稼ぎ

トライ　ガトライスル
[名] ★1　try／尝试／트라이, 시도／thử

・今までやったことのない方法にトライする。

関　ヲ試す、ガチャレンジスル

ドライな
[ナ形] ★1　dry／冷漠，理智，干燥，除湿／사무적인, 합리적인, 드라이／khô

① ・彼女はドライな性格で、ものごとを割り切って考える。
　　対　ウェットな　関　クールな
② ・バラを乾燥させてドライフラワーを作った。　・エアコンのドライ機能
　　合　ドライクリーニング、ドライフルーツ、ドライフラワー　類　乾いた、乾燥した
　　関　ドライヤー

とらえる　ヲ捉える
[動] ★1　to capture, grasp／抓住, 陷入, 捕捉／파악하다, 사로잡다, 잡다／nắm bắt

① ・上手な似顔絵は、うまく特徴を捉えて描かれている。

② ・その新しい音楽は、瞬く間に若者の心を捉えた。　　　　　　類 ①②ヲつかむ
③ ・レーダーが機影を捉えた。

とらえる　ヲ捕らえる
[動] ★1
to apprehend, arrest, capture
抓住，捕抓／잡다
bắt, tóm

① ・店員たちは協力して泥棒を捕らえた。　　　　　　　　　　　類 ヲ捕まえる
② ・警官は逃げようとする犯人の足を捕らえて離さなかった。　　類 ヲつかむ

トラブル
[名] ★2
trouble
纠纷，纷争／트러블
rắc rối

・テレビの音のことでアパートの隣人とトラブルになった。

連 __になる、__が起こる・を起こす、__が{生じる／発生する}、__に巻き込まれる
合 __メーカー、金銭__　　類 もめ事

とり〜　取り〜

1)「取り」がないと意味が変わるもの

Words that change meaning when「取り」is added ／不加「取り」，意思会发生变化的词语／「取り」가 없으면 의미가 변하는 것／ý nghĩa thay đổi nếu không có「取り」

とりさげる　ヲ取り下げる
[動] ★1
to withdraw, abandon
撤下／철회하다, 취하하다
rút lại

・強く引き止められたので、辞表を取り下げた。
・{訴え／告訴 …}を取り下げる。　　　　　　　　　　　　　　(名) 取り下げ

とりつぐ　ヲ取り次ぐ
[動] ★1
to convey, answer (phone and connect the call to the person it is for) ／转达, 转告／전하다, 연결하다／truyền đạt, chuyển tới

・秘書が客の用件を社長に取り次いだ。　・電話を取り次ぐ。　　(名) 取り次ぎ

2)「取り」がなくても、
　意味があまり変わらないもの

Words that do not change meaning much even if they do not contain「取り」／即使不加「取り」，意思也不会发生变化的词语／「取り」가 없어도 그다지 변하지 않는 것／không có「取り」thì ý nghĩa cũng không thay đổi.

とりきめる　ヲ取り決める
[動] ★1
to agree, decide upon
决定／결정하다
đồng ý, quyết định

・次回の会合で契約条件を取り決める予定だ。
類 ヲ決める、ヲ決定する　(名) 取り決め

とりのぞく　ヲ取り除く
[動] ★1
to remove
去掉／없애다, 제거하다
lấy ra, loại ra

・目に入ったごみを取り除く。　・水を濾過して不純物を取り除く。
類 ヲ除く、ヲ取り去る、ヲ除去する

とりやめる　ヲ取りやめる
[動] ★1
to cancel
取消／그만두다, 중지하다
hủy bỏ

・急病のため、旅行を<u>取りやめた</u>。

類 ヲやめる、ヲ中止する　(名) 取りやめ→　＿になる・＿にする

とりあえず

[副] ★2　first of all, for the time being／暂时, 姑且／곧바로, 우선／trước hết

・さいふを落としてしまったので、<u>とりあえず</u>警察に届けた。
・引っ越しの荷造りは済んだ。<u>とりあえず</u>必要なものはこの箱に入っている。

とりあげる　ヲ取り上げる

[動] ★2　pick up; take up, select／拿起, 没收; 报道, 登报／집어들다, 박탈하다, 문제 삼다／chọn lên

① ・彼女は机の上の本を<u>取り上げた</u>。
② ・人身事故を起こした運転手は免許を<u>取り上げられた</u>。　　類 ヲ没収する
③ ・ニュースでこの事件は大きく<u>取り上げられた</u>。

とりあつかう　ヲ取り扱う

[動] ★1　to handle, treat, stock, cover／对待, 销售, 采用／대우하다, 팔다, 다루다／xử lý, thao tác, sử dụng

① ・「この荷物は壊れやすいので、丁寧に<u>取り扱ってください</u>」
　(名) 取り扱い（例. 個人情報の取り扱いには注意が必要だ。）
② ・教師は学生を公平に<u>取り扱う</u>べきだ。
③ ・あのコンビニでは切手は<u>取り扱っていない</u>。
④ ・この授業では近代文学だけではなく、古典文学も<u>取り扱う</u>予定だ。

類 ①〜④ヲ扱う

とりいれる　ヲ取り入れる

[動] ★2　take in; harvest; adopt／拿进, 收获; 采纳／거두어들이다, 받아들이다／áp dụng

① ・洗濯物を<u>取り入れる</u>。　　　　　　　　　　　　　　類 ヲ取り込む
② ・会社は消費者の意見を<u>取り入れて</u>、容器を改良した。　関 ヲ採用する

とりかえす　ヲ取り返す

[動] ★1　to get back, recover／挽回, 扳回／되찾다／không có 「取り」 thì ý nghĩa cũng không thay đổi.

・今年は投資が好調で、昨年の損失を<u>取り返す</u>ことができた。
・〈スポーツ〉「点を取られたら<u>取り返せ</u>！」

類 ヲ取り戻す

(名) 取り返し→　＿がつく⇔つかない（例. <u>取り返し</u>のつかない失敗をしてしまった。）

とりかえる　ヲ取り替える　[動] ★1
to replace, exchange
交換，更換／바꾸다，갈다，교환하다
đổi lại, thay, đổi

① ・歯ブラシは毛先が開いたら、新しいもの{と／に}取り替えた方がいい。
② ・姉とセーターを取り替えた。
[類] ①②ヲ替える、ヲ交換する

とりくむ　ガ取り組む　[動] ★1
to tackle, engage in a bout
专心致志，竞赛／착수하다，씨름하다
nỗ lực, chuyên tâm

・彼は難しい課題に意欲的に取り組んでいる。
(名) 取り組み（例.〈すもう〉横綱との取り組みが決まった。）

とりけす　ヲ取り消す　[動] ★2
cancel, take back
取消，撤销／취소하다
hủy bỏ

① ・仕事が忙しくなり、飛行機の予約を取り消した。　　[類] ヲキャンセルする
② ・「ただ今申し上げたことは取り消します」　　[類] ヲ撤回する
(名) ①②取り消し

とりこむ　ガ／ヲ取り込む　[動] ★1
to bring in, win over, be busy／拿进，吸收，忙乱／거두다，끌어들이다，어수선하다，바쁘다
nắm, cầm, bận túi bụi

〈他〉① ・洗濯物を取り込んでたたむ。　　[類] ヲ取り入れる
　　　② ・最近の選挙では、無党派層をうまく取り込んだ党が勝つ。
〈自〉　・家族の入院などで家の中が取り込んでいる。
　　　・「お取り込み中すみません」　　[関] ガごたごたする
(名) 取り込み

とりしまる　ヲ取り締まる　[動] ★1
to control, crack down on
管制／단속하다
quản lí, quản chế

・スピード違反を取り締まる。
[合] 取締役　(名) 取り締まり（例. 警察が取り締まりを強化した。）

とりたてる　ヲ取り立てる　[動] ★1
to collect, appoint, call attention to／催缴，提拔，提及／받아내다，발탁하다，특별히
làm việc gì đó quyết liệt

① ・大家はたまっていた家賃を取り立てた。
② ・課長に、このプロジェクトのリーダーに取り立ててもらった。　(名) ①②取り立て
③ [取り立てて] ・この程度のことは、取り立てて非難するまでもない。
※否定的な表現と一緒に使う。　[類] 特に

とりつける　ヲ取り付ける
[動] ★1
to install, get someone's agreement
安装, 达成／설치하다, 얻어 내다
lắp

① ・電気屋にエアコンを取り付けてもらった。　・台所に火災報知器を取り付ける。
　対 ヲ取り外す　類 ヲ付ける、ヲ設置する、ヲ据え付ける　(名) 取り付け
② ・保険会社に勤めて1ヵ月で、大口契約を取り付けた。

とりひき　ガ／ヲ取り引き(ヲ)スル
[名] ★1
business, dealings
交易／거래
giao dịch

① ・最近は東南アジアとの取り引きが増えた。　・我が社はA社と取り引きがある。
　連 __がある⇔ない　合 __先、__銀行　関 ヲ売買スル
② ・法案を通すため、裏で与党と野党が取り引きをしたようだ。　合 裏__、司法__
※「取引」と書くことも多い。

とりまく　ヲ取り巻く
[動] ★1
to surround
围住, 围绕／둘러싸다
vây, bao quanh, xúm quanh

① ・報道陣が首相を取り巻いて質問した。　・現在、我が社を取り巻く環境は厳しい。
② ・アイドルはいつも大勢のファンに取り巻かれている。　(名) 取り巻き
類 ①②ヲ取り囲む

とりまとめる　ヲ取りまとめる
[動] ★1
to collect, compile, arrange
整理, 总结, 调解／정리하다
tổng hợp lại, tóm tắt lại, sắp xếp lại

① ・皆の荷物を取りまとめて部屋の隅に置いた。　・出席者の意見を取りまとめる。
② ・|商談／縁談 …|を取りまとめる。　合 取りまとめ役
類 ①②ヲまとめる　(名) ①②取りまとめ

どりょく　ガ努力(ヲ)スル
[名] ★3
effort
努力／노력
nỗ lực

・一生懸命努力をする。
連 __を重ねる、__が実る　合 __家

とりよせる　ヲ取り寄せる
[動] ★1
to order, send away for
订购／주문해서 가져오게 하다
mang đến, gửi đến

・最近ではネットを利用して、全国からおいしいものを取り寄せることができる。
(名) 取り寄せ

とる　ヲ捕る／採る／執る　[動]★2
catch; employ; adopt; find oneself in charge; write
抓住，抓住；录用，采用；执行，执笔／채용하다，쥐하다，맡다，들다／lấy, bắt

[捕]・公園でセミを捕った。　　　　　　　　類 ヲ捕まえる
[採]・今年は新入社員を30人採った。　　　類 ヲ採用する
[執]・作戦の指揮を執る。　・事務を執る。　慣 筆を執る

～とる

1）自分のものにする
To make something one's own
据为己有／자기 것으로 하다
lấy làm của mình

かきとる　ヲ書き取る　[動]★1
to write down, take notes
记下来／받아쓰다
ghi chép lại

・授業中は先生の話を書き取るのに精一杯で、考える余裕などない。
(名) 書き取り（例．漢字の書き取り）

かちとる　ヲ勝ち取る　[動]★1
to win (with effort), gain (victory)
取胜／쟁취하다，쟁취하다
giành được chiến thắng

・チーム結成10年目にして、ようやく優勝を勝ち取ることができた。

ききとる　ヲ聞き取る　[動]★1
to follow/catch (what someone is saying)
听懂／알아듣다
nghe được

・相手が早口で、何を言っているのか聞き取れなかった。
(名) 聞き取り（例．聞き取りテスト　・聞き取り調査）

2）ものを取り去る
To take something away
去除，取出／어떤 것을 제거하다
mang đi

ぬきとる　ヲ抜き取る　[動]★1
to pull out
窃取／빼내다
móc, khêu, đánh tráo

・一流のスリは、さいふから紙幣を抜き取って、さいふだけをバッグに戻したりするそうだ。
合 抜き取り検査

トレーニング　ガトレーニング(ヲ)スル　[名]★3
training
练习，训练／트레이닝，훈련
đào tạo

・勝つためには毎日のトレーニングが必要だ。
類 ヲ練習(ヲ)スル、ヲ訓練(ヲ)スル

とろける　ガとろける　[動]★1
to melt
溶化，心荡神驰／녹다，녹는다
tan chảy

① ・肉が柔らかく煮込んであり、口に入れるととろけるようだ。
② ・彼の甘い言葉を聞き、心がとろけるようだった。

〈他〉とろかす（例.・あめを口に入れてとろかす。　・心をとろかすような音楽）

どわすれ　ヲど忘れスル

[名] ★1
(momentary) lapse of memory
一时想不起来，突然忘记／깜빡 잊어버림
quên hẳn

・好きな俳優の名前をど忘れしてしまい、どうしても出てこない。

とんでもない

[イ形] ★2
outrageous; impossible, Don't be silly. ／不合情理，出乎意料；哪儿的话／터무니없다, 천만에／ không dám, không ngờ tới

① ・「このリンゴが3,000円！　とんでもない値段だ」
② ・「お礼だなんてとんでもない。当然のことをしたまでです」
※ 話し言葉的。

どんどん

[副] ★3
steadily, farther and farther, more and more; bang
接连不断地，不停地，一个劲地；咚咚声／척척, 계속, 탕탕／ trôi cháy (công việc), đập (cửa)

① ・今日は体調もよく、仕事がどんどん進んだ。
② ・ドンドンとドアをノックする大きな音が聞こえた。

どんなに

[副] ★3
how much; no matter how ／多么；无论……，也……／얼마나, 아무리／ nhiều.. thế nào (đi kèm với câu hỏi…), cho dù … chăng nữa

① ・「どうして連絡してくれなかったの？　どんなに心配したか、わかる？」
　※「どんなに～か」の形で使う。
② ・どんなにがんばってもあの人には勝てない。
　※「どんなに～ても」の形で使う。「どれほど」は「どんなに」より改まった言葉。

ないしん　内心
[名] ★1
(in) one's heart/mind
内心，心中／내심
trong lòng

・顔には出さなかったが、うそがばれないか、内心ではドキドキしていた。
・力を入れて書いたレポートの評価が思ったほど良くなく、内心がっかりした。

類 心中

ないよう　内容
[名] ★3
content
内容／내용
nội dung

・|話／授業／本／ニュース …|の内容
・このレポートは内容はよいが、形式は少し直したほうがいい。

連 ＿がある⇔ない、＿が濃い　対 形式　類 中身

なお
[接] ★1
further, in addition, still, even now
另外，依然，更加／추후에，또한，여전히，더욱，더／hơn nữa

・「次の会合は2月4日午後2時からです。なお、場所は追って連絡します」
・「会場の場所は、下の地図をご覧ください。なお、駐車場が狭いので、自家用車でのご来場はご遠慮ください」

※ 前のことがらに必要事項を付け加えるときに使う。

なお
[副] ★1
still; even more
依然，更加／여전히，더욱
vẫn, hơn nữa

① ・彼は10年前に家出したきり、今なお行方が知れない。　類 まだ、相変わらず
② ・今日は月末で雨が降っているので、道が込んでいる。なお悪いことに、事故が2件も起こって、道路は大渋滞だ。　類 さらに、いっそう、なおさら

なおさら
[副] ★1
all the more
更加，越发／더욱더，한층더
hơn nữa, càng thêm

・抽象的な言葉の多い文章は難しい。それが苦手な分野の文章だと、なおさら難しく感じられる。
・寝不足のときはベッドから出るのが辛い。寒い冬の朝はなおさらだ。

類 さらに、いっそう、一段と

なおす　ヲ直す
[動] ★3
fix; correct; translate／修理；修改；弄整齐；翻译／고치다，정정하다
sửa chữa, dịch thuật

① ・壊れた時計を直す。　・くつを直す。
② ・先生が作文を直してくれた。

関 ヲ修理する
合 ②ヲ手直し(ヲ)スル　(名) ①②直し

③・「ネクタイが曲がっていますよ。直したほうがいいですよ」
④・日本語を英語に直す。　　　　　　　　　　　　　　　　　　関 ヲ訳す
☞〈自〉直る

なおす　ヲ治す
[動] ★3　cure, recover／治好／고치다, 치료하다／khắc phục, chữa

・「よく休んで早くかぜを治してください」
☞〈自〉治る

～なおす　～直す

1) よくなるように、改めてもう一度～する
[Correct, Change] do ~ again to improve ~／(好好地)重新……一遍／좋아지도록 다시 한 번 ~ 하다／sửa lại, thêm một lần nữa

かけなおす　ヲかけ直す
[動] ★2　call again／再打(电话)／다시 걸다／gọi lại

・〈電話をかけたが、相手がいなかったとき〉「また後でかけ直します」

もちなおす　ガ/ヲ持ち直す
[動] ★2　change one's grip; get better／改变拿法, 好转, 见好／바꾸어 들다, 회복되다／cầm nắm lại, tốt lên

〈他〉・落としそうになった荷物を持ち直す。
〈自〉・悪化する一方だった景気が持ち直した。　・{容態／天気 …} が持ち直す。

2) もう一度考えて、考えを変える
[Correct, Change] reconsider and change one's mind／重新考虑, 改变主意／다시 한번 생각하여, 생각을 바꾸다／sửa lại

かんがえなおす　ヲ考え直す
[動] ★2　think over／重新考虑／다시 생각하다, 재고하다／nghĩ lại

・仕事を辞めるつもりだったが、考え直したほうがいいと言われた。
関 ヲ思い直す

なおる　ガ直る
[動] ★3　be fixed; improve／修好；改正过来／고쳐지다, 수리되다／được sửa, cải thiện

①・壊れたパソコンが直った。
②・発音の癖がなかなか直らない。
☞〈他〉直す

なおる　ガ治る
[動] ★3　get better／治愈／낫다, 치유되다／khỏi (bệnh..)

・なかなか頭痛が治らない。　・{けが／病気 …} が治る。
(名) 治り→ ＿が早い⇔遅い、＿が悪い　☞〈他〉治す

なか　仲
[名] ★3
- relations
- 关系／사이
- quan hệ

・<ruby>私<rt>わたし</rt></ruby>は<ruby>山本<rt>やまもと</rt></ruby>さんと<ruby>仲<rt>なか</rt></ruby>がいい。

連 ＿がいい⇔悪い　合 ＿間、＿良し

ながす　ヲ流す
[動] ★3
- flush; shed; wash away; play (music); spread／冲，冲走；流（汗，血，泪等）；使……漂流，移动；播放；传播，使……传开／흘리다，떠내려 보내다，틀다，퍼뜨리다
- cho chảy, làm cháy đi, , cháy, bật (nhạc), làm lan truyền (thông tin, tiếng đồn...)

① ・<ruby>汚<rt>よご</rt></ruby>れた<ruby>水<rt>みず</rt></ruby>を<ruby>川<rt>かわ</rt></ruby>に<ruby>流<rt>なが</rt></ruby>してはいけない。　・トイレの<ruby>水<rt>みず</rt></ruby>を<ruby>流<rt>なが</rt></ruby>す。
② ・｛<ruby>汗<rt>あせ</rt></ruby>／<ruby>涙<rt>なみだ</rt></ruby>／<ruby>血<rt>ち</rt></ruby>｝を<ruby>流<rt>なが</rt></ruby>す。
③ ・<ruby>洪水<rt>こうずい</rt></ruby>で<ruby>家<rt>いえ</rt></ruby>が<ruby>流<rt>なが</rt></ruby>された。
④ ・この<ruby>喫茶店<rt>きっさてん</rt></ruby>はいつもクラシック<ruby>音楽<rt>おんがく</rt></ruby>を<ruby>流<rt>なが</rt></ruby>している。
⑤ ・｛うわさ／<ruby>情報<rt>じょうほう</rt></ruby>…｝を<ruby>流<rt>なが</rt></ruby>す。

☞〈自〉<ruby>流<rt>なが</rt></ruby>れる

なかば　半ば
[名] ★2
- half; middle
- 一半；中央，中间／절반, 거의, 중간
- giữa

① ・<ruby>彼女<rt>かのじょ</rt></ruby>の<ruby>話<rt>はなし</rt></ruby>の<ruby>半<rt>なか</rt></ruby>ばはうそだ。

［副］・<ruby>試験<rt>しけん</rt></ruby>ができなかったので、<ruby>合格<rt>ごうかく</rt></ruby>は<ruby>半<rt>なか</rt></ruby>ばあきらめていた。　　類 <ruby>半分<rt>はんぶん</rt></ruby>

② ・<ruby>東京<rt>とうきょう</rt></ruby>は６<ruby>月<rt>がつ</rt></ruby>の<ruby>半<rt>なか</rt></ruby>ばあたりから<ruby>雨<rt>あめ</rt></ruby>が<ruby>多<rt>おお</rt></ruby>くなる。　　関 <ruby>中旬<rt>ちゅうじゅん</rt></ruby>、<ruby>中<rt>なか</rt></ruby>ほど、<ruby>中間<rt>ちゅうかん</rt></ruby>

ながびく　ガ長引く
[動] ★2
- be prolonged
- 延长／오래 걸리다, 길어지다
- kéo dài

・<ruby>仕事<rt>しごと</rt></ruby>が<ruby>長引<rt>ながび</rt></ruby>いて<ruby>約束<rt>やくそく</rt></ruby>に<ruby>遅<rt>おく</rt></ruby>れてしまった。　・<ruby>今年<rt>ことし</rt></ruby>の<ruby>風邪<rt>かぜ</rt></ruby>は<ruby>長引<rt>ながび</rt></ruby>く<ruby>傾向<rt>けいこう</rt></ruby>があるようだ。

なかみ　中身
[名] ★3
- contents; gist
- 里面的东西；内容／내용물, 내용
- nội dung bên trong

① ・<ruby>箱<rt>はこ</rt></ruby>を<ruby>開<rt>あ</rt></ruby>けて<ruby>中身<rt>なかみ</rt></ruby>を<ruby>見<rt>み</rt></ruby>る。
② ・<ruby>話<rt>はなし</rt></ruby>の<ruby>中身<rt>なかみ</rt></ruby>が<ruby>理解<rt>りかい</rt></ruby>できない。　連 ＿がある⇔ない、＿が<ruby>濃<rt>こ</rt></ruby>い⇔<ruby>薄<rt>うす</rt></ruby>い　類 <ruby>内容<rt>ないよう</rt></ruby>

ながめる　ヲ眺める
[動] ★2
- look at, watch
- 眺望／물끄러미 보다, 조망하다
- ngắm

・<ruby>母<rt>はは</rt></ruby>はベンチに<ruby>座<rt>すわ</rt></ruby>って、<ruby>子供<rt>こども</rt></ruby>が<ruby>遊<rt>あそ</rt></ruby>んでいるのをじっと<ruby>眺<rt>なが</rt></ruby>めていた。
・<ruby>景色<rt>けしき</rt></ruby>を<ruby>眺<rt>なが</rt></ruby>める。

(名)<ruby>眺<rt>なが</rt></ruby>め(例. <ruby>山頂<rt>さんちょう</rt></ruby>からの<ruby>眺<rt>なが</rt></ruby>めはすばらしかった。)

ながれる　ガ流れる

[動] ★3　flow; drift; be spread ／（液体）流动；（汗、血、泪等）流下；漂流，移动；播放；传播，传开／흐르다, 떠내려가다, 퍼지다／chảy, trôi giạt, lan truyền (thông tin, tiếng đồn...)

① ・町の中心を大きな川が流れている。
② ・｛汗／涙／血｝が流れる。
③ ・川にたくさんのごみが流れている。
④ ・彼の部屋にはいつも音楽が流れている。
⑤ ・｛うわさ／情報 …｝が流れる。

☞〈他〉流す

(名)流れ

なぐさめる　ヲ慰める

[動] ★2　comfort, console ／安慰, 使心情舒畅／위로하다, 즐겁게 하다／an ủi, động viên

・失恋した友達をみんなで慰めた。・音楽を聴くと心が慰められる。

(名)慰め

なくす　ヲ無くす

[動] ★3　lose ／弄丢, 丢掉／잃다／làm mất

・パスポートを無くして困っている。・｛自信／やる気／記憶／食欲 …｝をなくす。

☞〈自〉無くなる

なくす　ヲ亡くす

[動] ★3　lose (someone) ／死了／여의다, 사별하다／bị mất (người thân)

・彼は子供のとき、父親を亡くした。

☞〈自〉亡くなる

なくなる　ガ無くなる

[動] ★3　be lost ／丢, 失去／없어지다／bị mất (đồ vật, ký ức, lòng tin..)

・部屋のかぎが無くなってしまった。
・｛自信／やる気／記憶／食欲 …｝がなくなる。

☞〈他〉無くす

なくなる　ガ亡くなる

[動] ★3　die ／去世／돌아가시다／chết

・社長が90才で亡くなった。

☞〈他〉亡くす

なぐる　ヲ殴る
[動] ★3　punch／殴打／때리다／đánh

・教師が生徒をなぐって、問題になっている。

関 ヲ叩く

なげく　ヲ嘆く
[動] ★1　to lament／悲叹, 哀叹, 慨叹／슬퍼하다, 한탄하다／thở dài, kêu than

① ・子供の死を嘆かない親はいない。

② ・多くの大学教授が、学生の学力低下を嘆いている。

合 ヲ嘆き悲しむ　類 ヲ悲しむ　(イ形) 嘆かわしい

(名) ①②嘆き

なげだす　ヲ投げ出す
[動] ★2　throw out; give up／伸出；中途放弃／뻗다, 내팽개치다, 포기하다／ném ra ngoài

① ・足を投げ出して座る。

② ・問題が難しくて、途中で投げ出してしまった。　関 ヲ放棄する

なげやりな　投げやりな
[ナ形] ★1　careless, irresponsible／草率, 不负责任／무책임한, 될 대로 되라는 식의／bỏ rơi, từ bỏ

・「もうどうなってもいい」という投げやりな考え方はよくない。

・彼はこの頃仕事が投げやりだ。　・投げやりな態度を取る。

関 いい加減な、無責任な

なごやかな　和やかな
[ナ形] ★1　calm, harmonious／安详, 和谐／화기애애한／hòa thuận, ôn hòa, êm dịu

・両首脳の会談は和やかな雰囲気のうちに進んだ。　・和やかに話し合う。

合 和やかさ　関 穏やかな、柔らかい、和気あいあい

(動) ガ和む (例. 赤ん坊の笑顔を見ると、気持ちが和む。)

なさけない　情けない
[イ形] ★1　shameful, miserable／没出息, 不光彩, 无情／한심스럽다, 비참하다／thảm thương, thảm thiết

① ・チームの中で私だけが予選落ちとは、我ながら情けない。　類 嘆かわしい

② ・我々は国の代表チームなのだから、あまり情けない負け方はできない。

類 みっともない

③ ・入院したのに見舞いにも来てくれない。子供からこんな情けない仕打ちを受けるとは。

関 無情な、思いやりがない

合 ①〜③情けなさ

なす　ヲなす

[動] ★1
to form, achieve, do ／形成，变成，完成
이루다，통하다，만들다，하다
thi hành, thực hiện, đạt tới

※漢字は「成す」だが、ひらがな表記が多い。

① ・駅前にはタクシーが列をなしていた。
② ・この答えは意味をなさない。
③ ・やることなすことうまくいかない。

[慣]〈ことわざ〉災いを転じて福となす
※否定の形で使うことが多い。

[類] ヲする　[慣] なせば成る

〈自〉成る（例．日本の国会は衆議院と参議院から成る。）

なぜなら

[接] ★2
because, for
原因是，因为／왜냐하면
vì

・このあたりは昔海だったと考えられる。なぜなら、貝の化石が見つかっているからだ。

※書き言葉。文末には「から」を使う。　[類] なぜかと言うと、どうしてかと言うと

なだめる　ヲなだめる

[動] ★1
to soothe, calm
使平静，平息／달래다
an ủi, khuyên, khuyên giải

・姉は泣いている妹を優しくなだめた。　・父の怒りをなだめるのは大変だった。

なだらかな

[ナ形] ★1
gently (sloping)
坡度小，平穏／완만한
nhẹ nhàng, thoải mái

・なだらかな山道を1時間ほど歩くと頂上に出た。
・なだらかな{坂道／傾斜／丘陵地帯 …}

[合] なだらかさ　[対] 急な、険しい、きつい　[類] 緩やかな

※「ゆるやかな」は平面でも使うが「なだらかな」は斜面で使うことが多い。

なつかしい　懐かしい

[イ形] ★2
dear; homesick (for)
令人怀念，令人眷恋／그립다，정겹다
tốt đẹp cũ

・子供のころが懐かしい。　・電話から友達の懐かしい声が聞こえてきた。

[合] 懐かしさ　(動) ヲ懐かしむ

なつく　ガ懐く

[動] ★1
to get used to, become emotionally attached
喜欢，接近／따르다
theo

・幼稚園の新しい先生に子供たちはすぐに懐いた。
・買ってきた犬が、なかなか私になつかない。

[合] 人懐(っ)こい

なっとく　ヲ納得スル　[名]★2
be convinced; satisfy, understand
理解；信服／납득，이해
sự đồng ý

① ・会社のやり方には納得できない。
② ・先生の解説で自分の間違いがようやく納得できた。

連 ①②ニ＿がいく⇔いかない　関 ①②ヲ理解（ヲ）スル

なでる　ヲなでる　[動]★1
to stroke
抚摸，抚摩，吹拂／쓰다듬다，(바람이) 스치다
xoa

・日本人は小さな子供を褒めるときに、頭をなでることが多い。
・ネコはのどをなでてやると、気持ちが良さそうだ。　・柔らかい風がほおをなでた。

関 ヲさする

ななめ　斜め　[名]★2
inclined; diagonal
歪，倾斜；斜对面／비스듬함，비뚤어짐
xiên

① ・地震で家が斜めに傾いた。　・壁にかかっているカレンダーが斜めになっている。
② ・斜め向かいの店は客がよく入っている。　・斜めに線を引く。

合 ＿{前／後ろ／上／下／向かい …}

なにげない　何気ない　[イ形]★2
casual, without intention
无意的，无心的，假装没事的／무심하다，아무렇지도 않다
vô tình

・何気ない一言が、相手を傷つけることもある。
・何気なく外を見ると、雪が降っていた。

※必ず修飾語として使う。　合 何気なさ　類 ふとした＋[名詞]、ふと＋[動詞]

なにしろ　何しろ　[副]★1
at any rate, anyway
无论怎样，不管怎样／어쨌든，여하튼，워낙
dù thế nào đi nữa

・「最近寝不足なんです。何しろ忙しくて」　・「暖房がないので、何しろ寒くて」
・「ご両親はお元気ですか」「ええ、でも何しろ高齢なもので、世話が大変です」

類 とにかく

なにとぞ　何とぞ　[副]★1
please, kindly
敬请／제발
xin vui lòng

・「遅れて申し訳ありません。何とぞお許しください」
・「何とぞよろしくお願い致します」

類 どうか　※「何とぞ」の方がかたい言葉。

なにもかも　何もかも
[副] ★2
everything, all
什么都，一切，全部／모조리, 몽땅
tất cả mọi thứ

・何もかも捨てて人生をやり直したい。　・火事で何もかも失った。
[(名)]・来日したばかりのころは、何もかもが新鮮だった。
類 すべて、全部

なま　生
[名] ★3
raw, draft (beer)
生／날것, 생
tươi, sống

・生の魚　・この野菜は生で食べてもおいしい。
合 ＿野菜、＿魚、＿肉、＿物、＿ビール、＿ごみ

なまいきな　生意気な
[ナ形] ★1
impertinent, cheeky
傲慢／건방진
hỗn láo

・新入社員のくせに先輩に説教するなんて、生意気だ。　・生意気な口をきく。
合 生意気さ、生意気盛り（例．息子は高校生。生意気盛りの年頃だ。）

なまける　ヲ怠ける
[動] ★2
be lazy, neglect
偷懒／게으름 피우다
lười biếng

・仕事を怠ける。　・「怠けていないで宿題をやりなさい」
合 怠け者、怠け癖　関 ヲサボる

なまなましい　生々しい
[イ形] ★1
raw, graphic, vivid
活生生／생생하다
tươi, mới

① ・けがをした友人を見舞いに行くと、まだ傷跡も生々しく、痛そうだった。
② ・戦場カメラマンの生々しい話を聞き、とても恐ろしかった。
合 ①②生々しさ

なまぬるい　生ぬるい
[イ形] ★1
lukewarm, halfhearted
温吞, 不够严格／미지근하다, 미적지근하다
âm ấm, mềm mỏng

① ・今夜は暑く、窓を開けても生ぬるい風しか入ってこない。　関 生暖かい
② ・あんな生ぬるい指導方法では、いい選手は育たないだろう。
対 厳しい　関 生易しい
※①②マイナスの意味で使う。　合 ①②生ぬるさ

なみ　並（み）
[名] ★1
average, regular, row, same level／普通；（接尾词）表示排成行的事物；相当／보통, 늘어선 모양, 만큼, 정도／trung bình, bình thường

① ・両親は優秀なのに、息子は並の成績だ。　・「天丼の並を一つお願いします」

類 普通、中程度

② ・このあたりには古い町並みが残っている。
合 家__、山__、毛__、軒__（例．このあたりの家は、軒並み空き巣に入られた。）、
足__（例．足並みをそろえて歩く。）、町__
③ ・ちゃんと就職して、人並みの生活がしたい。　　　合 例年__、人__

なめらかな　　滑らかな　　［ナ形］★1　smooth, fluent／光滑, 流利／매끄러운, 유창한／mịn, trơn tru

① ・大理石を磨いて表面を滑らかにする。　・滑らかな｜肌／布 …｜　関 すべすべ
② ・アメリカ留学の経験があるだけに、彼女の英語は滑らかだ。　関 ぺらぺら
合 ①②滑らかさ

なめる　　ヲなめる　　［動］★1　to lick, make fun of, make light of／舔，輕視／핥다, 빨다, 얕보다／liếm, nhờn

① ・うちの犬はうれしいとき、すぐに私の顔や手をなめる。
慣 なめるようにかわいがる
② ・あの若い教師はすっかり学生になめられている。
連 ヲなめてかかる　類 ヲ侮る、ヲ軽く見る、ヲ甘く見る

なやましい　　悩ましい　　［イ形］★1　difficult, seductive／煩惱, 迷人／괴롭히다, 매혹적인／khó khăn, khiêu gợi

① ・共働きの女性にとって、仕事と家庭の両立は悩ましい問題だ。　（動）ガ悩む
② ・この絵の女性は悩ましいポーズでこちらを見つめている。
合 ①②悩ましさ

なやむ　　ガ悩む　　［動］★3　be troubled; suffer／煩惱, 傷腦筋；（生病）感到痛苦／고민하다, 고생하다／khổ sở, lo lắng, lúng túng, buồn phiền

① ・就職するか、進学するか、悩んでいる。　・彼女は苦しい恋に悩んでいる。
関 ガ迷う　（イ形）悩ましい
② ・父は腰痛で悩んでいる。　・若いときから頭痛に悩まされてきた。
(名) ①②悩み→ __がある⇔ない、ニ__を打ち明ける

ならす　　ヲ鳴らす　　［動］★3　sound (a buzzer)／弄響, 使……出声音／울리다／bấm chuông

・ブザーを鳴らす。
☞〈自〉鳴る

ならす　ヲ慣らす
[動] ★3
warm up (one's body); tame ／使……习惯；驯养／익숙하도록 하다, 길들이다
thuần hóa, khởi động

① ・準備運動をして体を慣らしてからプールに入った方がいい。
② ・象を慣らして芸をさせる。
☞〈自〉慣れる

ならびに　並びに
[接] ★1
both...and..., as well as
以及／및, 와／과
và, cũng như

・優勝者には優勝カップ並びに賞金百万円が贈られる。
・「新入生並びに保護者の皆様、本日はご入学おめでとうございます」
※改まった場面でよく使われる。　類及び

なりゆき　成り行き
[名] ★1
development, result
动向, 趋势／추세, 경과, 형편
tiến trình, diễn biến

・その場の成り行きで、私が議長をすることになってしまった。
・今後の成り行き次第では、社長の辞任もあり得る。
連 __に任せる、__に注目する、__を見守る、__次第、その場の__で、ことの__
合 __任せ　関 経過

なる　ガ鳴る
[動] ★3
rumble; ring　鸣, 响／울리다
đổ (chuông...), âm thanh phát ra (ví dụ sấm nổ...)

・雷が鳴っている。　・授業中に携帯電話が鳴って先生に怒られた。
☞〈他〉鳴らす

なる　ガなる
[動] ★2
bear
結(果)／열리다
thành

・庭に実がなる木を植えた。
類 ガ実る

なるべく
[副] ★3
as much as possible
尽量, 尽可能／가급적, 되도록
nhiều nhất có thể

・「なるべく辞書を見ないで、この本を読んでみてください」
類 できるだけ、できる限り

なれなれしい
[イ形] ★1
over-familiar
过分亲密／버릇없다, 매우 친한 척하다
suồng sã, thân thuộc

・初対面の人に、あまりなれなれしく話すものではない。　・なれなれしい口をきく。
合 なれなれしさ

なれる　ガ慣れる
[動] ★3
be accustomed; be tame
习惯；驯熟／익숙해지다, 길들다
quen, quen thuộc

① ・日本へ来て半年たって、生活にも慣れた。
合 使い＿、はき＿（例．はき慣れたくつ）、住み＿　（名）慣れ
② ・サーカスの動物は、よく人に慣れている。
☞ 〈他〉慣らす

なんだか　何だか
[副] ★2
somehow, sort of
总觉得，总有点／어쩐지
hiểu sao

・なんだか寒気がする。風邪をひいたのだろうか。
※ 話し言葉的。　関 何となく

なんでも　何でも
[副] ★1
I understand, I am told
据说是／잘은 모르지만, 모두
cái gì cũng

・「最近、スミスさん、見ないね」「何でも、帰国したらしいよ」
・「先ほど田中さんから連絡があり、何でも、交渉はうまくいったとのことです」
※ 伝聞の表現と一緒に使う。

なんとか　何とか
[副] ★2
somehow (manage to), somehow or other; (do) something; so-and-so; (say) something ／勉强；想点办法；什么／그럭저럭, 어떻게 좀, 뭐라던가, 뭔가／ bằng cách nào đó

① ・必死にがんばって、なんとか合格することができた。
② ・「この時計、どうしても直してもらいたいんです。何とかなりませんか」
連 ②＿なる・＿する、＿して　類 ①②どうにか
③ ・「さっき、にし何とかさんから電話がありましたよ」「西村さんかなあ」
④ ・「黙ってないで、何とか言いなさい」

なんとなく　何となく
[副] ★2
somehow
(不知道为什么) 总觉得, 不由得／어쩐지, 왠지
bằng cách nào

・今日は何となくいいことがありそうな気がする。
・最近何となく気分が沈んで、勉強する気になれない。
関 何だか

なんとも　何とも
[副] ★2
(think) nothing of ~; not ~ at all; beyond (expression) ／无关紧要, 没什么, 什么也 (不) ／아무렇지도, 뭐라고／ không gì cả

① ・私をいじめた人を、前は恨んでいたが、今は何とも思っていない。
② ・同じものを食べて、弟はおなかを壊したが、私は何ともなかった。

合 ＿ない

③・その肉は何とも言えないにおいがした。ちょっと古かったらしい。

※①～③否定的な表現と一緒に使う。ただし「ならない」は使えない。(例.「この時計、直せますか」「いやあ、これは｛×なんとも／○どうにも｝なりませんねえ」)

なんなりと　何なりと
[副] ★1
anything, whatever
无论什么／뭐든지
đó là những gì

・「ご不明な点は、何なりとお尋ねください」　・「何なりとお申し付けください」

※相手に申し出をするときに使う。　類 どんなことでも、何でも

なんらか　何らか
[名] ★1
some kind of, any
某些／어떠한
gì đó

・この問題については、早急に何らかの対策を立てる必要がある。
・何らかの形で子供と関わる仕事がしたいと思っている。

類 何か　※「何らか」の方がかたい言葉。

にあう　ガ似合う
[動] ★3
look good on, match
相称, 相配／어울리다
hợp với

・彼女は着物がよく似合う。　・彼に似合いそうなネクタイをさがした。

におう　ガ匂う／臭う
[動] ★2
smell
发出气味／향내가 나다
mùi

①・生ごみが臭う。　・バラの花が部屋中に匂っている。　関 ガ香る
②・この事件は何かにおう。　関 怪しい
(名) ①②匂い／臭い(例. ①いい匂いがする。)

にがす　ヲ逃がす
[動] ★2
set ~ free; let ~ escape; miss
放, 放掉；放跑, 没抓住／놓아주다, 놓치다
buông

①・魚を釣ったが、小さいので逃がしてやった。
②・犯人を追いかけたが、混雑の中で逃がしてしまった。　関 ヲ逃す

☞〈自〉逃げる

にがてな　苦手な
[ナ形] ★3
weak; uncomfortable; unable to take
不擅长的；棘手的, 难对付的／서투르다, 벽차다, 질색이다／sợ đoán

①・彼女は｛ギター／作文／料理　…｝が苦手だ。　対 得意な
②・私は山本さんが苦手だ。　・チーズは、あのにおいがどうも苦手だ。

にぎる　ヲ握る
[動] ★3　grip, squeeze (one's hands)／握住；握／잡다, 쥐다／nắm, nắm chặt tay

① ・子供はこわがって母親の手を強くにぎった。　　[関] にぎり(ずし)、おにぎり
② ・赤ちゃんがベッドの上で、手を握ったり開いたりしている。

にぎわう　ガにぎわう
[動] ★1　to be crowded, cause a sensation／热闹, 大肆报导, 丰富／북적거리다, 떠들썩하다／đông đúc

・夕方になると、商店街は買い物客でにぎわう。
・最近、有名タレントのスキャンダルが週刊誌をにぎわせている。
※ 他動詞「にぎわす」のテ形「にぎわして」も使う。　　[関] にぎやかな
(名) にぎわい(例. 町にかつてのにぎわいを取り戻したい。)
〈他〉にぎわす(例. 父が釣ってきた魚の料理が食卓をにぎわした。)

にくい　憎い
[イ形] ★2　hateful; detestable／可憎的, 可恨的／밉다／hận thù

・父を殺した犯人が憎い。
[合] 憎さ　(動) ヲ憎む

にくらしい　憎らしい
[イ形] ★2　hateful; painfully／讨厌的, 可憎的；让人妒嫉的／밉살스럽다, 얄밉다／đáng ghét

① ・わが子はかわいいが、反抗的な態度をとると憎らしいときもある。
② ・彼女は憎らしいほど才能がある。　　　　　　　　　　　　　[連] ＿ほど
[合] ①②憎らしさ　[類] ①②憎たらしい

にげる　ガ逃げる
[動] ★2　run away, escape; evade／逃, 逃脱, 避开, 逃避／도망치다, 피하다／thoát

① ・犯人は海外に逃げたらしい。
　　[類] ガ逃亡する、ガ逃走する　　[慣] 〈ことわざ〉逃げるが勝ち
② ・社長に給料値上げを交渉したが、うまく逃げられた。
[合] ①②ガ逃げ出す(例. 燃えている家の中から逃げ出す。)　☞〈他〉逃がす

にごす　ヲ濁す
[動] ★2　(speak) ambiguously／含糊其辞／애매하게 하다, 얼버무리다／làm đục

・記者に鋭い質問をされた政治家は言葉を濁した。
・「明日の予定を聞いたのに、彼は返事を濁した。何かあるのだろうか」
[連] 言葉を＿、返事を＿　☞〈自〉濁る

にこにこ／にっこり
ガにこにこ／にっこりスル
[副] ★2
- smile happily
- 笑嘻嘻／생글생글, 싱글벙글, 생긋
- nụ cười

・あの人はいつも愛想良く、にこにこしている。　・彼女はにっこり(と)ほほえんだ。

にごる　ガ濁る
[動] ★2
- get muddy, get turbid
- 浑浊, 不清／탁해지다, 흐려지다
- đục

・台風で濁った川の水が激しく流れている。　・濁った{声／音／目 …}

[対] ガ澄む　(名) 濁り　☞〈他〉濁す

にじむ　ガにじむ
[動] ★1
- to run, stain, blur, brim, bead, show
- 渗, 渗透, 模糊, 渗出, 流露出
- 번지다, 배다, 맺히다／thấm ra, rỉ ra

① ・この紙に字を書いても、インクがにじんで読めない。　[関] ガ染み込む
② ・涙で町の明かりがにじんで見えた。　[関] ガぼやける
③ ・緊張して、額に汗がにじんだ。　[慣] 血のにじむような努力
④ ・彼の声には怒りがにじんでいた。　[合] ③④ガにじみ出る

にせ　偽
[名] ★3
- fake
- 假, 假冒／가짜, 모조
- giả (con người, đồ vật)

・にせ(の)銀行員にだまされてお金を取られた。
[合] __物、__者、__札　[関] 本物

にせる　ヲ似せる
[動] ★3
- imitate
- 模仿, 学／흉내 내다, 모방하다
- bắt chước, mô phỏng

・アイドルに髪型を似せる。　・歌手に声を似せて歌う。
☞〈自〉似る

にちじょう　日常
[名] ★2
- everyday
- 日常／일상
- hàng ngày

・日常の業務を果たす。
[(副)] ・日常着る洋服は動きやすいものがいい。
[合] __生活、__茶飯事　[関] 普段

にっちゅう　日中
[名] ★2
- daytime
- 白天／대낮, 한낮
- ban ngày

・朝晩は冷え込むが、日中は穏やかな天気が続いている。
[対] 夜間　[類] 昼間

にってい　日程
[名] ★2　schedule／日程，计划安排／일정／lịch trình

・急な用事で、旅行の日程を変えた。　・仕事の日程がびっしり詰まっている。
連 __を組む　合 __表　関 予定、スケジュール

になう　ヲ担う
[動] ★1　to shoulder, bear, carry／肩负，分担，背负／맡다, 짊어지다／cáng đáng

① ・役職が上がれば、それだけ大きな責任を担うことになる。
② ・次代を担う若者が、夢を持てるような国にしたい。　　　類 ①②ヲ負う
③ ・大きな荷物を{肩／背中}に担う。
　　類 ②③ヲ背負う、③ヲ担ぐ　※「背負う」「担ぐ」より「担う」の方がかたい言葉。

にぶい　鈍い
[イ形] ★2　dull; slow; slow (reflexes); dim; have fewer (customers)／钝，不快；迟缓；迟钝；气势不振；暗淡／무디다, 둔하다, 적다, 희미하다／ngu si đần độn

① ・このナイフは切れ味が鈍い。
② ・佐藤選手は、今日は動きが鈍い。
③ ・{勘／運動神経／感受性 …}が鈍い。　・鈍い痛み　　　対 ①〜③鋭い
④ ・古い銀のネックレスが鈍く光っている。
⑤ ・雨の日は客足が鈍い。
合 ①〜⑤鈍さ　（動）①〜③ガ鈍る

にぶる　ガ鈍る
[動] ★1　to become less capable, weaken, become blunt／生疏，变迟钝，动摇；（刀）变钝；迟缓／둔해지다, 흔들리다, 무뎌지다, 줄다／trở nên yếu, cùn đi

① ・最近練習を休んでいたので、腕が鈍った。　・{勘／感覚／記憶力 …}が鈍る。
② ・研がなければ、刃物の切れ味は鈍る。
③ ・輸出量は年々伸びているが、昨年あたりから伸びが鈍ってきた。
関 ①〜③ガ衰える　（イ形）①〜③鈍い

にやにや／にやりと
ガにやにや／にやりとスル
[副] ★2　grin, smirk／默默地笑，不出声地笑／히죽히죽, 히죽／cười toe toét

・「何をにやにやしているんだ。気持ち悪い」
・悪事が成功したときのことを想像して、彼はにやりと笑った。

ニュアンス
[名] ★1　nuance／语气，语感，细腻／뉘앙스／sắc thái

① ・メールの絵文字は、文字だけでは伝わりにくいニュアンスを伝える。

② ・この作家は、ニュアンスに富んだ文章を書く。
　　連 __がある、__に富む、__を出す、__をつける、微妙な__

にらむ　ヲにらむ
[動] ★2　stare (at); incur one's displeasure
怒目而视；盯上／노려보다, 주목하다
nhìn chằm chằm

① ・その学生は注意されて、逆に先生をにらんだ。
　　合 ヲにらみつける（例．教授は授業中に私語をしていた学生をにらみつけた。）
② ・いつも事件を起こす彼は、警察ににらまれている。

にる　ガ似る
[動] ★3　resemble
相像, 类似／닮다, 비슷하다
giống

・彼女は母親によく似ている。　・彼は弟とよく似ている。
☞〈他〉似せる

にる　ヲ煮る
[動] ★3　boil, stew
煮, 炖, 熬／삶다, 조리다
ninh

・この野菜は煮て食べるのが好きだ。
合 煮もの、ヲ煮込む（例．弱火で煮込む。）→ 煮込み、煮込み料理
〈自〉煮える（例．「この野菜をスープで煮て、煮えたら塩で味をつけてください」）

にんき　人気
[名] ★3　popularity
有人缘, 受欢迎, 博得好评／인기
được ưa chuộng

・彼はクラスで一番人気がある。　・新しいゲーム機が人気だ。　・人気の映画を見る。
連 __がある⇔ない、__が上がる⇔下がる、__が出る、__がなくなる、__が落ちる、__が高い、__を集める、__を呼ぶ　合 大__、__者

にんげん　人間
[名] ★2　human being, man; personality
人, 人类／인간, 인품
con người

① ・人間は皆、平等である。　　　　　　　　合 __らしい　類 人　関 人類
② ・あんな大きな失敗をした社員を首にしない、うちの社長は人間ができている。
　　類 人物　慣 人間ができている

にんしき　ヲ認識スル
[名] ★1　recognition
认识, 理解／인식
nhận thức

① ・彼女は環境問題に関する認識が{不足している／甘い}。
　　連 ～__を持つ、__が甘い、__が不足している、～__に欠ける、__を深める、__を改める　合 __不足、ヲ再__スル

② ・すい星が接近中だが、まだ肉眼では認識できない。　　　　　　　　　関 ヲ認める

ぬう　ヲ縫う　　　　　　　　　[動] ★2　sew; sew up; during a brief break in ~ / 縫，縫切；手术缝合；利用余暇 / 깁다, 꿰매다, 누 may

① ・ぞうきんを縫う。　　・破れたところを縫う。　　　　　　　　　合 縫い目
② ・けがで足を5針縫った。
③ ・授業の合間を縫って、サッカーの練習をする。　　　　　　　　　連 合間を＿＿

ぬく　ヲ抜く　　　　　　　　　[動] ★3　pull out, remove; relax (one's body); skip; overtake / 拔掉；抽去；省略／超过／뽑다，따다，빼다，거르다，앞지르다 / nhổ (răng), bỏ (bữa sáng), vượt, thả lỏng (cơ thể)

① ・虫歯を抜く。　　・ビールのせんを抜く。
② ・体の力を抜く。
③ ・朝食を抜く。
④ ・マラソンで、前の3人を抜いて、トップになった。

☞〈自〉抜ける

ぬける　ガ抜ける　　　　　　　[動] ★3　fall out, come out, leak out; be missing, leave / 脱落；跑气；遗漏，不在／빠지다, 누락되다 / rơi, rụng (tóc), thiếu, rỉ ra, rò ra

① ・髪の毛が抜ける。
② ・タイヤの空気が抜けた。
③ ・この書類は3ページ目が抜けている。　　　　　　　　　　　　　類 ガ飛ぶ

☞〈他〉抜く

ぬすむ　ヲ盗む　　　　　　　　[動] ★3　steal / 偷，偷盗／훔치다 / lấy cắp, lấy trộm

・留守中にどろぼうに入られて、お金を盗まれてしまった。

(名) 盗み→ ＿＿を{する／はたらく}

ぬらす　ヲ濡らす　　　　　　　[動] ★3　wet / 弄湿／적시다 / ướt

・水をこぼして、服をぬらしてしまった。

☞〈自〉濡れる

ぬるい　　　　　　　　　　　　[イ形] ★3　lukewarm / 温／미지근하다 / nguội

・ぬるいコーヒーはおいしくない。
・冷やしたビールを冷蔵庫から出したままにしておいたら、ぬるくなってしまった。

[合] ぬるさ

ぬれる　ガ濡れる
[動] become wet / 湿, 淋湿 / 젖다 / bị ướt
★3

・雨にぬれて、かぜをひいた。　・水がこぼれて、服がぬれてしまった。

☞〈他〉濡らす

ねあがり　ガ値上がりスル
[名] price rise / 价格上涨, 涨价 / 값이 오름, 인상됨 / tăng giá
★3

・食品の値上がり　・石油が値上がりする。

[対] ガ値下がりスル　[関] ヲ値上げ(ヲ)スル⇔ヲ値下げ(ヲ)スル

ねがう　ヲ願う
[動] wish; ask, please ~ / 祈求, 希望; 恳求, 恳请 / 기원하다, 부탁하다 / nguyện
★2

① ・世界平和を願う。　・「あなたの健康と成功を願っています」　(名)願い
② ・「もう一度お願いします」　・「今後間違いのないよう、願います」

ねじる　ヲねじる
[動] to twist / 拧 / 돌리다, 틀다, 꼬다, 비틀다 / vặn, xoáy
★1

① ・ペンチで針金をねじって切る。　・ガス栓をねじる。　[合] ヲねじりあげる
② ・{体／足首 …}をねじる。

[類] ①②ヲひねる　※「ひねる」より「ねじる」の方が力が必要。「ねじる」は両端を逆方向に回す、あるいは一方が固定されている場合によく使う。　☞〈自〉ねじれる

ねじれる　ガねじれる
[動] to be twisted / 歪斜, 搭配不当, 性格乖僻 / 비뚤어지다 / cong queo
★1

① ・満員電車で押されて、ネクタイがねじれてしまった。
　(名)ねじれ→ ＿＿がある⇔ない
② ・彼は{性格／根性 …}がねじれている。　[関] ガひねくれる

[類] ①②ガゆがむ　☞〈他〉ねじる

ねたむ　ヲ妬む
[動] be jealous of / 嫉妒 / 질투하다 샘하다 / ấm ức, ghen ty
★1

・姉は親にかわいがられている妹を妬んで、陰で意地悪をした。
・人の{幸せ／幸運／成功／才能 …}を妬む。

[類] ガ／ヲ嫉妬する　(名)妬み　(イ形)妬ましい

ねだる　ヲねだる
[動] ★1　to pester, coax
死气白赖地要求／조르다／nằn nì xin xỏ

・親にねだってディズニーランドに連れて行ってもらった。
・母は孫にねだられると、何でも買い与えてしまう。
合 ヲおねだり(ヲ)スル（例．子供がお母さんにおねだりをする。）

ねっしんな　熱心な
[ナ形] ★3　passionate
热心的, 有热情的／열심이다／nhiệt tình, sôi nổi

・熱心な仕事ぶりが認められて昇進した。
・彼女は子供の教育に熱心だ。
合 熱心さ　対 不熱心な

ねっちゅうする　ガ熱中する
[動] ★3　be addicted to (a hobby), be absorbed in
热衷于, 入迷／열중하다／mê mải, miệt mài, ham mê

・母は今カラオケに熱中している。
・テレビのボクシング中継に熱中して、つい大声を出してしまった。
（× 熱中になる、× 熱中だ）

ネットワーク
[名] ★1　network, connections
网络, 社会关系／네트워크, 방송망／인맥／mạng lưới

・インターネットは、世界をつなぐ巨大なネットワークだ。
・あの人は顔が広くて、いろいろなネットワークを持っている。
合 ＿システム

ねづよい　根強い
[イ形] ★1　deep-seated
根深蒂固／뿌리 깊다, 탄탄하다／sâu rễ, bén rễ sâu

・私の田舎には古い習慣が根強く残っている。　・根強い|偏見／人気　…|
合 根強さ

ねばる　ガ粘る
[動] ★1　to be sticky, persevere, linger
发黏, 坚持, 拖拖拉拉, 泡(咖啡馆等)／끈끈끈끈 달라붙다, 끈기있게 버티다／dính

① ・この餅はよく粘る。　合 ガ粘り付く　関 粘つく、粘っこい、ガねばねばスル
② ・上野選手は最後まで諦めずに粘り、入賞を果たした。　合 粘り強い
(名) ①②粘り→ ＿がある⇔ない

ねむる　ガ眠る
[動] ★3　sleep
睡, 睡觉／잠들다／ngủ

・入試の前の日、緊張してよく眠れなかった。

類 ガ寝る ※「寝る」には「横になる」という意味もある。 (名)眠り→ __につく、__に落ちる、__が浅い⇔深い

ねらう　ヲ狙う
[動] ★2　aim (at) / 瞄准，以……为目标／겨누다, 노리다 / nhắm mục đích

・的を狙って撃つ。　・ライオンがシマウマを狙っている。
(名)狙い→ __を定める

ねる　ヲ練る
[動] ★2　knead; polish／揉，揉和；仔細推敲，斟酌／반죽하다, 다듬다, 짜다 / nhào

① ・パンの生地を練る。　・粘土をねる。
② ・文章を練る。　・｛作戦／計画／プラン／案 …｝を練る。

ねん　念
[名] ★1　feeling, concern, confirmation／心情，注意／마음, 다짐, 만약 / nhắc đến, chu ý

① ・辛いことがあっても笑顔でがんばる友に尊敬の念を抱いた。
② ・「本当にいいんですね？」と彼は私に何度も念を押した。

連 __を押す、__のため(に)、__を入れる　関 注意、確認　慣 念には念を入れる

ねんだい　年代
[名] ★2　~s, era, period; chronological (order); dates; generation／年代；时代；岁月；年纪／연대, 시대／tuổi

① ・日本では、1960年代は高度成長の時代だった。　合 [数字]＋年代
② ・歴史上の事件を年代順に書く。
③ ・年代を経た建物には、ある種の落ち着きが感じられる。　類 年月、時代、時
④ ・部長は父と同年代だろう。　合 同__　関 世代

のうりつ　能率
[名] ★2　efficiency／效率／능률 / hiệu suất

・仕事の能率を上げよう。　・古い機械を使って作業をするのは能率が悪い。
連 __がいい⇔悪い、__が上がる・__を上げる　合 __的な(例. 能率的なやり方)⇔非__的な　関 効率

のうりょく　能力
[名] ★2　ability／能力, 才能／능력 / năng lực

・私にはこの問題を解決する能力はない。
・このホールは100人以上の収容能力がある。
連 __がある⇔ない、__が高い⇔低い、__が上がる・__を上げる　合 潜在__、知的__、

379

収容__、__試験、__開発、__給

のがす ヲ逃す
[動] ★1 to miss out on, let escape / 错过／놓치다 / bỏ lỡ, bỏ qua

・もう少しのところで金メダルを逃してしまった。 ・|チャンス／好機 …|を逃す。
合 ヲ見__、ヲ聞き__（例.大事な話を聞き逃した。） ☞〈自〉逃れる

のがれる ガ逃れる
[動] ★1 to escape / 逃出，避开，逃避／피하다, 벗어나다 / trốn chạy

① ・犯人は警察の目を逃れ、海外に逃亡したらしい。 ・危ういところで難を逃れた。
② ・取締役だった人が、会社倒産の責任を逃れることはできない。 類 ガ免れる
☞〈他〉逃す

のこす ヲ残す
[動] ★3 not finish (eating); only (something) remains, leave behind ／剩下，留下／남기다 / để lại (ăn chưa xong), chưa xong (công việc..)

・ご飯を残してしまった。 ・父は私達に多くの財産を残してくれた。
☞〈自〉残る

のこる ガ残る
[動] ★3 be left over, remain / 剩，留／남다 / còn lại, sót lại

・料理を作りすぎて、たくさん残ってしまった。
・この地方には、まだ豊かな自然が残っている。
(名)残り ☞〈他〉残す

のせる ヲ乗せる
[動] ★3 give a ride, take on / 让……乗坐／태우다 / chở đi (bằng ô tô, xe đạp…)

・子供を車に乗せて、学校まで送って行った。
対 ヲ降ろす ☞〈自〉乗る

のせる ヲ載せる
[動] ★3 put on; publish / 搭运，载运；刊登／얹다, 싣다 / đặt lên, để lên, đăng (báo)

① ・たなに荷物をのせる。
② ・「いい作品は文集に載せますから、がんばって書いてください」
☞〈自〉載る

のぞく ヲ除く
[動] ★2 take away, remove; exclude / 去除，除去／없애다, 제외하다 / ngoại trừ

・この機械は空気中の有害物質を取り除く作用がある。

・彼を除いて全員満点だった。　・〈掲示物〉「年中無休。ただし元旦を除く」

合 ヲ取り＿

のぞく　　ガ/ヲのぞく

[動] ★1 　to peep in/out, look in/at／窺視, 往下望, 觀察, 看一看, 露出／들여다보다, 내려다보다, 보다, 들르다, 내밀다／nhòm, nhìn trộm

〈他〉① ・不審な男がうちの中をのぞいていた。　・人に心の中をのぞかれたくない。

　　　合 ヲのぞき見る（例．・人の日記をのぞき見る。・私生活をのぞき見る。）、

　　　ヲのぞき込む　（名）のぞき

② ・展望台から下をのぞくと、ずっと下を川が流れていた。
③ ・弟は天体観測が趣味で、夜になると望遠鏡をのぞいている。
④ ・近所に新しい百円ショップができた。ちょっとのぞいてみよう。

〈自〉・スーパーの袋からネギがのぞいている。
　　　・ドアが開き、女の子が顔をのぞかせた。

のぞましい　　望ましい

[イ形] ★1 　desirable, hoped for／最好, 最希望／바람직하다／mong

・A社の求人案内に「大学院卒が望ましい」と書いてあった。
・これ以上解決を先に延ばすのは望ましくない。

合 望ましさ　（動）ヲ望む

のぞむ　　ヲ望む

[動] ★3 　wish／希望, 愿望／바라다／mơ ước, mong ước

・卒業後は、教師になることを望んでいる。　・望んでいたものが手に入った。

類 ヲ希望する　（名）望み（例．私の望みは子供が元気に育ってくれることだ。）

→ ＿がある⇔ない（例．手術をすれば助かる望みがある。）（イ形）望ましい

のぞむ　　ガ臨む

[動] ★1 　to look out on, face, treat／面临, 对待／면하다, 임하다, 처하다, 대하다／tiếp cận, tiến đến

① ・そのホテルは海に臨んで建っている。　　　　　　　類 ガ向かう
② ・十分に準備したので、自信を持って試験に臨むことができた。
③ ・苦難に臨んだときにこそ、その人の真価が問われる。　類 ガ直面する
④ ・教師は全ての学生に、公平な態度で臨むべきだ。　　類 ガ接する

のち（に）　　後（に）

[副] ★2 　after, later／后, 之后／후, 뒤, 나중, 다음／sau

・松本さんは文学部を卒業した後（に）、医学部に入り直したそうだ。

- 二人が結婚したのは、出会って3年{後／の後}だった。
※「後」よりかたい言葉。　※名詞としても使う。

のっとる　ヲ乗っ取る
[動] ★1　to hijack, take over　劫持，佔取／납치하다, 매수하다／đoạt được, giành lấy

① ・犯人は飛行機を乗っ取って目的地に向かわせた。
　[合]乗っ取り犯　[関]ハイジャック
② ・株を買い占めて会社を乗っ取る。
(名) ①②乗っ取り

のどかな
[ナ形] ★1　calm, peaceful　晴朗，悠閑／화창한, 평화로운／thanh bình, yên tĩnh

・のどかな春の一日、久しぶりに近所を散歩した。
・定年退職後田舎に帰った父は、「田舎の生活はのどかでいい」と言っている。
[合]のどかさ

のばす　ヲ伸ばす
[動] ★3　let grow; increase; smooth out; stretch; extend／拉长，使……变长，使……伸展，使……提高／기르다, 키우다, 펴다, 늘리다／để (tóc, râu...) dài ra, tăng (chiều cao) kéo, làm giãn ra, kéo dài (kỷ lục...)

① ・{髪／ひげ／身長 …}を伸ばす。
② ・アイロンをかけてしわを伸ばす。　・腰を伸ばす体操
③ ・練習して、水泳の記録を伸ばす。
☞〈自〉伸びる

のばす　ヲ延ばす
[動] ★3　postpone; extend／推迟，延后，使……延长，使……延伸／연장하다, 끌다／hoãn, kéo dài

① ・チケットが取れなかったので、帰国の日を延ばした。　[類]ヲ延期する
② ・みんなが終わらないので、先生がテストの時間を10分延ばしてくれた。
③ ・道路を20キロ先まで延ばした。　[類]②③ヲ延長する
☞〈自〉延びる

のびる　ガ伸びる
[動] ★3　grow; straighten; increase; become soggy; lose elasticity／长长，舒展，增长，提高，失去弹性／자라다, 퍼지다, 늘다, 퍼지다, 늘어나다／(tóc, râu, chiều cao) dài ra, phát triển (doanh thu) tăng, (chun) giãn

① ・{背／髪／ひげ …}が伸びる。
② ・体操をしたら、腰が伸びた。
③ ・{記録／売り上げ …}が伸びる。　(名)伸び→ ＿が大きい⇔小さい
④ ・ラーメンがのびる。　・下着のゴムがのびてはけなくなった。

☞〈他〉伸ばす

のびる　ガ延びる
[動] ★3　be postponed; be prolonged; become longer; be extended／推迟；延长；延伸／연기되다, 길어지다, 늘어나다, 이르다／bị/được hoãn, kéo dài

① ・レポートの締め切りが延びてよかった。
② ・2時間の予定だった会議が延びて3時間になった。
③ ・鉄道が、隣の市まで延びた。

☞〈他〉延ばす

のべ　延べ
[名] ★1　total, gross／总计／연 tổng

① ・このダムの建設のために、延べ20万人が動員された。

連　延べ＋[数値]、__人数、__日数、__時間

② ・私の家の延べ床面積は、150㎡だ。

のべる　ヲ述べる
[動] ★2　state, express／叙述／말하다, 진술하다／thuật lại

・自分の意見を述べる。　・〈裁判など〉「真実を述べることを誓います」

のぼる　ガ上る
[動] ★3　go up, reach (a number)／上, 爬, 登, 上升；(数量) 达到, 高达／오르다, 이르다／trèo, leo (cầu thang, núi…), lên tới

① ・｛階段／坂／川…｝を上る。　・東京タワーに上る。

対　ガ下る　(名) 上り→ __列車

② ・地震の死者は、5,000人に上った。

のみこむ　ヲ飲み込む
[動] ★2　swallow／囫囵咽下；理解, 领会／삼키다, 이해하다／nuốt

① ・食べ物をかまずに飲み込む。
② ・状況を飲み込むのに時間がかかった。　　類　ヲ理解する

(名) 飲み込み→　__がいい⇔悪い、__が遅い⇔速い

のりこえる　ガ乗り越える
[動] ★1　to climb over, surpass, overcome／越过, 渡过(困难), 超越／뛰어넘다, 극복하다, 이겨내다／vượt qua

① ・泥棒は塀を乗り越えて侵入したものと見られる。
② ・この論文で、新井氏は師(の業績)を乗り越えたと言えるだろう。

類　ヲ追い抜く

③ ・災害で生き残った者は、悲しみを乗り越えて前へ進まなければならない。

類 ヲ克服する

のりすごす　ガ乗り過ごす
[動] ★1
- to miss one's stop/station (train, bus, etc.)
- 坐过站／지나치다
- đi quá

・本に夢中になっていて、一駅乗り過ごしてしまった。

関 ガ乗り越す →乗り越し(料金)

のる　ガ乗る
[動] ★3
- ride
- 乘坐／타다
- cưỡi, trèo, đi (tàu…)

・毎朝、電車に乗って学校に通っている。

対 ガ降りる　☞〈他〉乗せる

のる　ガ載る
[動] ★3
- fit in (a car); be published
- 装，载；登载，刊登／실리다
- để vừa (ô tô), được đăng (báo)

① ・この荷物は大きすぎて、私の車にはのらないだろう。
② ・新聞に、私の書いた記事が載った。

☞〈他〉載せる

のろのろ(と)　ガのろのろスル
[副] ★2
- slowly, at a snail's pace
- 慢吞吞，迟缓／느릿느릿, 꾸물꾸물
- từ từ

・渋滞で、車はのろのろとしか進まなかった。　・「のろのろしていると遅刻するよ」

合 ＿＿運転　関 のろい

のんきな
[ナ形] ★1
- carefree, heedless
- 乐天派，满不在乎／느긋한, 한가로운
- sự vô lo

・私は生まれつきのんきな性格で、あまり先のことを心配したりしない方だ。
・「来月海外旅行に行くのに、まだパスポートも取ってないなんて、のんきだね」

合 のんきさ　関 のんびりした、神経質な

のんびり(と)　ガのんびりスル
[副] ★3
- leisurely, laidback, dawdlingly／悠闲自在，无拘无束，慢慢腾腾／한가로이, 유유히, 느긋하게／thong thái, thư thả

・半年ほどとても忙しかった。温泉へでも行ってのんびりしたい。
・定年後は田舎でのんびり(と)暮らしたい。

ば　場

[名] ★2
place; experience, ballpark; occasion
地方；场所；场面／곳, 자리, 경험, 장, 장소
chỗ

- 山田さんは、高橋さんの申し出をその場で断った。　・一人になれる場がほしい。
- 鈴木教授は最近テレビに出たり、本を書いたりと、活動の場を広げている。

[連] {この／その／あの}__限り　[合] たまり__、__違いな　[関] 場所、状況、場面
[慣] 足の踏み場もない、場数を踏む

はあく　ヲ把握スル

[名] ★1
understanding, grasp
把握，理解／파악
nắm bắt

- 事故現場が混乱し、状況を把握するのに時間がかかった。
- {内容／情報／現状／実態 …} を把握する。

[関] ヲつかむ、ヲ捉える、ヲ知る、ヲ理解スル

バーゲンセール　>バーゲン／セール

[名] ★3
sale
大甩卖，减价出售／바겐세일
giảm giá

- デパートで今バーゲンセールをしている。　・「このバッグ、バーゲンで買ったの」

パーセント　（％）

[名] ★3
percent
百分比／퍼센트
phần trăm

- 1割というのは10パーセントのことだ。

[合] [数字]+パーセント　[関] 割（※1割＝10%）

パート

[名] ★3
part-time job; part
钟点工, 零工；声部／파트타임, 파트
công việc làm thêm một phần

① ・母は週三日、スーパーでパートをしている。　　　[合] __タイム、__タイマー
② ・合唱でソプラノのパートを歌っている。

ハードな

[ナ形] ★1
hard, difficult, hardware／艰难, 严格, 紧张, 坚硬, 硬件／힘겨운, 단단한
khó khăn

① ・この仕事はハードな割りに給料があまりよくない。　・ハードなトレーニング
② ・今週はスケジュールがハードで、なかなか休めない。

[合] ①②ハードさ　②ハードスケジュール　[類] ①②きつい、厳しい

③ ・荷物はハードな箱に入っていたので、傷一つなかった。

[合] 〈本〉ハードカバー　[対] ソフトな、柔らかい　[類] 固い／堅い

④ [(名) ハード]・コンピューターのハード（ウェア）　　[対] ソフト（ウェア）

385

パートナー

[名] ★3 | partner 伙伴, 合作者／파트너 / đối phương, đối tác

・あの人は仕事のいいパートナーだ。　・結婚で人生のパートナーを得た。
・うちの犬はただのペットではなくて、私のパートナーです。

合 __シップ　関 相手

はい　灰

[名] ★3 | ash 灰／재 / tàn tro

・たばこの灰　・紙が燃えて灰になる。

合 __皿、__色

ばい　倍

[名] ★3 | double, ~ times 倍／배 / gấp đôi, gấp... lần

① ・値段が倍になる。　・薬の量を倍にする。
② ・太陽の大きさは地球の約100倍だ。

合 [数字]＋倍

バイク

[名] ★3 | motorcycle 摩托车／오토바이, 자전거 / xe máy

・兄はバイクで通学している。

類 オートバイ、原付＜原動機付き自転車　関 自転車

はいけい　背景

[名] ★2 | background ／(图、照片等的)背景；(事件、势力等的)背景／배경 / nền tảng

① ・これは家族の写真で、背景はうちの庭だ。
② ・記者は事件の背景を取材した。

類 バック
合 時代__、__知識

はいし　ヲ廃止スル

[名] ★1 | abolition 废止／폐지 / bãi bỏ

・世界には死刑制度を廃止した国が多い。　・鉄道会社は赤字路線の廃止を決めた。
・{制度／システム／法律／慣習 …} を廃止する。

関 ヲやめる

バイタリティー

[名] ★1 | vitality 活力／활기, 생기 / sức sống

・山本さんはとてもバイタリティーのある人で、疲れるということがない。

連 __がある⇔ない、__に富む　類 活力、生命力　関 活動的な、エネルギッシュな

はいふ　ヲ配布／配付スル　[名] ★2
distribution
发, 散发, 分发／배부
phân

・駅前で通行人にちらしを配布する。　・会議の出席者に資料を配付する。
※「配布」は大勢の人に、「配付」は関係のある人だけに配る場合に使う。　類 ヲ配る

はいりょ　ガ／ヲ配慮(ヲ)スル　[名] ★1
consideration, concern
照顾, 关心, 考虑／배려
xem xét, cân nhắc

・歩きながらたばこを吸うのは、周りの人への配慮に欠けた行為だ。
・｜地球／環境｜に配慮した製品　・年齢差を配慮してグループを作る。

連 ＿がある⇔ない、＿に欠ける、＿を欠く　類 ガ気配り(ヲ)スル　関 思いやり

はう　ガはう　[動] ★1
to crawl, creep
匍伏, 爬, 爬行, 攀爬／기다, 뻗다
lườn, bò

① ・敵に見つからないよう、はって進んだ。　・赤ん坊がはう。
　合 横ばい（例．売り上げはここ数年横ばいだ。）
② ・｜虫／へび …｜がはう。　　　　　　合 ①②ガはい回る、ガはいずり回る
③ ・植物のつるが壁をはっている。　・壁にツタをはわせる。

はえる　ガ生える　[動] ★3
(hair, etc.) grows; (tooth) comes in
生, 长, 发／나다, 자라다, 피다
mọc (tóc, râu, răng), phát triển (nấm mốc)

・｜髪／ひげ／歯／草／かび …｜が生える。
☞〈他〉生やす

はかい　ヲ破壊スル　[名] ★1
destruction
破坏／파괴
phá hoại

・爆撃によって街が破壊された。　・人間の経済活動は生態系の破壊の原因にもなる。
合 ＿的な、自然＿、環境＿、森林＿、＿力　対 ヲ建設スル、ヲ創造スル

はがす　ヲ剥がす　[動] ★2
peel
剥下, 揭下／떼다, 벗기다
tháo, gỡ

・プレゼント用に買ったクッキーの値札をはがす。
・掲示板に張ってある古いポスターをはがして新しいものを貼った。
類 ヲ剥ぐ（例．狩りで撃った獲物の皮をはぐ。）

はかどる　ガはかどる　[動] ★1
to make good progress
进展顺利／잘되다 , 진척되다
tiến bộ

・私は音楽を聞きながらだと勉強がはかどる。
・天候不順で、工事がなかなかはかどらない。

はかない　[イ形] ★1
ephemeral, fleeting, momentary
短暂，不可靠／덧없다 , 헛되다
phù du

① ・大自然の前では人間などはかない存在だ。　[連]＿命　[合] はかなさ
② ・「もしかしたら」とはかない望みを抱いたが、夢に終わってしまった。
　　[連]＿望み、＿夢　[類] 淡い

ばかばかしい　[イ形] ★2
ridiculous; nonsense; silly ／无聊的；荒谬的；愚蠢的／몹시 어리석다 , 어처구니없다
nực cười

① ・この番組はばかばかしいが、おもしろいのでつい見てしまう。
② ・「ばかばかしい。そんな話は聞いたことがない」
③ ・安い給料でこんなに働くなんて、ばかばかしい。
[合] ①～③ばかばかしさ　[類] ①～③くだらない　※「ばかばかしい」は人には使えない。

はかる　ヲ計る／測る／量る　[動] ★2
time; measure; weigh
計算；測量；称／재다 , 달다
do

[計]・時間を計る。　・お湯を入れて3分計る。　・体温を計る。　[類] ヲ計測する
　　※時間や数値で表せるものを、時計など小さい計器を使って調べるときに使うことが多い。
[測]・山の高さを測る。　・身長を測る。　・水深を測る。　[類] ヲ測定する
　　※深さや高さなど数値で表せるものを、やや大きい器械を使って調べるときに使うことが多い。
[量]・荷物の重さを量る。　・ダムの貯水量を量る。　[類] ヲ計量する
　　※重さや量などをはかりを使って調べるときに使うことが多い。

はかる　ヲ図る　[動] ★1
to work on, promote, attempt
谋求，企图／꾀하다 , 시도하다 , 계획하다
ập kế hoạch, vẽ sơ đồ

・けがで欠場した本田選手は、今再起を図ってリハビリに励んでいる。
・自殺を図った患者が病院に運び込まれた。
[連] 便宜を＿、再起を＿　[関] ヲ意図する、ヲ計画する

はかる　ヲ謀る
[動] ★1　to plot, aim to／策划, 企图／꾀하다, 꾸미다／mưu mô, mưu đồ

- テロリストたちは大統領の暗殺を謀った。
- 個人情報の流出を謀って、ハッカーたちがネットに侵入した。

類 ヲたくらむ、ヲ企てる　関 陰謀

はき　ヲ破棄スル
[名] ★1　cancellation, breaking, tearing up and discarding, reversing／撕毁, 废除, 废弃, 撤销／파기／phá hủy

① 内容に不備が見つかり、契約は破棄された。　合 契約__、婚約__
② {書類／手紙／メール …} を破棄する。　関 ヲ破り捨てる
③ 最高裁判所は、二審の無罪判決を破棄して、被告に懲役3年を言い渡した。

はく　ヲ吐く
[動] ★2　breathe; vomit; blow; express／吐, 吐出; 呕吐; 喷出; 吐露／뱉다, 내쉬다, 토하다, 뿜어 내다, 토로하다／nôn

① 息を吸って吐く。　対 ヲ吸う
② 悪いものを食べたのか、胃の中のものを全部吐いてしまった。

合 ①②ヲ吐き出す　慣 弱音を吐く、本音を吐く

はくしゅ　ガ拍手(ヲ)スル
[名] ★3　applause／拍手／박수／bắt tay

- ステージの歌手に拍手をする。　・ゲストを拍手で迎える。

連 __を送る、大きな__、盛んな__

ばくぜんと　ガ漠然とスル
[副] ★1　vaguely／含混, 含糊, 隐隐／막연히／không rõ ràng, mơ hồ

- 将来のことは、まだ漠然としか考えられない。
- 多くの現代人は、地球の将来に対して、漠然とした不安を抱いているのではないだろうか。
- このレポートは論旨が漠然としている。

類 ぼんやり(と)

ばくだいな　莫大な
[ナ形] ★1　huge, enormous／巨大, 大量／막대한／khổng lồ, rộng lớn

- 元会社社長の本田氏は、莫大な遺産を残した。
- 地震の被災地には、莫大な量のがれきの山が残った。

合 莫大さ　類 多大な、膨大な、おびただしい

ばくはつ　ガ爆発スル
[名] ★2
explosion; outburst
爆炸；爆发，迸发／폭발
bùng nổ

① ・ガスタンクが爆発して大きな被害が出た。　・ダイナマイトを爆発させる。
② ・妻は勝手な夫に対して、ついに怒りを爆発させた。　・不満が爆発する。

はくりょく　迫力
[名] ★1
intensity
气势，感染力／박력
lôi cuốn, sức quyến rũ

・ナイアガラの滝は、近くで見るとすごい迫力だ。
・「この大画面テレビでは、迫力のある映像をご覧になれます」

[連] ＿がある⇔ない、＿に欠ける　[合] 大＿、＿満点

ばくろ　ヲ暴露スル
[名] ★1
exposure, revelation
曝光，败露／폭로
bộc lộ

・社員の一人が、社長の不祥事をマスコミに暴露した。
・｛秘密／スキャンダル／悪事　…｝を暴露する。

[合] ＿記事　[対] ヲ隠蔽スル　[関] ヲ暴く、ヲばらす

はげしい　激しい
[イ形] ★3
violent, intense; considerable／激烈，猛烈；厉害，程度严重／심하다, 세차다
dữ dội, mãnh liệt

① ・｛雨／風／戦い／感情／痛み　…｝が激しい。　・激しく後悔する。
② ・｛変化／差｝が激しい。

[合] ①②激しさ

はげます　ヲ励ます
[動] ★2
encourage
鼓励／격려하다
động viên

・受験に失敗した友人を励ました。　・「皆さんの応援に励まされました」

[関] ヲ激励する　(名) 励まし

はげむ　ガ励む
[動] ★1
to make an effort, strive
努力，刻苦，辛勤／열심히 하다, 힘쓰다
cố gắng, phấn đấu

・オリンピック出場を目指して、毎日練習に励んでいる。
・｛仕事／勉強／研究　…｝に励む。

(名) 励み→　＿になる・＿にする(例. 周囲の声援を励みにしてがんばった。)

ばける　ガ化ける
[動] ★1
to transform into
化身，冒充／둔갑하다
biến hoá, làm hỏng

・日本では、キツネは人間の姿に化けると言われる。

・わずかな出資金が巨大な利益に化けた。
合 お化け　慣 化けの皮がはがれる　〈他〉化かす

はけん　ヲ派遣スル
[名] ★1
dispatch, deployment
派遣, 派出／파견
sự phái đi

・国連は内戦の起きたA国に調査団を派遣した。
・今回のオリンピックには、過去最高の数の選手が派遣された。
合 人材__（会社）、__社員、__労働、災害__

はさまる　ガ挟まる
[動] ★2
get caught; be caught in a dilemma
卡；夹，处／사이에 끼이다
kẹp

① ・コートが電車のドアに挟まって抜けない。
② ・会社で上司と部下の間に挟まって、彼女は苦労しているようだ。
☞〈他〉挟む

はさむ　ヲ挟む
[動] ★2
sandwich, put; catch; break in
夹；插嘴／끼우다, 말참견하다
bị kẹp

① ・「電車のドアに挟まれないようご注意ください」　・パンにハムと卵をはさむ。
合 板挟み（例. 彼女は上司と部下の板挟みになって苦労している。）
② ・彼はすぐ人の話に横から口をはさむので困る。
合 差し__（例. 彼が犯人であることに、疑問を差し挟む余地はない。）
慣 口を挟む
☞〈自〉挟まる

はし　端
[名] ★2
side; end
边缘，端／가, 끝, 구석
cuối

・道の端を歩く。　・ベンチの端に腰掛ける。
合 端っこ　※話し言葉的。　慣 端から端まで（例. 新聞を端から端まで読む。）

はじ　恥
[名] ★1
embarrassment, shame
丢脸, 耻辱, 羞耻／수치, 창피
xấu hổ

・結婚式のスピーチで、新婦の名前を間違えて恥をかいてしまった。
・海外で集団犯罪を行って裁判にかけられるなど、我が国の恥だ。
連 __をかく、__をさらす　合 __知らず　関 恥ずかしい　慣 恥を知る、恥の上塗り
(動) ガ／ヲ恥じる

はじまり　始まり
[名] beginning／开始／시작／bắt đầu
★3

・映画の始まりに間に合わなかった。

対 終わり　（動）ガ始まる

はじめ　始め
[名] beginning／开篇, 开始／처음／bắt đầu
★3

・本を始めから終わりまで全部読んだ。

対 終わり　（動）ヲ始める

はじる　ガ／ヲ恥じる
[動] be embarrassed, be ashamed of／羞愧, 不愧／부끄러워하다, 부끄럽지 않다／cảm thấy xấu hổ, ngượng ngùng
★1

① ・彼は、詐欺に簡単にだまされてしまった自分の愚かさを恥じた。

慣 良心に恥じない　（名）恥　（イ形）恥ずかしい

② ・田中選手の試合内容は、チャンピオンの名に恥じないすばらしいものだった。

慣 〜の名に恥じない

パス　ガ／ヲパス(ヲ)スル
[名] pass／合格, 录取; 放弃; (棒球・足球等) 传球; 票子／패스, 통과, 합격, 뺌, 경기 승차권／đường dẫn
★2

① ・テストにパスする。　　　類 ガ合格スル　関 ガ通過スル

② ・飲み会に誘われたが、忙しいので今回はパスした。　関 ヲ見送る

③ ・〈野球・サッカーなど〉他の選手にボールをパスする。

※①は自動詞、②③は他動詞。

④ ・フリーパスのチケットを買うと、エリア内の乗り物に何回でも乗ることができる。

合 フリー＿、顔＿　関 定期券、入場券、通行証

はずす　ヲ外す
[動] take off; get wrong; exclude／脱下；落空；除去, 除名／벗다, 풀다, 빗나가게 하다, 제외하다／tháo (kính, đồng hồ), lệch (đích, dự đoán), cho rút ra khỏi (đội thi đấu)
★3

① ・｛メガネ／腕時計／ボタン　…｝をはずす。

② ・予想をはずす。　・的をはずす。　　　対 ヲ当てる

③ ・監督は、けがをした選手をチームのメンバーから外した。

☞〈自〉外れる

はずみ　弾み
[名] momentum, spur of the moment／起劲, 兴奋／탄력, 힘, 여세／bước nhảy, rộn ràng
★1

・新製品の開発で、売り上げに弾みがついた。

・おしゃべりしていて、弾みでつい秘密をもらしてしまった。

連 __がつく、__で、～__に（例．転んだはずみに頭を強く打ってしまった。）
(動) ガ弾む

はずむ　　ガ弾む

[動] ★1　to bounce, be lively, stimulate／有弾性,兴奋,起劲／뛰다, 들뜨다, 활기를 띠다
nháy, rộn ràng

① ・このボールはよく弾む。
② ・久しぶりに友達と会って、話が弾んだ。

関 弾力　(名) 弾み
連 話が__、気持ちが__

はずれる　　ガ外れる

[動] ★3　come off; be wrong; drop out／脱落；不中，不准；（被）除去／끌러지다, 빗나가다, 제외되다／bị lệch (dự báo thời tiết), bị rơi ra (cúc), bị rút ra khỏi đội (thi đấu)

① ・ボタンがはずれる。
② ・天気予報がはずれる。
③ ・けがをした選手は、チームのメンバーから外れた。

対 ガ当たる　(名) 外れ⇔当たり

☞〈他〉外す

パターン

[名] ★2　pattern
类型, 模式／패턴, 유형
mẫu

・血液型性格占いは、人間の性格を四つのパターンに分けている。
・最近は大学入試にもいろいろなパターンがある。

合 ワン__、ガ/ヲ__化スル　類 型、類型

はたして　　果たして

[副] ★2　really, actually; just as one expected
究竟, 到底; 果然／과연, 생각했던 대로
quả nhiên

① ・この実験は果たして成功するだろうか。
　※疑問文に使う。　類 いったい　※「果たして」の方がかたい言葉。
② ・鈴木さんなら大丈夫だろうと思っていたが、はたして受験した三つの大学全部に合格した。
　　　　　　　　　　　　　　　　　　　類 やはり、予想通り、案の定

はたす　　ヲ果たす

[動] ★2　fulfill, carry out; play (a role)
完成, 实现; 起作用／다하다, 달성하다
đảm nhận

① ・子供が成人して、ようやく親の責任を果たした。　・友達との約束を果たす。
　連 責任を__、約束を__、ノルマを__、任務を__
② ・子供が9階から落ちたが、木がクッションの役割を果たして、骨折ですんだ。
　連 役割を__

はたらき　働き
[名] ★3
function; action
工作，功能，功劳／기능，공적
hành động, hoạt động

・血液の働きの一つは、体に栄養を運ぶことだ。
・彼の働きで計画が成功した。
(動) ガ働く

はたらきかける　ガ/ヲ働きかける
[動] ★1
to appeal to
动员，做工作／촉구하다，요청하다
có thói quen

・会社全体でごみの減量に取り組むため、他の部署にも働きかけている。
・信号機の設置を警察署に働きかける。
(名) 働きかけ→　＿をする、（人に）＿がある

ばつ　ヲ罰スル
[名] ★1
punishment
惩罚，处罚／벌
trừng phạt, phạt

・悪いことをしたら罰を受けるのは当然だ。　・犯罪を厳しく罰する。
・音楽の無断複製は法律によって罰せられる。　※動詞の受身形は「罰せられる」。
連 ＿を与える⇔受ける　合 罰金、罰則、賞罰、天罰　類 ヲ処罰スル　関 ヲ制裁スル
※神や仏が下す場合は「罰」ともいう。（例．罰が当たる・罰を当てる）

はついく　ガ発育スル
[名] ★1
growth, development
发育，成长／발육
phát triển, phát dục

・この子は未熟児として生まれたが、現在は順調に発育している。
・今年は寒さが厳しく、苗の発育が遅い。　・発育のいい赤ちゃん
連 ＿がいい⇔悪い、＿が早い⇔遅い　類 ガ成長スル、ガ成育スル、ガ生育スル

はっき　ヲ発揮スル
[名] ★2
realization, exertion
发挥／발휘
phát huy

・日本チームは実力を発揮して優勝した。
・新社長は指導力を発揮して会社を立て直した。

はっきり　ガはっきりスル
[副] ★3
clearly, definitely
清楚地，明确地／뚜렷이，확실히，개운히
rõ ràng, rành mạch

・富士山がはっきり見える。　・かぜ薬を飲んだせいか、頭がはっきりしない。

パック　ヲパック(ヲ)スル
[名] ★1
pack, package, mask
包，包装；旅行团；面膜／팩, 패키지
gói

① ・卵は6個か10個で1パックになっているものが多い。

連 __になる・__にする　合 真空__、__詰め、[数字]＋パック　類 包装、包み
② ・パック旅行で安く海外へ行ってきた。
　　合 __旅行、__ツアー（＜パッケージツアー）、__料金　類 パッケージ
③ ・肌が荒れているのでパックをした。

はっけん　ヲ発見(ヲ)スル
[名] discovery　发现／발견　★3　phát hiện

・大きな発見　・新しい種類の動物を発見した。
合 新__、大__

はつげん　ガ発言(ヲ)スル
[名] utterance, statement, remark　发言／발언　★1　phát ngôn

・大臣の記者会見での発言が問題になった。
・この会では、誰でも自由に発言することができる。
合 __力（例．この評論家はマスコミへの発言力が強い。）、__権

はっこう　ヲ発行スル
[名] issue, publication　开,发行／발행　★1　phát hành

① ・就職活動のため、学校の成績証明書を発行してもらった。　合 ヲ再__スル
② ・書籍を発行する。　関 ヲ出版スル、ヲ発刊スル、ヲ刊行スル
③ ・{紙幣／株券／国債 …}を発行する。

はっこう　ガ発酵スル
[名] fermentation　发酵／발효　★1　sự lên men

・パンを作るには、焼く前に生地を発酵させる必要がある。
・チーズ、酒、納豆など、世界には発酵食品が数多くある。
合 __食品、アルコール__

はっしん　ヲ発信スル
[名] transmission　发布,发送／발신　★1　truyền tin

・インターネットを使えば、誰でも世界に情報を発信することができる。
・{電報／メール …}を発信する。
合 __人、__者、__先⇔元　対 ヲ受信スル、ガ着信スル

はっせい　ガ発生スル
[名] occurrence, appearance　发生,出现／발생　★2　xảy ra

・事故が発生し、電車がストップした。　・{事件／害虫／伝染病 …}が発生する。

※ 他動詞として使うこともある。(例．これは燃やすと有毒ガスを発生する。)
関 ガ起こる、ガ/ヲ生じる

はっそう　ヲ発送スル
[名] shipping, sending
寄送／발송
★1 gửi

・最近は宅配便を使って荷物を発送することが増えた。

合 __先⇔元

はったつ　ガ発達スル
[名] development
発育；发达；発展変大／발달
★3 phát triển

① ・体や心が発達する。　　　　　　　　　　　　　　類 ガ発育スル
② ・文明が発達する。　　　　　　　　　　　　　　　類 ガ発展スル
③ ・発達した台風が近づいている。

ばったり（と）
[副] (fall) with a thud; run into; suddenly
突然倒下；突然相遇；突然停止／픽, 딱, 뚝
★2 tự dưng

① ・隣に立っていた人が突然ばったり倒れたので驚いた。
② ・昨日、駅でばったり西田さんと会った。　　　　　類 偶然
③ ・ライバル会社が類似品を売り出すと、注文がばったり（と）止まった。

類 ぱったり（と）、ぴたりと、ぴったり（と）

はってん　ガ発展スル
[名] development, expansion
発展／발전
★2 phát triển

・アジアは現在大きく発展している。
・軽い冗談が、思いがけない方向へ発展して、友人と大げんかになった。

合 __性　関 ガ発達スル

はつめい　ヲ発明（ヲ）スル
[名] invention
発明／발명
★3 phát minh

・ベルは電話を発明した。

合 新__、大__、__家

はて　果て
[名] the end, extremity
最后，未了／끝
★1 au cùng, cuối cùng

・宇宙の果てはどうなっているのだろう。
・彼は職を転々とし、あげくの果てに海外へ渡って行方不明になった。

連 __がない、あげくの__（に）　合 果てしない　類 最後、終わり　（動）ガ果てる

はでな　派手な
[ナ形] ★3
flashy, fancy
鲜艳, 华丽, 花哨／화려하다／야단스럽다
lòe loẹt, sặc sỡ

・派手な{人／性格／服／化粧／デザイン／生活 …}　・はでに騒ぐ。
- 合 派手さ　対 地味な

はどめ　歯止め
[名] ★1
brake, check
控制住, 停止／제동
khống chế

・ここ数カ月、円高に歯止めがかからない。
・彼は怒り始めると歯止めがきかなくなる。
- 連 ＿がかかる・＿をかける、＿がきく　類 ブレーキ

はなす　ヲ離す
[動] ★3
move apart; let go
使……离开／떼다, 놓다
làm tránh xa, làm cách ly, làm tuột

・テストのときは、机を離して並べる。
・子供と歩くときは、手を離さないようにしている。
- ☞〈自〉離れる

はなはだしい　甚だしい
[イ形] ★1
extreme, excessive
太, 甚, 非常／터무니없다, 지나치다, 심하다
mãnh liệt, cực kỳ

・「私が犯人だなんて、誤解も甚だしい」　・AとBは甚だしく異なる。
・あの国では一部の金持ちと庶民との間に、甚だしい格差が存在する。
- 合 甚だしさ　類 ひどい

はなやかな　華やかな
[ナ形] ★1
showy, florid
华丽／화려한
màu sắc tươi thắm, lộng lẫy

・アカデミー賞授賞式の会場は、華やかな雰囲気に包まれていた。
・成人の日には、華やかに装った若者たちが街にあふれる。
- 合 華やかさ　関 華々しい(例. 華々しい活躍)、華(例. あの歌手には華がある⇔ない。)

はなれる　ガ離れる
[動] ★3
be away from, be apart (in age, etc.)
离开；间隔／떨어지다
tách xa, rời xa, tuột khỏi, cách

① ・「危ないから、ストーブから離れて遊びなさい」
② ・姉とは4才離れている。
- ☞〈他〉離す

はねる　ガ／ヲはねる
[動] ★2　be run over; be splashed; be rejected; stick up
撞，飞溅，淘汰，翘起／들이받다，뛰다，떨어뜨리다，빼치다／chèn, bắn, dựng

〈他〉① ・弟は車にはねられて大けがをした。
② ・雨の日、車に泥水をはねられた。　　合 ①②ヲはね飛ばす、ヲはねのける
③ ・応募したが、書類選考ではねられた。　　合 ヲはねつける
〈自〉・弟はよく寝癖で髪がはねたまま出かけている。

はねる　ガ跳ねる
[動] ★2　jump; bounce; splash
跳，弾跳，飞溅／뛰다，튀다　nhảy, nảy, bắn

① ・カエルは地面から大きく跳ねて、草の中へ消えた。　　合 ガ飛び__
② ・ボールが不規則に跳ねたので、うまく捕れなかった。
　合 ①②ガ跳ね上がる、ガ跳ね回る
③ ・天ぷらを作っていたら、油がはねて、火傷をしてしまった。

パネル
[名] ★1　panel
太阳能板，公开座谈会／패널　tấm bảng

① ・屋根に太陽光発電のパネルを取り付ける。　・パネルをはめる
　合 タッチ__　　関 ～板
② ・学会でパネルディスカッションが行われた。　　合 __ディスカッション

はば　幅
[名] ★3　width, range
宽度，幅度；收縮性，灵活性／폭，너비　chiều ngang

① ・道の幅が広い。　　　　　　　連 __が広い⇔狭い　合 横__、肩__、道__
② ・値上がりの幅が大きい。　　　連 __が大きい⇔小さい
③ ・交際の幅が広い。　　　　　　連 __が広い⇔狭い　合 __広い　類 範囲

はばかる　ヲはばかる
[動] ★1　to worry about (what other people think)
怕，顾忌，当权／꺼리다，주저하다　kiêng dè, e ngại

① ・「これは外聞をはばかる話なので、誰にも言わないでください」
　連 外聞を__、人目を__、世間を__　（名）はばかり
② ・〈ことわざ〉憎まれっ子世にはばかる　　※この場合は自動詞。

はばむ　ヲ阻む
[動] ★1　to obstruct, hinder
阻挡，阻碍／가로막다　cản trở, ngăn cản

・登山者は激しい吹雪に行く手を阻まれた。　・経済格差が景気の回復を阻んでいる。
連 行く手を__　　類 ヲ妨げる、ヲ阻止する、ヲ遮る

はびこる　ガはびこる
[動] ★1　to overgrow, be rampant／丛生；横行，猖獗／무성하게 자라다, 횡행하다, 판을 치다／lan dầy

① ・手入れをしていないので、庭に雑草がはびこっている。
② ・役人に汚職がはびこっている現状を、なんとか変えたい。　・悪がはびこる。
※①②マイナスの意味で使う。

はぶく　ヲ省く
[動] ★2　omit; save／除去；节省／생략하다, 줄이다, 덜다／loại bỏ

・「表1はあまり関係ないので資料から省きましょう」
・｛手間／時間／労力／出費 …｝を省く。
関 ヲ省略する　〈自〉省ける（例．インターネットで予約ができて、店に電話する手間が省けた。）

はまる　ガはまる
[動] ★2　fit (in ~); get stuck, fall into ~; fall into ~; be addicted to ~／套上, 扣上；正好合适；陷入, 掉进；中计；上瘾, 迷上／꼭 끼이다, 들어맞다, 빠지다／phù hợp

① ・彼の薬指には指輪がはまっていた。　・｛ボタン／手袋 …｝がはまらない。
② ・車のタイヤが溝にはまって動けなくなった。
③ ・わなにはまる。
④ ・最近ゲームにはまっている。　※くだけた話し言葉。　類 ガ熱中する
合 ガ当て＿　☞〈他〉はめる

はみでる／はみだす　ガはみ出る／はみ出す
[動] ★1　to be sticking out/to stick out, overflow, protrude／露出, 起出／삐져 나오다, 넘치다／thò ra

・シャツのすそがズボンから｛はみ出て／はみ出して｝いる。
・会場に入りきれない人が外の通路にはみ出していた。

はめる　ヲはめる
[動] ★2　fasten, put on ~; fit ~ into ~; entrap／扣上, 戴上, 装上；欺骗, 使人上当／끼다, 끼우다, 채우다, 빠트리다／gắn

① ・寒いので、上着のボタンを全部はめた。
② ・窓枠にガラスをはめる。
③ ・相手をわなにはめる。
合 ヲ当て＿　☞〈自〉はまる

ばめん　場面
[名] ★3　situation, sight; scene (of drama)／场面；场景, 情景／장면／tình huống, bối cảnh

① ・目の前でトラックとバスが衝突した。その場面が夢に出てきた。

②・ドラマの場面が変わる。　　　　　　　　　　　　　　　　合 名

類 ①②シーン

はやす　　ヲ生やす
[動] grow (a beard) / 使……生长，留长／기르다／mọc (râu)　★3

・ひげを生やす。

☞〈自〉生える

はやる　　ガはやる
[動] be popular, (disease) spreads / 流行；蔓延／유행하다，퍼지다／thịnh hành, dịch bệnh　★3

①・この冬は赤い色がはやっている。　　　　　関 ブーム（名）はやり

②・今、インフルエンザがはやっている。

類 ①②ガ流行する

はらいこむ　　ヲ払い込む
[動] pay in / 缴纳，交纳／납부하다／trả vào　★2

・今期の授業料を銀行に払い込んだ。

合 払い込み用紙　関 ヲ払う（名）払い込み

はらいもどす　　ヲ払い戻す
[動] pay back; refund / 退还，付还／환불하다／hoàn lại　★2

・電話会社は過大請求額を利用者の口座に払い戻した。

(名)払い戻し（例．コンサートが中止になったのでチケット代の払い戻しが行われた。）

バラエティー
[名] variety / 多种多样，综艺电视节目／다양성，버라이어티／đa dạng　★1

①・アンケートで、バラエティーのある回答が得られた。

連 __がある⇔ない、__に富む　類 変化、多様性

②・テレビのバラエティー番組

ばらす　　ヲばらす
[動] to expose, take to pieces / 揭穿，拆卸／폭로하다，분해하다／làm lộ　★1

①・友人の秘密を他の人にばらしてしまった。　類 ヲ暴露する　☞〈自〉ばれる

②・パソコンをいったんばらしてから、また組み立てた。　　　　関 ばらばらな

はらはら　　ガはらはらスル
[副] feel uneasy; flutter / 提心吊胆；飘落，扑簌簌（落泪）／조마조마，하늘하늘，뚝뚝／áy náy　★2

①[はらはら(と)]・桜の花びらがはらはら(と)散った。

400

② [(動) ガはらはらする]・〈サーカスで〉綱渡りを見ながらはらはらした。

ばらばらな　　　　　　　　　　[ナ形] ★3
greatly divided, scattered
分散的，零乱的／제각각이다, 따로따로이다
rải rác, tản mạn

・みんなの意見がばらばらで、なかなか結論が出ない。
・今は、家族がばらばらに暮らしている。

ばらまく　ヲばらまく　　　　　[動] ★1
to scatter, throw
散落，到处花钱／뿌리다
gieo rắc

① ・さいふを落として道にお金をばらまいてしまった。
② ・知人にお金をばらまいて投票を依頼した政治家が逮捕された。　(名) ばらまき

バランス　　　　　　　　　　　[名] ★3
balance
平衡，均衡／밸런스, 균형
cân bằng, cân đối

・栄養のバランスがいい食事をする。　・このデザインは左右のバランスが悪い。

連 ＿がいい⇔悪い、＿がとれる・＿をとる　関 アンバランスな

はり　針　　　　　　　　　　　[名] ★2
needle; stinger
缝纫针；刺，针状物／바늘, 침
cây kim

① ・針に糸を通す。　・針で縫う。
② ・ハチは針で人を刺す。　・|時計／注射／ホチキス …|の針

はりきる　ガ張り切る　　　　　[動] ★2
work hard, be eager
干劲十足，精神抖擞／의욕이 충만되다
hăng hái

・入社第一日目、娘は張り切って出勤した。
・今年も運動会で優勝しようと、クラス全員が張り切っている。

はる　ヲ貼る　　　　　　　　　[動] ★3
put up (a poster); affix
贴／붙이다
dán (tem, poster…)

・壁にポスターを貼る／張る。　・はがきに切手を貼る。

対 ヲはがす

はる　ガ／ヲ張る　　　　　　　[動] ★3
be covered with (ice); put up; provide
覆盖，支起，拉起，链接／깔리다, 치다
đông lại, kéo ra

〈自〉・氷が張る。
〈他〉・テニスのネットを張る。　・立ち入り禁止のロープが張られている。

はるかな　[ナ形] ★1
by far, long (ago) / 远远，久远 / 먼 / nhiều, rất

① ・新製品の売り上げは、予想をはるかに上回った。
　類 ずっと　※「はるかな」より話し言葉的。
② ・はるか(な)昔、日本列島は大陸と陸続きだった。
　合 はるか昔、はるか遠く、はるかかなた

パレード　ガパレード(ヲ)スル　[名] ★1
parade / 盛装游行 / 퍼레이드, 행렬 / diễu hành

・ワールドカップで優勝したチームが、街でパレードを行った。
　合 優勝__、祝勝__、結婚__

はれる　ガ晴れる　[動] ★1
to be cleared, dispel, brighten, clear up / 消除, 舒畅, 放晴 / 풀리다, 개다 / sáng tỏ

① ・アリバイを証明する人が現れて、容疑者の疑いが晴れた。
　〈他〉晴らす（例．お酒を飲んで日頃のうっぷんを晴らした。）
② ・{空／雲／霧／ガス …}が晴れる。　　　　　　　　　　　(名)晴れ

ばれる　ガばれる　[動] ★1
to be exposed / 暴露, 败露 / 들키다 / bị lộ

・つい口がすべって、周りの人に秘密がばれてしまった。
・{隠し事／うそ／正体／悪事 …}がばれる。
　☞〈他〉ばらす

パワー　[名] ★1
power, energy / 力量, 马力 / 파워, 힘, 능력 / sức mạnh

・学生には、社会を変えていこうとするパワーを持ってほしい。
・この洗濯機は、従来品に比べてパワーがアップしている。
　連 __がある⇔ない、__が強い⇔弱い、__が上がる⇔下がる、__がアップする⇔ダウンする、__が不足する　合 __アップ⇔ダウン、__不足　類 力、馬力　関 パワフルな

はん　判　[名] ★3
seal / 图章, 印章 / 도장 / dấu (đóng dấu...)

・書類に判を押す。
　連 __を押す、__をつく　類 はんこ、印、印鑑

ばん　番

[名] ★3　(one's) turn; watching over / 轮班，次序；看守／순서, 망을 봄 / lượt, canh chừng

① ・次は私の番だ。
② ・席を離れた人の荷物の番をする。

連 __が来る、__を待つ　関 順番
連 __をする　合 留守__

はんい　範囲

[名] ★3　scope, extent / 范围／범위 / phạm vi

・試験の範囲　・A社の携帯電話は、電波の届く範囲が広い。

連 __が広い⇔狭い、__に入る⇔入らない、__を超える　合 広__、__内⇔外、交際__、活動__、行動__

はんえい　ガ／ヲ反映スル

[名] ★1　reflection, influence / 反映, 倒映／반영 / phản ánh

① ・国民の声を政治に反映させよう。
② ・湖に富士山の姿が反映して美しい。

関 ガ／ヲ反射スル

はんえい　ガ繁栄スル

[名] ★1　prosperity / 繁栄／번영 / thịnh vượng

・ローマ帝国は千年の繁栄を誇った。
・{国／町／会社／家／子孫 …}が繁栄する。

合 子孫__　対 ガ衰退スル

ばんぐみ　番組

[名] ★3　(radio/TV) program / (广播，电视等)节目／프로그램 / chương trình

・テレビの番組を見る。　・新聞の番組欄

合 テレビ__、ニュース__、歌__、バラエティー__、__欄

はんこう　ガ反抗スル

[名] ★2　resisting, disobedience / 反抗／반항 / nổi loạn

・学生は大学当局に反抗して団体交渉を行った。
・13才の息子は今反抗期で、親と口をきこうとしない。

合 __的な（例．反抗的な態度をとる。）、__期

はんしゃ　ガ／ヲ反射スル

[名] ★1　reflection, reverberation, response/reflex / 反射／반사 / phản xạ

① ・日光が窓ガラスに反射してまぶしい。　・このホールの壁は音をよく反射する。
② ・酸っぱい食べ物を見ると唾液が出てくることを、条件反射という。

403

合 __神経、条件__、__的な（例．飛んでくるボールを反射的によけた。）

はんする　ガ反する
[動] ★2　be contrary to, against; violate ／辜負，違反；違法／반하다，어긋나다，위반되다／chống lại

① ・両親の期待に反して、大学に進学しなかった。　・趣旨に反する。
連 {期待／予想／意志／意図／趣旨 …} に__　類 ガ背く
② ・マルチ商法は法に反する商法だ。
連 {法／法律／ルール／道徳／教え …} に__　類 ガ背く、ガ違反する

はんせい　ヲ反省(ヲ)スル
[名] ★3　reflection, remorse　反省／반성／rút kinh nghiệm

・1日の反省を日記に書く。
・「あなたのせいで、みんな迷惑したんですよ。少しは反省しなさい」

はんそく　ガ反則スル
[名] ★1　foul　犯規／반칙／phạm pháp

・サッカーでは手を使うのは反則だ。
・試合で興奮して相手選手を殴り、反則を取られた。
連 __を犯す、__を取る　合 __負け　類 ルール違反　関 ガ違反スル

はんたい　ガ反対スル
[名] ★3　opposite, opposition　相反；反對／반대／phản đối

① ・プラスの反対はマイナスだ。　　　　　　　　　合 __側
② ・彼の意見には反対だ。　・提案に反対する。　合 __意見　対 ガ賛成スル

はんだん　ヲ判断スル
[名] ★2　judgment　判断／판단／quyết định

・外見や肩書きで人を判断するのはよくない。
・どちらが正しいか、判断がつかない。
連 __がつく⇔つかない、__を下す　合 __力、__材料、自己__　関 ヲ考える

はんにん　犯人
[名] ★3　criminal　犯人／범인／thủ phạm

・事件の犯人　・犯人はまだつかまっていない。

ばんねん　晩年
[名] ★1　one's last years／晩年／만년／cuối đời, năm tháng cuối

・彼は若い頃は不遇だったが、晩年は幸せに過ごした。

合 最__

はんのう　ガ反応スル
[名] ★1　reaction, response／反応, 化学反応／반응／phản ứng

① ・倒れている人に声をかけたが、全く反応がなかった。
　連 __を見る（例. 子供はわざといたずらをして親の反応を見ることがある。）
　合 拒否__、拒絶__
② ・火災報知機は煙に反応して火災を知らせる。
　連 ①②__がある⇔ない、__がいい⇔悪い、__が鋭い⇔鈍い
③ ・この二つの薬を混ぜ合わせると、反応してガスを発する。　合 化学__
連 ①〜③__が速い⇔遅い、〜__を示す　合 ①〜③無__な

はんぱつ　ガ反発スル
[名] ★1　rebellion, opposition, repulsion／反抗, 反感, 排斥／반항, 반발／phản bác

① ・厳しい親に反発して、彼女は17才のとき家を出た。
　連 __を招く、__を買う
② ・磁石のS極同士、N極同士は反発し合う。　合 __力

パンフレット
[名] ★3　pamphlet, brochure／冊子／팸플릿／tờ rơi

・旅行会社でパンフレットをたくさんもらってきた。

関 カタログ、ちらし

はんらん　ガ氾濫スル
[名] ★1　flood／泛濫, 充斥／범람／tràn lan

① ・大雨で川が氾濫した。
② ・私達の周りにはメディアからの情報が氾濫している。
※①②マイナスの意味で使うことが多い。　関 ①②ガあふれる

ひあたり　日当たり
[名] ★2　exposure to the sun／向阳／볕이 듦／trong ngày

・私の部屋は南向きで日当たりがいい。

連 __がいい⇔悪い

ピーク　　　　　　　　　　　　[名] ★1　peak／最高潮／피크, 정점／đỉnh điểm

・日本では2月が大学受験のピークだ。　・朝8時頃、ラッシュはピークを迎えた。
・売り上げは9月をピークに下がり続けている。
[連] __を迎える、__に達する、__を越える　[類] 頂点、絶頂

ひいては　　　　　　　　　　　[副] ★1　at least, consequently／进而, 不但……而且／더 나아가서는／rộng hơn, hơn nữa

・我が社の利益がひいては社会の利益につながる、そんな仕事がしたい。
・アメリカの不況は日本に、ひいては我が家の家計にも大きな影響を及ぼす。
[関] 結果として

ヒーロー　　　　　　　　　　　[名] ★1　hero／英雄／영웅／anh hùng

① ・彼はその国で初めてオリンピックで金メダルを取り、国民のヒーローになった。
[関] 英雄
② ・｛映画／ドラマ／小説 …｝のヒーロー　　　　　　　　※男性を指す。
[対] ヒロイン（※女性を指す）　[類] 主人公

ひえる　　ガ冷える　　　　　　[動] ★3　be chilled; feel chilly／变冷, 冰镇；感觉冷／차가워지다, 추워지다／bị lạnh, cảm thấy lạnh

① ・寒いところに長くいたので、手足が冷えてしまった。
[対] ガ温まる、ガ暖まる　（名）冷え　〈他〉冷やす
② ・今夜はとても冷える。

ひがい　　被害　　　　　　　　[名] ★3　damage／受害, 受灾／피해／bị hại

・台風の被害　・地震で大きな被害が出た。
[連] __が大きい⇔小さい、__を受ける⇔与える、__に遭う、__が出る

ひがえり　　日帰り　　　　　　[名] ★2　going and getting back in a day／当天来回／당일치기／chuyến đi trong ngày

・日光は東京から日帰りで行けます。　・今回の出張は日帰りだ。
[合] __旅行　[関] 一泊二日、二泊三日

ひかえる　ガ/ヲ控える

[動] to wait, prepare, be soon, be close, restrict/reduce, refrain from, make notes／等候，面临，靠近，控制，记下／기다리다, 있다, 삼가하다, 메모하다／chờ ngự, kiềm chế, giữ gìn
★1

〈自〉① ・出演者はステージの脇に控えて出番を待った。　　　合 控え室
② ・選挙が控えているため、政治家たちは忙しい。
③ ・この町は後ろに山が控えている。

〈他〉① ・父は50才を超えてから少しお酒を控えるようになった。
　合 控え目な（例. ・健康のために塩分を控え目にしている。　・彼は控え目な人で、決して出しゃばらない。）、ヲ差し控える　類 ヲ抑える
② ・インフルエンザがはやっているので、休日の外出を控えている。
③ ・彼女は2カ月後に出産を控えている。
④ ・この町は後ろに山を控えている。
⑤ ・部長の説明をメモに控えた。

(名) 控え（例. ・契約書の控えを取っておく。　・控えの選手）

ひき〜　引き〜

ひきさがる　ガ引き下がる

[動] to withdraw, back down
退让／물러나다, 물러서다／rút lại
★1

・上司に反対されては、こちらが引き下がるしかない。　　類 ガ退く

ひきのばす　ヲ引き伸ばす

[動] to stretch, enlarge／放大, 拉直, 延长／확대하다, 똑바르게 하다, 연장하다／phóng to, kéo thẳng
★1

① ・旅先で撮った写真を引き伸ばして飾った。
② ・曲がった針金を引き伸ばす。　　　　　　　(名) ①②引き伸ばし

ひきのばす　ヲ引き延ばす

[動] to delay
拖延, 延长／끌다, 지연시키다／kéo dài
★1

・議論ばかりして、これ以上解決を引き延ばすのは許されない。
・｜返事／支払い／会議　…｜を引き延ばす。
類 ヲ延長する、ヲ延期する　(名) 引き延ばし

ひきあげる　ヲ引き上げる

[動] to raise, promote／吊起, 提高, 提拔／끌어 올리다, 올리다, 등용하다／kéo lên
★1

① ・沈んだ船を引き上げる。
② ・消費税を引き上げる。　　　　　対 ②ヲ引き下げる　(名) ①②引き上げ
③ ・社長は佐藤課長を部長に引き上げた。

ひきあげる　ガ／ヲ引き揚げる
[動] ★1
to withdraw, end
撤散，撤退／철수하다, 귀환하다
rút

・「もう10時だ。そろそろ引き揚げよう」　・軍隊を引き揚げる。

関 ガ撤退する　(名)引き揚げ

ひきうける　ヲ引き受ける
[動] ★2
undertake, take on; vouch for／接受，承担；做担保／책임지고 떠맡다, 보증하다
nhận

① ・仕事を引き受けた以上、最後まで責任を持ってやるべきだ。
② ・留学生の身元を引き受ける。

合 身元引受人

ひきかえす　ガ引き返す
[動] ★2
go back／返回，折回，走回头路
되돌아가다, 제자리에 되돌리다
trở lại

① ・定期を忘れたのに気づいて、うちに引き返した。
② ・ダム建設にはすでに100億円以上使っている。今さら引き返せない。

類 ①②ガ戻る

ひきこもる　ガ引き籠もる
[動] ★1
to stay at home (self-imposed confinement)
躲在(家里)／틀어박히다
nhốt mình trong nhà

・不登校になり、家に引きこもる若者が増えている。

関 ガ籠もる　(名)引きこもり

ひきしめる　ヲ引き締める
[動] ★1
to tighten, brace／收紧，集中精力，紧缩
조르다, 긴장하다, 마음을 다 잡다, 절약하다
buộc thắt, tiết kiệm

① ・この体操はウエストを引き締める効果がある。
② ・試合の日が近づいてきた。気を引き締めて練習に励もう。
③ ・収入が減ったので、家計を引き締める必要がある。

(名)①〜③引き締め　→③金融__
〈自〉引き締まる（例.・引き締まった体　・心が引き締まった。）

ひきずる　ヲ引きずる
[動] ★1
to drag, be strongly influenced by
拖, 强拉硬拽, 牵鼻子, 拖后腿／질질 끌다
kéo lê

① ・荷物が重いので、引きずって運んだ。
② ・嫌がる子供を引きずって歯医者に連れて行った。
③ ・いつまでも過去の失敗を引きずらないで、前を向いて進もう。

ひきだす ヲ引き出す
[動] ★2
withdraw; draw out ／零钱，提款；引导出，诱出／인출하다，끌어내다
rút ra

① ・銀行から生活費を引き出した。 ・スポンサーから資金を引き出すのに成功した。
② ・やっと社長からOKの返事を引き出した。 ・コーチは選手の才能を引き出した。
(名) ①②引き出し

ひきとめる ヲ引き止める
[動] ★1
to stop, restrain
挽留／붙잡다，말리다
dừng lại, chặn lại

・会社を辞めたがっている同僚を、皆で引き止めた。
・帰ろうとする客を引き止める。

ひきとる ガ／ヲ引き取る
[動] ★1
to collect, take care of ／回收，请回，收养，离去／인수하다，돌보다，돌아가다
mua lại, trông nom, quay về

〈他〉① ・新しい家電製品を買うと、古いのは店で引き取ってくれる。 (名) 引き取り
② ・年取った母をうち{に／で}引き取ることにした。 [慣] 息を引き取る(＝死ぬ)
〈自〉 ・「今日はもう遅いので、どうぞお引き取りください」 [類] ガ帰る

ひきょうな 卑怯な
[ナ形] ★1
unfair, cowardly
卑鄙，胆怯／비겁한
bần tiện, hèn nhát

・あの人は勝つためなら、どんな卑怯な手段でも使うだろう。
・正々堂々と戦わず、逃げるなんて卑怯だ。
[合] 卑怯さ、卑怯者 [類] 卑劣な、ずるい

ひく ヲ引く
[動] ★3
pull; pull out; draw (a line); oil; subtract; catch; look up; arouse (interest, etc) ／拉，拉开，划(线)，涂(油等)，减，吸引，惹冒，查(词典)，引起(兴趣)／당기다，치다，끌다，빼다，긋다，두르다，걸리다，찾다／trừ, kéo (cửa, rèm, ghế), kẻ (đường thẳng), tra (từ điển), cảm (gió)

① ・「このドアは押すのではなく、引いて開けるんです」 [対] ヲ押す
② ・カーテンを引いて寝る。 ・子供の手を引いて歩く。
③ ・レストランでウェイターがいすを引いてくれた。
④ ・わからない言葉に線を引く。 ・フライパンに油を引く。
⑤ ・10から8を引くと2になる。 ・10引く2は8だ。
⑥ ・会長の人柄にひかれてこの会に入った。 [連] {興味／注意／人目／気 …}を＿
[合] ヲ引き込む(例. 思わず話に引き込まれた。)
⑦ ・風邪をひく。 ・辞書をひく。 ・くじを引く。

ひく　ヲひく
[動] ★2　run over
(车) 轧人，撞车／치다
chèn

・車にひかれて骨折した。
・線路内に入り込んで遊んでいた子供が電車にひかれて死亡した。

ひさんな　悲惨な
[ナ形] ★1　wretched, disastrous
悲惨，凄惨／비참한
thảm hại, bi thảm

・水も食べ物もない子供たちの悲惨な光景を見て、自分の無力さが辛かった。
・祖父の弟は戦場で悲惨な最期を遂げたそうだ。

連 __最期　合 悲惨さ

ビジネス
[名] ★2　business
商务，工作／비즈니스
kinh doanh

・彼はビジネスで世界中を飛び回っている。
・友人は実業家だが、私は彼とビジネス抜きで付き合っている。

合 __マン、__チャンス、サイド__、__ホテル、[名詞]+ビジネス(例. 情報ビジネス、ベンチャービジネス)　関 仕事、事業

ひじょうに　非常に
[副] ★3　very; urgency
非常，特別；緊急，急迫／굉장히，비상
rất khẩn cấp

① ・これは非常に高価なものですので、気をつけて運んでください。
類 とても、大変(に)　※「非常に」の方がかたい言葉。　(ナ形) 非常な
② [(名) 非常]・「非常の際は、この下のレバーを引いてください」
合 __口、__階段、__ベル

びしょびしょ／びっしょり
[副] ★2　sopping
湿透，淋透／흠뻑 젖은 모양，흠뻑，줄줄
ướt sũng

・洗面台の周りがびしょびしょだ。
・私は暑がりなので、ちょっと運動しただけで汗をびっしょりかく。

合 汗びっしょり (例. 汗びっしょりになる。)

ひそかな
[ナ形] ★1　secret, private
秘密／은밀한，은근한，남 모르는
lén lút, thầm kín

・同僚が会社の機密書類をひそかに持ち出していたことが発覚した。
・電車の中の人を観察してあれこれ想像するのが、私のひそかな楽しみだ。

関 ひそやかな、こっそり(と)

ひそむ　ガ潜む

[動] ★1
to be hidden, to be concealed
隠蔵，潜蔵／숨다
ẩn núp, trốn, nằm im lìm

・犯人は知人のアパートに潜んでいた。　・トラは草むらに潜んで獲物を狙った。
・ひどい頭痛には悪い病気が潜んでいることがある。
類 ガ隠れる、ガ潜伏する　☞〈他〉潜める

ひそめる　ヲ潜める

[動] ★1
to hide, conceal, lower, become inconspicuous／隠蔵，潜蔵，不作声，屏气不出声／숨기다
che giấu

① ・犯人は知人のアパートに身を潜めていた。
　連 身を＿、影を＿　類 ヲ隠す　慣 物陰に身を潜める
② ・声を潜めて話す。　・息を潜める。　連 声を＿、息を＿、鳴りを＿
☞〈自〉潜む

ひたす　ヲ浸す

[動] ★1
to immerse, soak
泡，沈浸／적시다
nhúng vào, đắm đuối

① ・湯に体を浸す。　・乾燥させた海草を水に浸してもどす。　類 ヲつける
② ・感動が心を浸した。
☞〈自〉浸る

ひたすら

[副] ★1
nothing but
只顾，一味，一心／오로지
tha thiết, sốt sắng

・妻は帰って来ない夫をひたすら待ち続けた。
・けがをした河内選手は、ひたすらリハビリに励んだ。
類 ただただ、一途に、一心に　(ナ形) ひたすらな

ひたる　ガ浸る

[動] ★1
to be submerged in, immersed in
泡，沈浸／담그다，잠기다
ngâm

① ・温泉にゆっくり浸って疲れがとれた。　類 ガつかる
② ・久しぶりのクラス会で昔の思い出に浸ることができた。
　連 喜びに＿、悲しみに＿、思い出に＿
☞〈他〉浸す

ひっかかる　ガ引っ掛かる

[動] ★2
get caught, be hooked; be cheated, be entangled; have a thing on one's mind／卡住，挂住；受骗；被查出来；不对劲／걸리다．속다．걱정되다／mắc vào

① ・山で服が木に引っ掛かって破れてしまった。
② ・血液検査に引っかかった。

③・この情報はなんだかひっかかる。もう少し調べてみよう。　関 ガ気にかかる
④・詐欺に引っかかって、彼女は全財産をとられてしまった。　類 ガだまされる

☞〈他〉引っ掛ける

ひっかける　ヲ引っ掛ける　[動] ★2
[scratch; throw on; splash; cheat; have (a drink) / 挂上，勾住；披上，套上；浇，溅；受骗上当；喝酒 / 걸다, 걸치다, 끼얹다, 속이다, 들이켜다 / móc, câu]

① ・釘に服を引っ掛けて破ってしまった。
② ・ちょっと寒かったのか、弟は上着をひっかけてコンビニに買い物に行った。
③ ・雨の日、走って来た車に泥水をひっかけられた。
④ ・「詐欺にひっかけられないようにね」　※俗語っぽい表現。　類 ヲだます

☞〈自〉引っ掛かる

ひっくりかえす　ヲひっくり返す　[動] ★2
[overturn; knock over; turn out / 翻过来；弄倒；翻出来 / 뒤집다, 넘어뜨리다, 뒤적이다 / lật lại]

① ・魚をひっくり返して焼く。　・この箱をひっくり返して机の代わりにしよう。
② ・机の上のコーヒーをうっかりひっくり返してしまった。
③ ・ポケットをひっくり返して切符を探したが見つからなかった。

☞〈自〉ひっくり返る

ひっくりかえる　ガひっくり返る　[動] ★2
[turn over, reverse; fall (on one's back); be in confusion / 颠倒过来；倒；翻乱 / 넘어지다, 벌렁 눕다 / bị lật]

① ・ボートが波でひっくり返って上下さかさまになった。　関 ガ転覆する
② ・すべって仰向けにひっくり返った。
③ ・まだ引っ越したばかりで、家中ひっくり返っている。

☞〈他〉ひっくり返す

ひづけ　日付　[名] ★2
[date / 日期 / 날짜 / ngày]

・日付を書く。　・仕事をしていたら、いつのまにか日付が変わっていた。

連 ＿が変わる　合 ＿変更線　関 日時

ひっこし　ガ引っ越し（ヲ）スル　[名] ★3
[move / 搬家 / 이사 / chuyển nhà]

・引っ越しを手伝う。　・東京から横浜へ引っ越しする。

（動）ガ引っ越す

ひっこむ　ガ引っ込む
[動] ★2
retire, stand back ／退开，退隐；凹入；让在一边／들어박히다, 물러나다, 쑥 들어가다
kéo vào

① ・秘書は客を応接室に通すと、奥へ引っ込んだ。
② ・その建物は大通りから引っ込んだところにあるのでわかりづらい。

ひっし　必死
[名] ★2
frantically, desperate
拼命／필사
quyết chí

・入学試験が近づき、学生たちは皆必死｛に／で｝勉強している。
・警察の必死の捜査にもかかわらず、犯人はまだ捕まっていない。　　[連] ＿になる

ひっしゃ　筆者
[名] ★2
author, writer
笔者／필자
tác giả, người viết

・筆者の最も言いたいことを下から選びなさい。　・この筆者の考え方に私は賛成だ。
[関] 著者、作者、作家

ひっそり(と)　ガひっそり(と)スル
[副] ★1
deserted, quietly
寂静, 默默／조용히
tĩnh mịch, tĩnh lặng

① ・夕方だと言うのに、商店街は人通りが少なく、ひっそりしていた。
② ・彼女は女優を引退した後、田舎でひっそりと暮らした。
[関] ①②静かな

ぴったり(と)
[副] ★3
exactly; closely; perfectly; suddenly ／正好, 准时；紧密, 完全一致；完全合适；突然停止／딱, 꼭, 꼭 맞음. 뚝／chính xác, hợp, đột nhiên, thân thiết\

① ・7時ぴったりにめざまし時計をセットした。
② ・二人はぴったりとくっついて、離れようとしなかった。
③ ・このバッグは2～3日の旅行にぴったりの大きさだ。
④ ・子供が生まれてから、夫は｛ぴったり／ぴたりと｝たばこをやめた。
※後ろに動詞があるときは、「ぴたりと」の形も使える。「ぴったり」の方が話し言葉的。

ひってきする　ガ匹敵する
[動] ★1
to rival, equal
比得上, 相当／필적하다, 맞먹다
đối thủ, đối đầu

・彼はまだ子供だが、大人の選手に匹敵する能力の持ち主だ。
・この地震の被害の規模は、関東大震災の被害に匹敵する。
※「匹敵する」の前にくる言葉は、程度の高いもの。　[関] ガ相当する、ガ当たる

ヒット　ガヒットスル
[名] ★3
hit
受欢迎，畅销／히트
hit (được hâm mộ)

・あの歌手の新曲はヒットしている。
合 __曲、__商品、ガ大__スル

ひっぱる　ヲ引っ張る
[動] ★2
pull; persuade (a person) to join ~
拉，拽；拉拢／끌다, 당기다, 끌어들이다
kéo

① ・このひもを引っ張ると電気がつく。　　類 ヲ引く
② ・「新入生をたくさん、うちのクラブに引っ張ってこよう」
合 ①②ヲ引っ張り出す（例．②監督は新しい映画に、引退した女優を引っ張り出した。）

ひつような　必要な
[ナ形] ★3
necessary
必要的／필요하다
cần thiết

・子供に必要なのは、親の温かい愛情だ。
・海外の仕事でパスポートが必要になった。
合 必要性→　__がある⇔ない　対 不必要な、不要な
(名) 必要→　__がある⇔ない（例．小学校で英語を教える必要があるのだろうか。）

ひと　人
[名] ★2
human being; (each) person
人，人类／사람
người

① ・「佐藤さんという人から電話がありましたよ」
② ・人は酸素がなければ生きられない。　　類 人間、人類

ひどい
[イ形] ★3
despicable, terrible／残酷，过分；严重，差；非常，激烈／잔인하다, 못되다, 형편없다, 심하다／tồi tệ, tệ hại, dữ dội

① ・一人をおおぜいでいじめるとはひどい。　　慣 __目にあう
② ・今学期の成績はひどかった。
③ ・隠れてたばこを吸って、先生にひどく怒られた。
合 ①〜③ひどさ

ひといちばい　人一倍
[副] ★1
more than others, unusually
比别人加倍／남달리
hơn người khác

・祖父は若い頃から人一倍働いて、今の地位を築いたそうだ。
[(名)] ・人一倍の努力をする。

ひとけ　人気
[名] ★1　sign of life / 人的气息／인기척 / dấu hiệu có người

・夜は人気のない道を一人で歩かない方が良い。

連 ＿がない

ひとしい　等しい
[イ形] ★2　equal, (be) the same as ~ / 相同，一样；等于／같다, 마찬가지이다 / bằng nhau

① ・この二本の直線は長さが等しい。
② ・彼の表情は「嫌だ」と言っているのに等しい。

類 ①②同じだ　(名) ①②等しさ

ひとで　人手
[名] ★1　workers, (other) hands, help / 人手，人力，他人／일손, 일꾼, 남의 손 / giúp đỡ, hỗ, tay người

① ・注文が増えているのに、人手が足りないので増産できない。

連 ＿がかかる・＿をかける、＿が足りない　合 ＿不足　関 労働力

② ・これくらいの仕事なら、人手を借りなくても、一人でできる。

連 ＿を借りる、＿に頼る

③ ・この森は人手の入っていない原生林だ。　連 ＿を加える、＿が入る
④ ・住み慣れた家が人手に渡ることになり、悲しい気持ちだ。　連 ＿に渡る

ひととおり　一通り
[副] ★1　roughly, in general, ordinary / 大概，普通／대충, 웬만, 보통, 여간, 한가지 / đại khái, một lượt

① ・書類には一通り目を通したが、細かいチェックはこれからだ。

類 ざっと、一応

② [(名)] ・説明を受けて、一通りのことはわかった。　関 だいたい、一応
③ [(名)] ・あの人の日本文化に関する知識は、一通り(のもの)ではない。

※ 必ず否定形で使う。　類 並、普通

ひとまず
[副] ★1　for the time being / 暂且, 暂时／일단 / tạm thời

・父の手術が無事に終わり、ひとまず安心だ。
・まだ仕事の途中だが、もう遅いので、ひとまず寝て、明日朝早く起きよう。

類 とりあえず、一応

ひとめ　人目
[名] ★1
in front of people, public gaze
世人的眼目／남의 눈
sự chú ý của công chúng

・「人目を気にせず、やりたいことをやりなさい」
・彼女は人目に付くのが嫌いで、いつも地味な格好をしている。

連 __がある、__が気になる・__を気にする、__を避ける、__に付く、__を引く、__をはばかる

ひとりひとり　一人一人
[副][名] ★2
each, individually
各个人／각각, 각자
từng người, mỗi người

・出席者は一人一人意見を述べた。　・一人一人の考えを大事にする。

類 めいめい、それぞれ、各々

ひにく　皮肉
[名] ★2
irony, sarcasm
讥讽, 讽刺, 嘲讽／빈정거림, 아이러니
động cơ

・田中課長はよく皮肉を言う。
(ナ形) 皮肉な(例. 犯人は皮肉な笑いを浮かべた。)

ひねる　ヲひねる
[動] ★1
to turn, make tricky, puzzle over (think hard) ／拧, 扭伤, 别出心裁, 绞尽脑汁／돌리다, 삐다, 꼬다, 짜내다／vặn, xoáy, vắt (óc)

① ・蛇口をひねって水を出す。　・走っていて足首をひねった。
慣 頭をひねる(例. いいアイデアを出そうと一生懸命頭をひねった。)、首をひねる(例. 説明書に書いてあることがよく理解できず、首をひねった。)
② ・先生はいつも、テストにひねった問題を出す。

(名) ①②ひねり

ひび
[名] ★1
crack
裂纹, 裂痕／틈, 금
rạn nứt

・地震の揺れでビルの壁にひびが入った。
・金銭問題で人間関係にひびが入ることもある。

連 __が入る　合 __割れ、ガ__割れる　類 亀裂

ひびく　ガ響く
[動] ★2
sound; resonate with; affect ／(声音)响亮；心里震动；影响／울리다, 감동을 주다, 영향을 미치다／vang vọng

① ・このホールは音がよく響く。　・彼の声はよくひびく。
合 ガ響き渡る(例. 彼の名声は世界中に響き渡っている。)　(名) 響き
② ・母の一言が |胸／心| に響いた。

③・長雨がひびいて、野菜の収穫が落ちた。　　　　　　　　　　類 ガ影響する

ひひょう　　ヲ批評スル
[名] review, criticism / 评论／비평 / chi trích ★2

・新聞に新刊書の批評が載った。　・先生は私の作文について何も批評しなかった。
合 __家　関 ヲ批判スル、レビュー

ひみつ　　秘密
[名] secret / 秘密／비밀 / bí mật ★2

・「あなたを信用して私の秘密を打ち明けます」
・「あなたは秘密を守れますか」
連 __が漏れる・__を漏らす、__を守る、ニ__を打ち明ける　合 __厳守

びみょうな　　微妙な
[ナ形] subtle, complicated, doubtful / 微妙／미묘한 / tinh tế ★1

① ・外国語の微妙なニュアンスの違いまで理解するのは難しい。　　関 僅かな
② ・今年度、黒字になるかどうかは微妙だ。
合 ①②微妙さ

ひも
[名] string, cord, lace / 绳子／끈 / dây ★2

・古新聞をひもで縛る。　・靴のひもを結ぶ。
連 __を結ぶ⇔ほどく、__で縛る、__でくくる　関 縄、ロープ、綱、鎖

ひやかす　　ヲ冷やかす
[動] to make fun of, window shop / 嘲弄, 只问价不买／놀리다, 아이쇼핑 / chế giễu, nhạo báng ★1

① ・彼女とデートしていたら、ばったり会った友達に冷やかされた。
　　類 ヲからかう
② ・観光地の土産物屋を冷やかして歩いた。
(名) ①②冷やかし

ひやく　　ガ飛躍(ヲ)スル
[名] rapid development, significance, jump to / 跳跃, 飞跃／비약 / nháy ★1

① ・我が社は世界に飛躍する企業を目指している。　・今年は飛躍の年にしたい。
　　連 __を遂げる　合 __的な（例．このチームは最近飛躍的に成績が伸びている。）
② ・結論を急ぐあまり、話が途中で飛躍してしまった。　　　　　　関 ガ飛ぶ

ひやす　ヲ冷やす
[動] ★3　chill; cool down / 冰镇, 使…冷静 / 차게 하다, 식히다 / làm lạnh (thức ăn)

・この果物は冷やして食べた方がおいしい。

対 ヲ温める、ヲ暖める　慣 頭を冷やす　☞〈自〉冷える

ひややかな　冷ややかな
[ナ形] ★1　cold / 冷淡, 冷静 / 차가운, 냉정한 / lạnh lùng

・彼女は自分を裏切った友人を、冷ややかに見つめた。　・冷ややかな態度をとる。

合 冷ややかさ　類 冷淡な、冷たい

ひよう　費用
[名] ★2　expense, cost / 費用, 开支 / 비용 / chi phí

・旅行の費用をためる。　・子供を育てるのには費用がかかる。

連 ＿がかかる・＿をかける、＿がかさむ、＿を負担する　関 ～費、～金、経費

ひょう　表
[名] ★2　list, table / 表格, 图表 / 표 / bảng

・成績を表にする。　・学生の携帯の番号がこの表に載っている。

連 ＿に載る・＿に載せる　合 {予定／成績／統計／一覧 …}表　関 グラフ、リスト

ひょうか　ヲ評価(ヲ)スル
[名] ★2　evaluation; assessment / 评价；估价 / 평가 / đánh giá

①・この映画に対する世間の評価は高い。　・成績を五段階で評価する。

連 ＿が高い⇔低い、＿が高まる・＿を高める　合 絶対＿、相対＿、自己＿
関 ヲ批評(ヲ)スル、ヲ批判(ヲ)スル、評判

②・業績が評価され、昇進した。

③・この家は5,000万円と評価された。

びょうしゃ　ヲ描写(ヲ)スル
[名] ★1　description, portrayal / 描写 / 묘사 / mô tả

・この作家は情景の描写がうまい。
・この音楽は、田園にいるときの気持ちを描写したものと言われる。

合 心理＿、情景＿

ひょうじゅん　標準
[名] ★2　standard, level; average / 标准, 基准 / 표준, 기준 / chuẩn

①・オリンピックの標準記録を上回り、出場できることになった。

② ・東京の生活を標準にして、地方の物価を考えてはいけない。
[合] ①② __語、__時、__的な（例. 田中君は日本人としては標準的な身長だ。）
[関] ①② 基準、水準、レベル

ひょうじょう　表情
[名] ★3　(facial) expression／表情／표정／nét mặt, biểu hiện

・顔の表情　・あの人は表情が豊かだ。　・表情を変える。
[関] 笑顔、泣き顔

びょうどうな　平等な
[ナ形] ★2　equal／平等／평등하다／bình đẳng

・法の下ではだれでも平等だ。　・会の収入は会員に平等に分配される。
[合] 自由平等、男女平等、平等主義　[対] 不平等な　[関] 公平な

ひょうばん　評判
[名] ★2　reputation, name; rumor／评价；有口碑, 有风声／평판, 소문남／uy tín

① ・大統領就任演説は評判がよかった。
[連] __がいい⇔悪い、__が高い、__になる、__が立つ、__を落とす　[合] 前__
[関] ヲ評価(ヲ)スル、口コミ
② ・彼女は評判の美人だ。

ひょうめん　表面
[名] ★3　surface／表面／표면／bề mặt, bên ngoài

・水の表面　・あの人は表面はやさしそうだが、実は意地が悪い。
[合] __的な

ひらく　ガ／ヲ開く
[動] ★3　open; bloom; (gap) increases; hold (an event)／开(门等);(花)开;(差距)拉大;打开, 开(会等), 开门营业／열리다, 피다, 벌어지다, 열다／(cửa) mở, (hoa) nở, khoảng cách bị kéo xa, kéo (rèm), giở (sách), mở (cửa hàng), tổ chức (sự kiện, hội họp..)

〈自〉① ・ドアが開く。　　　　　　　　　　　　[対] ガ閉まる、ガ閉じる　[類] ガ開く
　　② ・花が開く。
　　③ ・1位と2位の差が、どんどん開いていった。　　　　　　　　　　　　　　[対] ガ詰まる
〈他〉① ・カーテンを開く。　・本を開いて読む。　[対] ヲ閉じる　[類] ヲ開ける
　　② ・｛会／パーティー／会議 …｝を開く。
　　③ ・父は駅前にクリーニング店を開いた。

ひるがえす ヲ翻す

[動] ★1 — to turn over, change one's mind, wave ／转，翻，改变，飘扬／바꾸다, 뒤날리다, 날리다／lật, nhảy lên, thay đổi

① ・手のひらをひるがえして見る。
② ・スカーフを風にひるがえしながら歩く。 ・体を翻して水中に飛び込む。
③ ・直前になって{考え／意見／決意／態度 …}を翻した。

☞ 〈自〉翻る

ひるがえる ガ翻る

[動] ★1 — to flutter, waver ／改变，转变，飘扬／펄럭이다, 바뀌다／bay phấp phới, thay đổi

① ・旗が風に翻っている。
② ・直前になって{考え／意見／決意／態度 …}が翻った。

☞ 〈他〉翻す

ひろがる ガ広がる

[動] ★3 — widen; flare; spread; stretch across ／变宽，差距变大；蔓延；（面积）扩大／넓어지다, 확대되다, 펼쳐지다／trải rộng (biển, bãi cát...), lan nhanh (đám cháy, dịch bệnh...), mở rộng (đường...)

① ・道幅が広がって、歩きやすくなった。 ・差が広がる。　　対 ガ狭まる
② ・強風のため、火事がどんどん広がっている。 ・長雨の被害が広がっている。
③ ・{空／海／砂漠／森林／草原 …}が広がっている。

☞ 〈他〉広げる

ひろげる ヲ広げる

[動] ★3 — open more (stores), widen, broaden, open up ／扩大，拓宽；展开，摊开／넓히다, 펼치다, 펴다／mở rộng thêm (cửa hàng), giở/mở to (sách, báo...), giang (tay, cánh...)

① ・お客さんが増えているので、もっと店を広げたい。 ・視野を広げる。
　　対 ヲ狭める
② ・机の上に新聞を広げて読む。 ・{両手／羽／かさ／本 …}を広げる。

☞ 〈自〉広がる

ひろまる ガ広まる

[動] ★3 — spread ／扩大，传播／널리 퍼지다, 보급되다／lan rộng, mở rộng

・そのうわさは1日で会社中に広まった。
・{〜の技術／仏教／習慣／話 …}が広まる。
※ 抽象的なものごとに使うことが多い。　　関 ガ普及する　　☞ 〈他〉広める

ひろめる ヲ広める

[動] ★3 — spread, popularize ／使……扩大，增长，推广／퍼뜨리다, 보급시키다／làm cho lan rộng, mở rộng

・明治時代に、ヨーロッパから帰国した留学生たちが、日本に西洋文化を広めた。

・{～の技術／～のやり方／仏教／習慣／話／うわさ …}を広める。
※抽象的なものごとに使うことが多い。　関ヲ普及させる　☞〈自〉広まる

ひん　品
[名] ★2
goods; dignity
品，货；品格，风度／품위，기품
hàng hoá

・女王は姿にも話し方にも品がある。　・そんな品の悪い言葉を使ってはいけない。
連__がいい⇔悪い、__がある⇔ない　合__よく　関気品、上品⇔下品な

びん　便
[名] ★2
mail; flight
邮递，班车，班机／편, 연락·수송의 수단
chuyến bay

・「朝一番の便で書類を送ったから、明日の午前中に着くと思います」
・〈空港で〉「上海行き25便の搭乗受付を開始いたします」

びんかんな　敏感な
[ナ形] ★1
sensitive to, attuned to
敏感／민감한
nhạy cảm, mẫn cảm

・新聞記者は社会の動きに敏感でなければならない。　・私は薬に敏感な体質だ。
・息子は卵アレルギーで、少量食べただけでも敏感に反応する。
合敏感さ　対鈍感な

ひんじゃくな　貧弱な
[ナ形] ★1
poor, meager
瘦弱，空洞／빈약한
nghèo

・彼は運動選手としては貧弱な体格をしている。　・この論文は内容が貧弱だ。
合貧弱さ　関みすぼらしい、乏しい

びんしょうな　敏しょうな
[ナ形] ★1
nimble, agile
敏捷／민첩한
nhanh nhẹn

・山下選手は体は小さいが、敏しょうな動きで次々とゴールを決めた。
合敏しょうさ、敏しょう性　対鈍重な　類機敏な、敏速な

ピンチ
[名] ★1
emergency, predicament
紧急关头，危机／최악, 핀치, 궁지, 위기
khủng hoảng, tình hình kinh khủng

・給料日前で、今お金がピンチだ。
・この映画は、主人公が何度もピンチに陥って、見る者をはらはらさせる。
連__になる、__に陥る⇔を脱する、__に直面する、絶体絶命の__　合大__、
〈野球〉__ヒッター、__ランナー　関危機　※「ピンチ」はあまりに重大なものごとには使わない。スポーツなどでよく使われる。

ひんぱんな　頻繁な
[ナ形] ★1　frequently／屢次，頻繁／빈번한／thường xuyên

・あの交差点は見通しが悪いため、頻繁に事故が起こっている。
・頻繁な政権交代は、政策の一貫性の面で問題がある。

関 しょっちゅう、たびたび(の)、ガ頻発スル

びんぼうな　貧乏な
[ナ形] ★3　poor／貧窮的／가난／nghèo

・子供のころ、うちは貧乏だったので、おもちゃなど買ってもらえなかった。

合 貧乏人、貧乏暮らし　対 裕福な　関 金持ち　(名) ガ貧乏スル

ファストフード
[名] ★3　fast food／快餐／패스트푸드／thức ăn nhanh

・そばは江戸時代のファストフードだった。

合 __店　関 ハンバーガー、フライドチキン

ファン
[名] ★1　fan／……迷，風扇／팬／fan hâm mộ

① ・映画のヒロイン役をした女優のファンになった。　・私はこの歌手のファンだ。

連 __になる　合 __クラブ、__レター

② ・扇風機のファン　・ファンヒーターをつける。　　　　　　　　合 __ヒーター

ふあんな　不安な
[ナ形] ★3　worrisome, uneasy／不安的，不放心的／불안하다／bất an, không yên ổn

・最近、体の調子がよくない。悪い病気ではないかと不安だ。
・新しい仕事がなかなか見つからず、不安な毎日を過ごしている。

対 安心な　類 心配な　(名) 不安　__がある⇔ない(例. 長く続いた大雨がやんで、やっと洪水の不安がなくなった。)

フィードバック
ヲフィードバック(ヲ)スル
[名] ★1　feedback／反饋／피드백／thông tin phản hồi

・テストを返すときには、教師からのフィードバックが必要だ。
・勤務の評価を社員にフィードバックすると、仕事への動機づけになる。

連 __を与える⇔受ける

フィーリング
[名] ★1
feelings, to get on with someone
感覚, 感受／느낌, 필링
cảm giác

・私はあの人とフィーリングがぴったり合う。
・自分のフィーリングを大切にして生活したい。

連 __が合う 関 感覚、気分

フィクション
[名] ★1
fiction
虚構／픽션
viễn tưởng

・この小説は全くのフィクションで、登場人物も架空の人物だ。

合 サイエンス__＞ＳＦ 対 ノン__

ふいに　不意に
[副] ★1
suddenly, unexpectedly／忽然, 意外, 出其不意／돌연히, 갑자기, 느닷없이
bất ngờ

・不意に目の前が真っ暗になり、意識を失ってしまった。　　類 突然、急に

[(名) 不意]・相手の不意を突いて攻める。　・不意の来客にあわてる。

連 __を突く、__を襲う

フィルター
[名] ★1
filter
过滤, 过滤器／필터
bộ lọc

① ・レンズにフィルターをかけて特殊効果を狙う。　　連 __がかかる・__をかける
② ・水をこのフィルターにかけると、不純物が取り除かれる。

連 __にかける 関 ヲ濾過スル

③ ・社会人になり、仕事というフィルターを通して世の中を見るようになった。

連 __を通して見る

ふうちょう　風潮
[名] ★1
trend, tendency
潮流, 傾向／풍조
phong trào, trào lưu

・「その場の空気を読む」ことを重視するのが、最近の若者の風潮だ。
・手軽さを求める世の風潮に逆らって、父は手間のかかる有機栽培を続けている。

連 世(の中)の__、時代の__、__に従う⇔逆らう

ふうふ　夫婦
[名] ★2
(married) couple
夫妇, 夫妻／부부
vợ chồng

・小林さん夫婦はいつも仲がいい。　・二人は結婚して夫婦になった。

連 __になる 合 __愛、__仲、__げんか 関 夫妻、夫人

ブーム
[名] boom / 风潮, 流行 / 붐 / bùng nổ
★2

・1960年代にフォークソングがブームになった。　・今、登山がブームだ。

連 __になる、__が起こる、__に乗る　類 流行、はやり

フェアな
[ナ形] fair, festival / 公平, 公正, 正大光明地, 展销会 / 정정당당한 / công bằng
★1

①・審判は、競技者に対してフェアな判定を下さなければならない。

合 〈スポーツ〉フェアプレー、フェアトレード　類 公明正大な、公正な

②[(名)フェア]・今デパートで、北海道の物産フェアをやっている。　関 バザー

フェスティバル
[名] festival / 庆祝活动 / 축제 / lễ hội
★1

・東京でアニメのフェスティバルが開かれた。

連 __を行う、__を{開く／開催する}

合 [名詞]+フェスティバル（例．アニメフェスティバル、フラワーフェスティバル）

ふえる　ガ増える
[動] increase / 增加 / 늘다, 증가하다 / tăng (dân số, tiền tiết kiệm...)
★3

・{貯金／体重／人口 …}が増える。

対 ガ減る　類 ガ増加する、ガ増す　☞〈他〉増やす

フォーマルな
[ナ形] formal / 正式的 / 정식적인 / hình thức
★1

・友人の結婚式に出るため、フォーマルなドレスを買った。
・フォーマルな{服装／格好／スタイル／デザイン／場／会話 …}

合 フォーマルさ、フォーマルウェア　対 カジュアルな、インフォーマルな
関 正式(な)、格式、略式、改まった

フォーム
[名] form / 姿势, 表格 / 폼, 자세, 양식 / hình thức
★1

①・ゴルフはフォームが悪いと球が全然飛ばない。　連 __がいい⇔悪い　類 体勢

②・「このフォームに必要事項を書き込んでください」
　類 書式、様式　関 フォーマット

ふかけつな　不可欠な　[ナ形]　★1
indispensable, essential / 必不可少 / 불가결한 / cần thiết

・決断力は、リーダーに不可欠な資質だと思う。
・生物が生きて行くのに、水は必要不可欠だ。
[合] 必要＿　[類] 欠かせない

ふかのうな　不可能な　[ナ形]　★3
impossible / 不可能的, 做不到的 / 불가능하다 / không thể

・不可能な計画なら始めから立てないほうがいい。
・1カ月でこの実験を終わらせるのは不可能だ。
[対] 可能な　[類] 無理な、不可(⇔可)(例. 飲食不可)

ふかまる　ガ深まる　[動]　★3
deepen / 加深, 变深 / 깊어지다 / sâu đậm

・子供ができて、二人の愛情はますます深まった。
・｛交流／友情／理解／対立 …｝が深まる。
※抽象的なものごとに使うことが多い。　☞〈他〉深める

ふかめる　ヲ深める　[動]　★3
deepen, cultivate / 深化, 加深 / 깊게 하다 / làm cho sâu đậm

・交流を深め、相手の国のことを理解することが大切だ。
・｛友情／理解／対立 …｝を深める。
※抽象的なものごとに使うことが多い。　☞〈自〉深まる

ふきゅう　ガ普及スル　[名]　★2
spread, diffusion / 普及 / 보급 / lan rộng

・携帯電話の普及は著しい。
・パソコンが一般家庭に普及するに伴い、インターネット利用者が急激に増えた。
[関] ガ広まる

ふく　ヲふく　[動]　★3
wipe / 擦 / 닦다 / lau chùi, làm khô, làm sạch

・汗をふく。　・ふきんでテーブルの上をふく。
[合] ヲふき取る

ふくし　福祉

[名] ★2
welfare, well-being
福利／복지
phúc lợi

・大学で福祉について勉強した。　・公共の福祉

合 社会__、__施設、介護__士

ふくそう　服装

[名] ★2
clothes, dress
服装, 穿着／복장, 옷차림
quần áo

・「面接にはきちんとした服装で行きなさい」
・父は服装に構わずどこへでも出かけるので、一緒に歩くのが恥ずかしい。

連 __に構わない、__を整える

ふくむ　ヲ含む

[動] ★3
contain, include
含, 包含, 包括／함유하다, 포함하다
chứa, bao gồm

・レモンはビタミンCを多く含んでいる。
・この値段には消費税が含まれている。

ふくめる　ヲ含める

[動] ★3
include
包括, 包含／포함하다
tính đến, kể cả, bao gồm

・うちの家族は、私を含めて5人です。
・毎日の昼食代は、飲み物も含めると1,000円ぐらいだ。

ふくらます　ヲ膨らます

[動] ★2
puff out (one's cheeks), swell, inflate; be filled with／噘嘴, 使鼓起来；胸中充满(希望、期待等)／부풀리다／làm phồng lên

① ・娘は怒るとほおをふくらます。　・風船に空気を入れてふくらます。
② ・新入生は{希望／期待}に胸を膨らませて学校に行った。

※テ形は「膨らませて」となる。　☞〈自〉膨らむ

ふくらむ　ガ膨らむ

[動] ★2
swell out, be full of ～; increase
鼓起来；膨胀／부풀다, 팽창하다
phình lên

① ・桜のつぼみがふくらんだ。
② ・{期待／希望}に胸が膨らむ。
③ ・{予算／借金／計画 …}が膨らむ。

(名) 膨らみ

関 ガ膨張する

☞〈他〉膨らます

ふくれる　ガ膨れる

[動] ★2
swell; increase; sulk／鼓起来；膨胀；噘嘴
부풀다, 많아지다, 뾰로통해지다
sưng lên

① ・網の上でもちがふくれている。　・{パン／風船 …}がふくれる。

② ・｛予算／借金 …｝が膨れる。　　　　　　　　　　　合 ①②ガ膨れ上がる
③ ・娘は怒るとすぐふくれる。　　　　　　　　　　　　類 ガむくれる

ふける　　ガ老ける
[動] ★1　to age／衰老, 苍老／늙다, 나이를 먹다／già

・あの人はしばらく会わない間にぐっと老けた。
・彼は20代なのにずいぶん老けて見える。
関 ガ老いる　※「老いる」は、本当に年をとった場合に使う。

ふさがる　　ガ塞がる
[動] ★2　be blocked; be occupied; close up／堵, 塞；占满, 占用；愈合／막히다, 가득 차다, 닫히다／chặn

① ・荷物で戸口が塞がっている。　　・車が横転して道がふさがってしまった。
② ・午後は会議室はふさがっている。　　　　　　　　　連 手が＿　対 ガ空く
③ ・ようやく傷がふさがった。
☞〈他〉塞ぐ
慣 開いた口がふさがらない（例．あきれて開いた口がふさがらない。）

ふさぐ　　ガ／ヲ塞ぐ
[動] ★2　stuff up; block; occupy; be depressed／堵上, 塞上；挡住, 拦住；占满, 郁闷／막다, 가로막다, 자리를 차지하다, 우울해지다／chặn

〈他〉① ・道路の穴をセメントで塞ぐ。
② ・台風で倒れた大木が道をふさいだ。　　　　　　　慣 耳を塞ぐ
③ ・教科書やプリントが机の上をふさいでいる。
☞〈自〉塞がる
〈自〉・雨が続いているせいか、気分がふさいで元気が出ない。　　合 ガ塞ぎ込む

ふざける　　ガふざける
[動] ★2　frisk, joke, (do ~) in fun; make fun of ~／开玩笑；戏弄／장난치다, 농담하다, 까불다／đùa bỡn

① ・弟はふざけて人を笑わせるのが得意だ。　　　　　　関 ガいたずらする
② ・空港でふざけて「危険物を持っている」と言ったばかりに大騒ぎになった。
③ ・「あんなに人を傷つけて、冗談だったと？　ふざけるな！」

ふさわしい
[イ形] ★1　suitable, appropriate／合适, 适宜／어울리다, 걸맞다／thích hợp

・チームの次期キャプテンとして、上野さんが最もふさわしいと思う。
・華やかすぎる服は、面接に着て行くにはふさわしくない。
合 ふさわしさ　類 適当な、適切な

427

ふしぎな　不思議な
[ナ形] ★3　strange; mysterious; miraculous／奇异的；难以想象的；意外的／이상하다, 희한하다　lạ thường, ngạc nhiên, thần diệu

① ・この村には不思議な話が伝わっている。　合 不思議さ
② ・この車はタイヤが古くなっている。いつ事故が起きても不思議ではない。
③ [不思議{に／と}] ・緊張しやすい性格なのに、昨日のスピーチは不思議{に／と}緊張しなかった。　※「不思議と」は「不思議に」の少しくだけた形。

ふじゆうな　不自由な
[ナ形] ★3　impaired; inconvenient; disadvantaged／有残疾的；不方便的／불편하다, 부자유스럽다　bất tự do tàn tật"

① ・{目／耳／足／体 …}が不自由な人　合 不自由さ
② [(名)ガ不自由スル] ・病気がちだが、生活に不自由はない。　連 ＿がない

ふしょう　ヲ負傷スル
[名] ★1　injury／受伤／부상　chấn thương, bị thương

・サッカーの試合中、選手が転倒して足を負傷した。
・バスの事故で大勢の負傷者が出た。
合 ＿者　類 けが　関 軽傷⇔重傷

ふしん　不振
[名] ★1　slump, stagnation／不住／부진　không tốt

・今、CDの売り上げが不振だそうだ。
・しばらく不振の続いていたA選手が、久々に勝った。
連 ＿に陥る、＿にあえぐ　合 食欲＿、経営＿、学業＿、販売＿　関 ガ振るわない

ふしんな　不審な
[ナ形] ★1　suspicious／可疑／수상한, 의심쩍은　nghi ngờ

・不審な男がうちの周りをうろうろしていたので、警察に電話した。
・警察は被害者の隣人の話を不審に思い、ひそかに調べ始めた。
合 挙動＿、不審人物　類 怪しい　(名) 不審 (例. 彼の行動に不審(の念)を抱いた。)

ふせぐ　ヲ防ぐ
[動] ★2　protect, prevent／防备, 預防, 防止／막다　ngăn chặn

・泥棒を防ぐために、鍵を二つ付けた。　・日焼けを防ぐためにクリームを塗る。
・{犯罪／洪水／事故／火災／けが／ミス …}を防ぐ。
関 ヲ防御する、ヲ防止する

ふそく　ガ不足スル
[名] ★3　shortage／不足, 不够／부족／thiếu, không đủ

・野菜が不足した食事　・戦争で食料が不足する。
[合] 運動不足、寝不足、睡眠不足、経験不足　[関] ガ欠乏スル

ふぞく　ガ付属スル
[名] ★2　attachment／附属／부속／thuộc, phụ thuộc

・大きな工場ができ、それに付属して保育園も作られた。
・○○大学｛付属／附属｝高等学校
[合] ＿品、＿物

ふたご　双子
[名] ★2　twin(s)／孪生子, 双胞胎／쌍둥이／sinh đôi

・私には双子の弟がいます。
[類] 双生児

ふたたび　再び
[副] ★2　again／再, 重新／다시／lại

・1年目は不合格だったので、翌年再び受験し、今度は合格した。
・彼女が再び故郷に戻ったのは、10年後だった。
※「もう一度」よりかたい言葉。　[類] 再度

ふたん　ヲ負担スル
[名] ★2　sharing, burden／承担, 负担／부담／gánh nặng

・「送料は当社負担とします」　・両親を一人で介護するのは負担が重い。
[連] ＿が重い⇔軽い、＿が大きい⇔小さい、＿になる

ふだん　普段
[名] ★2　usually／平时, 平常, 日常／평소, 일상／thường

・普段は7時に起きるが、今日は寝坊してしまった。
・母は高齢だが、普段から健康に気をつけているので元気だ。
[合] ＿着　[関] 普通、日常

ふち　縁
[名] ★1　rim, edge／边, 缘／(용기의) 가, 테, 테두리, 가장자리／mép, viền

・茶わんのふちが欠けてしまった。　・｛メガネ／帽子／テーブル／池 …｝の縁
[合] ＿取り、額縁、崖っぷち　[関] へり

ふちゅういな　不注意な
[ナ形] ★3
careless
不謹慎的，粗心的，不小心／부주의하다
vô ý, không cẩn thận

・<u>不注意</u>な人　・相手を傷つけるような言葉を<u>不注意</u>に言ってしまった。

合 不注意さ　(名)不注意(例. 私の<u>不注意</u>{で／から}事故を起こしてしまった。)

ふつう　普通
[名] ★3
ordinary, normal
一般；普通／보통, 대개
thông thường, bình thường

①・パスポートの申請には1週間ぐらいかかるのが<u>普通</u>だ。
　[(副)]・私は<u>普通</u>、朝食にはパンを食べる。
②・「田中さんって、ちょっと変じゃない？」「そう？ <u>普通</u>の人だと思うけど」

ぶっか　物価
[名] ★3
prices
物价／물가
vật giá

・東京は<u>物価</u>が高い。

連 __が高い⇔安い、__が上がる⇔下がる　関 ガ値上がりスル⇔ガ値下がりスル

ぶつかる　ガぶつかる
[動] ★3
collide; disagree; conflict
撞；(意見)冲突；(計划)冲突／부딪히다, 겹치다／xung đột, không thống nhất, va nhau

①・道で自転車に<u>ぶつかって</u>けがをした。
②・どこへ旅行するか、友達と意見が<u>ぶつかって</u>なかなか決まらない。
　類 ①②ガ衝突する
③・仕事とデートの予定が<u>ぶつかって</u>困っている。

☞〈他〉ぶつける

ふっき　ガ復帰スル
[名] ★1
return, reinstatement
复职，回归／복귀
trở về

・半年の育児休暇の後、職場に<u>復帰</u>した。
・彼は受刑者の社会<u>復帰</u>を助ける仕事をしている。

合 社会__、職場__、原状__

ふっきゅう　ガ／ヲ復旧スル
[名] ★1
restitution, restoration
恢复，修复／복구
khôi phục

・崖崩れで道路が通行できなくなった。<u>復旧</u>の見通しはまだ立っていない。
・脱線事故の後、鉄道が<u>復旧</u>するのに丸1日かかった。

合 __作業　関 ガ／ヲ復興スル

ぶつける　ヲぶつける

[動] ★3　crash into／撞上, 碰上／부딪치다／đâm vào, đụng vào

・運転していて、車を電柱にぶつけてしまった。

☞〈自〉ぶつかる

ふっこう　ガ／ヲ復興スル

[名] ★1　reconstruction, recovery／复兴, 重建／부흥, 복구／phục hưng, phục hồi

・日本は戦後数十年かけて戦災から復興した。
・地震の被害を受けた地域は、力を合わせて町を復興した。

合 災害__　関 ガ／ヲ復旧スル

ぶっし　物資

[名] ★2　supplies, goods／物资／물자／hàng hóa

・内戦中のこの国は生活物資がひどく欠乏している。
・津波の被害地に救援物資を送った。

連 __が{豊かだ／豊富だ}、__が{不足／欠乏}している　合 救援__、生活__
関 品物

ふっとう　ガ沸騰スル

[名] ★1　(come to) a boil, peak／沸腾, 热烈／끓어오름, 폭등／sôi, tăng lên

① ・水は100℃で沸騰する。
② ・この歌手は今、人気が沸騰している。　・{話題／世論／株価 …}が沸騰する。

合 話題__、人気__

ぶつぶつ(と)

[副][名] ★1　mutter, grumble, spots, pimples／抱怨, 牢骚, 一个个(粒状) 疙瘩／중얼중얼, 두덜두덜 두드러기／làu bàu, mặt rỗ

① ・彼は何やらぶつぶつとつぶやいている。
② ・「文句があるなら、陰でぶつぶつ言ってないで、ちゃんと言った方がいいよ」
③ [名]・顔にぶつぶつができた。

類 ぼつぼつ

ふと

[副] ★2　suddenly, by chance／偶然, 偶然的／문득, 우연히／đột nhiên

・ふと窓の外を見ると、雪が降っていた。
・ふとしたことから星に興味を持つようになった。

連 __したこと

ぶなんな　無難な　[ナ形] ★1
safe, bland / 无可非议, 安全 / 무난한 / an toàn, vô sự

① ・あの政治家のスピーチは無難なだけで、魅力に欠ける。
　※ややマイナスの意味で使う。
② ・このあたりは渋滞がひどいから、電車で行った方が無難だ。

合 ①②無難さ

ふにん　ガ赴任スル　[名] ★1
moving to a different location with your job / 上任/부임 / chuyển địa chỉ công tác

・辞令を受けて東京本社から大阪支社 {へ／に} 赴任した。

合 単身__、海外__、__地、__先

ぶぶん　部分　[名] ★2
part / 部分/부분 / một phần

・レポートの最後の部分は書き直すつもりだ。
・地震で家の大部分は壊れたが、新しく増築した部分は大丈夫だった。

合 大__、__的な、一部分　対 全部、全体　関 一部

ふまんな　不満な　[ナ形] ★3
dissatisfying, discontented / 不满意/불만이다 / bất mãn, không vừa ý

・この仕事に不満な点はない。
・彼は、彼女が忙しくてなかなか会えないのを不満に思っている。

対 満足な　類 不満足な
(名) 不満（例. 不満ばかり言っていても解決はできない。）→ __がある⇔ない

ふみきる　ガ踏み切る　[動] ★1
to embark on, plunge into / 下决心, 起跳/단행하다, 결심하다 / quyết định, lao vào, bắt tay

① ・政府はついに、消費税の値上げに踏み切った。
② ・うまく踏み切らないと、ジャンプはうまくいかない。

(名) 踏み切り　※線路と道路が交わる所も「踏み切り」と言う。

ふやす　ヲ増やす　[動] ★3
increase / 使……増加/늘리다, 불리다 / làm tăng lên, làm hơn (dân số, tiền tiết kiệm...)

・{貯金／体重／人口 …} を増やす。

対 ヲ減らす　類 ヲ増す　☞〈自〉増える

プライバシー
[名] privacy / 隠私, 私生活 / 프라이버시 / sự riêng tư, đời tư
★3

・現代社会では個人のプライバシーが守られないことが多い。

連 __を守る、__を侵す、__の侵害

プラス　ヲプラススル
[名] addition; surplus; positive impact / 増加；盈余；有好处 / 플러스 / cộng thêm, điểm cộng (ảnh hưởng tích cực)
★3

① ・まじめに働いていたら、時給が20円プラスされた。
② ・今月の収支はプラスだった。
③ ・漢字を覚えることは、日本語の勉強にプラスになる。　合 __評価、__効果

連 ①〜③ __になる　対 ヲマイナススル

プラスチック
[名] plastic / 塑料 / 플라스틱 / nhựa
★3

・「プラスチック製品は生ごみの中に入れないでください」

合 __製品　関 ビニール、ビニール袋、ポリエチレン、ポリ袋

ふらふら（と）　ガふらふらスル
[副] dizzy; changeable; hardly knowing what one was doing / 晕乎乎, 瞒珊；摇摆不定, 糊里糊涂 / 휘청휘청, 비틀비틀, 갈팡질팡, 무심코 / lảo đảo
★2

① ・熱で頭がふらふらする。　・向こうから、ふらふら（と）人が歩いて来る。
② ・彼は考え方がふらふらしていて、ちょっと信用できない。　関 ①②ガふらつく
③ ・空腹のあまり、ついふらふらとパンを万引きしてしまった。

ぶらぶら（と）　ガぶらぶらスル
[副] stroll; idle; swing / 溜达, 赋闲, 在家闲居；晃荡 / 어슬렁어슬렁, 빈둥빈둥, 대롱대롱 / vu vơ
★2

① ・折れた木の枝がぶらぶら（と）揺れている。
② ・ひまだったので、近所をぶらぶらした。　関 ガぶらつく
③ ・先月失業し、今は家でぶらぶらしている。

プラン
[名] plan / 计划；方案 / 플랜, 계획 / kế hoạch
★2

① ・両親は、定年後に海外移住するプランを立てている。
　連 __がある⇔ない、__を立てる、__を練る　類 計画、案
② ・携帯電話の一番安い料金プランに申し込んだ。

ブランド
[名] ★1
brand
名牌／브랜드
thương hiệu

・銀座には海外の有名ブランドの店が軒を連ねている。
・彼女は全身をブランド物で固めている。
合 __品、__物、一流__、ファッション__、高級__、トップ__、有名__、偽__、__志向

ふり
[名] ★2
pretense, guise
裝做……，假裝／시늉，체
hình thức

・田中さんの欠席の理由を知っていたが、知らないふりをした。
・熊にあったときは死んだふりをすれば大丈夫だそうだ。
連 ～__をする 関 風（例. 知っているふうを装う。）

フリー
[名] ★2
freelance; free, single; free (of charge)
自由工作者；无所属；免費／프리，자유 계약，자유로움，무료／miễn phí

① ・彼はフリー（ランス）のカメラマンをしている。 合 __ライター
② [(ナ形) フリーな] ・彼は政治家を辞めて、フリーな立場で活動している。
  合〈スポーツ〉__キック、__スロー 類 自由な
③ ・今、キャンペーンで、インターネットを1カ月料金フリーで使うことができる。
  合 __チケット、__パス、__ダイヤル 類 無料、ただ

フリーター
[名] ★1
person who makes their living from a series of part-time jobs
自由職業者／프리터，아르바이트／người làm việc bán thời gian

・彼は一度も正規雇用されたことがなく、フリーターの生活を続けている。
関 アルバイト、パートタイマー、ニート

フリーマーケット
[名] ★1
flea market
跳蚤市場／프리마켓
chợ trời

・家で使わなくなった品を、フリーマーケットに出して売った。
連 __に出す、__に出品する、__を{開く／開催する} 類 のみの市

ふりかえる ヲ振り返る
[動] ★1
to turn around, look back (over one's shoulder)／回头看，回顾／뒤돌아보다，돌이켜 보다／nhà văn được giải Nobel

① ・後ろから名前を呼ばれたので振り返った。 類 ヲ振り向く
② ・年末になると、1年を振り返る番組がよく放送される。
  類 ヲ顧みる、ヲ回顧する (名) 振り返り

ふりかえる　ヲ振り替える
[動] ★1
to substitute
替换，交替／대체하다
quay lại, nhìn lại

・祝日が日曜日に重なると、休みは翌月曜日に振り替えられる。
・事故で電車が一部不通となり、その区間はバス輸送に振り替えられた。

合 {振替／振り替え} 休日、振替輸送　(名) 振り替え

ふりまわす　ヲ振り回す
[動] ★1
to wield, manipulate／挥舞，折腾，滥用／휘두르다，마음대로 하다，남용하다
vung

① ・犯人はナイフを振り回して暴れた。
② ・彼女は恋人を振り回している。　・デマに振り回される。
③ ・権力を振り回してあれこれ命令するのは、パワハラになる恐れがある。

類 ①③ヲ振りかざす

ふりむく　ガ／ヲ振り向く
[動] ★2
look around; pay attention to
回头；理睬／돌아보다，관심을 보이다
quay lại

〈他〉・名前を呼ばれて振り向いた。　・後ろを振り向く　　　類 ヲ振り返る
〈自〉・募金を訴えても、だれも振り向かなかった。

ふる　ヲ振る
[動] ★3
wave; sprinkle; reject
摇动；撒；拒绝／흔들다，뿌리다，차다
vẫy (tay), rắc (muối), từ chối (tỏ tình)

① ・手を振る。　・「この飲み物は、よく振ってからお飲みください」
② ・肉に塩をふる。
③ ・片思いの彼女に告白したが、ふられてしまった。

フルーツ
[名] ★3
fruit
水果／과일
hoa quả

・暖かいところには、いろいろなフルーツがある。

合 ＿ジュース、＿ケーキ　類 果物

ふるえる　ガ震える
[動] ★2
tremble, shake; vibrate
发抖，哆嗦；震动／떨리다，흔들리다
run sợ

① ・寒さ{に／で}手足がぶるぶる震えた。
　合 ガ震え上がる（例．{寒さ／恐怖}に震え上がる。）　(名) 震え
② ・道路工事の振動で窓ガラスががたがた震えた。

〈他〉震わせる

ふれあう　ガ触れ合う　[動] ★1
to touch, come into contact
互相接触，互相挨着／접하다
chạm, tiếp xúc

① ・手と手が触れ合う。
② ・この動物園では動物と触れ合うことができる。
　（名）触れ合い（例. ・親子の触れ合い　・心の触れ合い）

ブレーキ　[名] ★3
brake
刹车；阻碍，阻止／브레이크
phanh

① ・ブレーキを踏んでスピードを落とした。
　連 ＿をかける、＿を踏む、＿がきかない　合 急＿　関 アクセル、ハンドル、ヘッドライト、タイヤ、パンク
② ・石油の値上がりで、経済の発展にブレーキがかかった。
　連 ＿がかかる・＿をかける

プレッシャー　[名] ★2
pressure
（心理）压力／중압감, 정신적인 압박
áp lực

・この仕事は、新入社員にはプレッシャーが大きい。
・「がんばれ」と言われると、かえってプレッシャーになることがある。
※ 精神的な面に使い、この場合は「圧力」とは言わない。
連 ＿がある⇔ない、＿を受ける、＿を感じる、＿がかかる・＿をかける、＿が大きい、＿に強い⇔弱い、＿に押しつぶされる　類 精神的重圧

ふれる　ガ／ヲ触れる　[動] ★2
touch; mention; perceive; violate ／触，摸，碰；触及；看到，触动；触犯／대다, 닿다, 언급하다, 눈에 띄다, 저촉되다／chạm vào

① ・「展示品にお手を触れないでください」　・暗闇の中で何かが足に触れた。
　※ 意志的な場合にも、そうでない場合にも使う。　連 手を＿　類 ガ／ヲ触る
② ・この件には触れないでおこう。　類 ガ言及する
③ ・放置自転車を持って帰るのは法に触れる。
④ ・初めての海外旅行で、目に触れるものすべてが新鮮だった。

プロ　＞プロフェッショナル　[名] ★3
professional
职业, 专业／프로
chuyên nghiệp

・プロのサッカー選手になりたい。　・彼女の料理はプロ並みだ。
合 プロ＋｛野球／レスリング　…｝　対 アマ⇔アマチュア　類 くろうと

プログラム [名] ★2
program／日程安排，节目，计划，程序／프로그램，진행 순서표／chương trình, nội dung

① ・大会の参加者にプログラムが配られた。　　　　　　　　　　　　関 進行表
② ・今年のスポーツ大会のプログラムには、面白そうな競技が多い。　連 __を組む
③ ・大学には、留学生のためのさまざまなプログラムが用意されている。
④ ・コンピューターのプログラムを作る。　　　　　　　　　　　　　関 プログラマー

プロジェクト [名] ★1
project／项目／프로젝트／dự án

・地元商店街を活性化させるためのプロジェクトが立ち上がった。
・プロジェクトチームのメンバーは、社内の各課から一人ずつ選ばれた。

連 __が立ち上がる・__を立ち上げる、__を企画する　合 __チーム　関 ヲ企画スル、ヲ計画スル

プロセス [名] ★1
process／流程，过程／프로세스，과정／quá trình

・工場を見学して製品ができ上がるまでのプロセスがわかった。
・社長は、廃業を決定するに至ったプロセスを説明した。

類 過程

プロフィール [名] ★1
profile／简历／프로필／lý lịch

・学校のパンフレットに講師のプロフィールが載っている。　　　　　関 略歴

ぶん　分 [名] ★2
share; condition; ingredient／份儿；情形，样子；成分／몫，상태，성분／phần

① ・お菓子を、弟の分まで食べてしまって怒られた。
② ・最近成績が伸びている。この分なら合格できそうだ。　　　　　　関 調子
③ ・塩分を減らすよう、医者に言われた。　　　　　合 {糖／水／アルコール …}__

ふんいき　雰囲気 [名] ★2
atmosphere／气围／분위기／bầu không khí

・この店は雰囲気がいい。　・{知的な／芸術的な／宗教的な …}雰囲気

連 __がある、__がいい⇔悪い　類 ムード

ぶんか　文化
[名] culture 文化／문화 ★3 văn hóa
・日本(の)文化　・文化が発達する。
合 ＿的な、異＿、＿交流、＿遺産　関 文明

ぶんさん　ガ／ヲ分散スル
[名] dispersion, spread, distribution 分散／분산 ★1 phân tán
・プリズムに光を当てると、光が分散して虹ができる。　・リスクを分散する。
対 ガ／ヲ集中スル

ぶんせき　ヲ分析スル
[名] analysis 分析／분석 ★2 phân tích
・建物に使われている木を分析して、造られた年代を調べる。
・フロイトは精神分析で有名だ。
対 ヲ統合スル　関 ガ／ヲ分解スル、ヲ分類スル

ぶんたん　ヲ分担スル
[名] share 分担／분담 ★2 chia sẻ
・同僚と分担して仕事を進めている。　・仕事の分担を決める。
連 {費用／作業／役割 …}を＿する　合 役割＿

ぶんぷ　ガ分布スル
[名] distribution 分布／분포 ★2 phân chia
・この植物は、西日本に広く分布している。
・この国の人口の分布は南に片寄っている。
合 ＿図、人口＿

ぶんめい　文明
[名] civilization 文明／문명 ★2 văn minh
・日本は1868年に明治維新が行われて以来、西洋文明が流入してきた。
・現代のイラク、イランは古代文明の発祥の地と言われている。
合 ＿開化、＿国、[名詞]＋文明(例. メソポタミア文明、{古代／近代／現代}文明、機械文明、物質文明)　関 文化

ぶんや　分野
[名] field, realm 領域, 方面／분야 ★2 lĩnh vực
・私の専門分野は会計学だ。　・高橋教授は遺伝学の分野で有名だ。

[合] 専門＿、得意＿　[類] 領域　[関] 方面、領分、範囲

ぶんれつ　ガ分裂スル
[名] split, divide / 分裂, 裂开 / 분열 / phân tách ★1
・政党が二つに分裂した。　・{国／細胞／グループ …}が分裂する。
[合] 内部＿、細胞＿、核＿　[対] ヲ統一スル　[関] ガ分かれる

ペア
[名] pair / 一对, 两个一组, 配对儿 / 페어, 짝 / đôi ★2
・男女がペアになってゲームをした。　・A選手はB選手とペアを組んだ。
[連] ＿になる、＿を組む　[類] 対、組み

へい　兵
[名] soldier, troops / 兵／병사, 군 / lính ★1
・A国は兵を挙げてB国に攻め込んだ。　・{アメリカ／空軍／少年 …}兵
[連] ＿を挙げる、＿を進める、＿を引く　[合] ＿隊、＿器、＿力、＿士、ガ徴＿スル、ガ挙＿スル、ガ派＿スル

へいきな　平気な
[ナ形] unfazed; brazen / 镇静, 不介意 / 태연하다, 예사롭다 / bình tĩnh, dửng dưng, trơ tráo ★3
・彼女は、どんなに悪口を言われても平気な顔をしている。
・あの人は{○平気で／×平気に}うそをつく。

へいきん　ガ／ヲ平均スル
[名] average; unvaried / 平均; 差距不大 / 평균 / trung bình ★3
① ・テストの点を平均する。　[合] ＿点、＿寿命、平均＋[数量]、[数量]＋平均
② ・商品の質が平均している。
　[合] ＿的な（例. 私は平均的なサラリーマンだと思う。）

へいこうな　平行な
[ナ形] parallel, concurrent / 平行, 并行 / 평행한 / song song ★1
① ・この2本の直線は平行である。　・話し合いは平行線をたどった。
　[合] 平行線→＿をたどる、平行四辺形、平行棒　[関] 垂直な
② [動] ガ平行する] ・2面のコートで{並行／平行}して試合が行われている。
　[関] 同時に

へいさ　ヲ閉鎖スル

[名] close; close down
关闭, 关门／폐쇄
★2 đóng lại

① ・この公園の門は、夜間は閉鎖されている。
② ・会社が倒産し、工場は閉鎖された。

対 ヲ開放スル

合 __的な、__性

へいさてきな　閉鎖的な

[ナ形] insular
封闭的／폐쇄적인
★2 tính đóng kín

・田舎は閉鎖的だと言われていたが、今はそんなことはない。

対 開放的な　関 閉鎖性　(名) ヲ閉鎖スル

へいじつ　平日

[名] weekday(s)
平时, 平日／평일
★2 ngày trong tuần

・あの店は、平日は9時まで営業している。

対 土日、週末、祝祭日、休日

へいぼんな　平凡な

[ナ形] ordinary
平凡, 平庸／평범한
★1 bình thường, trần tục

・私は特に誇れるようなところのない、ごく平凡な人間だ。
・平凡な{人生／生活／成績／作品 …}

合 平凡さ　対 非凡な (例. 非凡な才能)　類 ありふれた／ている

へいわ　平和

[名] peace
和平；和睦, 太平／평화
★3 hòa bình

① ・世界の平和を守る。

合 __運動、__的な (例. 争いを平和的に解決した。)　対 戦争

② [(ナ形) 平和な]・平和な家庭　・平和に暮らす。

類 穏やかな

ベース

[名] base, basis, bass
基地, 基础, (棒球的) 垒／기반, 베이스
★1 cơ sở

[base] ① ・この劇団は、大阪にベースを置いて全国で活動している。

連 __になる・__にする、__を置く　合 〈賃金〉__アップ　関 基本、土台、本拠

② ・野球のベース

[bass] ・バンドのベース　・ベースギター

へこむ　ガへこむ
[動] ★2　dent; get depressed／凹陷；垂头丧气　우그러들다, 움푹 들어가다, 낙담하다　lõm

① ・木にぶつかって車がへこんだ。　　　　　　　　　　　　　　　　　　　(名)へこみ
② ・試験を受けても次々に落ちるのでへこんでしまった。　　類 ガ落ち込む
※くだけた話し言葉。

ベスト
[名] ★2　best／最好成绩, 最高纪录；全力　베스트, 최선, 최량　tốt nhất

① ・この方法はベストではないが、かなり効果がある。
　合 __ワン、__テン、__セラー、__タイム、自己__　　対 ワースト
　類 最高、最良、最善
② ・選手たちは試合でベストを尽くした。　　連 __を尽くす　類 最善　関 全力

へだたる　ガ隔たる
[動] ★1　to be distant／相隔, 不一致, 发生隔阂　거리가 있다, 차이가 있다　cách biệt, khác nhau

・故郷から遠く隔たった場所で暮らす。　　・二人の考えはかなり隔たっている。
類 ガ離れる　(名) 隔たり→ __がある⇔ない、
__ができる（例. 転勤がきっかけで夫婦の間に隔たりができた。）　☞〈他〉隔てる

へだてる　ヲ隔てる
[動] ★1　to divide, separate　隔开, 间隔, 离间／사이를 두다, 가르다　phân chia, ngăn cách

・A県とB県は川で隔てられている。　　・20年の時を隔てて親友と再会した。
(名) 隔て→ __がある⇔ない（例. 隔てのない間柄）、
(分け)__なく（例. 兄弟を(分け)隔てなく扱う。）　☞〈自〉隔たる

べたべた(と)　ガべたべたスル
[副] ★1　sticky, all over, cling to, follow around／沾满, 黏糊糊／끈적끈적, 더덕더덕, 바싹 달라 붙다／nhớp nháp, dính dính

① ・子供は口の周りをチョコレートでべたべたにしていた。
　連 {汗／油 …}で__する、__にする　　類 ガべとべとスル
② ・娘の部屋には好きなアイドルのポスターがべたべたと貼ってある。
③ ・最近の若いカップルは、平気で人前でべたべたしている。　関 ①③ガべたつく

べつ　別
[名] ★3　difference, distinction　不同, 有区别；分开, 分别／다름, 별도, 별 khác, riêng (liên lạc)

① ・「米」は「ご飯」とは別(の)ものだ。　　　　　　　　　　　合 __人、__物
② ・欠席者には別に連絡する。　連 ヲ__にする　合 性__、年齢__、国__　類 別々

ペット
[名] ★3
pet ／ 宠物 ／ 애완동물 ／ thú cưng

・アパートなので、ペットが飼えない。　・ペットの犬にかまれた。
[連] __を飼う　[合] __ショップ、__フード

べつに　別に
[副] ★3
nothing in particular ／ 特別 ／ 특별히, 별로 ／ không có gì đặc biệt (đi kèm với dạng phủ định)

・別に用はなかったが、声が聞きたくなって母に電話した。
・「何か意見がありますか」「いいえ、別に……」
※ 否定的な表現と一緒に使う。　[類] 特に

べつべつ　別々
[名] ★3
separation ／ 分別，各自 ／ 각각, 각자 ／ riêng biệt

※「別々に」の形で副詞的によく使う。
・「チョコレートとクッキーは別々に包んでください」
・二人はこれから別々の道を行くことにした。
(ナ形) 別々な

ベテラン
[名] ★2
veteran, expert ／ 老手，内行 ／ 베테랑 ／ kì cựu

・田中さんは教師歴20年のベテランだ。　・ベテランの職人
[対] 新米、新人

へらす　ヲ減らす
[動] ★3
decrease ／ 使……減少 ／ 줄이다 ／ làm giảm đi, ít đi (dân số, tiền tiết kiệm...)

・{貯金／体重／人口 …}を減らす。
[対] ヲ増やす　☞〈自〉減る

ベランダ
[名] ★3
balcony ／ 阳台，凉台 ／ 베란다 ／ ban công

・ベランダに洗たく物を干す。
[類] バルコニー

へる　ガ減る
[動] ★3
decrease ／ 減少 ／ 줄다 ／ giảm (dân số, tiền tiết kiệm...)

・{貯金／体重／人口 …}が減る。
[対] ガ増える　[類] ガ減少する　☞〈他〉減らす

ヘルシーな　[ナ形] ★1
healthy／有益于健康的／건강한／khỏe mạnh

・このレストランは、野菜中心のヘルシーな料理が女性に人気だ。

合 ヘルシー料理、ヘルシーメニュー　類 健康的な

ヘルメット　[名] ★3
helmet／头盔, 安全帽／헬멧／mũ bảo hiểm

・バイクに乗るときは、ヘルメットをかぶる。

連 ＿をかぶる⇔ぬぐ、＿をとる⇔つける

べん　便　[名] ★2
convenience／方便／편／tiện

・ここは交通の便がいい。

連 〜の＿がいい⇔悪い

へんか　ガ変化スル　[名] ★3
change／变化／변화／thay đổi

・大きな変化　・社会の変化はどんどん速くなっている。

連 ＿がある⇔ない、＿が起きる　関 変わる

べんかい　ガ／ヲ弁解スル　[名] ★1
justification, excuse／辩解／변명／bào chữa, giải thích

・学生は、試験に遅れたこと｛を／について｝教師にいろいろと弁解した。
・信頼を裏切った彼の行為には弁解の余地はない。

連 ＿の余地がある⇔ない　合 ＿がましい　類 ガ言い訳(ヲ)スル　関 ヲ弁明スル

ペンキ　[名] ★3
paint／油漆／페인트／sơn

・壁にペンキを塗る。

連 ＿を塗る、＿がはがれる

べんぎ　便宜　[名] ★1
convenience, benefit／方便, 权宜／편의／sự tiện lợi, sự tiện nghi

・旅行者｛の／に｝便宜をはかるため、観光地には旅行案内所が置かれている。
・政治家は、自分の知り合いに便宜を与えるような行為をしてはならない。

連 ＿を図る、＿を与える

合 ＿的な（例. この英和辞書は、便宜的にカタカナで発音を示してある。）、

__上（例.「野菜」「果物」というのは便宜上の分類にすぎない。）

へんきゃく　ヲ返却スル　[名] ★1　return／归还，退还／반납／trả

・図書館に本を返却する。

合 __期限　関 ヲ返す

へんけん　偏見　[名] ★1　prejudice／偏見／편견／thiên kiến, thành kiến

・女性が男性よりもか弱いというのは大きな偏見だ。
・今はエイズに対して偏見を持つ人が少なくなってきた。

連 __を持つ、__を抱く、__を捨てる、__が強い　慣 偏見の目で見る

へんこう　ヲ変更(ヲ)スル　[名] ★3　change／変更，更改／변경／thay đổi

・｛予定／計画／進路 …｝の変更を行う。　・旅行先を沖縄から北海道に変更する。

合 予定__、進路__　類 ヲ変える

べんしょう　ヲ弁償(ヲ)スル　[名] ★2　compensation／赔，赔偿／변상／bồi thường

・隣の家の窓ガラスを割ってしまったので、修理代を弁償した。

関 ヲ補償スル、ヲ賠償スル

ベンチ　[名] ★3　bench／长凳，长椅／벤치／ghế dài

・公園のベンチで休む。　・駅のホームのベンチにすわる。

へんな　変な　[ナ形] ★3　weird／奇怪的，不对头的／이상하다／lạ, bất thường

・変なメールが届いたのですぐに消した。　・停電の後、テレビの画面が変になった。
・この牛乳は、少し臭いが変だ。

類 おかしい、おかしな

ボイコット　ヲボイコットスル　[名] ★1　boycott／抵制，联合拒绝／보이콧／tẩy chay

① ・戦争を起こしたA国に抗議するために、A国製品のボイコットが世界で相次いだ。

類 不買運動

② ・学校に不満を抱く学生が卒業式をボイコットするという事件が起きた。

類 ヲ放棄スル

ポイント
[名] ★2 　point／要点，重点，关键处；点数；得分；（字体）磅／포인트, 요점, 득점　điểm

① ・スクリーンのポイントを指しながら、プレゼンテーションをした。
　合 ウイーク__、ターニング__、チャーム__、ピン__　類 点
② ・あの先生はポイントを押さえた話し方をするので、わかりやすい。
　合 キー__、重要__、セールス__、ワン__　連 __を押さえる　類 要点
③ ・スーパーのポイントをためて商品券と交換した。　合 __カード
④ ・ポイントでは負けたが、内容ではいい勝負だった。
　合〈スポーツ〉マッチ__　類 得点
⑤ ・「この書類は12ポイントで打ってください」　関 フォント

ぼうがい　ヲ妨害スル
[名] ★1　obstruction　妨碍／방해　cản trở, phương hại

・相手チームのプレーを妨害して反則になった。
・総会に妨害が入らないよう、会場が閉鎖された。
　連 __が入る　合 営業__、安眠__、公務執行__　関 ヲ妨げる、ヲ邪魔(ヲ)スル

ほうげん　方言
[名] ★2　dialect　方言／방언, 사투리　tiếng địa phương

・方言を聞くと、ふるさとを思い出す。　・今は純粋な方言を話す人は減った。
対 標準語、共通語　関 なまり

ほうこう　方向
[名] ★2　direction; course　方位，方向；(发展)方向，方针／방향, 방침　hướng

① ・川は北東から南西の方向に流れている。　・吹雪で方向がわからなくなった。
　合 __音痴、__転換、__感覚、進行__、__指示器　関 方角
② ・会社を辞めるかどうかまだ決めていないが、今のところ、転職の方向で考えている。

ほうこく　ヲ報告(ヲ)スル
[名] ★3　report　报告／보고　báo cáo

・出張の報告　・学校に試合の結果を報告する。
合 __書

ほうさく　豊作
[名] ★1
bumper crop
丰收／풍작
mùa màng bội thu

・今年は米が豊作だ。
対 不作、凶作

ほうしゅう　報酬
[名] ★1
remuneration, reward
报酬／보수
thù lao

・この仕事は面倒だが、報酬がいいのでやめられない。
・報酬を{もらう／得る／支払う …}。
連 ＿がいい⇔悪い　合 無＿

ほうしん　方針
[名] ★2
policy
方针／방침
chính sách

・会社の方針に沿って働く。　・政府は経済政策の方針を誤った。
連 ＿を立てる、＿を定める、＿に沿う、＿を誤る、ヲ＿とする　合 教育＿、指導＿、経営＿

ぼうだいな　膨大な
[ナ形] ★1
enormous, huge
庞大，巨大／방대한
lớn khủng khiếp

・東京都民が1日に出すごみは膨大な量に上る。
・現代人は便利な生活を維持するために、膨大なエネルギーを消費している。
合 膨大さ　類 莫大な、多大な、おびただしい

ぼうちょう　ガ膨張スル
[名] ★1
expansion
膨胀／팽창
mở rộng

・空気は暖めると膨張する。　・この都市は人口が膨張している。
対 ガ収縮スル　関 ガ膨らむ

ほうどう　ヲ報道スル
[名] ★1
(news) report
报道／보도
sự thông báo, thời báo

・報道によると、太平洋で飛行機の墜落事故があったらしい。
・「ベルリンの壁」崩壊のニュースは、リアルタイムで世界中に報道された。
合 ＿番組、＿記事、＿記者、＿機関、＿写真、＿陣

ほうび　褒美
[名] ★1
reward
奖励／포상
phần thưởng

・〈親が子供に〉「お手伝いをしたら、何かご褒美をあげるよ」

連 __をあげる⇔もらう、__を与える

ほうほう　方法
[名] ★3
method, way
方法／방법
phương pháp

・いい方法を探す。　・新しい方法でやってみる。

連 __がある⇔ない　関 手段

ほうむる　ヲ葬る
[動] ★1
to bury, ostracize
埋葬、遺忘／묻다、매장하다
chôn cất

① ・古墳は、古代の皇族・豪族を葬った場所だ。　関 ヲ埋葬スル
② ・事件の真相は闇に葬られた。　合 ヲ葬り去る　慣 (闇から)闇に葬る

ほうようりょく　包容力
[名] ★1
tolerance, broad-mindedness
包容力／포용력
sự độ lượng, sự bao dung

・結婚相手には「包容力のある人」を望む人が多い。

連 __がある⇔ない

ほうる　ヲ放る
[動] ★2
throw; give up; leave ~ alone ／抛、扔；放弃；
不理睬／던지다, 포기하다, 내버려 두다
ném

① ・ボールをほうる。　・ごみ箱にごみをほうり投げた。　関 ヲ投げる
② ・日記をつける習慣が続かず、途中で放り出してしまった。　関 ヲ投げ出す
合 ②ヲ放り出す、①②ヲ放り投げる
③ ・「私のことにかまわないで。ほっといて(＜ほうっておいて)」

ポーズ
[名] ★1
pose, front, pause
姿勢、装様子、停頓／포즈, 사이
tạm ngừng

[pose] ① ・絵のモデルがポーズを取っている。　・ポーズを決めて写真に写る。
連 __をする、__を取る、__が決まる・__を決める　関 体勢、姿勢
② ・彼は悪ぶった態度を取るが、それは一種のポーズに過ぎない。
連 ～__をする、～__を取る

[pause] ・朗読では、場面が変わる際に十分なポーズを入れる。
連 __を取る、__を入れる　関 休み

ほか　他
[名] ★2
someone (else); something (else); other than; as well as ／其他；別的；另外的；除了……以外
딴것, 그 밖에, 이외, 딴 곳, 밖에／ngoài

・「私にはわかりませんので、ほかの人に聞いてください」
・「他に質問はありませんか」

ほきゅう　ヲ補給(ヲ)スル　[名] ★1
supply, replenishment
补给，补充／보급
cung cấp

・マラソンでは、走っている途中で水分を補給することができる。
・車にガソリンを補給する。　・｛栄養／カロリー／エネルギー …｝を補給する。
合 栄養__

ぼきん　ガ募金(ヲ)スル　[名] ★2
fundraising; collection of contributions
募捐／모금
việc gây quỹ

・地震の被災者のために募金した。
合 共同__、街頭__

ほけん　保険　[名] ★2
insurance
保险／보험
bảo hiểm

・子供が生まれたので、生命保険に入った。
連 __をかける、__に入る　合 生命__、損害__、自動車__、__金、__会社

ほご　ヲ保護(ヲ)スル　[名] ★3
conservation, protection; guardianship; (social) security／(自然，隐私等的)保护；(安全等的)保护；(生活等的)保障／보호／bảo vệ, bảo hộ, hỗ trợ

①・自然を保護する。　合 自然__、動物__、環境__、__者、過__
②・迷子の保護　・警察に保護される。
③・病気で働けないので、生活保護を受けている。　連 __を受ける　合 生活__

ほこり　[名] ★3
dust
尘埃／먼지
bụi

・何週間も掃除していないので、部屋中ほこりだらけだ。
連 __が立つ、__を払う、__がたまる、__が積もる
合 __っぽい、砂ぼこり、綿ぼこり　関 ごみ、ちり

ほこり　誇り　[名] ★1
pride
自豪，骄傲／긍지, 자랑
tự hào, kiêu hãnh

・平和憲法を持っていることは、我が国の誇りだ。
・災害現場で人命救助に尽くした父のことを誇りに思う。
連 __がある⇔ない、__を持つ、__に思う、__が傷つく・__を傷つける　合 __高い
類 プライド　関 自尊心　(動) ヲ誇る　(イ形) 誇らしい

ほこる　ヲ誇る
[動] ★1
be proud of
自豪，骄傲／자랑하다 뽐내다
tự hào, kiêu hãnh

① ・自動車は我が国が世界に誇る工業製品だ。
② ・彼女は名家の出であることを誇っている。
・才能を誇る。

※ 主に名詞修飾の形で使う。

(名)誇り　(イ形)誇らしい

ぼしゅう　ヲ募集(ヲ)スル
[名] ★2
recruitment, collection
招募，募集／모집
tuyển dụng

・アルバイトを募集していたので、応募した。
・会社は社員から新しい企画のアイデアを募集した。

[関] ヲ募る

ほしょう　ヲ保証(ヲ)スル
[名] ★2
warranty, guarantee
保修；保证／보증
bảo hành

① ・この商品には1年間の保証が付いている。
② ・彼は将来社長の地位が保証されている。

[合] __人、__金、__書、__期間
・必ず合格できる保証はない。

[連] ①②__がある⇔ない

ほしょう　ヲ保障(ヲ)スル
[名] ★1
guarantee, assurance
保障／보장
bảo đảm

・思想・言論の自由は、憲法によって保障されている。
・｛権利／生活／平和 …｝を保障する。

[合] 社会__、安全__、災害__、医療__、警備__

ほしょう　ヲ補償(ヲ)スル
[名] ★1
guarantee, compensation
补偿，赔偿／보상
bồi thường

・銀行が倒産した場合、預金は1,000万円まで補償される。
・被害者に補償する。

[合] __金、__額　[関] ヲ賠償スル、ヲ弁償(ヲ)スル、ヲ償う

ほそく　ヲ補足(ヲ)スル
[名] ★1
supplement
补充／보충
bổ sung

・〈会議で〉「先ほどの説明を補足させていただきます」
・レポートで、説明に補足してグラフや図を載せた。

[連] __を加える　[合] __点、__説明、__的な　[関] ヲ補う、ヲ補充(ヲ)スル

ほぞん　ヲ保存(ヲ)スル
[名] preservation
儲存，保存／보존
★3　bảo quản, lưu trữ

・食料の保存　・パソコンにデータを保存する。

運 __がきく　合 冷凍__、__食

ほっそく　ガ/ヲ発足スル
[名] launch, inauguration
成立／발족
★1　xuất phát, bắt đầu

・A市に町おこしのプロジェクト団体が発足した。
・│会／組織 …│が／を 発足する。

ほっと　ガほっとスル
[副] relieved, to my relief
放心, 松口气／한숨 놓다
★3　thở phào, bớt lo lắng

・│試験が終わって／ガンではないとわかって …│ほっとした。

ぼっとう　ガ没頭スル
[名] immersion
沉迷, 专心致志／몰두
★1　vùi đầu

・今、趣味の写真に没頭している。　・寝食も忘れて研究に没頭した。

関 ガ熱中スル、ガ夢中になる

ぼつぼつ(と)
[副][名] before long, gradually, here and there, spots, pimples
就, 该；渐渐, 稀稀落落；小斑点／슬슬, 듬성듬성, 검점이, 부스럼／sắp, dần, ùn ùn, dữ dội, rõ
★1

① ・ぼつぼつ田中さんが来る頃だ。　・「ぼつぼつ出かけようか」　類 そろそろ
② ・開演10分前になって、やっとぼつぼつ(と)人が集まりだした。
③ ・箱にぼつぼつと穴をあける。　　類 ②③ぼつぽつ(と)
④ [(名)] ・顔にぼつぼつがたくさんできてしまった。　類 ぶつぶつ

ほどく　ヲほどく
[動] untie; unravel; untangle
解开；拆开；解除／풀다, 뜯다
★2　cởi bỏ

① ・荷物のひもをほどいて中のものを出す。　対 ヲ結ぶ　類 ヲ解く
② ・古い服をほどいて縫い直す。

☞ 〈自〉ほどける

ほどける　ガほどける
[動] come untied; (tension) is released
松开；解开／풀리다
★2　cởi ra

① ・靴のひもがほどけた。
② ・彼女の冗談で、みんなの緊張がほどけた。　類 ガ解ける

☞ 〈他〉ほどく

ほどこす　ヲ施す

[動] ★1　to give, apply, help, add, donate／施行, 施加, 进行, 施舍／궁리하다, 행하다, 장식하다, 베풀다／áp dụng

① ・患者に治療を施す。　　類 ヲ行う　慣 手の施しようがない
② ・写真に修正を施す。　　　　　　　　　　類 ヲ加える
③ ・植物に{水／肥料 …}を施す。　類 ヲ与える　(名)施し（※ 人の場合のみに使う）

ほとんど

[副] ★3　nearly; hardly／大致, 大部分；几乎／거의, 대부분／hầu hết, phần lớn

① ・準備はほとんどできた。　・村上春樹の小説はほとんど読んだ。
[(名)]・この高校では、{ほとんどの学生たちが／学生たちのほとんどが}大学進学を希望しているそうだ。
② ・来日したとき、日本語はほとんどわからなかった。
※ 否定的な表現と一緒に使う。

ポピュラーな

[ナ形] ★1　popular／流行的, 大众化的／대중적인／phổ biến

・この歌は、若者の間ではとてもポピュラーだ。
・柿は世界ではあまり知られていないが、日本ではポピュラーな果物だ。

合 ポピュラーソング、ポピュラーミュージック　　関 人気がある、一般的な

ほぼ

[副] ★2　almost／大致, 基本上／거의, 대략／gần

・新しいビルはほぼ完成した。　・客席はほぼ満員だった。
※「ほとんど」よりかたい言葉。

ほほえむ　ガほほえむ

[動] ★2　smile／微笑／미소 짓다／tủm tỉm

・彼女は私ににっこりとほほえんだ。
(名)ほほえみ

ぼやける　ガぼやける

[動] ★1　to be blurred/dim／模糊, 不清楚／흐려지다, 희미해지다／mờ đi, nhạt đi

・霧が出て視界がぼやけた。　・この写真は焦点がぼやけている。

類 ガぼんやりする　関 ガぼける、ヲぼかす　〈他〉ぼやかす

ボランティア
[名] volunteer / 志愿者 / 자원봉사(자) / tình nguyện
★3

・老人ホームでボランティアをしている。 ・ボランティアで日本語を教えている。

連 __をする　合 __活動、__精神

ポリシー
[名] policy / 政策, 原则 / 정책, 책략 / chính sách
★1

・この病院は、患者に行き過ぎた治療をしないというポリシーを持っている。
・彼は、仕事を生活の中心にするというポリシーを変えた。

連 __がある⇔ない、__を持つ、__を貫く　合 プライバシー__　関 信念、方針

ボリューム
[名] volume / 分量, 总量, 音量 / 양, 볼륨 / lượng
★1

① ・この食堂は、安くてボリュームのある食事を出すので、学生に人気がある。

連 __がある⇔ない、__が多い⇔少ない、__たっぷり　類 分量、量

② ・「声が聞こえにくいので、マイクのボリュームを上げてください」

連 __が大きい⇔小さい、__を上げる⇔下げる　類 音量

ほる　ヲ掘る
[動] dig; dig up, mine / 挖, 掘; 刨, 挖出 / 구멍을 뚫다, 파다, 캐다 / đào
★2

① ・地面に穴を掘る。 ・井戸を掘る。 ・トンネルを掘る。　合 ヲ掘り起こす
② ・畑で芋を掘る。 ・化石燃料が掘り尽くされる日がいずれ来るだろう。

合 ヲ掘り尽くす

ほろびる　ガ滅びる
[動] to be destroyed, ruined / 灭亡, 天绝 / 멸망하다, 없어지다 / bị phá huỷ, bị huỷ hoại
★1

・古代文明の多くは滅びてしまった。 ・{種／人類／民族／国／悪 …} が滅びる。

※「滅ぶ」とも言う。　類 ガ滅亡する　関 ガ栄える　(名)滅び　☞〈他〉滅ぼす

ほろぼす　ヲ滅ぼす
[動] to destroy, wreck / 使灭亡, 毁灭 / 멸망시키다, 망치다 / tiêu diệt, phá huỷ
★1

① ・カルタゴはローマ帝国によって滅ぼされた。
② ・彼はギャンブルで身を滅ぼした。

☞〈自〉滅びる

ぼろぼろな

[ナ形] ★3
ragged, dilapidated; worn out／破破烂烂的，破烂不堪的／너덜너덜하다, 기진맥진하다
te tua, rách nát

・ぼろぼろ{な／の}{服／家 …}
・ひどい目にあって身も心もぼろぼろになってしまった。

ほんき　本気

[名] ★2
seriousness
真的, 认真的／진심, 제정신
thực lòng

・あの学生はやっと本気になって勉強し始めた。　・父は本気で怒ると怖い。
・「会社を辞めて独立しようと思うんだ」「それ、本気?」

連 __になる、__を出す　慣 冗談を本気にする

ほんとうに　本当に

[副] ★3
really; to tell the truth
太, 实在；真的, 的确／정말로
thật sự là…

① ・優勝できて、本当にうれしい。
② ・「私は本当に悪いことはしていないんです。信じてください」
　[(名)] ・「本当のことを話してください」　・彼の話は本当だった。
③ [本当は] ・行くと返事をしたが、本当は行きたくない。　類 実は

※「本当」は話し言葉では「ほんと」とも言う。

ほんにん　本人

[名] ★3
the person in question, the said person
本人／본인
chính chủ

・通帳は貯金をする本人が作らなければならない。
合 __確認、[名詞]者＋本人（例. 申し込み者本人）

ほんね　本音

[名] ★1
true feelings
真心话／본심, 본마음, 속
thực tâm

・お酒を飲んで、上司のことが嫌いだとつい本音をもらしてしまった。
・本音を言うと、大学に入ったのは親が望んだからにすぎない。

連 二__をもらす、__を吐く　対 建前　類 本心　※「本音」は「本心」が言葉として表れたもので、やや感情的な言い方。

ほんの

[連] ★3
just, merely／实在, 仅仅, 一点点
불과, 아직도, 보잘것없는, 조금
chỉ (đi kèm theo sau đó là số)

・ここから隣町まで、バスでほんの5分しかかからない。
・昨日、3週間ぶりにほんの少し雨が降った。

類 たった＋[数字]、僅か

ほんば　本場

[名] ★1　(the) home (of) / 原产地, 本地／주산지, 본고장／thật sự, quê hương

・北海道はカニの本場だ。　・本場で勉強した外国語は、発音や自然さが違う。

ほんやく　ヲ翻訳(ヲ)スル

[名] ★3　translation／翻译／번역／phiên dịch

・日本語の小説を英語に翻訳する。　・｛○翻訳者／○翻訳家／×翻訳｝になる。

合 __者、__家　関 ヲ通訳(ヲ)スル、ヲ訳す

ぼんやり(と)　ガぼんやり(と)スル

[副] ★2　dimly; vaguely; absent-mindedly／模模糊糊地；迷糊；恍惚；发呆／어렴풋이, 희미하게, 맥없이, 멍청히／thẫn thờ

① ・霧の中に、ぼんやり船が見えた。　・暗くて、ぼんやりとしか見えなかった。
② ・昔のことなので、記憶がぼんやりしている。　対 ①②ガはっきり(と)スル
③ ・ぼんやり歩いていて、人にぶつかってしまった。

ほんらい　本来

[副] ★2　originally, primarily／本来, 原来／본래／thuộc về cơ bản

・このビルは本来昨年完成の予定だったが、資金不足でまだ完成していない。

[(名)]・緊張して、本来の力が出せなかった。

関 元々

ま　間

[名] ★2
time; -mat room ／时间；房间
사이, 동안, 시기, 방, 방을 세는 단위
khoảng trống

① ・私は来日してまだ間がない。　　[連] __ がある⇔ない、あっと言う__
② ・友達を訪ねて行ったが、間が悪く旅行に出た後だった。
　[連] __ がいい⇔悪い　[類] タイミング
③ ・私は6畳間に住んでいる。　・彼のうちは6間もある。
　[合] 居__、客__、[数字]＋間　[類] 部屋

マーク　ヲマーク(ヲ)スル

[名] ★2
mark, (on the) blacklist ／做标记；盯上；更新记录／마크, 표, 감시, 기록을 세움
đánh dấu

① ・文章の重要なポイントにマークを付けて覚える。
　[連] __ を付ける　[合] クエスチョン__、シンボル__、エコ__、ベル__、〈車〉初心者__、__ シート、トレード__（例．長く伸ばしたひげが彼のトレードマークだ。）
　[類] 印、記号
② ・彼は容疑者として警察からマークされていた。　　　　　　　[合] ノー__
③ ・〈スポーツ〉世界記録をマークする。

まいあがる　ガ舞い上がる

[動] ★2
stir up; be excited
飞扬，高兴得手舞足蹈／날아오르다
bay lên

① ・｛砂／ほこり　…｝が舞い上がる。
② ・女の子から告白されて、彼は舞い上がった。

マイク　＜マイクロホン

[名] ★3
microphone
麦克，话筒／마이크
mic

・みんなの前でマイクを持って話す。
[関] スピーカー

まいご　迷子

[名] ★2
lost child
迷路；走丢的孩子／미아
trẻ lạc

・〈アナウンス〉「迷子のお知らせをいたします」
・東京駅は広くて迷子になりそうだ。
[連] __ になる

マイナス　ヲマイナススル

[名] ★3
subtraction; deficit; negative impact
减去；亏损；不利, 有坏处／마이너스
trừ đi, điểm trừ (ảnh hưởng tiêu cực)

① ・今月の給料は1万円のマイナスだった。

② ・今月の収支はマイナスだった。
③ ・「こんなことをしていたら、あなたにとってマイナスになりますよ」　合 ＿評価
連 ①〜③＿になる　対 ヲプラススル

マイペースな
[ナ形] ★1
at one's own pace
自己的作法／자기 페이스
tốc độ của tôi

・あの人はいつもマイペースだ。　・マイペースなやり方
[名] マイペース ・自分の興味と能力に合わせて、マイペースで仕事をする。
連 ＿を貫く

まえむきな　前向きな
[ナ形] ★1
positive
乐观，积极／적극적인
tích cực

・彼女はいつも新しい課題に前向きに取り組んでいる。
・前向きな{考え方／姿勢　…}　・「その件については前向きに検討します」

まえもって　前もって
[副] ★3
in advance
预先，事先／미리
trước (điều tra trước, liên lạc trước)

・「もし欠席する場合は、前もってご連絡します」
・デートするときは、いいレストランを前もって調べておくようにしている。
類 あらかじめ、事前に

まかす　ヲ負かす
[動] ★1
to defeat, be beaten
打败，击败，战胜／이기다, 패배시키다
đánh bại

・彼女は将棋が強くて、何度やっても負かされてしまう。
合 ヲ言い＿　類 ヲ破る　関 ガ勝つ、ヲやっつける　〈自〉負ける

まかせる　ヲ任せる
[動] ★3
entrust, leave it to
委任，托付／맡기다
giao phó

・責任の重い仕事を新人に任せてみた。
・「パーティーの司会、よろしく頼むよ」「任せてください」

まかなう　ヲ賄う
[動] ★1
to cover, supply／维持，筹措，供给（饭食）
마련하다, 꾸려 나가다, 제공하다
chi trả

① ・アルバイトで学費を賄う。
② ・この寮では学生に食事をまかなってくれる。
類 ヲやりくりする
(名) 賄い

まがる　ガ曲がる
[動] ★3
turn, curve
弯，弯曲／구부러지다, 돌다, 비뚤어지다
rẽ, vòng

・曲がった道　・「この角を右に曲がって 50m ほど行くと、銀行があります」
☞〈他〉曲げる

まきこむ　ヲ巻き込む
[動] ★2
involve
牵连／말려들게 하다
lôi cuốn vào, vướng vào

・事故に巻き込まれてけがをした。

まぎらす　ヲ紛らす
[動] ★1
to distract, conceal
排遣, 解消／달래다
đánh lạc hướng

・心配なことがあるとき、音楽を聞いて気を紛らした。
・¦痛み／空腹／悲しみ／寂しさ …¦ を紛らす。
※「紛らわす」「紛らわせる」という形もある。　連 気を__　（イ形）紛らわしい
☞〈自〉紛れる

まぎらわしい　紛らわしい
[イ形] ★1
misleading, easy to confuse
容易混淆／헷갈리기 쉽다, 혼동하기 쉽다
gây bối rối, mơ hồ, gây lầm lạc

・新しく作った会社に、大企業と紛らわしい名前をつけるのは、いいこととは思えない。
・「あなたの書く"れ"の字は"わ"と紛らわしいから、気をつけてください」
合 紛らわしさ　（動）ヲ紛らす

まぎれる　ガ紛れる
[動] ★1
to be distracted, diverted, find one's way, be concealed／混同, 排遣／뒤섞이다, 틈을 타다, 풀리다／bị phân tâm

① ・周りの音に紛れて相手の声がよく聞こえない。　・犯人は闇に紛れて逃走した。
合 ガ紛れ込む（例. 社員の中に他社のスパイが紛れ込んでいた。）、
～紛れ（例. 苦し紛れ、悔し紛れ、退屈紛れ、どさくさ紛れ）
慣 闇に紛れる、どさくさに紛れる（例. 放火犯は火事のどさくさに紛れて逃げた。）
② ・嫌なことがあっても、好きな音楽を聞くと気が紛れる。　連 気が__
☞〈他〉紛らす

まぎわ　間際
[名] ★1
just before, on the point of
正要……时候, 边／직전
ngay trước khi, lúc sắp sửa

・電車が遅れて、試験開始（の）間際に会場に駆け込んだ。　類 直前、寸前　関 際

まく　ヲ巻く
[動] ★3　wrap, wind up
卷, 围, 裹／감다
quấn

・マフラーを首に巻く。　・コードを巻いて片付ける。

まく　ヲまく
[動] ★2　plant; distribute; give one's pursuers the slip
播(种), 洒(水); 撒; 甩掉, 摆脱／뿌리다, 따돌리다／tưới

① ・畑に野菜の種をまく。　・庭に水をまく。　・節分の日に豆をまいた。
　[慣] 自分でまいた種
② ・駅前でビラをまいていた。　　　　　　　　　　[合] ①②ヲばらまく
③ ・容疑者は刑事の尾行をうまくまいて逃げ去った。

まく　幕
[名] ★1　curtain
帷幕, 结束／막
rèm

・舞台の幕が開くと、いろいろな動物が現れた。
・犯人が逮捕されて、社会を揺るがした大事件は幕を閉じた。
[連] __が{開く／開く}⇔閉じる、__が上がる⇔下りる　[合] __開け⇔切れ　[関] カーテン

まくあけ　幕開け
[名] ★1　beginning, opening
开幕, 开始／개막
bình minh

・21世紀の幕開けを世界中の人々が祝った。
・この新薬の開発は、ガン治療の新時代の幕開けになるだろう。
[対] 幕切れ　[関] 幕

まけ　負け
[名] ★3　defeat
输, 败／패배
thua

・負けが続いて、いやになった。
[合] 勝ち__　[対] 勝ち　（動）ガ負ける

まげる　ヲ曲げる
[動] ★3　bend, curve
弄弯, 折弯／구부리다, 굽히다
uốn cong, rẽ về hướng

・{針金／ひざ／腰 …}を曲げる。
☞〈自〉曲がる

まことに　誠に
[副] ★1　very, really
实在, 诚然／정말로, 진심으로
thật sự

・「ご配慮いただき、まことにありがとうございます」　・「誠に申し訳ありません」
※改まった場面で用いることが多い。　[類] 本当に、実に

まごまご　ガまごまごスル
[副] ★1
confused, be slow
不知所措，磨磨蹭蹭／우물쭈물
lúng túng

・機械の操作方法がわからず、おばあさんがまごまごしている。
・「早くしろ。まごまごしていると置いていくぞ」

関 ガまごつく

まさか
[副] ★3
no way, never (dreamed of)
怎么会，怎么可能，万没想到／설마
ngạc nhiên (không bao giờ nghĩ tới)

・「あの二人、離婚するそうだよ」「まさか！　あんなに仲がよかったのに」
・あの成績のいい小林さんが、まさかT大学に落ちるとは思わなかった。

まさつ　ガ／ヲ摩擦スル
[名] ★2
friction
摩擦，矛盾，意見分歧／마찰
ma sát

① ・木の枝の摩擦の熱で森林火災が起こった。　　合 抵抗、 熱
② ・会社内で絶えず摩擦が起きている。　　連 が{起きる／起こる}　合 貿易

まさに
[副] ★1
surely, certainly, just
的確，正如／바로，막
chắc chắn

① ・この絵はまさに彼の最高傑作だ。　　　　　　　類 まさしく
② ・今まさに、新しい年が明けようとしている。　　類 ちょうど

まさる　ガ勝る
[動] ★1
to surpass, be superior
戰胜，胜过／이기다，뛰어나다，낫다
vượt trội, áp đảo

・うちのチームは、攻撃力の点では相手チーム{より／に}勝っている。
・ここは小さな町工場だが、大企業に勝るとも劣らない製品を作っている。

対 ガ劣る　　類 ガ優れる　　慣 勝るとも劣らない

まざる　ガ交ざる／混ざる
[動] ★3
be mixed together
混合；混杂，搅和／섞이다
bị trộn lẫn nhau

① ・男女が交ざってサッカーをした。
② ・材料が十分混ざっていないと、おいしいケーキはできない。

※ 一般的にとけ合わないまざり方のときは「交」、とけ合ったまざり方のときは「混」を使う。　☞〈他〉交ぜる／混ぜる

まじえる　ヲ交える
[動] ★1
to include (mix in), honestly (frankly)／夹杂，促膝谈心／포함하다，섞다，(머리를) 맞대다
đan xen, đan vào nhau

・仕事上の発言に私情を交えてはいけない。　　　　　関 ヲ交ぜる

慣 膝を交える（例．教師は、問題を起こす生徒と膝を交えて話し合った。）
☞〈自〉交わる

まして

[副] ★1 〖 not to mention, still less / 何況，況且 / 하물며，더구나 / huống chi, đương nhiên là 〗

・この仕事は若い人でも大変なのだから、まして老人には無理だろう。
・これだけ離れていてもうるさいのだ。まして近くでは、どれほどの騒音だろうか。

連 [名詞]にも＋まして（例．今日は昨日にもまして寒い。）
類 ましてや　※「ましてや」は接続詞のように使う。

ましな

[ナ形] ★3 〖 preferable, better / 比……好，像样的 / 좋다, 낫다 / tốt hơn 〗

・せきがひどかったが、うがいをしたら前よりましになった。
・失敗するかもしれないが、何もやらないよりはましだ。

まじる　ガ交じる／混じる

[動] ★3 〖 be mingled with / 夹，加入；掺杂，混有 / 섞이다 / bị trộn, lẫn vào 〗

① ・女の子が男の子に交じってサッカーをしている。
合 [名詞]＋交じり（例．白髪交じり、英語交じり、冗談交じり）
② ・合格発表の前は、期待に不安が混じって落ち着かなかった。
※ 漢字の使い方は「交ざる／混ざる」と同じ。

まじわる　ガ交わる

[動] ★1 〖 to intersect, associate, mingle with / 交叉，交往 / 교차하다, 교제하다 / giao nhau, giao lưu 〗

① ・線と線が90°に交わった角を直角という。　類 ガ交差する、ガクロスする
② ・このサークルでは先輩とも後輩とも親しく交わることができる。
類 ガ付き合う、ガ交際する、ガ交流する　※「交わる」は1対1の付き合いには使わない。　(名)交わり　慣〈ことわざ〉朱に交われば赤くなる
☞〈他〉交える

ます　ガ／ヲ増す

[動] ★2 〖 increase / 増加，増多 / 많아지다, 늘다, 늘리다, 더하다 / tăng lên 〗

〈自〉・現地に行ってさらに興味が増した。　類 ガ増える　対 ガ減る
〈他〉① ・彼は新しい事業に投資し、さらに財産を増した。　類 ヲ増やす　対 ヲ減らす
② ・車はスピードを増した。　・台風は勢いを増した。　類 ヲ加える

マスコミ 〈マス・コミュニケーション〉
[名] ★3
mass media, mass communication
新聞媒体，媒体／매스컴
phương tiện thông tin đại chúng

・このニュースはマスコミに注目されている。　・マスコミ関係の仕事がしたい。

まずしい　貧しい
[イ形] ★2
poor, needy
貧窮，貧乏的／가난하다，빈약하다
nghèo

・私は貧しい家に育った。　・貧しい{生活／食事／家庭／国　…}

連 心が__　合 貧しさ　対 豊かな、裕福な　関 貧乏な

マスター　ヲマスターする
[名] ★2
mastering; master／掌握，精通；老板；硕士／
万能钥匙／마스터，터득함，주인，석사
chủ

① ・独学で日本語をマスターした。　　　　　　　類 ヲ習得する
② ・{喫茶店／バー　…}のマスター　　　　　　関 主人、店主
③ ・マスターコースで学ぶ。　　　　　　　　　類 修士
④ ・ホテルでキーをなくしたので、マスターキーで開けてもらった。

ますます
[副] ★3
increasingly, more and more
越发，越来越……，更加／더욱더，점점 더
ngày càng

・朝から降っていた雨は、午後になるとますます強くなった。
・「彼女、子供のころからかわいかったけど、最近ますますきれいになったね」

類 さらに、一段と

まぜる　ヲ交ぜる／混ぜる
[動] ★3
mix, stir
混杂；搅和，混合／섞다
trộn, pha lẫn, hòa lẫn, khuấy, quấy

① ・お米に豆を交ぜてたいた。　・彼は日本語と中国語を交ぜて話す。
② ・赤と黄色を混ぜるとオレンジ色になる。　　　　　合 かき__
※ 漢字の使い方は「交ざる／混ざる」と同じ。　☞〈自〉交ざる／混ざる

また
[接] ★3
and; or; also
又，还，再，同时／또，게다가
và, hoặc, cũng

・彼は銀行員で、また、有名な作家でもある。
・正月は、多くの人がうちでお祝いをする。また、最近では旅行先や海外で過ごす人も増えている。

またがる　ガまたがる
[動] ★1
to sit astride, span
骑上，横跨／올라가다，걸치다
cưỡi, trải qua

① ・青年はバイクにまたがると、大きな音をたてて走り去った。

② ・この国立公園は２つの県にまたがっている。　・川にまたがる橋

☞〈他〉またぐ

またぐ　ヲまたぐ

[動] ★1
to cross, step over, straddle
跨过, 迈过／건너다
băng qua, vượt qua

① ・ガードレールをまたいで車道に出る。
② ・大通りをまたぐ歩道橋が架けられた。

☞〈自〉またがる

または

[接] ★3
or
或, 或者, 或是／또는
hoặc

・「この書類は、黒または青のペンで書くこと」
・「試験に欠席した人は、追試験を受けるか、またはレポートを出してください」

類 あるいは

まちがう　ガ／ヲ間違う

[動] ★3
be incorrect/wrong, make a mistake
错, 不正确；搞错／틀리다, 잘못되다
bị nhầm, bị sai

〈自〉・この計算は間違っている。
　　・お金があれば幸せになれるというのは間違った考えだ。
〈他〉・簡単な計算を間違った。
〈名〉間違い

☞〈他〉間違える

まちがえる　ヲ間違える

[動] ★3
get wrong, mistake for
弄错, 搞错／틀리게 하다, 잘못 알다
nhầm, sai

・テストの答えを間違えた。　・塩とさとうを間違えてなべに入れてしまった。

☞〈自〉間違う

まちどおしい　待ち遠しい

[イ形] ★1
anxiously awaited, looked forward to
急切盼望／몹시 기다려지다
không thể chờ

・帰国して家族に会える日が待ち遠しい。

合 待ち遠しさ　関〈あいさつ〉「お待ちどおさま」

まちまちな

[ナ形] ★1
diverse
形形色色／가지각색이다, 제각각이다
muôn hình muôn vẻ, nhiều loại khác nhau

・この街は建物の大きさも色もまちまちで、統一感に欠ける。
・この会社には服装の規定が無く、社員たちはまちまち{な／の}服装で働いている。

類 いろいろな、さまざまな、ばらばらな

マッサージ　ヲマッサージ（ヲ）スル
[名] ★3　massage／按摩／마사지／massage

・頭をマッサージしてもらうと気持ちがいい。

まったく　全く
[副] ★3　(not) at all; completely; really／完全, 全然；簡直；真, 実在／전혀, 완전히；정말로／hoàn toàn (không) (đi kèm với dạng phủ định), hoàn toàn, đúng như vậy

① ・タンさんが帰国したことを、私は全く知らなかった。
　※ 否定的な表現と一緒に使う。　類　全然、少しも、ちっとも（※ 話し言葉的）
② ・この二つは全く同じように見えるが、実はこちらは偽物なのだ。
③ ・「最近の若い人たちのマナーはひどいですね」「まったくですねえ」

まどぐち　窓口
[名] ★2　window; contact／（銀行，医院等的）窗口；(对外联系的）窗口, 途径／창구／cửa sổ

① ・｛銀行／役所／病院　…｝の窓口には大勢の人が並んでいた。
② ・○○友好協会は、A国との文化交流の窓口となっている。

まとまる　ガまとまる
[動] ★3　reach (consensus), be sorted out, be well organized, be united／(意见) 统一, 有条理, 有系统／통합되다, 정리되다, 완성되다／được hợp nhất, thống nhất, được sắp xếp, chuẩn bị

・3時間話し合って、やっとクラスの意見がまとまった。
・明日スピーチをしなければならないのに、なかなか考えがまとまらない。

(名) まとまり→　＿＿がある⇔ない　☞〈他〉まとめる

まとめる　ヲまとめる
[動] ★3　gather together, sort out, unify, write up, organize／集中, 汇总, 总结, 归纳, 使……一致／합치다, 정리하다, 완성하다／thu thập lại để thực hiện một lần, tổng kết/ tóm tắt (câu chuyện, suy nghĩ, bài văn....), hợp nhất, thống nhất sắp xếp, chuẩn bị

・引っ越しの前に、いらなくなったものをまとめて捨てた。
・｛話／考え／文章／チーム／荷物　…｝をまとめる。

(名) まとめ（例. 会議の最後に司会者が内容のまとめをした。）　☞〈自〉まとまる

まともな
[ナ形] ★1　square, regular／正面, 正经的／성실한, 착실한／chính diện

① ・〈ボクシング〉相手のパンチをよけられず、まともに顔面にくらってしまった。
　関　真正面
② ・早く働きたい。まともな仕事なら何でもいい。

マナー
[名] ★3　manners／礼节, 礼仪, 礼貌／매너, 예절／kiểu cách, cách xử sự, phong tục, tập quán

・フランス料理のマナーは難しい。

連 ＿がいい⇔悪い、＿を守る、＿{が／に}厳しい　合 ＿違反、テーブル＿
関 エチケット、礼儀

まなぶ　ヲ学ぶ　[動] ★2
study; learn
学习；掌握／공부하다, 배우다
học

① ・大学で経済学を学ぶ。　　　　　　　　　　　　　　　類 ヲ勉強する
② ・福井先生{から／に}フランス語を学んだ。　・経験から学ぶ。

まにあう　ガ間に合う　[動] ①★3、②③★1
make it on time, to make do with, be enough
赶得上, 来得及, 够用, 临时凑合
늦지 않다, 족하다, 충분하다／đúng giờ

① ・電車が遅れたが、駅から走って、なんとか授業に間に合った。
② ・1週間の生活費としては、1万円あれば、なんとか間に合う。
③ ・〈店で〉「新製品の化粧水はいかがですか」「いえ、間に合ってますので」
☞〈他〉間に合わせる

まにあわせる　ヲ間に合わせる　[動] ①★3、②★1
finish on time, to make do with
赶上, 使……来得及, 够用／늦지 않게 하다, 소용에 닿게 하다
làm cho đúng thời hạn

① ・レポートを、がんばって締め切りに間に合わせた。
② ・花びんがないのでワインのびんで間に合わせた。　（名）間に合わせ
☞〈自〉間に合う

まぬがれる　ガ免れる　[動] ★1
to avoid, exempt
摆脱, 避免, 免于／피하다
tránh, tránh né

・これだけ大きな失敗をしたら、責任を免れることはできないだろう。
・ストーブから火が出たが、消火が速かったので火事になることは免れた。
※「まぬかれる」とも言う。　関 ガ逃れる

まね　ヲまね(ヲ)スル　[名] ★2
imitation, mimicry
模仿, 仿效／모방, 흉내
bắt chước

・子供は何でも親のまねをしたがるものだ。
・「あなたの絵は黒田さんの絵のまねですね」
合 もの＿　類 ヲ模倣(ヲ)スル　関 ヲコピー(ヲ)スル
(動) ヲまねる(例．先生の発音をまねて練習する。)

まねく　ヲ招く　[動] ★2
invite; beckon; call in; bring about, cause／招待, 邀请；招手；招致／초대하다, 손짓하여 부르다, 초빙하다, 일으키다／mời chào, gây ra

① ・自宅に友人を招いた。　・結婚式に招かれてスピーチをした。

類 ヲ招待する　（名）招き（例.「お招きありがとうございました」）
② ・海外で出会った少年は、自分について来いと手で招いた。
合 手招き→　＿をする
③ ・○○大学は有名な漫画家を教授に招いた。
④ ・首相の言葉は世間の批判を招いた。　　　　　類 ヲ引き起こす

まぶしい　　　　　　　　　　　　　［イ形］　dazzling／耀眼，炫目，光彩夺目／눈부시다　★3　chói mắt

・カーテンを開けたら、太陽がまぶしかった。
・彼女は、最近まぶしいほど美しくなった。

合 まぶしさ

まめな　　　　　　　　　　　　　　［ナ形］　diligent／勤快，经常／부지런한　★1　chăm chỉ

・祖母の健康の秘訣は、まめに体を動かすことだそうだ。
・「20年、毎日日記をつけています」「まめですねえ」

合 まめさ、小まめな、筆まめ（な）（⇔筆無精）

まもなく　　間もなく　　　　　　　［副］　soon, before long／马上，不久／머지않아, 곧, 얼마 안 되어　★2　thời gian ngắn

① ・「まもなく開演です。お席にお着きになってお待ちください」
　　※ 文の初めにくる。　　類 もうすぐ　　※「まもなく」の方がかたい言葉。
② ・リンさんから、帰国してまもなく、就職が決まったというメールが来た。
　　※ 前に動詞のテ形がくる。　　類 すぐに　　※「まもなく」の方がかたい言葉。

まもる　ヲ守る　　　　　　　　　　［動］　respect; protect／遵守；保护，保卫／지키다　★3　tuân thủ (luật, , qui định...), bảo vệ (môi trường...)

① ・｛法律／規則／ルール／約束 …｝を守る。　・「順番を守って並んでください」
　　対 〈ルール／約束など〉ヲ破る
② ・環境を守る。　・子供を危険から守る。

まよう　ガ迷う　　　　　　　　　　［動］　become lost; vacillate／迷，迷失方向；犹豫，困惑／헤매다, 망설이다　★3　lạc nhầm đường, lúng túng

① ・道に迷う。　・冬山で迷ってしまい、もう少しで死ぬところだった。
② ・日本で就職するか、国に帰るか、迷っている。
　　関 ガ悩む　（名）迷い→　＿がある⇔ない

まるで [副] ★3
just like; (not) at all ／好像，就像……一样；完全，全然／마치，전혀／giống hệt như, hoàn toàn (không) (đi kèm với dạng phủ định)

① ・まだ５月なのに、まるで真夏のように暑い。
② ・今日の試験は難しくて、まるでできなかった。　※否定的な表現と一緒に使う。

まれな [ナ形] ★1
rare, uncommon／稀少，稀罕／드문／ít, hiếm

・最近忙しく、12時前に帰れることはまれだ。
・温暖なこの地方でも、まれには雪が降ることもある。

[連] まれに見る＋[名詞]、類い__、世にも__　[類] めったにない

まわす ヲ回す [動] ★2
turn (on); pass; send; transfer; invest／转动，开动；（依次）通知；转到，转移；时间、钱等用到其他地方／运转／돌리다, 보내다, 옮기다／xoay

① ・ドアの取っ手を回して開ける。
② ・社内旅行のお知らせを社員全員に回した。　[関] ヲ回覧する
③ ・もう遅いので、残りの仕事は明日に回して帰ろう。
④ ・食費を削って携帯代に回す。　・空いた時間をアルバイトに回す。

☞ 〈自〉回る

まわり 周り／回り [名] ★3
circumference, (things/people) around someone/something／附近；周围，旁边／주변, 둘레, 근처／(sự vật, con người) xung quanh ai đó, cái gì đó

① ・池の周りを歩く。　・腰(の)回りを測る。　[類] 周囲
② ・駅の周りにはビルが多い。　[連] 身の__　[類] 周囲、周辺

まわる ガ回る [動] ★2
revolve, turn around; be passed around; make a tour; go around (to); handle, take effect; be past ~／转，旋转；过，超过；蔓延，传遍／돌다, 들르다, 고루 돌아가다, 퍼지다, 지나다, 잘 움직이다／xoay

① ・地球は太陽の周りを回っている。　・｛扇風機／車輪 …｝が回る。
　[類] ガ回転する
② ・掃除当番が回ってきた。
③ ・旅行に行って、多くの美術館を回ってきた。　・営業マンが得意先を回る。
④ ・「今、6時を回ったところです」　[類] ガ過ぎる
⑤ ・友人の家に回って帰る。　[類] ガ寄る
⑥ ・｛酔い／毒 …｝が回る。
⑦ ・忙しくて、細かいところまで手が回らない。　・気が回る。　・目が回る。

☞ 〈他〉回す

まんいち／まんがいち　万一／万が一　[副] ★2
by any chance; an emergency
万一，倘若；意外，不測／만약, 만에 하나
chẳng may

① ・大丈夫だとは思うが、万一失敗したらどうしよう。
② [(名)] ・万一のときのために保険に入った。
※かたい言葉で、可能性が低いときに使う。　類 ①もし　②もしも

まんぞくな　満足な　[ナ形] ★3
satisfying, contented／満足的，像样的；令人满意的／충분하다, 만족하다, 온전하다
thỏa mãn, vừa lòng, vừa ý

① ・アルバイトだけでは満足な収入は得られない。
　対 不満な、不満足な　(名) ガ満足スル（例．今の生活に十分満足している。）
② ・インターネットは苦手で、メールも満足に打てない。

マンネリ　＜マンネリズム　[名] ★1
stereotyped, stuck in a rut
老一套，没有新鮮感／매너리즘
sự lặp lại

・この作家の小説は、最近マンネリに陥っているのではないか。
・恋人と付き合って5年以上経ち、そろそろマンネリぎみになってきた。
　連 ＿になる、＿に陥る⇔＿を脱する　合 ガ＿化スル、＿ぎみ

みあわせる　ヲ見合わせる　[動] ★2
look at each other; be postponed, be canceled
互相看；作罢, 暂停／마주 보다, 보류하다／nhìn nhau, dừng

① ・不思議な現象を見て、二人は顔を見合わせた。
② ・大雨になりそうなので、遠足は見合わせることになった。
　関 ヲ中止する　(名) 見合わせ

みいだす　ヲ見いだす　[動] ★1
to find out, discover
找到，发现／찾아내다
tìm thấy

・彼は10才のとき有名な画家に才能を見いだされた。
・仕事に意義を見いだせなくて悩んでいる。
　類 ヲ見つけ出す、ヲ発見する　慣 活路を見いだす

みおくる　ヲ見送る　[動] ★2
see ~ off; let go; shelve; lose (someone) (because of his death)／送行；放过；暂缓考虑；送葬／배웅하다, 그냥 보내다, 보류하다, 죽을 때 묻다／bỏ qua

① ・客を玄関まで見送った。　・留学する友人を空港で盛大に見送った。
② ・ラッシュ時でも電車を2台見送ればだいたい座れる。
③ ・政府は野党の激しい反対にあい、新法案の採択を見送ることにした。
④ ・「私は、18才で父を、22才で母を見送り、現在一人です」

(名) ①〜④ 見送り

みおとす　ヲ見落とす
[動] ★1
to overlook, miss
看漏／간과하다, 빠뜨리다
bỏ xót

・レポートの誤字や脱字を見落として提出してしまった。
(名) 見落とし→ ＿がある⇔ない (例.「用紙に記入したら、見落としがないかどうか確認してください」)

みおろす　ヲ見下ろす
[動] ★2
look down
俯視, 往下看／내려다보다
nhìn xuống

・このビルの屋上から町が見下ろせる。　・木の上からカラスが私を見下ろしていた。
対 ヲ見上げる

みかえす　ヲ見返す
[動] ★1
to look back over, stare (back) at, triumph over／反复看, 还眼, 争气／다시 보다, 갚다
xác nhận lại, xem lại

① ・レポートを見返していたら、誤字を発見した。　　類 ヲ見直す
② ・相手が私をじっと見つめるので、私も相手の目を見返した。
③ ・いつか偉くなって、私をいじめたやつを見返してやる！

みかけ　見かけ
[名] ★2
appearance, show
外观, 外表／겉보기, 외관
bề ngoài

・うちの犬は見かけは強そうだが、実はこわがりだ。　・人は見かけによらない。
連 ＿によらない　関 外見、外観

みかける　ヲ見かける
[動] ★1
to see, catch sight of
(偶然) 看見／보다
nhìn thấy

・昨日街で課長が家族と歩いているのを見かけた。
・「不審な荷物を見かけた方は、駅員までお知らせください」
類 ヲ目にする

みかた　ガ味方(ヲ)スル
[名] ★2
friend, supporter; side
朋友, 伙伴／내 편, 편들
cùng phe

・「何があっても、私はあなたの味方です」
・私と弟がけんかすると、母はいつも弟{の味方を／に味方}する。
連 ＿になる・＿をする　対 敵

みきわめる　ヲ見極める
[動] ★1
to see through, make sure of
看清，弄清／판별하다, 지켜보다
nhìn rõ, nhìn thấu

・本当に価値のあるものは何か、見極める目を持つことが必要だ。
・ものごとの本質を見極める。　・結果を最後まで見極める。

類 ヲ見定める　(名) 見極め

みごとな　見事な
[ナ形] ★1
admirable, total, complete
精彩，完全／뛰어난, 훌륭한, 멋진
đẹp, quyến rũ

①・職人の見事な腕前に、見ていた人々から拍手が湧いた。
合 見事さ　類 すばらしい
②・練習ではうまくいっていたのだが、本番では見事に失敗してしまった。
連 ①② ものの見事に＋[動詞]

みこみ　見込み
[名] ★1
estimate, possibility, anticipation
預計，可能性，預料／가망, 장래성
tiềm năng

①・工事の終了まであと3週間ほどかかる見込みだ。
連 ＿が立つ、＿が外れる　合 ＿違い　類 ヲ予想スル、見当、見通し
②・今から必死で勉強すれば、まだA大学に合格する見込みはある。
連 ＿がある⇔ない（例．この新人選手は見込みがある。）　合 ＿違い　類 可能性
関 将来性、期待
(動) ①② ヲ見込む

みこむ　ヲ見込む
[動] ★1
estimate, anticipate
預計，認為有希望／예상하다, 기대하다
dự đoán

①・会社は来年度の売り上げを5億円と見込んでいる。　類 ヲ予想する
②・彼は将来を見込まれてプロ野球にスカウトされた。　関 ヲ期待する、有望な
(名) ①② 見込み

みじゅくな　未熟な
[ナ形] ★1
inexperienced, unripe, premature／技術不熟
練，不成熟，水果等未熟／미숙한
non nớt

①・あの選手はまだ技術は未熟だが、将来伸びそうだ。　合 未熟者　関 ガ円熟スル
②・この果物はまだ未熟だ。　類 ②未成熟な　関 ①② ガ完熟スル
③・妹は未熟児として生まれた。　合 未熟児

ミス　ガ／ヲミス(ヲ)スル
[名] mistake 失败, 错误, 失误／미스, 실수 ★3 mắc lỗi

・試合でミスをして、負けてしまった。
連 __を犯す　合 __計算__、__ジャッジ、__プリント　関 失敗

ミステリー
[名] mystery 神秘, 推理／미스테리 ★1 bí ẩn

① ・ピラミッドの建設は古代のミステリーと言われている。　類 不思議、謎
② ・ミステリーを読む楽しみは、犯人を推理することだ。
合 __小説、__映画　類 推理小説

みせかける　ヲ見せかける
[動] to pretend 伪装成……／보이게 하다 ★1 làm lại

・あの虫は自らを木の枝に見せかけて、敵から身を守っている。
(名) 見せかけ (例. 見せかけにだまされてはいけない。)

みせびらかす　ヲ見せびらかす
[動] to show off 显示, 夸示／과시하다 ★1 tỏ ra, chứng tỏ, phô bày ra

・彼は最新のゲーム機を買って、早速友達に見せびらかした。
関 ヲ見せつける

みぞ　溝
[名] drain, gap 雨水沟, 唱片的纹儿, 隔阂／도랑, 홈, 틈 ★1 rãnh

① ・道の端に雨水を流す溝がある。　・|タイヤ／レコード　…|の溝
② ・子供の教育について意見が対立し、夫婦の間に溝ができた。
連 __がある、__ができる、__が深まる、__が大きい
連 ①② __が深い⇔浅い、__が埋まる・__を埋める

みそこなう　ヲ見損なう
[動] to miss, misjudge 错过看的机会, 看错／못 보다, 잘못 보다 ★1 bỏ lỡ cơ hội không xem được, nhìn nhầm

① ・昨夜は帰りが遅く、毎週見ているドラマを見損なった。　類 ヲ見逃す
② ・「君がそんなに冷たい人間だったとは。見損なったよ」

みたす　ヲ満たす
[動] to fill, satisfy／盛満, 填满, 満足 채우다, 만족하다, 충족시키다 ★1 làm thỏa mãn, làm đầy

① ・バケツに水を満たした。　・空腹を満たす。　関 満杯、ガ満腹する
② ・条件を満たした人だけがこの仕事に就ける。

連 条件を＿、基準を＿、ニーズを＿

☞〈自〉満ちる

みだす　ヲ乱す
[動] ★2
disturb, put ~ into confusion
弄乱，搅乱／흐트리다, 어지럽히다
làm loại

・新人選手は後半ペースを乱して、負けてしまった。
・その知らせは彼女の心を乱した。　・｜秩序／風紀／髪／列 …｜を乱す。

関 ヲ崩す　☞〈自〉乱れる

みだれる　ガ乱れる
[動] ★2
fall into disorder, be confused
散乱，紊乱，心乱，混乱／흐트러지다, 혼란해지다／loạn

・風で髪が乱れた。　・人身事故のため、電車のダイヤが乱れている。
・彼はお酒を飲んでも乱れない。　・昔の恋人に再会して心が乱れた。

関 乱雑な、ガ崩れる　(名) 乱れ　☞〈他〉乱す

みちのり　道のり
[名] ★1
route, way
路程／거리, 노정
đường

・学校までの5キロの道のりを、毎日歩いて通っている。
・人生の今までの道のりを振り返ってみた。

関 距離

みちびく　ヲ導く
[動] ★1
to lead, guide
领导, 指导, 引向／이끌다
hướng dẫn

① ・コンサート会場の案内係に導かれて席に着いた。　類 ヲ案内する
② ・教師は生徒をより良い方向へ導かなければならない。　類 ヲ指導する　(名) 導き
③ ・山本選手のゴールがチームを優勝に導いた。

みちる　ガ満ちる
[動] ★1
to be full, reach, fulfill／装满, 充满, 满潮, 满月, 满于／가득차다, 넘치다, 차다, 되다, 이르다, 달하다／đầy, lên, tròn

① ・水が水槽いっぱいに満ちている。　・自信に満ちた表情　合 ガ満ちあふれる
② ・潮が満ちる。（⇔引く）　・月が満ちる。（⇔欠ける）　関 満潮、満月
③ ［満たない］・彼は入社してまだ3ヵ月に満たない。
　※この意味のときは「満ちない」という形は使わない。　関 未満

☞〈他〉満たす

みつかる　ガ見つかる
[動] ★3
be found; be caught (doing something)
找到，被看到／발견되다, 들키다
được tìm thấy, bị bắt gặp

・なくなったと思っていた指輪が、ソファーの下{で／から}見つかった。
・高校生のとき、たばこを吸っていたら、先生に見つかっておこられた。

☞〈他〉見つける

みつける　ヲ見つける
[動] ★3
find
找到／발견하다
tìm thấy

・なくなったと思っていた指輪を、ソファーの下で見つけた。

合 ヲ見つけ出す（例．図書館の本だから探していた本を見つけ出した。）
類 ヲ発見する　☞〈自〉見つかる

みっせつな　密接な
[ナ形] ★1
close, to be closely (connected)
密切, 密集／밀접한
chặt chẽ

① ・天候と商品の売れ行きには密接な関係がある。　　　　合 密接さ
② [動] ガ密接する ・この地区は住宅が密接して建てられているので、火事になったら大変だ。

みっともない
[イ形] ★1
unseemly, unbecoming
不像样, 不体面／보기 흉하다, 꼴이 사납다
không đàng hoàng

・電車の中で口を開けて寝るなんて、みっともない。
・「そんなみっともない格好をするな」

合 みっともなさ　類 格好悪い

みっぺい　ヲ密閉スル
[名] ★2
seal up; airtight
密闭／밀폐
niêm phong

・密閉された部屋の中で物を燃やすと、不完全燃焼を起こす。

合 __容器　関 ヲ密封スル

みつめる　ヲ見つめる
[動] ★2
gaze at; face
注視, 凝視, 町住／응시하다, 직시하다
nhìn chăm chú

① ・子供は母親の写真をじっと見つめていた。　　　　類 ヲ凝視する
② ・現実を見つめると、社会の問題点が現れてくる。　　類 ヲ直視する

みつもり　見積もり
[名] ★1
estimate, quote
估价／견적
báo giá

・引っ越しをするので、複数の業者に見積もりを頼んだ。

・家を建てるのにどれくらいかかるか見積もりを出してもらった。

連 ＿をする、＿を出す、＿を立てる、＿を取る　合 見積書、見積額

(動) ヲ見積もる

みとおし　見通し
[名] ★1　view, outlook, anticipation／看得清楚, 預測／전망／triển vọng

① ・まっすぐで見通しのいい道路は運転しやすい。　連 ＿がいい⇔悪い
② ・経済状態が不安定なので、まだ将来の見通しが立たない。

連 ＿が立つ・＿を立てる、＿が明るい⇔暗い、～＿を持つ　類 見込み

関 ヲ予想スル

(動) ①②ヲ見通す

みとめる　ヲ認める
[動] ★2　admit, confess; permit; recognize; acknowledge; observe／承认, 招认, 许可, 判定, 赏识, 发现／인정하다, 높이 평가하다, 인지하다／nhận, chấp nhận, thừa nhận

① ・「これは私のものだと認めます」・彼は犯行を認めた。　類 ヲ肯定する
② ・この高校は学生のアルバイトを認めていない。　類 ヲ認可する
③ ・裁判所は彼を相続人と認めた。　類 ヲ認定する
④ ・彼は業績が認められて教授になった。　類 ヲ評価する
⑤ ・部屋に人影は認められなかった。　類 ヲ確認する

みなおす　ヲ見直す
[動] ★2　look again; reconsider; have a better opinion of ~／重新看；重新研究；重新评价／다시 보다, 재검토하다, 달리 보다／xem xét lại

① ・「テストを出す前にもう一度見直しなさい」　類 ヲ見返す　関 ヲチェックする
② ・景気悪化でこの計画は見直す必要がある。　類 ②ヲ再検討する　(名) ①②見直し
③ ・普段目立たない彼の勇気ある発言を聞いて彼を見直した。

みなす　ヲ見なす
[動] ★1　to consider as, to regard as／看作, 认为／간주하다／coi là, công nhận là

・言語能力は、人間の最も優れた能力の一つと見なされている。
・「年会費を払わない会員は、会を脱退したものと見なします」

みなり　身なり
[名] ★1　personal appearance／装束／옷차림／diện mạo

・このレストランの客は、みな立派な身なりをしている。
・人前に立つ職業の人は、身なりにも気を遣うことが多い。

連 ＿がいい⇔悪い、＿が立派だ⇔みすぼらしい、＿に気を遣う、＿を整える

関 服装

みなれる　ヲ見慣れる　[動] ★2
familiar, get used to seeing / 看惯，看熟 / 낯익다, 늘 보아 오다 / quen mắt

・見慣れない人が教室にいる。　・外国から帰って見慣れた風景を見るとほっとする。

みぬく　ヲ見抜く　[動] ★1
to see through / 看穿，看透 / 꿰뚫어보다, 알아채다 / đoán trúng

・どんなに表面をつくろっても、彼女にはすぐに本心を見抜かれてしまう。
・店員は、手にした一万円が偽札だとすぐに見抜いた。

類 ヲ見破る、ヲ見透かす

みのがす　ヲ見逃す　[動] ★1
to miss, overlook / 看漏，放过 / 못 보다, 놓치다, 묵인하다 / bỏ sót, bỏ qua

① ・忙しくて映画館に行けず、話題の映画を見逃した。　　　類 ヲ見損なう
② ・道路標識を見逃して交通違反で罰金を取られた。　　　類 ヲ見落とす
③ ・せっかくのチャンスを見逃してしまった。　・〈野球〉見逃し三振　類 ヲ逃す
④ ・不正があると知ったからには、見逃すわけはいかない。　類 ヲ見過ごす

(名) ②〜④見逃し→　＿＿がある⇔ない

みのまわり　身の回り　[名] ★1
one's daily life, (things) in the vicinity (of a person) / 日常生活 / 신변 / quanh mình

・祖母は98才だが、身の回りのことはすべて自分でできる。
・最近、身の回りでいろいろな出来事があった。

類 身辺

みのる　ガ実る　[動] ★2
bear (fruit); produce good results / 结果实，成熟；有成果 / 열매를 맺다, 열리다 / đạt kết quả

① ・今年は稲がよく実っている。　・この地方ではリンゴは実らない。　関 ガなる
② ・長年の努力が実った。　・我々の研究は結局実らなかった。　連 努力が＿＿

(名) ①②実り(例. ①実りの秋　②今度の研修会は実り多いものだった。)

みぶり　身振り　[名] ★1
gesture / 动作 / 몸짓 / cử chỉ

・コミュニケーションでは、言葉だけでなく身振りも重要な役割を果たす。
・外国で、道を身振り手振りで教えてもらった。

類 ジェスチャー　関 振り、手振り、振り付け

みまう ヲ見舞う
[動] ★2 (go to the hospital and) visit; hit / 探病, 访问；遭受, 受害 / 문병하다, 찾아오다 / ghé thăm

① ・入院中の友達をみんなで見舞った。
② ・ここはたびたび台風に見舞われる地域だ。

(名)(お)見舞い ※受身形で使うことが多い。

みょうな 妙な
[ナ形] ★2 strange; curious / 奇怪, 异常 / 묘하다 / kỳ lạ

・妙なことに、初めて来たこの場所をなんだか知っているような気がする。
・私と彼女は性格も育った環境も違うが、妙に気が合う。

[類] 奇妙な、変な　[関] 不思議な

みりょく 魅力
[名] ★2 charm, appeal / 魅力 / 매력 / quyến rũ

・初めて歌舞伎を見て、その魅力に引かれた。　・彼女は魅力的な女優だ。

[連] ＿がある⇔ない、＿にあふれる　[合] ＿的な

みる ヲ診る
[動] ★2 examine, make a diagnosis / 诊察, 看(病) / 진찰하다 / chuẩn đoán

・体の調子が悪いので医者に診てもらおう。　・医者が患者を診る。

[類] ヲ診察する

みわける ヲ見分ける
[動] ★1 to distinguish / 识别, 判断 / 분간하다, 가리다 / phân biệt

・ひよこの雄と雌を見分けるのは難しい。
・会社の面接は、応募者の中から将来性のある人を見分けるために行われる。

[類] ヲ識別する　(名)見分け→ ＿がつく⇔つかない(例．この人工ダイヤは、本物と全く見分けがつかない。)

みわたす ヲ見渡す
[動] ★1 to look out over, survey / 放眼望去, 环视, 通盘看 / 내려다보다, 보다, 둘러보다 / nhìn tổng thể

① ・山に登って平野を見渡した。
② ・工程全体を見渡して、不具合のある個所を修正した。

[慣] 見渡す限り

みんぞく 民族
[名] ★2 race, ethnic group / 民族 / 민족 / nhân dân

・世界にはさまざまな民族が存在する。　・ロシアは多民族国家だ。

[合] 少数＿、多＿、単一＿、異＿、＿学、＿主義、＿性

むかう　ガ向かう
[動] ★3　face; towards; go to / 面向，朝向，前往，赶去 / 향하다 / hướng về, đi về phía

① ・選手達は観客に向かって手を振った。
　合　ガ向かい合う（例．相手と向かい合って座る。）
② ・この飛行機は現在南に向かって飛んでいる。
③ ・父が入院したと聞き、急いで病院へ向かった。　・遭難者の救助に向かう。

むかえ　迎え
[名] ★3　picking up / 迎接 / 마중 / đón

・迎えの車がなかなか来ない。
　合　出＿、送り＿　（動）ヲ迎える

むかえる　ヲ迎える
[動] ★2　welcome; take; install; reach / 欢迎，迎接；聘请；迎来 / 맞다, 맞이하다, 모시다 / chào đón

① ・あの店はいつも客を笑顔で迎える。　合　ヲ出＿　（名）迎え（例．迎えの車）
② ・彼は妻を迎えた。　・転校生を温かく迎えよう。
③ ・田中氏を｛学長／理事長／会長　…｝に迎える。
④ ・｛新年／春／誕生日／老い／死　…｝を迎える。

むく　ガ／ヲ向く
[動] ★3　face; be suited for / 面，朝，向；适合 / 향하다, 적합하다 / hướng về (phía đông, tây…), phù hợp

① ・私の部屋は、東南｛を／に｝向いている。　・「こちらを向いてください」
　合　[方向／方角]＋向き（例．左向き、南向き）　（名）向き（例．向きを変える。）
② ・彼女は子供が好きだから、幼稚園の先生に向いている。
　合　[名詞]＋向き（例．子供向き、夏向き）
☞〈他〉向ける

むく　ヲむく
[動] ★3　peel / 剥，削 / 벗기다, 까다 / bóc (vỏ)

・果物の皮をむく。
☞〈自〉むける

むくちな　無口な
[ナ形] ★1　taciturn / 沉默寡言 / 과묵한 / sự trầm lặng

・父は無口で、自分からはめったに話さない。　・無口な人
対　口数が多い、おしゃべりな　類　寡黙な　関　口が重い

むける　ガ/ヲ向ける

[動] ★3　turn toward; aim at, target; in preparation for／针对, 面向, 迎接, 朝向, 转向／을/를 대상으로 하다 향하게 하다, 향하다／hướng tới, dành cho, quay

〈自〉① ・化粧品会社が、女子高生に向けてリップクリームを発売した。
　合 [名詞]＋向け（例. 男性向けの化粧品、中国向けの輸出品）
② ・そのニュースは世界に向けて発信された。
③ ・オリンピックに向けて、新しいスタジアムの建設が進んでいる。

〈他〉① ・顔を右に向ける。
② ・カメラを向けると、子供は恥ずかしがって下を向いてしまった。
☞ 〈自〉向く

むける　ガむける

[動] ★3　peel off／脱落／벗겨지다／bong tróc

・海で日焼けをして、背中の皮がむけた。
☞ 〈他〉むく

むし　ヲ無視スル

[名] ★2　neglect, ignore／无视, 忽视, 不顾／무시／bỏ qua

・話しかけたのに無視された。　・交通事故の原因は信号無視だった。
合 信号__

むしあつい　蒸し暑い

[イ形] ★3　sultry／闷热／무덥다／nóng bức

・日本の夏は、蒸し暑い。
合 蒸し暑さ　関 湿気、湿度

むしばむ　ヲむしばむ

[動] ★1　to ruin／侵蚀, 腐蚀／좀먹다, 해치다, 숨다／sâu, gặm mòn, phá hủy

・覚醒剤は、心も体もむしばんでぼろぼろにしてしまう。
・この森は酸性雨にむしばまれ、すっかり枯れてしまった。
類 ヲ冒す　関 ヲ侵食する

むじゃきな　無邪気な

[ナ形] ★1　innocent／天真烂漫, 幼稚／천진한／ngây thơ

・赤ん坊の無邪気な笑顔を見ていると、こちらも元気づけられる。
・親が死んだことが理解できず、子供は無邪気に遊んでいた。
合 無邪気さ

むじゅん　ガ矛盾スル
[名] ★2　contradiction／不一致，矛盾／모순／mâu thuẫn

・田中さんは言っていることとしていることが矛盾している。
・論文を書くときは、論理に矛盾があってはならない。

連 ＿＿がある⇔ない　合 ＿＿点

むしろ
[副] ★2　rather, preferably／与其……不如，毋宁／오히려，차라리／rất hơn

・寒さより、むしろ暑さの方が私には耐え難い。
・仕事の遅い彼に頼むくらいなら、むしろ自分でやった方がましだ。
※ 二つの悪いもの／ことを比べ、一方がましだというときに使うことが多い。

むしんけいな　無神経な
[ナ形] ★1　thick-skinned, immune／不顾及别人，反应迟钝／무신경한／thiếu tế nhị

① ・大学に落ちた人の前で、自分の合格を大喜びするのは無神経だ。
② ・騒音の中で暮らしていると、音に対して無神経になる。

類 鈍感な

合 ①②無神経さ

むす　ヲ蒸す
[動] ★3　steam／蒸／찌다／hấp

・湯をわかして、その湯気でギョーザを蒸す。

むすう　無数
[名] ★1　infinite number／无数／무수／vô số

・夜空に無数の星が輝いている。
・地球上では、体に感じない地震が無数に起きているという。
※「無数に」の形で副詞的にも使う。

むすぶ　ヲ結ぶ
[動] ★3　tie (up); connect; enter into (a treaty/contract)／系，结；扎；连接；缔结／매다，잇다，맺다／buộc (tóc, dây giày…), ký kết (hợp đồng, cam kết), nối giữa

① ・｛くつのひも／ネクタイ／髪 …｝を結ぶ。
② ・「東京とニューヨークを結ぶ飛行機は、１日何便ですか」
③ ・｛条約／契約 …｝を結ぶ。

対 ヲほどく

むぞうさな　無造作な
[ナ形] ★1　casual／随随便便，随意／손쉽게，아무렇게나／dễ dàng, đơn giản

・彼は１万円札10枚を、無造作にポケットに突っ込んだ。

・重要書類が無造作に机の上に置いてあったので、引き出しにしまった。

むだな　　　　　　　　　　　　　　　　　[ナ形]　futile, wasteful　徒劳的, 浪费的／헛되다, 쓸데없다　★3　lãng phí

・落ちるとわかっているのに試験を受けるのは、むだなことだ。
・必要ないものを買ってお金をむだに使ってしまった。
合 ＿遣い(例. 資源のむだ遣いをしないようにしよう。)、＿話
(名) むだ(例. 生活からむだをなくすよう心がけている。)

むだん　無断　　　　　　　　　　　　　　[名]　without permission　私自, 擅自, 未经允许／무단　★2　không được phép

・無断で人の物を使ってはいけない。　・無断欠勤して上司に怒られた。
合 ＿欠席、＿欠勤、＿外泊　関 断わり

むちゃな　　　　　　　　　　　　　　　　[ナ形]　ridiculous, ludicrous／不合理, 蛮不讲理　당치 않은, 터무니없는, 무리한　★1　vô lý, quá mức

・「そんなむちゃな生活をしていると、体を壊すよ」
・「この仕事、明日までに頼むよ」「そんなむちゃな」
※話し言葉的。　合 むちゃくちゃな　類 めちゃくちゃな　(名)むちゃ→　＿を言う、＿をする

むちゅうな　夢中な　　　　　　　　　　　[ナ形]　crazy, enamored　入迷的, 着迷的／열중하다, 정신없다　★3　say mê, phát cuồng

・子供のころ、SF漫画に夢中になった。
・社会人になったばかりで、毎日 {○夢中で／×夢中に} 過ごしている。
×夢中する

むっとする　ガむっとする　　　　　　　　[動]　to be sullen/petulant, to be stifled/suffocated　怒上心头, 闷得慌／불끈하다, 후덥지근하다, 숨이 막힐 듯하다／nổi đóa lên　★1

①・しつこくからかわれて、むっとした。　・むっとした顔をする。
②・暑い日に一日閉め切ってあったので、帰宅して部屋に入るとむっとした。

むなしい　　　　　　　　　　　　　　　　[イ形]　futile　徒然, 落空, 空虚／헛되다, 공허하다　★1　trống rỗng, không có nội dung

①・政府の方針がすでに固まっているのなら、審議会で議論することなどむなしい。
　連 ＿努力　関 かいがない
②・「人生とはむなしいものだ」というのが、この物語のテーマだ。　類 空虚な

合 ①②むなしさ

むやみな
[ナ形] ★1
thoughtless, excessive
轻易，太／함부로，무턱대고，터무니없이
một cách vô lý, quá đáng

※「むやみに」の形で副詞的に使うことが多い。
①・むやみに人を信じるのはどうかと思う。
②・リストラで人手が減ったせいで、最近むやみに忙しい。
　合 むやみやたら(に)　類 やたら(に)

むら
[名] ★1
unevenness, patchiness／参差不齐, 忽三忽四, 斑斑点点／고르지 못함, 변덕, 얼룩
không đồng đều

①・彼の成績は、科目によってむらがある。　・気分にむらがある。
②・布を赤く染めようとしたら、むらになってしまった。　連 __になる、__ができる
　連 ①②__がある⇔ない、__が大きい、__が激しい

むらがる　ガ群がる
[動] ★1
to swarm
聚集／모여들다
kết thành đàn, tập hợp lại

・地面に落ちたキャンディーにアリが群がっている。
関 ガ群れる、群れ

むりな　無理な
[ナ形] ★3
impossible, by force／不讲理的, 不合理的；勉强地／무리하다, 억지이다
không thể, phi lý

①・たった100万円で家を建てるなんて無理な話だ。
②・子供に無理に勉強させるのは逆効果だ。　合 無理やり
③[(名) ガ無理(ヲ)スル]・「そんなに無理をしていると病気になりますよ」
　連 無理を言う

むりょう　無料
[名] ★2
free (of charge)
免费／무료
miễn phí

・「ただ今、無料で試供品をさしあげております」　・6才未満の子供は入場無料だ。
合 入場__　対 有料　類 ただ

むれ　群れ
[名] ★1
flock, crowd, herd, etc.
群, 集群／떼, 무리
tốp, nhóm, bầy đàn

・この湖には、毎年渡り鳥の群れがやって来る。
・大通りで歌手が歌を歌い、見物人が群れをつくっていた。
連 __を作る、__をなす　関 ガ群がる　(動) ガ群れる(例. 草原に馬が群れている。)

めいし　名刺
[名] ★3　calling card, visiting card / 名片／명함 / danh thiếp
・名刺を交換する。　・パーティーで会った人に名刺を配った。
[合] __交換

めいしん　迷信
[名] ★1　superstition / 迷信／미신 / mê tín
・「玄関が北にあるのは、縁起が悪いんだって」「そんなの迷信だよ」
[連] __を信じる　[合] __深い

めいはくな　明白な
[ナ形] ★1　obvious, clear / 明白, 清楚／명백한 / rõ ràng
・監視カメラの映像を見れば、この交通事故の原因がどちらにあるかは明白だ。
・明白な｛事実／証拠 …｝　・裁判を通して、事件の全体が明白になった。
[合] 明白さ　[類] 明らかな　[関] 明瞭な

めいぼ　名簿
[名] ★2　list, roll / 名单, 名册／명부 / danh sách
・クラスの名簿を作る。
[合] 同窓会__、会員__　[関] リスト

めいめい
[名] ★1　each, individual / 各自／각각, 각자 / mỗi người, mỗi cá thể
・チケットはめいめい(で)お持ちください。　・出席者めいめいが意見を述べた。
※ 副詞的にも使う。　[類] それぞれ、各々、各自

めいわく　ガ迷惑スル
[名] ★3　nuisance / 麻烦, 打扰／폐, 불쾌함, 성가심 / làm phiền
① ・人に迷惑をかけてはいけない。　・夜中に騒がれて迷惑する。
　　[連] __がかかる・__をかける　[合] 近所__
② [(ナ形) 迷惑な] ・迷惑な人

めうえ　目上
[名] ★3　superior / 长辈, 上司／윗사람 / bề trên, cấp trên
・目上の人には敬語で話したほうがいい。
[対] 目下

メーカー

[名] ★2 — manufacturer; entertainer; maker / 厂商；制造者；制造机／메이커, 유명 제품의 제조 회사／nhà sản xuất

① ・メーカーは海外に工場を持っていることが多い。
   合 __品、[名詞]＋メーカー(例．食品メーカー、自動車メーカー)　類 製造業者
② ・彼はクラスのムードメーカーだ。　合 ムード__、トラブル__
③ ・結婚祝いにコーヒーメーカーをもらった。

メーター

[名] ★2 — meter ／仪表；计程器，测速器；米／자동식 계량기, 미터／đồng hồ

① ・メーターを見ると、電気やガスの使用量がわかる。　合 ヘルス__　類 計器
② ・100メーター(＝メートル)の道路

メカニズム

[名] ★1 — mechanism ／机械装置，机构，构成／메커니즘, 구조／cơ chế

・この機械の内部のメカニズムを知りたい。　・市場のメカニズム
・記憶のメカニズムは、まだよくわかっていないことも多い。
※「メカ」という省略語は、機械そのものを指すことが多い。　類 仕組み
関 構造、機構、仕掛け、システム

めぐまれる　ガ恵まれる

[動] ★2 — be blessed (with ~); privileged; be favored (with ~) ／富有，(蒙受) 幸运，幸福／풍족하다, 타고나다, 좋다／được ban cho

① ・この国は天然資源に恵まれている。
② ・彼は恵まれない環境に育ったが、努力して大学を出た。
③ ・今年のゴールデンウィークは、天候にめぐまれて大勢の観光客でにぎわった。
   連 天候に__、友人に__

めくる　ヲめくる

[動] ★3 — turn over ／翻／넘기다／lật (trang)

・｛カード／ページ／カレンダー …｝をめくる。

めぐる　ガ巡る

[動] ★2 — move around; circle; repeat; circulate; travel around; concerning ／旋转；绕着转；循环；巡游；围绕某事／돌다, 둘러싸다, 돌아오다, 돌아다니다, 관련되다／đi quanh

① ・地球は太陽の周りを巡っている。　類 ガ回る
② ・血管が体内を巡っている。
③ ・歴史は巡る。　・血液が体内を巡る。　・季節が巡る。　関 ガ循環する
④ ・アジア諸国を巡るツアーに参加した。　類 ガ回る

⑤・憲法を巡る論議が続いている。　・家族が遺産を巡って争いを始めた。

めざす　ヲ目指す
[動] ★2　head, go toward; aim for　向着；以……为目标／목표로 하다, 노리다　nhắm mục đích

① ・選手たちはゴールを目指して走り出した。
② ・彼はT大学を目指している。

類 ヲ狙う　関 目標

めざめる　ガ目覚める
[動] ★2　wake (up); open one's eyes, be awakened　睡醒；觉醒, 醒悟／잠에서 깨다, 눈뜨다, 깨닫다／thức dậy

① ・早朝、鳥の声で目覚めた。
② ・子供は自我に目覚め、大人になっていく。

関 ヲ自覚する

めだつ　ガ目立つ
[動] ★2　be outstanding; remarkably　显眼, 引人注目；明显／눈에 띄다, 두드러지다／nổi bật

① ・彼女は背が高いので目立つ。　・この洋服は白いので汚れが目立ちやすい。
② ・最近彼女は目立って日本語が上達した。　※「目立って」は副詞的に使う。

めちゃくちゃな
[ナ形] ★1　messy, wrecked, absurd, extremely／乱七八糟, 胡说八道, 特别／엉망진창인, 뒤죽박죽인, 무지무지한／vô lý, quá mức

① ・出席者がけんかを始めたせいで、パーティーはめちゃくちゃになった。
② ・酔っぱらいの言っていることはめちゃくちゃで、理解不能だった。
　　類 ①②めちゃめちゃな
③ [(副) めちゃくちゃ]・「今日の試験はめちゃくちゃ難しかった」
　　※くだけた話し言葉。　類 ひどく、めちゃめちゃ

めっきり
[副] ★1　remarkably　(変化)显著, 急剧／한층, 현저히, 눈에 띄게／rõ ràng, chợt nổi lên

・日中はまだ暑いが、朝夕はめっきり涼しくなった。
・父は70才を越えて、めっきり体が弱くなった。　※変化の表現と一緒に使う。

メッセージ
[名] ★3　message　留言, 口信；致辞／메시지, 성명／tin nhắn

① ・留守番電話にメッセージを残す。　・メッセージと一緒に花束を送る。
　　連 __を残す、__を頼む、__を伝える　類 ヲ伝言スル
② ・大統領は国民にメッセージを発表した。　　　　連 __を伝える

めったに   [副] ★2
seldom, rarely
少有，不常／좀처럼
hiếm khi

・このあたりでは、雪はめったに降らない。　・彼が休むことはめったにない。
※ 否定的な表現と一緒に使う。　類 ほとんど

メディア   [名] ★2
media
媒体／미디어
phương tiện truyền thông

・今は、さまざまなメディアから情報を得ることができる。

合 マス＿、マルチ＿、＿リテラシー　関 媒体

めでたい   [イ形] ★2
happy
可喜的，喜庆的／경사스럽다
vui, đáng mừng

・子供たちの大学合格や結婚など、今年はめでたいことが多かった。

合 めでたさ　関 ヲ祝う、（お）祝い

めど   [名] ★1
aim, prospect
目标，眉目，头绪／목표, 전망
mục tiêu, mục đích

① ・我が社は来年10月をめどに、人員を1,000人削減することを決めた。
② ・就職活動をしているが、なんとかめどがつきそうだ。

連 ＿が立つ、＿がつく　類 見通し、見込み

メモ   ヲメモ（ヲ）スル   [名] ★2
memorandum, notes
笔记，记录，便条／메모
ghi

・大事なことを紙にメモする。　・相手が留守だったので、メモを残しておいた。

連 ＿を書く、＿を取る、＿に残す、＿を残す　合 ＿帳、＿用紙、伝言＿

めやす　目安   [名] ★1
aim, reference
大体的推測，大致目标／기준, 목표
tiêu chuẩn

① ・尿や血液検査の結果は、健康状態を知る目安になる。　関 基準、よりどころ
② ・毎日1万歩を目安に歩くようにしている。　関 基準、目標

めん　面   [名] ★2
mask; plane, surface; aspect
假面；面，表面；方面／가면, 표면, 지면, 부분
nhà văn được giải Nobel

① ・この踊りは面を着けて踊る。　類 仮面
② ・さいころは六つの面から成る。　・ボールが顔面に当たってしまった。

合 ｛地／海／水／月 …｝面、〈新聞〉｛第一／社会 …｝面　関 点、線
③ ・予算の面から考えると、この計画を実現するのは難しい。　関 点

めんかい　ガ面会スル　[名] ★1
meeting / 会见, 会面 / 면회 / gặp, họp

・首相はホワイトハウスで大統領と面会した。
・PTAが子供の指導について話し合いたいと、校長に面会を求めた。
合 __時間、〈病院など〉__謝絶（例．彼は重体で面会謝絶の状態だ。）

めんきょ　免許　[名] ★3
license / 执照 / 면허 / giấy phép

・レストランを開くには、調理師の免許が必要だ。
連 __を取る、__を与える　合 運転__、教員__、医師__、__証

めんせつ　ヲ面接(ヲ)スル　[名] ★3
interview / 面试 / 면접 / phỏng vấn

・今日、会社の人との面接がある。　・先生が学生を面接する。
連 __を受ける　合 __試験、__官

めんどうくさい　面倒くさい　[イ形] ★2
troublesome, tiresome / 非常麻烦, 极其费事 / 번거롭기 짝이 없다, 몹시 귀찮다 / rối, phiền phức

① ・ごみの分別は面倒くさいが、環境のためにはしかたがない。
② ・「彼女は、いろいろ文句ばかり言う。本当にめんどうくさい人だなあ」
合 ①②面倒くささ　類 ①②煩わしい、面倒な

めんどうな　面倒な　[ナ形] ★3
troublesome / 麻烦的 / 번거롭다, 귀찮다 / phiền phức

① ・「ご入会にはめんどうな手続きはいりません」　合 面倒くさい
② [(名) 面倒]・「ご面倒をおかけして、申しわけありません」
連 __をかける、__をみる

もうかる　ガもうかる　[動] ★2
make a profit; be profitable / 赚钱, 有赚头 / 벌리다, 벌이가 되다 / sinh lợi

・株で100万円もうかった。　・この商売はもうかる。
☞〈他〉もうける

もうける　ヲもうける　[動] ★2
make a profit; have (a child/children) / 赚钱, 发财; 生(孩子) / 벌다, 얻다 / lợi nhuận

① ・彼は株で100万円もうけた。　　　　　　　　　　　　(名) もうけ
② ・結婚して子供を3人もうけた。

☞ 〈自〉もうかる

もうける　ヲ設ける　[動]★1
to create, establish
设立，成立，创造，制定
설치하다, 만들다, 마련하다／thành lập

① ・児童福祉課では、親の悩みに答えるための相談窓口を設けている。
　類 ヲ設置する
② ・干拓予定地では、人々の理解が得られるよう、話し合いの機会が設けられた。
③ ・マスコミ各社は、独自に漢字の使用基準を設けている。　類 ②③ヲ設定する

もうしこむ　ヲ申し込む　[動]★3
apply
申请／신청하다
đăng ký

・パーティーに参加を申し込む。　・恋人に結婚を申し込む。
(名) 申し込み

もうしぶんない　申し分ない　[イ形]★1
no objection, does not require comment
无异议／나무랄 데 없다, 더할 나위 없다
không có sự bất bình hay chỉ trích

・佐藤氏なら、知名度といい経歴といい、市長候補として申し分ない。
・その学生は申し分(の)ない成績を収めた。

もうしわけない　申し訳ない　[イ形]★2
sorry
十分对不起，非常抱歉／미안하다
xin lỗi

・「ご迷惑をおかけして、申し訳ありませんでした」
合 申し訳なさ　類 すまない

もうすぐ　[副]★3
soon
就要，快要，马上／곧, 머지않아
sắp, chuẩn bị đến (nghỉ hè, Tết…)

・日本へ来て、もうすぐ3年になる。　・もうすぐ夏休みだ。

もうれつな　猛烈な　[ナ形]★1
violent, intense
猛烈，异常／맹렬한, 심한
cực mạnh, rất

・猛烈な嵐が船を襲った。　・リストラで社員が減ったので、猛烈に忙しくなった。
合 猛烈さ　関 強烈な

もえる　ガ燃える　[動]★3
burn; be passionate
燃烧／타다, 솟다
cháy, tham vọng

① ・｜火／紙 …｜が燃える。　・燃えるような太陽が沈んでいく。
② ・希望に燃えて大学に入った。
☞ 〈他〉燃やす

もがく　ガもがく
[動] ★1　to struggle／挣扎，着急／발버둥치다／vùng vẫy

・海に投げ出されて、もがけばもがくほど、水に沈んでしまった。
・苦しい生活から何とか抜けだそうともがいている。

合　ガもがき苦しむ

もくぜん　目前
[名] ★1　imminence, close at hand, before one's eyes／眼前，面前／목전，눈앞／trước mắt

①・富士山を8合目まで登れば、頂上はもう目前だ。　・入試が目前に迫ってきた。
　連　＿に迫る、＿に控える
②・証拠を目前につきつけられて、容疑者はついに罪を認めた。

類　①②目の前

もくてき　目的
[名] ★3　purpose／目的／목적／mục đích

・日本に来た目的は大学への入学だ。

合　＿地　関　目標

もぐる　ガ潜る
[動] ★2　submerge oneself; slip into ～; hide／潜水；钻进，躲入；潜入，潜伏／잠수하다，기어들다，숨다／lặn

①・日本の「海女」は長時間海に潜って貝や魚を捕ることができる。
②・冬は寒いので、布団にもぐり込んで寝るのが幸せだ。
③・彼は反政府運動に関わって、地下に潜った。

合　①～③ガ潜り込む

もさく　ヲ模索スル
[名] ★1　search, exploration／摸索／모색／mò mẫm

・問題の解決方法を模索する。
・過疎化した村にどのように人を呼び戻すか模索が続いている。

合　ガ／ヲ暗中＿スル　関　ヲ探る

もしかすると／もしかしたら／もしかして
[副] ★3　maybe／也许，或许，可能／어쩌면，혹시／có thể là…

・体調が悪いので、もしかすると、明日休むかもしれません。
・このごろ成績が上がってきたから、もしかしたらT大学に合格できるかもしれない。

※「もしかすると＞もしかしたら＞もしかして」の順に話し言葉的になる。「ひょっ

とすると＞ひょっとしたら＞ひょっとして」は、より話し言葉的になる。

もしくは

[接]
★1
or
或／或는
hoặc là, hay là

・「勤務先、もしくは私の携帯に電話してください」
・〈出願条件〉「四年制大学卒、もしくは同等の学力があると認められる者」

類 または　※「もしくは」の方がかたい言葉。

もたらす　ヲもたらす

[動]
★1
to bring about
帯来、招致／가져오다、전하다、초래하다
mang lại, mang đến

① ・この宝石は、身につけると幸運をもたらすと言われている。
　　類 ヲ持って来る、ヲ届ける
② ・インターネットは情報の革命をもたらした。

もたれる　ガもたれる

[動]
★1
to lean, have indigestion, be difficult to digest／倚靠、积食／기대다、거북하다
dựa, tựa, chống

① ・壁にもたれて立つ。
　　合 ガもたれかかる（例．いすの背にもたれかかって、ゆったりと座った。）
　　類 ガ寄りかかる
② ・食べ過ぎで胃がもたれる。　・固い食べ物は胃にもたれる。

もちいる　ヲ用いる

[動]
★2
use, utilize; adopt; employ／用、使用；采納／任用／사용하다、쓰다、채택하다、채용하다
sử dụng

① ・携帯電話は今や広く用いられている。
　　　　　　　　　　　　　　類 ヲ使う、ヲ使用する
② ・私の案が用いられて感激だ。
　　　　　　　　　　　　　　類 ヲ採用する
③ ・最近彼は社長に重く用いられている。
　　　　　　　　　　　　　　関 ヲ重用する、ヲ登用する

もちろん

[副]
★3
of course, naturally
当然、不用说／물론
đương nhiên, lẽ tự nhiên

・マンションを買った。もちろん、ローンでだ。
・「明日のパーティーに行く？」「もちろん」
　類 当然

もつ　ガもつ

[動]
★1
to last
保存、经用、保持／오래가다、견디다
giữ được, chịu được

・卵は、冷蔵庫の中でなら10日以上もつ。
・いくらダイエットだといっても、毎日果物ばかりでは体がもたない。

合 ガ／ヲもちこたえる　慣 体がもたない、身がもたない(例.こんなに働かされては身がもたない。)　(名)もち→ ＿がいい⇔悪い、日もち(例.「これは日もちがしないので、早く食べてください」)

もっか　目下

[副] ★1
now, presently
当前／현재, 지금
bây giờ

・事故の原因は目下調査中だ。
[(名)]・来春の人事については、目下のところ、まだ何も決まっていない。

連 ＿のところ　類 ただ今

もったいない

[イ形] ★3
What a waste!, regretful that something good is wasted／可惜,浪費／아깝다
phí phạm, phung phí

・流行遅れでもまだ着られる服を捨てるのはもったいない。
・こんなつまらない会議ばかりしていては、時間がもったいない。

もっと

[副] ★3
more
更,更加,再稍微／더,좀 더
hơn

・リンゴよりイチゴの方が好きだ。でも、メロンはもっと好きだ。
・「もっと大きな声で話してください」

もっとも　最も

[副] ★2
the most
最／가장
nhất

・世界で最も面積の広い国はロシアである。
類 一番　※「最も」の方がかたい言葉。

もっとも

[接] ★1
although, natural, right
不过, 理所当然, 合理／다만, 마땅하다, 당연하다／mặc dù, nhưng

・「彼女、やせてきれいになったね。もっとも、僕は前のふっくらしていたときの方が好きだけど」
・上原君はすばらしい選手だ。もっとも、プロになれるかどうかは、まだわからないが。
※前のことがらを肯定しながらも、それに対立することがらを付け加えるときに使う。
類 とは言っても、とは言え

もっともな

[ナ形] ★1
natural, right
理所当然, 合理／당연한, 지당한
tự nhiên, đương nhiên

・あんなことを言われたら、彼女が怒るのももっともだ。
・「おっしゃることは、まことにごもっともです」

類 当然な、当たり前な

もっぱら　専ら
[副] ★1　solely, entirely／主要、完全／오로지, 한결같은／hầu hết, chủ yếu

・休みの日はもっぱら山歩きをしている。
・今度のボーナスは昨年より減るだろうというのが、専らのうわさだ。

連 __のうわさ

もてなす　ヲもてなす
[動] ★1　to entertain, welcome／款待／접대하다／tiếp đãi

・お客様をごちそうでもてなす。

関 ヲ接待する　(名) もてなし

もてる　ガ持てる
[動] ★2　(ability) that one has; be popular with／能持有；受欢迎／가질 수 있다, 인기가 있다／có sẵn

① ・「持てる力を十分に発揮してください」　※これ以外の使い方はあまりしない。
② ・彼は女性にもてる。　※ひらがなで書く。

モデル
[名] ★2　model; (plastic) model／模特儿，蓝本；原型；型号；模型／모델, 본보기／mô hình

① ・彼女はファッションショーのモデルをしている。　　合 ファッション__
② ・A国はB国をモデルにして社会保障制度を整えた。

　合 __ケース、__ハウス、__ルーム、ロール__　類 見本、手本、模範　関 サンプル

③ ・この小説は、実際の人物をモデルにして書かれた。
④ ・{パソコン／電化製品／車 …} の新しいモデルが発売された。

　合 ニュー__、新型__、__チェンジ　類 型

⑤ ・プラモデルを作る。　　合 プラ__＜プラスチックモデル、__ガン　類 模型

もと　元
[名] ★2　original position, origin; cause; once, ex-; main, source; get one's money's worth／原处，原因，根本，以前，原来，(煤)气源，火源，本钱／원래, 원인, 이전, 전직, 근본, 본전／như cũ, gốc, vốn

① ・「使ったものは元に戻しておいてください」
② ・父は酒がもとで病気になってしまった。　　慣〈ことわざ〉失敗は成功の元
③ ・このあたりは、元は海だった。　・元市長の前田氏が亡くなったそうだ。
　［副］・ふるさとに帰っても、もと住んでいた家はもうない。　類 元々
④ ・ガスの元栓を締める。　・火事の火元は台所だとニュースで言っていた。
⑤ ・買った株が値上がりして、十分元が取れた。　　連 __を取る　合 元手

もどす　ヲ戻す
[動] ★2　put back; set back; vomit／放回，使……倒退，吐／되돌리다, 토하다／để lại như ban đầu

① 「物は元にあった場所に戻しなさい」　　　　　　　　　　　　運 白紙に＿
② 楽しかった昔に、時間を戻せるものなら戻したい。
③ 車酔いで、食べたものを全部戻してしまった。　　　類 ヲ吐く

☞〈自〉戻る

もとめる　ヲ求める
[動] ★2　look for, seek; demand; buy／要求，寻求；请求；购买／구하다, 찾다, 요구하다, 사다／tìm kiếm

① ・彼女は職を求めている。　・刑事は手掛かりを求めて毎日歩き回っていた。
　　類 ヲ探す　慣 求む～（例．〈掲示などで〉求む販売員）
② ・被害者は加害者に損害賠償を求めた。　・｛説明／援助／助け …｝を求める。
　　類 ヲ要求する、ヲ要請する、ヲ頼む　（名）求め→ ＿に応じる
③ 「切符はご乗車になる前にお求めください」　　　　　　　　　　類 ヲ買う

もともと　元々
[副] ★2　by nature, originally／原来，本来／원래, 본전치기／vốn dĩ, nguyên là

・もともと体が弱かったのだが、最近いっそう疲れやすくなった。
　関 元、本来　慣 だめで元々（例．だめで元々だ。頼むだけは頼んでみよう。）
※名詞としても使う。

もどる　ガ戻る
[動] ★2　return (to); go back to; recover／回；回去，返回；恢复／되돌아가다, 되돌아오다／quay trở lại

① ・忘れ物をしたのに気付いて、家に戻った。　　　　　　　類 ガ引き返す
② 「席に戻ってください」　・サケは生まれた川に戻る。
　　類 ①②ガ帰る　（名）①②戻り（例．「今日の戻りは3時ごろになります」）
③ ・記憶が戻る。　・意識が戻る。　・事故で乱れていたダイヤが平常に戻った。

☞〈他〉戻す

モニター　ヲモニター(ヲ)スル
[名] ★2　monitor／显示器；监视器；评论员／모니터／màn hình

① ・警備室には、建物内部を映すモニターがある。　　　合 テレビ＿、＿画面
② ・ATMは監視カメラで常にモニターされている。　　　合 ＿カメラ、＿ルーム
③ ・テレビ番組のモニターをして意見を言う。　　　合 消費者＿、番組＿、＿制度

もの　者
[名] person
人／사람
người
★2

・「うちの<u>者</u>と相談してからお返事致します」
・「私のような<u>者</u>に大事な仕事を任せてくださって、ありがとうございます」
※謙遜、軽視の気持ちが入ることが多い。

もはや
[副] already
事到如今已经／이미, 벌써
đã
★1

・父は具合が悪いのをずっと我慢していて、病院へ行ったときには<u>もはや</u>手遅れだった。
類 もう、すでに　※「もはや」の方がかたい言葉。

もはん　模範
[名] model, example
榜样, 示范／모범
mô phạm
★1

・全校の<u>模範</u>となる。　・教師が生徒に<u>模範</u>を示す。
連 ＿を示す　合 ＿的な、＿解答、＿演技、＿生　類 手本

もはんてきな　模範的な
[ナ形] exemplary
模范的／모범적인
gương mẫu
★1

・彼は成績もよく、<u>模範的な</u>学生だ。　・<u>模範的な</u>{態度／答え　…}
(名) 模範

もほう　ヲ模倣スル
[名] imitation, copy
模仿, 效仿／모방
bắt chước
★1

・彼の絵は有名画家の<u>模倣</u>に過ぎない。　・子供は親の行動を<u>模倣</u>する。
対 ヲ創造スル　類 ヲまね(ヲ)スル、ヲコピースル　関 独創的な、独創性

もむ　ヲもむ
[動] to massage, squeeze, be trained, worry, (about), bother (about)
揉, 搓, 挤, 锻炼, 操心／주무르다, 비비다, 휩뜰리다, 애를 쓰다／bóp, cọ sát, lo lắng
★1

① ・母が肩が凝ったと言うので、<u>もん</u>であげた。　・きゅうりを塩で<u>もむ</u>。
② ・毎日人込みに<u>もまれて</u>通勤している。　※受身の形で使うことが多い。
③ ・子供が不登校になりそうで、ずいぶん気を<u>もんだ</u>。　慣 気をもむ・気がもめる

もめる　ガもめる
[動] to have a dispute, worry
发生争执, 焦急／옥신각신하다, 초조해하다
gặp rắc rối
★1

① ・賃金をめぐって雇用側と労働者側が<u>もめている</u>。　合 もめ事、大もめ
② ・介護の必要な親を抱えていると、いろいろと気が<u>もめる</u>。
慣 気がもめる・気をもむ

もやす　ヲ燃やす
[動] ★3　burn (something); burn with (passion, etc.)
点燃／태우다, 불태우다／đốt, đốt cháy (tham vọng)

① ・{火／紙 …}を燃やす。
② ・メンバー全員が試合にファイトを燃やしている。
☞ 〈自〉燃える

もよおす　ヲ催す
[動] ★1　to give/hold, feel／舉行, 覚得 (悪心／反胃／有尿意等)／열다, 개최하다, 불러 일으키다／tổ chức

① ・海外の首脳を招いて、宮中で晩さん会が催された。　合 催し物　(名) 催し
② ・{吐き気／眠気／尿意 …}をもよおす。

もらす　ヲ漏らす
[動] ★2　spill, disclose; leave out; let slip
洒, 泄露, 遺漏无遺, 流露／흘리다, 빠뜨리다, 드러내다, 새게 하다／làm sót, bỏ quên

① ・一滴も漏らさず水をバケツで運んだ。　・秘密を漏らさないよう口止めされた。
② ・彼女はどんな細かなことも漏らさず書き留めた。　類 ヲ抜かす　合 ヲ聞き__
③ ・{不平／本音／ため息／声 …}をもらす。
☞ 〈自〉漏れる

もりあがる　ガ盛り上がる
[動] ★2　swell, stand up; warm up／鼓起, 凸起; (气氛) 热烈, 高漲起来／부풀어 오르다, 고조되다／nhộn nhịp lên

① ・筋肉が盛り上がっている。
② ・パーティーが盛り上がる。
(名) 盛り上がり→ __に欠ける(例. パーティーは今ひとつ盛り上がりに欠けた。)

もる　ヲ盛る
[動] ★1　to serve (food), fill up, incorporate
盛, 加进／담다, 쌓아 올리다／xới, đơm, làm đầy

① ・茶碗にご飯を盛る。　・料理が皿に盛られている。　・庭に土を盛る。
合 ガ盛り上がる、ヲ盛り付ける、盛り付け(例. 料理の盛り付け)、大盛り
② ・憲法には国民主権の精神が盛り込まれている。　合 ヲ盛り込む

もれる　ガ漏れる
[動] ★2　leak, filter through; miss out; slip out／泄漏, 流出, 落选, 遺漏／새다, 누락되다, 흘러나오다／rò rỉ, lọt vào, sót, rơi vãi

① ・台所でガスが漏れている。　・カーテンの隙間から明かりが漏れていた。
合 ガス漏れ、水漏れ、情報漏れ
② ・名簿から名前が漏れている。　・けがをした彼女は代表選手の選から漏れた。
合 連絡漏れ　類 ガ抜ける　(名) 漏れ→ __がある⇔ない、__なく(例. 応募者に

はもれなく賞品(しょうひん)がプレゼントされる。)
③・思(おも)わず｜本音(ほんね)／ほほえみ／ため息(いき)／言葉(ことば)／声(こえ)　…｜がもれる。
　☞〈他〉漏(も)らす

もろい　　　　　　　　　　　　　　　　　　　　［イ形］　fragile, brittle, weak
　　　　　　　　　　　　　　　　　　　　　　　　★1　　 脆, 脆弱／만만찮다, 여간 아니다
　　　　　　　　　　　　　　　　　　　　　　　　　　　　giòn, mỏng manh, dễ vỡ
①・年(とし)を取(と)ると骨(ほね)がもろくなる。　・この石(いし)はもろくて崩(くず)れやすい。
②・彼(かれ)は強(つよ)そうに見(み)えて、精神的(せいしんてき)にもろい面(めん)がある。　　　　　合 涙(なみだ)__
合 ①②もろさ

もろに　　　　　　　　　　　　　　　　　　　　［副］　right, completely
　　　　　　　　　　　　　　　　　　　　　　　　★1　　 迎面／정면으로
　　　　　　　　　　　　　　　　　　　　　　　　　　　　thẳng, đúng
・飛(と)んで来(き)たボールがもろに顔(かお)に当(あ)たった。　　　　　　　　　　　類 まともに

もんく　文句　　　　　　　　　　　　　　　　　［名］　complaint; words, passage
　　　　　　　　　　　　　　　　　　　　　　　　★3　　 意見, 牢騷；语句, 话语／불만, 문구
　　　　　　　　　　　　　　　　　　　　　　　　　　　　phàn nàn, câu văn
①・給料(きゅうりょう)に文句(もんく)がある。　　　　　　　　連 __がある⇔ない、__を言(い)う、__をつける
②・歌(うた)の文句(もんく)　・小説(しょうせつ)の文句(もんく)を引用(いんよう)する。　　　　　　　　　合 名(めい)__

やがて
[副] soon; in the end / 马上, 不久 / 얼마 안 있어, 이윽고 / chẳng bao lâu
★2

① ・朝5時になった。やがて夜が明けるだろう。　類 まもなく
② ・やがて人類は月に住むようになるかもしれない。　類 ①②そのうち(に)
③ ・山を下ると、やがて町に出た。　類 しばらくして

やかましい
[イ形] noisy, strict, fussy / 吵闹, 严格, 讲究 / 시끄럽다, 엄하다, 까다롭다 / phiền hà, phức tạp, ầm ĩ
★1

① ・工事の音がやかましくて、勉強に集中できない。
② ・課長は時間にやかましいので、1分の遅刻も許されない。　合 口__　類 厳しい
③ ・山田さんはラーメンの味にやかましく、あちこち食べ歩いている。

合 ①～③やかましさ　類 ①～③うるさい

やく　ヲ焼く
[動] cook, bake, roast / 烤, 焙 / 굽다 / nướng
★3

・フライパンでオムレツを焼く。　・トースターでパンを焼く。
合 焼き{肉／魚}、卵焼き
〈自〉焼ける(例. よく焼けていないぶた肉は食べない方がいい。)

やくす　ヲ訳す
[動] translate / 翻译 / 번역하다 / dịch
★3

・英語を日本語に訳す。
類 ヲ翻訳(ヲ)する、ヲ通訳(ヲ)する　(名) 訳(例. 英語の文に日本語の訳をつける。)

やくそく　ヲ約束(ヲ)スル
[名] promise, appointment / 约定, 约会 / 약속 / hứa hẹn, cam kết
★3

・彼と結婚の約束をした。　・約束の時間に間に合うかどうか心配だ。
連 __を守る⇔破る

やくだつ／やくにたつ　ガ役立つ／役に立つ
[動] be helpful, be of use / 有用 / 도움이 되다, 쓸모가 있다 / hữu ích cho
★3

・インターネットの情報は、勉強や仕事{に役立つ／の役に立つ}。
・今度の新入社員はあまり役に立たない。
☞〈他〉役立てる／役に立てる

やくだてる／やくにたてる ヲ役立てる／役に立てる [動] ★3
put to use
使……有用／유용하게 쓰다, 활용하다
giúp hữu ích cho

・インターネットの情報を、勉強や仕事{に役立てる／の役に立てる}。
☞〈自〉役立つ／役に立つ

やくわり 役割 [名] ★2
role
任务, 职务；作用／역할, 임무
vai trò

・仕事の役割を決める。 ・鉄道は日本の近代化に大きな役割を果たした。
連 __を果たす 合 __分担 類 役目 関 係

やけに [副] ★1
too, awfully／厉害, 要命, 非常, 特别
몹시, 괜히, 이상하게
ghê sợ

①・もう10月だというのに、今日はやけに暑い。 類 むやみに、やたらに、いやに
②・彼女は今日、やけに優しい。何か頼みでもあるのだろうか。
　類 妙に、奇妙に、いやに
※ 話し言葉的。

やじ 野次 [名] ★1
heckling
倒彩／야유
chửi rủa

・選手がグラウンドに出ると、敵の応援団から野次が飛んだ。
連 二__が飛ぶ・二__を飛ばす 合 __馬 （動）ヲやじる

やしなう ヲ養う [動] ★1
to support, cultivate／抚养, 养育, 养精蓄锐, 培养／부양하다, 키우다, 회복하다
nuôi dưỡng, bồi dưỡng

①・彼女は一人で家族を養っている。 ・子供を養う。 類 ヲ扶養する
②・山登りで体力を養っている。 連 英気を__

やしん 野心 [名] ★1
ambition, aspiration
雄心／야심
dã tâm

①・彼女は将来会社のトップになるという野心を持っている。
　連 __がある⇔ない、__を持つ、__を抱く 合 __的な、__家、__満々 類 野望
②・この小説は、従来の小説のあり方を変える野心作だ。 合 __的な、__作

やたら(に／と) [副] ★1
excessively, impulsively
非常, 胡说八道／마구, 함부로
rất nhiều

・最近やたらにのどが渇く。病気だろうか。
合 むやみ__、めった__ 類 むやみに、やけに

(ナ形) やたらな(例. 誰が聞いているかわからないから、やたらなことは言えない。)

やっかいな　厄介な
[ナ形] ★1
troublesome, bothersome
麻煩, 难办, 照料／성가시다, 폐
phiền hà, rắc rối

① ・よくクレームをつける客が、今度は我が社を訴えると言ってきた。厄介なことになった。

合 厄介さ　類 面倒な

② [(名) 厄介]・「すみません、一晩ご厄介になります」・親に厄介をかけた。

連 __になる、__をかける　類 面倒、世話

やっつける　ヲやっつける
[動] ★1
to see off, dash off
打敗, 打垮, 干完／쳐부수다, 해치우다
đánh bại, kết thúc

・敵を徹底的にやっつけた。　・早くこの仕事をやっつけて飲みに行こう。

※ 話し言葉的。　関 ヲ負かす

やっと
[副] ★3
finally, barely
终于, 好不容易；勉勉强强／겨우, 가까스로
cuối cùng, chỉ vừa đủ

① ・30分も待って、やっとバスが来た。　類 ようやく

② ・安い給料しかもらっていないので、生活が苦しく、食べていくのがやっとだ。

やとう　ヲ雇う
[動] ★1
to employ, hire
雇用, 租用／고용하다, 쓰다
thuê

① ・この工場は新たに5人の従業員を雇った。

合 雇い主、雇い手、日雇い　類 ヲ雇用する　関 ヲ採用する、ヲ解雇する

② ・市内の一日観光にタクシーを雇った。

やはり
[副] ★3
as expected; still; after all／毕竟, 还是, 照旧；(虽然……) 还是……／역시
đúng như dự đoán, vẫn rốt cuộc

① ・やはりAチームが勝った。予想通りだった。
② ・「私のふるさとでは、今でもやはり旧暦で正月を祝うんです」
③ ・「赤いのがいいなあ。あ、黒いのもいいかなあ……やっぱり赤いのにしよう」

※「やはり」のくだけた形は「やっぱり」。

やぶる　ヲ破る
[動] ★3
rip; break (a promise/rule/record)／弄破, 撕破；违反；打破(记录)／찢다, 깨다, 갱신하다／rách (giấy, quần áo...), phá hủy (cam kết, nguyên tắc...)

① ・{紙／ノート／布／服 …}を破る。
② ・{約束／規則 …}を破る。　対 ヲ守る
③ ・水泳の世界記録が破られた。

☞〈自〉破(やぶ)れる

やぶれる　ガ破れる

[動] ★3　be ripped / 破, 撕破 / 찢어지다 / bị rách (giấy, quần áo…)

・|紙(かみ)／本(ほん)／布(ぬの)／服(ふく)…|が破(やぶ)れる。

☞〈他〉破(やぶ)る

やぶれる　ガ敗れる

[動] ★2　be defeated / 輸, 敗北 / 지다, 패하다 / bị thua thiệt

・試合(しあい)に敗(やぶ)れる。　・選挙(せんきょ)で現職(げんしょく)が新人(しんじん)に敗(やぶ)れた。

類 ガ負(ま)ける、ガ敗北(はいぼく)する　〈他〉破(やぶ)る(例.強敵(きょうてき)を破(やぶ)って2回戦(かいせん)に進(すす)んだ。)

やむをえない　やむを得ない

[イ形] ★2　unavoidable; inevitable / 不得已, 无可奈何 / 어쩔 수 없다, 부득이하다 / không thể tránh được

・この嵐(あらし)では休校(きゅうこう)もやむを得(え)ない。

[(副)やむを得(え)ず]・お金(かね)が足(た)りなくなり、やむを得(え)ず国(くに)の両親(りょうしん)に送(おく)ってもらった。

類 仕方(しかた)がない　※「やむを得ない」の方(ほう)がかたい言葉(ことば)。

やや

[副] ★1　slightly, a little / 稍稍 / 조금, 약간, 잠시 / hơi

・あの兄弟(きょうだい)はよく似(に)ているが、弟(おとうと)の方(ほう)がやや背(せ)が高(たか)い。

※「少(すこ)し」「ちょっと」よりかたい言葉(ことば)。　連 ＿あって(例.空(そら)が光(ひか)ったかと思(おも)うと、ややあって、大(おお)きな雷(かみなり)の音(おと)がした。)、＿もすれば

ややこしい

[イ形] ★1　complicated / 复杂 / 까다롭다, 복잡하다 / dễ nhầm lẫn, dễ lẫn lộn, lộn xộn

・この数学(すうがく)の問題(もんだい)は、解(と)き方(かた)は難(むずか)しくないが、計算(けいさん)がややこしい。

・「私(わたし)の祖父(そふ)の妹(いもうと)が彼(かれ)のおばさんだから、彼(かれ)と私(わたし)の関係(かんけい)は……ああ、ややこしい！」

※話(はな)し言葉的(ことばてき)。　合 ややこしさ　関 複雑(ふくざつ)な、面倒(めんどう)な

やりとり　ヲやり取り(ヲ)スル

[名] ★3　exchange / 交換, 交谈 / 주고받음, 교환 / trao đổi

・友達(ともだち)とメールをやりとりする。　・情報(じょうほう)のやり取(と)り

類 ヲ交換(こうかん)(ヲ)スル

やりなおす　ヲやり直す

[動] ★2　do again, start over again / 重做 / 다시 하다 / làm lại

・実験(じっけん)がうまくいかなかったので、初(はじ)めからやり直(なお)した。

(名) やり直し(例.「これじゃだめだよ。やり直し！」)→ ＿がきく⇔きかない(例. 人生はやり直しがきかない。)

やるき　やる気
[名] ★1　willingness, motivation／干劲／의욕／quyết tâm

・最初は気が進まなかったが、報酬がいいと聞いてやる気になった。
・娘にピアノを習わせているが、本人はあまりやる気がないようだ。

連 ＿がある⇔ない、＿になる、＿が出る・＿を出す、＿を持つ、＿が湧く
合 ＿満々(例. 彼は希望のポストにつくことができて、やる気満々だ。)　類 意欲

やわらぐ　ガ和らぐ
[動] ★1　to calm down, mitigate, soften／变柔和, 和缓起来／누그러지다, 온화해지다, 풀리다／giảm bớt

① ・3月に入って、寒さが和らいできた。
　連 痛みが＿、怒りが＿、衝撃が＿　関 ガ薄らぐ、ガ／ヲ緩和する
② ・彼女の一言で、緊張したその場の雰囲気が和らいだ。　(名) 和らぎ
〈他〉和らげる

ゆいいつ　唯一
[名] ★1　the only, sole／唯一／유일／duy nhất

・ここは国内で唯一の切手博物館だ。　・彼女は議会で唯一法案に反対した。
※副詞的にも使う。　類 ただ一つ、ただ一人、ただ一度

ゆううつな　憂鬱な
[ナ形] ★1　painful, depressing／郁闷, 烦闷／우울한／trầm cảm

・明日上司に今日のミスを報告しなければならないと思うと憂鬱だ。
・花粉症の私にとって、春は憂鬱な季節だ。
合 憂鬱さ

ゆうえつかん　優越感
[名] ★1　superiority complex／优越感／우월감／cảm giác tự tôn

・彼女は、周りの誰よりも歌がうまいことに優越感を持っていた。
連 ＿を持つ、＿を抱く、＿に浸る　対 劣等感

ゆうがな　優雅な
[ナ形] ★1　elegant, refined／优雅／우아한／sang trọng

・女王は歩き方も話し方も優雅だ。　・{白鳥／富士山 …}の優雅な姿
合 優雅さ　類 優美な

ゆうかんな　勇敢な
[ナ形]　brave, heroic / 勇敢 / 용감한　★1　dũng cảm
・若者たちは勇敢に独裁者と戦った。
・彼は正義感が強く、勇敢な青年だ。
[合] 勇敢さ　[対] 臆病な　[類] 勇ましい

ゆうき　勇気
[名]　courage / 勇气 / 용기　★3　dũng khí
・困難に立ち向かう勇気　・勇気を出してプロポーズする。
[連] ＿がある⇔ない、＿が出る・＿を出す

ゆうじん　友人
[名]　friend / 朋友, 友人 / 친구　★3　bạn bè
・「田中さんを知っていますか」「ええ、学生時代の友人です」
[類] 友達　[関] 親友、知り合い

ゆうすう　有数
[名]　leading / 屈指可数 / 유수　★1　dẫn đầu
・山梨県は日本(で)有数のワインの産地だ。　・彼は世界(で)有数の生物学者だ。
[類] 屈指

ゆうずう　ヲ融通スル
[名]　flexibility, lending (money), financing / 临机应变, 融资, 通融 / 융통　★1　linh hoạt, cho vay
① ・あの人はマニュアル通りにしか動けない融通のきかない人だ。
　　[連] ＿がきく　[関] 機転
② ・会社を設立するのに、友人に資金の一部を融通してもらった。
　　[連] ＿がつく・＿をつける

ゆうせんする　ガ/ヲ優先する
[動]　to put first, prioritize / 优先 / 우선하다　★1　ưu tiên
・今は家庭より仕事を優先するという人は少なくなってきた。
・災害時には、人命を救うことがすべてに優先する。
[合] 優先的な、優先権、優先順位(例. 優先順位をつける。)

Uターン　ガUターンスル
[名]　U-turn, return home / 掉头, U形转弯; 返乡, 回老家 / 유턴　★1　quay đầu
・この道はUターン禁止だ。
・都会に出た若者が出身地にUターンして就職するケースが増えている。

合 __ラッシュ　関 ガＩターンスル

ゆうぼうな　有望な
[ナ形] ★1
promising
有前途，有希望／유망한
có triển vọng

・今年の新入社員の中で、木村さんが最も有望だと思う。
・有望なベンチャー企業に投資したい。
合 有望さ、前途__（例．前途有望な青年）、将来__

ユーモア
[名] ★3
humor
幽默／유머
hài hước, hóm hỉnh

・ユーモアがある彼はクラスの人気者だ。　・旅行の話を、ユーモアたっぷりに話す。
連 __がある⇔ない

ゆうゆう(と)　悠々(と)
[副] ★1
leisurely, calmly, easily／悠悠，不慌不忙，绰绰有余／느긋하게, 유유히, 여유 있게
thong thả

① ・大きな鳥がゆうゆうと空を飛んでいる。　　関 ゆったり、ゆっくり
② ・9時の始業にはゆうゆう間に合いそうだ。　・悠々合格する。　関 余裕

ゆうりな　有利な
[ナ形] ★1
advantageous, profitable
有利／유리한
lợi thế

・少しでも自社に有利な条件で取り引きしたい。
・Aチームは終始有利に試合を進めた。
合 有利さ　対 不利な

ゆうわく　ヲ誘惑スル
[名] ★1
temptation, seduction
诱惑／유혹
sự quyến rũ, sự lôi cuốn

・ダイエット中に甘い物はいけないと思いつつ、誘惑には勝てなかった。
・女は甘い言葉で男を誘惑した。　・都会の生活には誘惑が多いと言われる。
連 __に勝つ⇔負ける、__と戦う、__に駆られる

ゆえに
[接] ★1
therefore, consequently
所以／그러므로, -기 때문에
do đó, kết quả là

※「故に」という表記もある。
・A=B、B=C、ゆえに、A=C である。　・「我思う、ゆえに我あり」
・裁判官は人を裁く立場にある。ゆえに、公正さが厳しく求められる。
※かたい書き言葉。　類 したがって、そのために、それゆえ

ゆがむ　ガゆがむ
[動] ★1　to bend, be distorted, be warped／歪斜, 歪曲, 不正／휘다, 일그러지다, 비뚤어지다／bẻ cong, xuyên tạc

① ・このメガネは枠がゆがんでいる。　・涙で目の前がゆがんで見えた。
② ・親が愛情を与えないと、子供の心はゆがんでしまう。
関 ①②ガ曲がる、ガねじれる　(名) ①②ゆがみ→　＿がある⇔ない、＿が生じる
〈他〉ゆがめる (例.・事実をゆがめて報道してはいけない。　・顔をゆがめる。)

ゆくえ　行方
[名] ★2　whereabouts; future／行踪, 去向; 发展前景／행방／tung tích

① ・娘が家出した。今、行方を探しているところだ。　合 ＿不明　関 行き先
② ・試合時間が残り5分になっても、勝敗の行方はわからなかった。
関 結果、結末

ゆくて　行く手
[名] ★1　way, path／去路／앞길／cách

・険しい山々が一行の行く手を阻んだ。
・彼女の行く手には多くの障害が待ち受けているだろう。
連 ＿を遮る、＿を阻む　類 進路　関 行く末

ゆげ　湯気
[名] ★2　steam／热气, 蒸汽／김, 수증기／hơi

・うどんの湯気で眼鏡がくもってしまった。
・大浴場は湯気で向こうの方が見えなかった。
連 ＿が立つ

ゆさぶる　ヲ揺さぶる
[動] ★1　to shake, jolt／摇晃, 震动／뒤흔들다, 흔들다／rung, lắc, đu đưa, lúc lắc

・台風で街路樹が激しく揺さぶられている。　・｛心／胸 …｝を揺さぶる話
・意識のない人を強く揺さぶってはいけない。
※「揺すぶる」とも言う。　類 ヲ揺する　(名) 揺さぶり→　＿をかける

ゆずる　ヲ譲る
[動] ★3　give up (one's seat); let have; pass on／让(座); 让给, 转让／양보하다, 팔다, 물려주다／nhường (ghế..), nhượng lại (đồ cũ..), thừa kế

① ・電車の中で、お年寄りに席をゆずった。
② ・帰国するので、家具を友達に安くゆずった。
③ ・財産を子供にゆずる。　・彼は社長の地位を息子に譲って、引退した。

ゆたかな　豊かな
[ナ形] ★3
abundant, rich
丰富的, 富裕的／풍부하다, 여유 있다
phong phú, giàu có

- 豊かな{資源／自然／緑／財産／暮らし／心／才能／個性／表情 …}
- このあたりは、国でもっとも豊かな地方だ。　・彼女は想像力が豊かだ。
- 合 豊かさ、{個性／才能／緑 …}＋豊かな

ゆだねる　ヲ委ねる
[動] ★1
to entrust to, to consign to
委托, 献身／맡기다
giao phó, ủy thác

① ・調査結果の詳しい分析は、専門家に委ねられた。　類 ヲ任せる　関 ヲ委任する
② ・椅子に体をゆだねてゆったりと座る。　・運命に身をゆだねる。
- 連 身を＿　類 ヲ任せる

ゆだん　ガ油断(ヲ)スル
[名] ★1
negligence
疏忽大意, 缺乏警惕／방심, 부주의
cẩu thả, lơ đễnh

- 一瞬の油断が大きな事故につながることがある。
- 地震の後は余震が続くので、しばらく油断できない。
- 連 ＿(が)ならない　合 ＿大敵　慣 油断もすきもない

ゆったり(と)　ガゆったりスル
[副] ★1
comfortable, loose
宽敞舒适, 轻松舒畅／느긋하게, 넉넉한
chậm rãi

① ・長期にわたった出張から帰り、久しぶりに家でゆったりとくつろいだ。
- 類 ゆっくり(と)
② ・ぴったりした服より、ゆったりした服の方が体型をカバーできる。
- 対 窮屈な　類 ガたっぷりした／している　関 ゆとりがある

ゆでる　ヲゆでる
[動] ★3
boil
煮, 烫, 焯／삶다, 데치다
luộc

- 熱い湯で{卵／野菜 …}をゆでる。
- 合 ゆで卵

ゆとり
[名] ★1
time, leeway
轻松, 余地, 闲心, 宽松／여유
sự còn đủ

- 引退してようやく生活にゆとりができた。　・時間にゆとりを持って出かけよう。
- 連 ＿がある⇔ない、＿を持つ、＿ができる　類 余裕

ユニークな　[ナ形]　unique／独特的, 独一无二的／유니크하다, 독특하다／độc đáo　★2

- 彼女はユニークな性格だ。
- ユニークな{人／考え／アイデア／意見／商品／作品 …}

合 ユニークさ　類 独特な、個性的な

ゆめ　夢　[名]　dream／梦；梦想／꿈／giấc mơ　★3

① ・昨日、こわい夢を見た。　　連 ＿を見る、＿から覚める
② ・「あなたの将来の夢は何ですか」
　連 ＿がある⇔ない、＿を持つ、＿がかなう・＿をかなえる

ゆらぐ　ガ揺らぐ　[動]　to swing, shake, sway／摇动, 晃荡, 动摇／흔들리다, 동요하다／rung, lắc, đu đưa　★1

① ・地震で建物の土台が揺らいだ。　〈他〉揺るがす (例. 社会を揺るがす事件)
② ・柳の枝が風に揺らいでいる。
③ ・会社を辞めるつもりだったが、上司の説得で{気持ち／心}が揺らいだ。
　類 ガ動揺する

類 ①〜③ガ揺れる　(名) ①〜③揺らぎ

ゆらす　ヲ揺らす　[動]　push (a swing)／摇动, 使……摇晃／흔들다／lắc, rung　★3

- 子供の乗ったブランコを揺らして遊ばせた。

☞〈自〉揺れる

ゆるい　緩い　[イ形]　loose; slow; slack／尺寸大；(势) 缓；松／헐렁하다, 완만하다, 느슨하다／lỏng lẻo　★2

① ・やせてスカートがゆるくなった。　　　　　　　　　　　対 きつい
② ・靴のひもがゆるくて、ほどけてしまった。　　　　　　　対 きつい、固い
③ ・「この道をまっすぐ行くと、緩いカーブがあります」　　対 急な　類 緩やかな

合 ①〜③緩さ

ゆるす　ヲ許す　[動]　forgive; allow／宽恕, 饶恕；允许, 准许／용서하다, 허락하다／tha thứ, cho phép　★3

① ・ひどいことを言われてけんかになったが、相手が謝ったので許してあげた。
② ・子供には、1日1時間だけゲームをすることを許している。　類 ヲ許可する

(名) 許し→ ①② ＿を与える⇔得る、② ＿をもらう

ゆるむ　ガ緩む
[動] ★2　loosen; get relaxed; break; abate ／松，松动；松懈；软化；缓和／느슨해지다, 헐거워지다, 해이해지다, 풀리다, 약해지다／lỏng lẻo

① ・靴ひもが緩んで、靴が脱げてしまった。　・｜ねじ／蛇口／栓 …｜が緩む。
② ・試験が終わったら気が緩んで、風邪をひいてしまった。　連 緊張が＿
③ ・雨で地盤が緩み、土砂崩れが起こる危険がある。　・｜氷／雪 …｜が緩む。
④ ・3月になって、ようやく寒さが緩んできた。

☞〈他〉緩める

ゆるめる　ヲ緩める
[動] ★2　loosen; relax; let down ／松开；松懈，放松；缓和／느슨하게 하다, 느긋하게 하다, 완화하다, 늦추다／lỏng lẻo

① ・ネクタイを緩めてゆっくりする。　慣 さいふのひもを緩める
② ・｜警戒／攻撃／条件／規律 …｜を緩める。　慣 気を緩める
③ ・スピードを緩める。　・｜歩調／歩み／回転 …｜を緩める。

☞〈自〉緩む

ゆるやかな　緩やかな
[ナ形] ★1　gentle, slow, lenient, loose 缓慢，宽松／완만한, 느슨한 nhẹ nhàng, chậm rãi

① ・海岸線はこのあたりで緩やかにカーブしている。
　※平面でも斜面でも使う。　対 きつい、急な　類 なだらかな
② ・景気は緩やかに回復しつつある。　対 急な　類 ゆっくり（と）した／している
③ ・うちの学校は規則が緩やかな方だ。　※プラスの意味で使う。　対 厳しい
④ ・ローマ時代の衣服は緩やかなものだった。　対 きつい

合 ①〜④ 緩やかさ　関 ①〜④ 緩い

ゆれる　ガ揺れる
[動] ★3　shake, waver 摇, 摇晃, 动摇／흔들리다 bị rung, nghiêng ngả

・風で木の葉が揺れている。　・彼と結婚するかしないか、気持ちが揺れている。
(名) 揺れ→ ＿が大きい⇔小さい（例．地震の揺れが大きい。）　☞〈他〉揺らす

よう　ガ酔う
[動] ★2　get drunk; feel sick; be intoxicated by ／醉；晕（车, 船等）；陶醉／술에 취하다, 멀미하다, 도취하다／say

① ・酒に酔う。　・酔った勢いで、好きな人に告白した。
　合 二日酔い、酔っぱらう（例．夫はぐでんぐでんに酔っぱらって帰ってきた。）、
　酔っ払い（例．駅前で酔っ払いが騒いでいる。）(名) 酔い→ ＿が回る、＿が覚める

② ・車に酔うので、バス旅行に行けないのが残念だ。　・船／飛行機…に酔う。
　合 乗り物酔い、船酔い、酔い止め(の薬)
③ ・観客はその歌手のすばらしい歌に酔っていた。　　類 ガうっとりする

ようきな　陽気な
[ナ形] ★1
cheerful, weather/season
开朗, 气候温暖宜人／쾌활한, 겨울・날씨
cởi mở, thoải mái

① ・うちは家族が皆陽気な性格なので、笑い声が絶えない。
　合 陽気さ　対 陰気な　類 明るい、朗らかな
② [名] 陽気 ・まだ2月なのに、春のような陽気だ。　　類 気候、天候

ようきゅう　ヲ要求スル
[名] ★2
demand, request
要求, 需要／요구
yêu cầu

・労働組合が会社に賃金の値上げを要求した。しかし会社側はその要求を受け入れそうもない。
・学校は学生の要求に応えて、図書館の開館時間を延ばした。
　連 __に応える、__を受け入れる　類 ヲ求める、ヲ要望スル、ヲ要請スル

ようご　ヲ擁護スル
[名] ★1
support, advocacy
拥护, 维护／옹호
ủng hộ

・人権を擁護する。　・タレントが暴力団を擁護する発言をして問題になった。
　合 人権__　関 ヲ守る、ヲ保護スル

ようじん　ガ／ヲ用心スル
[名] ★1
precaution, vigilance
注意, 小心, 提防, 留神／조심, 주의
cẩn thận, thận trọng

・夜道を歩くときは、用心のために防犯ブザーを持っておくといい。
・「振り込め詐欺には十分用心してください」
　合 __深い　対 不用心(な)　関 ガ／ヲ注意スル、ヲ警戒スル　慣 火の用心

ようす　様子
[名] ★2
situation, state; sign
情况, 样子；迹象／상태, 모습, 상황, 기색
trạng thái

・手術を受けた母のことが心配で、何度も様子を見に行った。
・10年ぶりに帰省したら、街の様子がすっかり変わっていた。
　関 状態、状況

ようする　ヲ要する
[動] ★1
to require
需要, 须要／필요하다, 요하다
cần cho

・ダムの建設に要する費用は、約500億円と見込まれている。

・この作業は危険なので、高い技術と十分な注意を要する。　・緊急を要する手術

類 ヲ必要とする

ようするに　要するに
[接] ★2　in short / 总之, 总而言之 / 요컨대, 결국 / tóm lại

・不合格になったということは、要するに実力がなかったのだ。
・「いろいろおっしゃいましたが、要するに反対なんですね」

類 つまり

ようちな　幼稚な
[ナ形] ★1　childish, infantile / 幼稚, 不成熟 / 유치한 / trẻ con

・弟はもう中学生なのに、幼稚なことばかり言っている。
・「そんな幼稚なうそ、すぐばれるよ」　・幼稚な|考え／行動／人／文章 …|

合 幼稚さ、幼稚園　類 子供っぽい、稚拙な　関 未熟な

ようと　用途
[名] ★2　use / 用途 / 용도 / sử dụng

・海外のスーパーには、用途のわからない道具がたくさん並んでいた。
・電子レンジは用途が広くて便利なものだ。

連 ＿が広い　類 使い道

ようやく
[副] ★2　at last / 好不容易, 总算 / 겨우, 가까스로 / khái quát

・5年かかって、ようやく橋が完成した。
・60才を過ぎて、ようやく暮らしにも少し余裕ができた。

※ 長い時間がかかったことによく使う。　類 やっと、ついに

ようりょう　要領
[名] ★1　gist, essentials, knack, cleverness / 要领, 诀窍 / 요령 / đề cương, sự khái quát

① ・あの人の説明はいつも要領を得ない。　　　　連 ＿を得ない　類 要点
② ・彼女は仕事の要領がいい。　　　　　　　　　連 ＿がいい⇔悪い

※「要領のいい人」という表現はマイナスの意味で使うことが多い。

よか　余暇
[名] ★2　leisure / 余暇, 业余时间 / 여가 / giải trí

・余暇を利用して、ボランティアをしている。

関 休暇、レジャー

よかん　ヲ予感スル　[名] ★1
premonition / 预感, 预兆 / 예감 / linh cảm

・今日はなんだかいいことがありそうな予感がする。　・何か嫌な予感がする。
・彼が遺言状を書いたのは、死を予感したからかもしれない。

連 ～__がする、～__がある、嫌な__、悪い__

よき　ヲ予期スル　[名] ★2
expectation / 预期, 预料 / 기대, 예기 / dự đoán

・今回の実験では、予期に反し、いいデータが得られなかった。
・予期せぬことが起こって、仕事のスケジュールが大幅に遅れてしまった。

連 __に反する、__せぬこと　類 ヲ予想(ヲ)スル　関 ヲ予測(ヲ)スル

よく　欲　[名] ★1
greed, ambition, desire / 贪心, 野心 / 욕심, 욕망 / dục vọng, ham muốn

・欲を出して危ない株に手を出し、破産してしまった。
・「仕事が楽しければ別に出世しなくてもいいよ」「欲がないんだねえ」

連 __がある⇔ない、__が深い、__を出す、__を言えば(例. 新居には大体満足だが、欲を言えば、もう少し収納スペースが多ければよかった。)　合 食__、物__、性__、__望、__張り(な)、__深な、__深い　慣 欲に目がくらむ、欲の皮が突っ張っている

よけいな　余計な　[ナ形] ★1
unnecessary, surplus, excess, more than ever / 无用, 多余, 更加 / 쓸데없는, 불필요한, 더, 더욱더 / không cần thiết

①・荷物は軽い方がいいから、余計なものは入れないようにしている。
　類 必要以上の　慣 余計なお世話(例. 見合いの話なんて、よけいなお世話だ。)
②・アルバイト収入を増やすため、今までより1時間余計に働くことにした。
　類 ①②余分な
③[(副) よけい]・見てはいけないと言われると、よけい見たくなる。
　類 さらに、いっそう

よける　ヲよける　[動] ★2
avoid; put aside / 闪, 躲, 避开 / 피하다, 비키다 / né

①・飛んでくるボールをよけようとして転んでしまった。　類 ヲかわす
②・水たまりをよけながら歩いた。　類 ヲ避ける
③・「後でまとめて捨てますから、いらない物は脇によけておいてください」
　類 ヲどける

よこぎる　ガ横切る
[動] ★2
cross, traverse
横穿；横过, 挡住／가로지르다, 스치다／xuyên qua

・道を横切って向こう側に渡った。　・何か黒いものが視界を横切った。

よこす　ヲよこす
[動] ★1
to call (phone), send (e-mail, letter, etc.), give (hand over)／打电话, 发信件, 交给／내놓다, 내밀다／gọi, đưa

・最近、父がしばしば私に電話をよこすようになった。
・〈目の前の相手に〉「それをこっちへよこせ（＝渡せ）」

よごす　ヲ汚す
[動] ★3
dirty, pollute
弄脏, 汚染／더럽히다／làm bẩn, làm ô nhiễm

・どろ遊びをして服を汚した。　・川の水を汚さないようにしよう。
☞〈自〉汚れる

よごれる　ガ汚れる
[動] ★3
be dirty
脏／더러워지다／bị bẩn

・空気の汚れたところには住みたくない。
関 汚い　（名）汚れ→ ＿がつく・＿をつける、＿が落ちる・＿を落とす
☞〈他〉汚す

よさん　予算
[名] ★2
budget
預算／예산／ngân sách

・来年度の予算を立てる。　・車を買い替えたいのだが、予算が足りない。
連 ＿を立てる　合 ＿案　対 ガ決算スル

よす　ヲよす
[動] ★1
to give up
放弃, 停止／그만두다／từ bỏ

・海外旅行に誘われたが、お金がないので今回はよすことにした。
・無駄遣いはもうよそうと思う。　・〈けんかをしている人に〉「よしなさい！」
類 ヲやめる

よせる　ヲ寄せる
[動] ★3
move toward; send correspondence; feel
使……靠近, 投稿, 表示／가까이 대다, 보내다, 불러 모으다／tới gần, gửi gắm

① ・地震のときは、車を道の左側に寄せて止めなければならない。　☞〈自〉寄る
② ・「この番組に対するご意見、ご感想をお寄せください」
③ ・多くの人が被害者に同情を寄せた。

よそ
[名] ★2
some other place, (look) away
其他的，別处／타처，딴 곳，남
nơi khác

・方言はよその土地の人にはわかりにくい。　・よその国に住んでみたい。
・〈小さい子供に〉「よその人について行ってはだめよ」
[合] __見(例.「テスト中によそ見をするな」)

よそう　ヲ予想(ヲ)スル
[名] ★3
forecast
預測，預料／예상
dự báo

・選挙の結果を予想する。
[連] __が当たる⇔外れる、__を立てる、__を裏切る　[合] __通り、__外
[類] ヲ予測(ヲ)スル

よそく　ヲ予測(ヲ)スル
[名] ★2
prediction, estimation
預測／예측
dự báo

・データに基づいて結果を予測する。　・客がどれぐらい来るか、予測がつかない。
[連] __がつく⇔つかない、__が当たる⇔外れる　[類] ヲ予想(ヲ)スル　[関] ヲ予期スル

よてい　予定
[名] ★3
plan
计划，预定／예정
dự định

① ・夏休みの予定を立てた。
　[連] __を立てる、__を組む、__が変わる・__を変える　[合] __表、__通り
　[類] スケジュール
② ・留学が終わったら、国に帰って就職する予定だ。
　[連] (〜)__がある⇔ない、__が変わる・__を変える　[合] __日

よち　余地
[名] ★1
room, scope
余地／여유，여지
chỗ, nơi

① ・駐車場には、まだ2、3台車が入る余地がある。
② ・この計画は、まだ改善の余地が{ある／残されている}。
[連] ①②〜__がある⇔ない

よって
[接] ★1
accordingly, because of
因此／그러기에
dựa vào đó

・〈賞状〉「上記学生は一日も休まず、一度の遅刻・早退もありませんでした。よって、ここにそれを賞します」
※「因って」という表記もある。　※かたい書き言葉。　[類] ゆえに、それゆえ

よび　予備
[名] spare, reserve / 预备，备件／예비／dự bị ★2

・予備の電池を買っておいた。
合 __知識、__費、__校

よびかける　ガ／ヲ呼びかける
[動] call, address; appeal to / 呼唤；号召／말을 걸다, 부르다, 호소하다／gọi ★2

① ・意識不明の母に呼びかけた。　・道で知らない人に呼びかけられた。
② ・仲間に呼びかけて、寄付金を集めた。　・平和の大切さを世界に呼びかけよう。
関 ガ／ヲ働きかける
(名) ①②呼びかけ

よびだす　ヲ呼び出す
[動] summon; call up / 传唤；叫出来／불러내다／gọi ★2

① ・学費を払っていなかったので、事務局に呼び出された。
② ・急ぎの用事だったので、学校に電話をして子供を呼び出してもらった。
(名) ①②呼び出し(例.・「お客様のお呼び出しを申し上げます」　・学校から呼び出しを受けた。)

よぶ　ヲ呼ぶ
[動] call; summon; attract ／叫，唤；叫来；称为；招致，引起／부르다, 불러일으키다／gọi, dẫn đến ★3

① ・「名前を呼ばれたら返事をしてください」
② ・{タクシー／医者}を呼ぶ。　・「田中さん、山本さんを呼んできてください」
③ ・私は彼を「カンちゃん」と呼んでいる。　・東京は昔は江戸と呼ばれていた。
④ ・{人気／話題／議論 …}を呼ぶ。

よふかし　ガ夜更かし(ヲ)スル
[名] staying up late / 熬夜／밤늦게까지 안 자는 것／thức khuya ★1

・休みの前の日は、ビデオを見て夜更かしをする。
関 夜更け

よぶん　余分
[名] excess, extra, surplus / 多余，剩余／여분, 나머지／phần thừa ★1

・「このプリントは余分がないので、なくさないようにしてください」
・応募者が予定より少なく、賞品に余分が出た。
連 __がある⇔ない、__が出る　類 余り

[ナ形] 余分な]・文章中の余分な言葉を削除した。　　　　　　　　　　類 余計な

よぼう　　ヲ予防(ヲ)スル
[名] ★3　prevention／預防／예방／dự phòng

・かぜの予防　・災害を予防する。
合 __注射、__接種

よほど
[副] ★1　very, quite, greatly／相当，特別，差一点儿就／무척, 상당히, 웬만한, 보다 못해／nhiều, lắm

① ・よほど疲れていたのだろう、母は帰宅するなり食事もせずに寝てしまった。
　　※推量の表現と一緒に使う。
② ・「よほどのことがない限り、出席します」
③ ・映画がつまらなかったので、よほど途中で帰ろうかと思った。
　　※「よほど～(よ)うかと思った」の形で使う。
※①～③話し言葉では「よっぽど」とも言う。

よみがえる　　ガよみがえる
[動] ★1　to be revived, resuscitated／回想，复活／되살아나다, 소생하다／hồi sinh

・遠い昔の記憶が、ふとよみがえることがある。
・古代人は、死者がよみがえらないよう埋葬に工夫を凝らした。
関 ガ／ヲ復活する、ガ生き返る　(名)よみがえり

よみとる　　ヲ読み取る
[動] ★1　to read (between the lines)／读懂，读取／파악하다, 알아내다, 읽다／đọc được

① ・私はあまり小説を読まないので、登場人物の気持ちを読み取るのは苦手だ。
　　連 相手の{意図／真意／表情 …} を__、論旨を__
② ・機械で商品のバーコードを読み取る。　　　　　　　　合 読み取り機
(名)①②読み取り

よゆう　　余裕
[名] ★2　(money/time/room) to spare; be relaxed／富余，充裕，从容，镇静／여유／đầy đủ, sung túc, tự tin

① ・車を買い替えたいが、その余裕はない。
② ・最近忙しすぎる。もっと余裕のある生活がしたい。
③ ・部屋が狭いので、ベッドを置く余裕はない。　　　　　　　類 ①～③ゆとり
④ ・「試験の前に遊びに行くなんて、余裕だね」　・余裕たっぷりの態度
連 ①～④__がある⇔ない

より

[副] ★2
more, even
更，更加／보다
hơn

・**より**良い未来を築くために、みんなで力を合わせましょう。
・子供が生まれて、夫婦の愛情が**より**深まった。

※「もっと」よりかたい言葉。　類 さらに

よりかかる　ガ寄りかかる

[動] ★1
to lean (on), depend on
靠，依靠／기대다，의지하다
dựa vào, ỷ lại

・立っているのが疲れたので、壁に**寄りかかった**。
・倒れかけた木が隣の木に**寄りかかっている**。

類 ガもたれかかる

よる　ガ寄る

[動] ★3
move closer; be one-sided; stop by ／挨近，靠近；偏，靠；顺路去／다가서다，기울다，들르다／ di chuyển tới gần，nghiêng về một phía rẽ qua

① ・窓のそばに**寄って**外を見た。
② ・「ポスターが左に**寄っています**から、直してください」
　合 ［名詞］＋寄り（例. 左寄り、西寄り、駅寄り）
③ ・会社からの帰りに、雑誌を買いに本屋へ**寄った**。

合 寄り道

☞ 〈他〉寄せる

よろこばしい　喜ばしい

[イ形] ★1
happy
喜悦／기쁘다，반갑다
vui vẻ

・我が校出身の横山氏がノーベル賞を受賞したとは、**喜ばしい**限りだ。
・**喜ばしい**知らせに、泣き出す人もいた。

合 喜ばしさ　対 嘆かわしい、悲しい　（動）ヲ喜ぶ

よろこび　喜び

[名] ★3
joy
喜悦，高兴／기쁨
niềm vui

・優勝できて、**喜び**でいっぱいだ。

合 ガ大__スル　（動）ヲ喜ぶ

よろん　世論

[名] ★2
public opinion
舆论，公论／여론
dư luận

・現代の政治家は**世論**を無視することはできない。

※「せろん」とも言う。　合 __調査

よわまる　ガ弱まる
[動] ★3
weaken
変弱／약해지다
yếu đi, giảm

・疲れていると抵抗力が<u>弱まって</u>、かぜにかかりやすくなる。
・{雨／風／力／勢力／影響 …}が<u>弱まる</u>。

対 ガ強まる　☞〈他〉弱める

よわめる　ヲ弱める
[動] ★3
weaken, reduce
減弱／약하게 하다
cho yếu đi, giảm đi

・「材料がやわらかくなったら、火を<u>弱めて</u>ゆっくり煮込んでください」
・{力／勢い …}を<u>弱める</u>。

対 ヲ強める　☞〈自〉弱まる

よわる　ガ弱る
[動] ★1
to weaken, be dejected
衰弱，困窮／약해지다, 곤란해지다
yếu đi, khốn quẫn

① ・年を取ると足腰が<u>弱って</u>くる。　・体が<u>弱って</u>いると風邪をひきやすい。
② ・終電に乗り遅れて、<u>弱って</u>しまった。　　　　類 ガ困る

ライブ
[名] ★1
live concert/music
现场演奏会／라이브
live show

① ・友達がやっているバンドのライブを見に行った。
　[連] __をする　[合] __ハウス、__活動　[類] 生演奏
② ・音楽はライブで聞くと迫力が違う。　[合] __放送、__中継、__映像　[類] 生

らくな　楽な
[ナ形] ★3
easy
舒服的；轻松的／편안하다, 쉽다
nhàn hạ, dễ dàng

① ・もう少し楽な暮らしがしたい。
② ・この仕事は、電話を受けるだけでいいのでとても楽だ。
③ [(名) 楽]・年を取ったらもう少し楽がしたい。　[連] __をする

ラスト
[名] ★1
last, finale
最后, 末尾／라스트, 마지막
cuối cùng

・マラソンでラストの一人がゴールすると、観客から拍手が湧いた。
・ドラマのラストで主人公の二人は結ばれる。
[合] __シーン、__チャンス、__スパート、〈レストラン〉__オーダー
[対] トップ、先頭、最初　[類] 最後、最終

らっかん　ヲ楽観スル
[名] ★1
optimism
乐观／낙관
lạc quan

・来年の景気の動向は楽観を許さない。　・会社の将来について、私は楽観している。
[合] __的な、ヲ__視スル　[対] ヲ悲観スル

らっかんてきな　楽観的な
[ナ形] ★1
optimistic
乐观的／낙관적인
có tính lạc quan

・私は楽観的な性格で、あまり将来を心配していない。
・楽観的な{見方／考え方／性格 …}
[対] 悲観的な　[関] ヲ楽観視スル　(名) ヲ楽観スル

ラッシュ
[名] ★3
rush, rush hour
热潮；拥挤／혼잡, 러시 (아워)
giờ cao điểm

① ・年末年始は、帰省ラッシュでチケットがとりにくい。　[合] 帰省__
② ・ラッシュ（<ラッシュアワー）の時間帯に電車に乗るのは大変だ。
　[合] 通勤__、通学__

ラベル
[名] label
标签／라벨, 상표
★3 nhãn

・びんのラベルをはがして、リサイクルに出す。

らん　欄
[名] column
栏, 栏目／난, -란
★1 cột

① ・〈書類など〉「ファックス番号はこの欄の中に書いてください。なければ空欄にしておいてください」　合 空__、__外、解答__、回答__
② ・新聞の投書欄に私の投書が載った。　合 投書__　関 コラム

ランク　ガランクスル
[名] rank
排行榜／랭크
★1 thứ hạng

・ランクの高い大学は受験生の人気も高い。
・この病院は、ガン治療の分野で日本のトップ10にランクされている。
連 __が高い⇔低い、__が上がる⇔下がる、__がアップする⇔ダウンする、__を上げる⇔下げる、上の__⇔下の__、__を付ける　合 __アップ⇔ダウン、__付け、ガ__インスル　類 順位、等級、階級　関 ランキング、レベル

らんぼうな　乱暴な
[ナ形] violent, rude
粗暴, 蛮横, 胡来／난폭한, 거친, 강간
★1 bạo loạn, hỗn láo

① ・あの子は乱暴な子で、よくものを壊したり、人を叩いたりする。
合 乱暴さ、乱暴者
② [名] ガ乱暴スル・新聞によると、酔って駅員に乱暴を働く人が増えているそうだ。
連 __を働く　関 暴力

リーダー
[名] leader
領导人, 指导者／리더, 지도자
★3 cá nhân/tổ chức đứng đầu

・グループのリーダーを決める。　・この国に新しいリーダーが誕生した。
合 __シップ、チア__

リード　ヲリードスル
[名] lead／帯領, 率領；領先；导读
리드, 선도, 머리말, 전문
★2 dẫn

① ・A国は経済で世界をリードしている。　・A社は業界をリードするメーカーだ。
類 ヲ先導スル、ヲ率いる、ヲ引っ張る　関 リーダー
② ・マラソンで2位以下の選手を{100メートル／3分 …}リードした。
③ ・新聞のリード　類 前文　関 見出し、本文

りえき　利益
[名] profit
利润；利益／이익
★2　lợi nhuận

① ・企業が利益を追求するのは当然だ。
　連 ＿を得る、＿が出る、＿が上がる・＿を上げる　対 損害　類 利潤
② ・政治家には国民全体の利益を考えてもらいたい。　連 ～の＿になる　対 不利益
対 ①②損失　関 ①②利害

りかい　ヲ理解(ヲ)スル
[名] understanding
理解；体谅，谅解／이해
★3　hiểu, thông cảm

① ・意味の理解　・内容を深く理解する。
　連 ＿が速い⇔遅い、＿が深い　合 ＿力、＿不足
② ・私の上司は、部下に理解があるので働きやすい。
　連 ＿がある⇔ない、＿が深い、＿を求める　合 ＿者、＿不足

りがい　利害
[名] pros and cons, interest
利害，得失／이해
★1　lợi hại, lợi ích chung

・十分に利害を考えた上で、事業を興すかどうかを決めたい。
・二人は対立していたが、共通の敵ができたことで利害が一致した。
連 ＿が一致する⇔対立する
合 ＿関係(例. 私と彼は単なる知り合いで、何の利害関係もない。)

りくつ　理屈
[名] reason, argument, theory
道理，歪理／이치, 이론
★1　lý luận

① ・円高なのに輸入品が値上がりしているのは、理屈に合わない話だ。
　連 ＿に合わない、＿が通らない、＿が通用しない　類 道理、論理
② ・あの人は理屈を言うばかりで、実行が伴わない。
　連 ＿を言う、＿をこねる　合 ＿っぽい(例. 理屈っぽい人)、＿屋、へ理屈

りこうな　利口な
[ナ形] clever, smart, obedient
聪明，明智／영리한, 똑똑한, 현명한, 말 잘 듣는
★1　khôn ngoan

① ・カラスは利口な鳥だと言われている。　合 利口さ　類 賢い
② ・社長には逆らわない方が利口だ。　合 利口さ　類 賢明な　関 要領がいい
③ ・〈母親が子供に〉「お利口にしていてね」

りこてきな　利己的な　[ナ形] ★1
selfish／自私自利的／이기적인／ích kỉ

・あの人は自分のことしか考えない利己的な人だ。
関 利己主義(者)、自己中心的な

リサイクル　ヲリサイクル(ヲ)スル　[名] ★3
recycling／回收，再利用／재활용, 리사이클／tái sử dụng

・古くなった服をリサイクルに出した。
・新聞紙はリサイクルされて、トイレットペーパーなどになる。
連 ヲ__に出す　合 __運動、__ショップ　類 ヲ再利用(ヲ)スル

リスト　[名] ★1
list／名簿／리스트／danh sách

・サークルの会員のリストを作って全員に配付した。
合 ヲ__アップスル(例．会員の中で25才以上の人だけをリストアップした。)
類 一覧、名簿

リストラ　ヲリストラスル　＜リストラクション　[名] ★1
restructuring, downsizing, redundancy／公司重組，裁員／기업 구조 조정／tái cơ cấu

①・経営不振で企業はさまざまなリストラ(策)を行った。
　合 __策　類 企業再構築　関 経営合理化
②・会社は10人の従業員をリストラした。　・会社をリストラされた。
　連 __に遭う　類 ヲ解雇スル　関 ヲくびにする・ガくびになる

リズム　[名] ★2
rhythm／(音乐)节奏，拍子，(生活等的)节奏／리듬／nhịp điệu

①・この曲のリズムは3拍子だ。　・リズムに合わせて体を動かす。
　連 __をとる、__を合わせる、__に合わせる、__に乗る　合 __運動、__感(例．リズム感がいい⇔悪い)　類 拍子　関 テンポ、メロディー
②・｛生活／仕事／睡眠 …｝のリズム
連 ①② __が乱れる、__が戻る・__を戻す、__を整える

りそう　理想　[名] ★2
ideal／理想／이상／lý tưởng

・若者には高い理想を持ってもらいたい。　・理想の｛男性／女性／上司／職場 …｝
連 __が高い、__を追求する、__を抱く　合 __的な　対 現実

リゾート　[名] ★1
resort / 度假地／리조트 / khu nghỉ mát

・久しぶりの休日に、リゾートに出かけてのんびりした。　・南国のリゾート

合 __地、__ホテル、__開発　類 保養地、観光地　関 レジャー

りっぱな　立派な　[ナ形] ★3
great, grand, full-grown, full-fledged (crime) ／出色的，漂亮的；出众的；充分的，完全的／훌륭하다，어엿하다／rạng rỡ, hoành tráng (thành tích, tòa nhà), trưởng thành, kinh nghiệm

① ・立派な{人／仕事／成績／建物 …}　　　　合 立派さ
② ・彼は最後まで立派にリーダーとしての役目を果たした。
③ ・いじめは、りっぱな犯罪だ。

リハビリ　＜リハビリテーション　[名] ★2
rehabilitation / 康复，医疗指导／리허빌리테이션，재활 / phục hồi chức năng

・骨折で入院し、退院後もしばらくリハビリのため病院に通った。

連 __をする　合 __運動、__センター

りゃくす　ヲ略す　[動] ★2
abbreviate; omit, skip / 简略；省略／줄이다, 생략하다 / tắt, lược

① ・国際連合を略して国連と言う。　　　　　関 ヲ省略する、ヲ縮める
② ・詳しい話は略して、結論だけ報告する。　類 ヲ省略する、ヲ省く
※「略する」という形もある。

りゅうこう　ガ流行スル　[名] ★3
fashion, fad, spread (of disease) / 流行；蔓延／유행 / thịnh hành

① ・新しい流行　・彼女はいつも流行の服を着ている。
　　連 __を取り入れる、__を追う　合 __語、__遅れ　類 はやり、ブーム
② ・インフルエンザが流行する。
連 ①②ガ大__スル　関 ①②ガはやる

りゅうつう　ガ流通スル　[名] ★1
circulation, distribution, flow / 流通／유통 / lưu thông, lưu hành

① ・地震のため、物資の流通が滞った。
② ・新しい紙幣が流通し始めている。
合 __業、__産業、__機構　類 流れ　関 ガ出回る、ガ普及スル

りよう　ヲ利用(ヲ)スル　[名] ★3
use, exploitation / 使用；利用；滥用／이용 / sử dụng, lợi dụng

① ・水不足なので、水道の利用を減らした。　・通学に電車を利用する。

合 __者、__料(金)、__量、__法　類 ヲ使用スル

② ・トウモロコシは燃料にも利用される。　　　　合 ヲ再__スル　類 ヲ活用スル

③ ・人をだまして利用する。　・地位を利用して金もうけをする。

りょうかい　ヲ了解スル
[名] understanding, consent
知道，明白／납득, 이해
★1　hiểu, nắm rõ

① ・「商談が終わったら、結果を電話で報告してください」「了解しました」
　※ 親しい人同士や通信などでは「了解」と短く言うこともある。　類 ヲ承知スル

② ・彼の真意を聞いて、本当は何をやりたいのか初めて了解した。　類 ヲ理解スル

りょうしん　良心
[名] conscience
良心／양심
★1　lương tâm

・やむを得ずうそをついたが、いつまでも良心が{痛んだ／とがめた}。
・彼女は良心の痛みに耐えられず、罪を告白した。

連 __がある⇔ない、__が痛む、__の痛み、__に恥じる、__がとがめる　__の呵責
合 __的な(例. この店は高級な革製品を良心的な値段で売っている。)

りょうりつ　ガ両立スル
[名] coexistence, combination (of two things)
两立，并存／양립
★1　sự cùng tồn tại

・家庭と仕事をうまく両立させている夫婦は多い。　・趣味と実益の両立を図る。

りれき　履歴
[名] history, record
履历／이력
★2　lý lịch

・会社に応募するにあたり、履歴書を書いた。

合 __書、着信__　関 経歴、キャリア

りんじ　臨時
[名] temporarily, provisionally
临时／임시
★2　tạm thời

・急病人が出たため、列車は臨時にこの駅に停車した。

合 __ニュース、__列車、__停車、__休業、__休校

ルーズな
[ナ形] not punctual, sloppy ／散漫的, 松弛的
루스하다, 해이하다, 느슨하다
★2　lỏng lẻo

・あの人は時間にルーズだ。　・ルーズな{人／性格／生活／生活態度 …}

合 ルーズさ　類 だらしない、しまりがない

ルール
[名] rule／規則／물,규칙／qui định ★3

・サッカーの<u>ルール</u>を覚える。　・<u>交通ルール</u>は国によって違う。
連 __を守る⇔破る、__に違反する、__に従う　合 __違反　類 規則

れい　礼
[名] thank; bow; courtesy／谢辞,感谢；行礼；礼法／감사의 말,사례,절,인사,예의／lễ ★2

① ・親切にしてもらった<u>礼</u>を述べる。　連 __を言う、お__をする
② ・お客様が部屋に入ってきたら、立って<u>礼</u>をすること。　連 __をする　類 おじぎ
③ ・日本の伝統的な武道は<u>礼</u>を重んじる。　類 礼儀

(お)れい　(お)礼
[名] token of gratitude/ appreciation／谢意,谢礼／사례,감사의 선물／cám ơn ★3

・お世話になった方に<u>お礼</u>をした。　・入学祝の<u>お礼</u>にお菓子を送った。
連 お__をする、(お)__を言う

れいがい　例外
[名] exception／例外／예외／ngoại lệ ★3

・どんな規則にも<u>例外</u>がある。
・休むと試験は受けられないが、病気の場合は<u>例外</u>だ。
連 ヲ__{に／と}する、__を認める　合 __的な、__なく

れいぎ　礼儀
[名] etiquette／礼仪,礼节,礼貌／예의／lễ nghi ★3

・目上の人への<u>礼儀</u>　・あの人は<u>礼儀</u>を知らない。
合 __正しい、__作法、__知らず　関 エチケット、マナー、作法

れいせいな　冷静な
[ナ形] calm, composed／冷静／침착한,냉정한／điềm tĩnh ★1

・何があっても慌てず<u>冷静な</u>上司を、私は尊敬している。　・<u>冷静な</u>態度をとる。
・「感情的にならないで、<u>冷静に</u>話しましょう」
合 冷静さ、冷静沈着な　関 冷たい、情熱的な

れいねん　例年
[名] average/ordinary year／往年／예년／các năm trước ★1

・<u>例年</u>(は)11月に行われる学園祭が、今年は10月に繰り上げられた。
・今年の夏は、<u>例年</u>にない暑さだった。

連 ＿にない＋[名詞]、＿になく＋[形容詞など]

れいの　例の
[連] ★1　that (when the subject is known to both parties)／往常的，(谈话双方都知道的)那个／그, 여느 때／đó

・「例の件、どうなった？」「ええ、うまくいきました」・「例の物を持ってきてくれ」
※話し手・聞き手、両者がよく知っていることがら・ものごとを指すときに使う。

類 あの

レース
[名] ★2　race／速度比賽，竞赛／레이스, 경주, 경쟁／cuộc đua

・競輪場へレースを見に行った。
・日本では幼稚園から受験レースがスタートしている。

連 ＿をする　合 カー＿、ボート＿、出世＿、受験＿、優勝＿　類 ガ競争スル

レギュラー
[名] ★2　regular／正式选手；正式演员；普通，标准／레귤러, 정규／thường xuyên

① ・〈スポーツ〉チームのレギュラーになれるようにがんばっている。
　合 ＿メンバー　対 補欠　類 正選手
② ・あの俳優はバラエティー番組にレギュラーで出演している。
③ ・レギュラーサイズのコーラを注文する。
　合 ＿サイズ、＿ガソリン　関 普通、並み

レクリエーション
[名] ★2　recreation／消遣，娱乐／레크리에이션, 오락／vui chơi giải trí

・合宿では、勉強だけではなくレクリエーションも行われる。
※「レクレーション」とも言う。　合 ＿活動

レジ　＜レジスター
[名] ★3　cash register／收银台，收银处／캐셔, 계산대／quầy thanh toán

・スーパーでレジのアルバイトをしている。　・レジに並ぶ。

連 ＿を打つ

レシート
[名] ★3　receipt／收据，收条／영수증／hóa đơn

・レジでお金を払って、レシートを受け取る。

類 領収書

レシピ
[名] recipe / 食譜 / 조리법 / công thức ★1

・このケーキは、レシピの通りに作れば、誰でも簡単にできる。
合 __本、__ブック

レジャー
[名] leisure / 娱乐 / 레저 / giải trí ★2

・休みに海外へレジャーに出かける。
合 __産業、__施設、__スポット、__活動　関 余暇

レジュメ
[名] resume, summary / 摘要 / 레쥬메 / sơ yếu lý lịch ★1

・発表の内容をレジュメにまとめた。
※日本語では「履歴書」という意味はない。　関 ハンドアウト

れつ　列
[名] line, row / 队,行列 / 줄,열 / hàng ★3

・入り口の前には長い列ができていた。　・1列に並ぶ。
連 __を作る、__ができる　合 [数字]+列　類 ガ行列スル

レッスン　ヲレッスン(ヲ)スル
[名] lesson / 课程,功课;课 / 레슨,교습 / bài học ★2

①・ピアノのレッスンに通う。
※日時を決めて個人的に習うものに多く使う。　連 __を受ける
合 プライベート__、グループ__　関 練習、稽古

②・このテキストは、「レッスン1」から「レッスン15」まである。　類 課

レッテル
[名] label / 扣帽子;商标,标签 / 라벨,딱지 / nhãn ★1

①・授業にいつも遅刻する彼は、クラスで怠け者のレッテルを貼られている。
連 __を貼る　※マイナスの意味で使うことが多い。

②・このジャムは、レッテルからするとフランス産のようだ。　類 ラベル

レベル
[名] level / 水平,水准 / 레벨 / level ★3

・マリアさんは日本語のレベルが高い。　・レベル別にクラスを分ける。
連 __が高い⇔低い、__が上がる⇔下がる・__を上げる⇔下げる

合 ＿アップ ⇔ ダウン

れんぞく　ガ／ヲ連続スル
[名] continuation, sequence
连续／연속
hàng loạt
★2

・3回連続で失敗してしまった。　・昨日と今日、連続して地震が起こった。
合 ＿ドラマ、＿{殺人／放火 …}事件、＿的な　対 不連続（な）

レンタル　ヲレンタルスル
[名] rental
出租, 租賃／렌털, 임대
thuê
★3

・このスーツケースはレンタルだ。　・パーティードレスはレンタルすることにした。
合 ＿ビデオ、＿ショップ、＿料　関 レンタカー、レンタサイクル

ろくが　ヲ録画（ヲ）スル
[名] recording (a video)
录像／녹화
thu âm
★3

・テレビ番組をビデオに録画する。
合 ＿放送　関 ヲ録音（ヲ）スル、DVD（デッキ）

ろくに
[副] enough, sufficient
很好地, 令人満意地／제대로
kha khá, tương tất
★1

① ・最近忙しくて、ろくに寝ていない。
② [連] ろくな］・この会社は忙しいばかりで、ろくな給料もくれない。
　　関 ろくでもない（例．あんなろくでもないやつとは付き合わない方がいい。）
※①②否定的な表現と一緒に使う。

ろこつな　露骨な
[ナ形] frank, plain
露骨／노골적인
rõ ràng
★1

・田中さんに仕事を頼むと、彼は露骨に嫌な顔をした。
・露骨な{敵意／描写／表現 …}
※マイナスの意味で使う。　合 露骨さ　類 あからさまな、あらわな

ロボット
[名] robot
机器人／로봇
rô bốt
★3

・子供はロボットのアニメが好きだ。　・ロボットは工場で危険な作業をする。
合 産業＿

ロマンチックな
[ナ形] romantic
浪漫的／로맨틱하다
lang mạn
★2

・デートをするならロマンチックな場所がいい。

524

・ロマンチックな{人／話／物語／映画　…}

※「ロマンティック」とも言う。　関 ロマンチスト、ロマンス

ろんり　論理

[名] ★1
logic
逻辑，道理／논리
lý thuyết

・この論文は構成はいいが、論理の面で問題がある。
・社会には、まともな論理が通らないことがしばしばある。

連 ＿が通らない　合 ＿的な、＿性(例. 彼の話は論理性{に欠ける／を欠く}。)、＿力、＿立てる(例.「論理立ててきちんと説明してください」)

類 理屈　※「論理」よりも個人的な場面で使われやすい。

わ　輪　[名] ★2
loop, circle
圈／원형, 고리
bánh xe

・日本では、親指と人差し指で輪を作ると、OKのサインになる。　・輪になって踊る。

連 __になる、__を作る　合 指__、花__、__ゴム、浮き__

わかす　ヲ沸かす　[動] ★3
boil; prepare (a bath); excite
使……烧开；使……兴奋／끓이다, 열광시키다
đun sôi (nước), làm sôi động

①・{湯／風呂}を沸かす。
②・おもしろいことを言って会場をわかした。
☞〈自〉沸く

わがままな　[ナ形] ★3
selfish
任性的／제멋대로이다, 버릇없다
ích kỷ

・わがままな{人／性格／行動　…}　・彼女はわがままだ。　・わがままにふるまう。
(名) わがまま(例.・わがままを言う。　・彼のわがままにはみんな困っている。)

わかれ　別れ　[名] ★3
parting
分別／이별
chia tay

・日本では3月は別れの季節だ。
(動) ガ別れる

わかれる　ガ分かれる　[動] ★3
be divided
分开, 分歧／분리되다, 갈리다
bị được chia thành

・トイレは、男性用と女性用に分かれている。
・クラスで二つのチームに分かれてサッカーをした。
☞〈他〉分ける

わかわかしい　若々しい　[イ形] ★1
youthful
年轻, 有朝气／젊다
trẻ trung

・あの俳優はもう70代のはずだが、いつまでも若々しい。
・若々しい{表情／声　…}
※本当に若い人には使わない。　合 若々しさ

わき　脇　[名] ★2
side; out of the way
腋下；旁边／겨드랑이, 옆, 딴 데
nách

①・体温計をわき(の下)にはさんで熱を測る。
②・荷物を脇に置く。　・原田さんはすぐに話が脇にそれてしまう。

連 __にそれる　合 __見(例. 脇見運転、脇見をする)　類 横

わきまえる　ヲわきまえる
[動] ★1　to be well mannered, know one's place
辨別／가리다, 분별하다
nhận rõ, nhận ra

・職場では、立場をわきまえたふるまいが求められる。
・{善悪／公私の別／場 …}をわきまえて行動する。

類 ヲ心得る　(名)わきまえ

わく　ガ沸く
[動] ★3　boil; (bath) is ready; become excited
烧开, 沸腾；激动, 兴奋／끓다, 열광하다
sôi (nước), sôi động

① ・{湯／風呂}が沸く。
② ・歌手が登場して会場がわいた。

合 ガ沸き上がる(例. 歓声が沸き上がる。)

☞ 〈他〉沸かす

わく　ガ湧く
[動] ★2　spring out; be filled with; breed
涌出, 涌现；孳生／솟아나다, 생기다, 끓다
sôi sục

① ・家の土地から温泉が湧いた。
② ・この本を読んで生きる勇気が湧いてきた。

合 ①②湧き上がる(例. ② {怒り／悲しみ／勇気 …}が湧き上がる。)

③ ・水たまりがあると蚊が湧いてくる。

わく　枠
[名] ★1　frame, border, scope
框子, 边线, 条条框框, 范围／테두리, 틀, 범위／khung, giá

① ・窓の枠に虫が止まっている。　　合 窓__　類 フレーム
② ・「我が社では、枠にはまらない柔軟な考えを持つ人を求めています」
③ ・この計画にかかる費用は、予算の枠を超えている。

合 別__(例. 予算とは別枠で費用を出す。)　類 範囲

連 ①~③__にはまる・__にはめる、__からはみ出る　合 ①~③__組み(例. ・レポートの枠組みを考える。　・考え方の枠組み)、__内⇔外

わけ　訳
[名] ★3　reason; meaning
理由, 原因；意思, 意义／이유, 뜻
lý do, nghĩa là

① ・遅刻したわけを話す。　　　　連 深い__　類 理由、事情
② ・彼が言っていることは、訳がわからない。　　類 意味、理屈

わける ヲ分ける
[動] ★3 divide; push one's way through
分, 分开, 划开／나누다, 헤치다
chia

・財産を3人の子供に分ける。　・クラスでチームを二つに分けてサッカーをした。
☞〈自〉分かれる

わざ　技
[名] ★1 technique
技能, 本領／기술, 솜씨
kỹ thuật

① ・工芸品は、職人の技の結集だ。
　【連】__を磨く、__がさえる　【合】職人__、神__　【類】技能、技術
② ・田中選手は、鉄棒ですばらしい技を見せた。
　【連】__を磨く、__がさえる、__が決まる・__を決める
　【合】大__⇔小__、早__、得意__、離れ__、神__

わざと
[副] ★2 on purpose, intentionally
故意地／일부러, 고의로
có chủ ý

・子供相手にゲームをするときは、ときどきわざと負けてやったりする。
・彼女とは話したくなかったので、わざと気がつかないふりをした。
【類】故意に　※「故意に」の方がかたい言葉。

わざわざ
[副] ★2 take the trouble (to do); expressly
特意／일부러
không cần thiết nhưng đã làm

・学校を欠席したら、クラスメートがわざわざ宿題をうちまで届けてくれた。
・わざわざ遠くのデパートまで行って買ったのに、同じものが近所のスーパーにもあった。

わずかな　僅かな
[ナ形] ★1 little, only
仅仅, 一点点／약간의, 적은
một chút, một ít

・足を骨折したので、わずかな距離でも移動が大変だ。
・今年も残り{わずかだ／わずかになった}。　・収入が僅かに上がった。
【連】残り__　【合】僅かさ　【類】少ない、少し
[(副) わずか]・昨年のこの試験の合格率はわずか1割だった。　【類】たった

わずらわしい　煩わしい
[イ形] ★1 complicated, troublesome
麻烦, 琐碎／번거롭다
phiền phức, phiền toái

・若い頃は隣近所との付き合いが煩わしかったが、今ではその大切さがわかる。
・保険金の請求には煩わしい手続きが必要だった。

[合] 煩わしさ　[類] 面倒な、厄介な　(動)ヲ煩わす（例.・心を煩わす。・人の手を煩わす。）

わだい　話題
[名] ★2　subject, topic / 话题, 谈话材料 / 화제 / đề tài

・野中さんはとても話題が豊富な人で、話していて楽しい。
・最近は政治が話題になることも多い。

[連] __になる・__にする、__に上る、__が豊富だ　[関] トピック

わな
[名] ★1　trap, catch / 圈套 / 함정, 덫 / bẫy, cái bẫy

① ・最近イノシシの害がひどいので、あちこちにわなをしかけた。
② ・うますぎる話には、どこかわながあるものだ。　[連] __にはまる・__にはめる
[連] ①② __を仕掛ける、__にかかる・__にかける

(お)わび
[名] ★3　apology / 道歉 / 사죄 / xin lỗi

・迷惑をかけた人におわびをした。　・おわびの言葉を言う。

[連] お__をする、(お)__を言う　(動)ヲわびる

わめく　ガ/ヲわめく
[動] ★1　to shout, scream / 喊叫 / 외치다, 소리치다 / kêu lên, gào thét

・夜中に通りで誰かが大声でわめいていた。

[合] ガ泣き__、ガわめき散らす、わめき声　[慣] 泣いてもわめいても（例.泣いてもわめいても明日はもう締め切りだ。）

わらい　笑い
[名] ★3　laughter / 笑 / 웃음 / cười

・歌手の冗談で会場に笑いが起きた。

[合] 大__(ヲ)スル　(動) ガ/ヲ笑う

わりあい　割合
[名] ★3　ratio / 比例, 百分比 / 비율 / tỉ lệ

・デパートの客は女性の割合が高い。　・年に10%の割合で売り上げが伸びている。

[連] __が大きい⇔小さい、__が高い⇔低い　[類] 比率

わりあてる　ヲ割り当てる
[動] ★1　to allocate, divide among / 分派 / 배당하다 / phân công

・大会の実行委員は、それぞれに仕事を割り当てられた。

・ドラマの役を役者に割り当てる。
(名) 割り当て (例．10万円の利益を5人で分けると、一人2万円の割り当てだ。)

わりに／わりと／わりあい(に／と)
割に／割と／割り合い(に／と)   [副] ★2
comparatively
相比較，比較起来／생각외로，뜻밖에，비교적
tương ứng

・道が込んでいるかと思ったら、割にすいていた。 ・今日はわりと暖かい。
・今回のレポートはわりあい良く書けたと思う。

[類] 比較的

わりびき   ヲ割引スル   [名] ★2
discount
打折，减价／할인
giảm giá

・「まとめて買うから、少し割引してください」
・「セール期間中は、全商品を30%割引します」

[類] ヲ値引き(ヲ)スル [関] ヲまける (動) ヲ割り引く

わる   ヲ割る   [動] ★3
break; divide; jump (the queue)
打碎，砸 (鸡蛋)，切，除以，夹塞儿／깨다，쪼개다，나누다，비집다，끼어들다／chia

① ・{ガラス／皿／コップ …}を割る。 ・卵を割る。   ☞〈自〉割れる
② ・りんごを二つに割って二人で食べた。
③ ・10を5で割ると2になる。 ・10割る5は2だ。
④ ・並んでいる列に割って入るのはマナー違反だ。 [合] ガ割り込む→ 割り込み

われる   ガ割れる   [動] ★3
break; be split
破裂，碎；分散，分裂／깨지다，갈라지다
vỡ (cốc, chén...), chia

① ・{ガラス／皿／コップ …}が割れる。   ☞〈他〉割る
② ・羊のひづめは先が二つに割れている。

付録
ふろく

1 体の部分の言葉
からだ ぶぶん ことば

2 臓器、器官
ぞうき きかん

3 家族の呼び方
かぞく よ かた

4 生物
せいぶつ

5 風物詩
ふうぶつし

6 時を表す言葉
とき あらわ ことば

7 性格を表す言葉
せいかく あらわ ことば

8 否定接頭辞
ひていせっとうじ

9 漢語の省略語
かんご しょうりゃくご

10 アルファベットの略号
りゃくごう

1 体(からだ)の部分(ぶぶん)の言葉(ことば) 【 Terms for Body Parts ／身体部分的词汇／신체 각 부위／ Từ chỉ bộ phận trên cơ thể 】

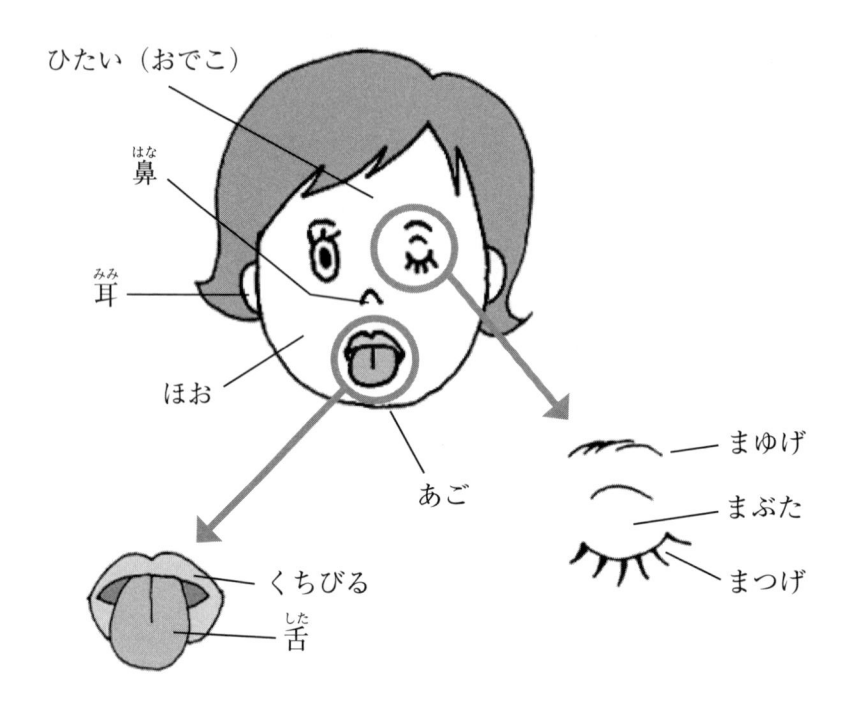

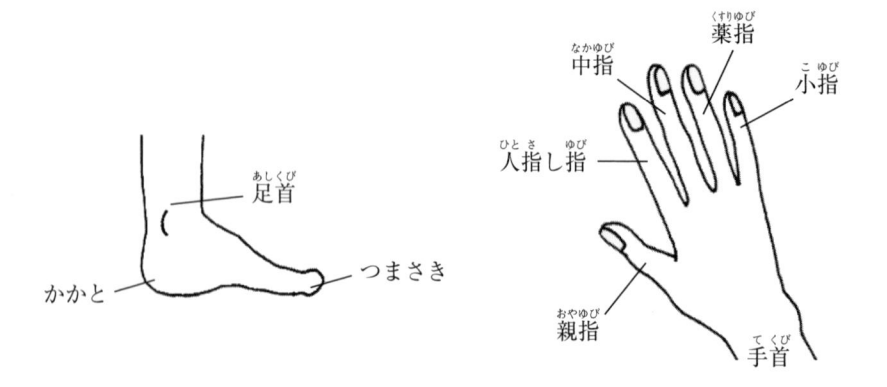

- ひたい（おでこ）
- 鼻(はな)
- 耳(みみ)
- ほお
- あご
- まゆげ
- まぶた
- まつげ
- くちびる
- 舌(した)
- 足首(あしくび)
- かかと
- つまさき
- 薬指(くすりゆび)
- 中指(なかゆび)
- 小指(こゆび)
- 人指し指(ひとさしゆび)
- 親指(おやゆび)
- 手首(てくび)

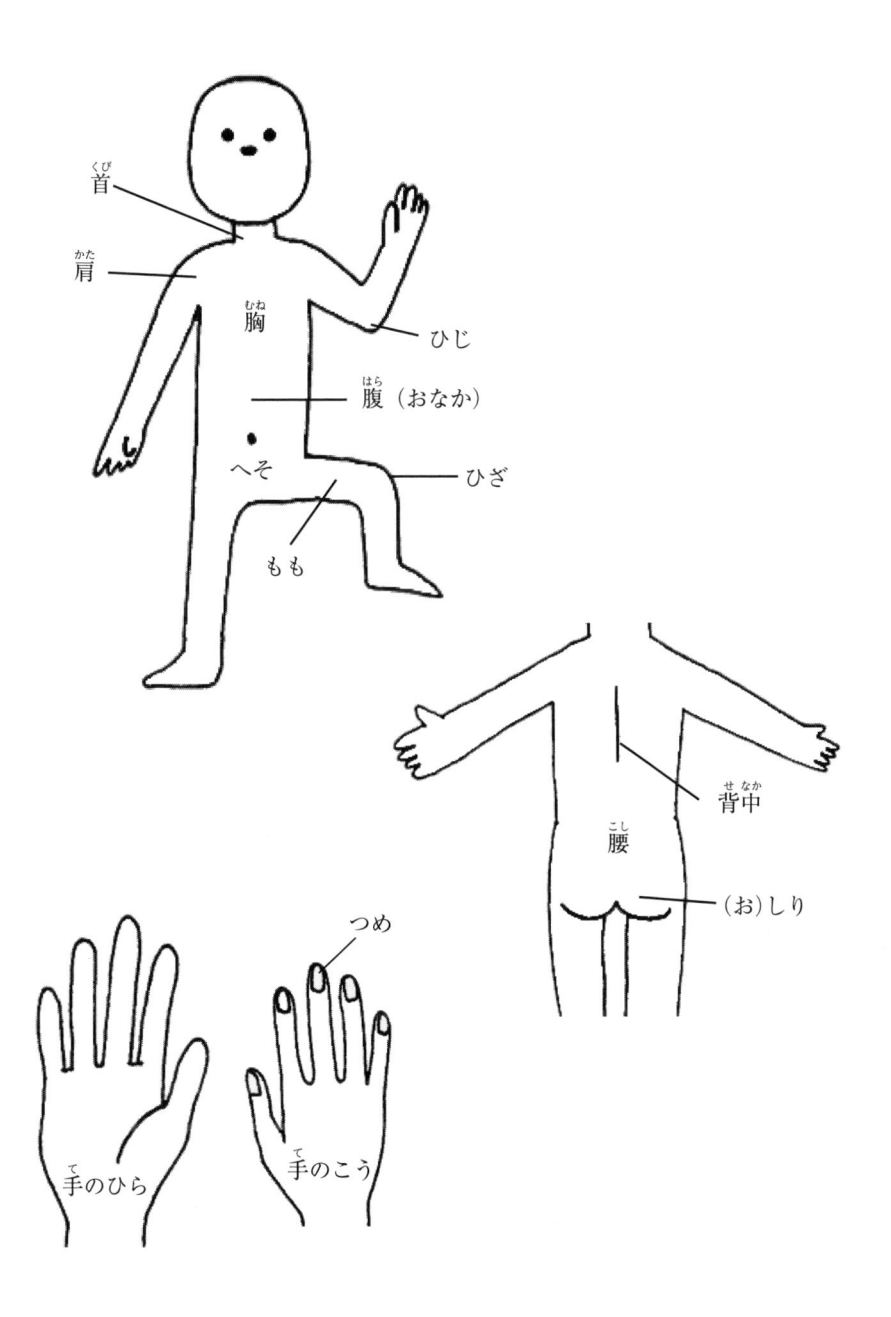

- くび　首
- かた　肩
- むね　胸
- はら　腹（おなか）
- へそ
- ひじ
- ひざ
- もも
- せなか　背中
- こし　腰
- （お）しり
- つめ
- てのひら　手のひら
- てのこう　手のこう

533

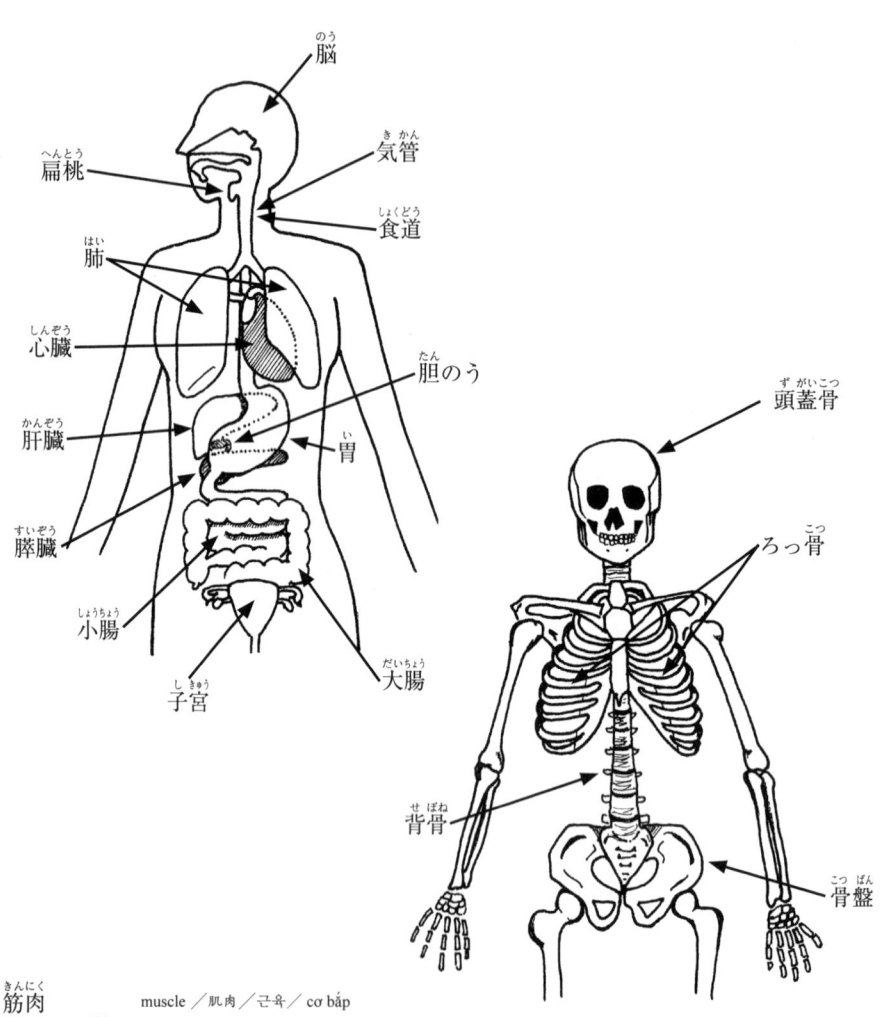

2 臓器、器官　【Organs ／内脏，器官／장기, 기관／ Các cơ quan】

- 脳（のう）
- 扁桃（へんとう）
- 気管（きかん）
- 食道（しょくどう）
- 肺（はい）
- 心臓（しんぞう）
- 肝臓（かんぞう）
- 胆のう（たん）
- 胃（い）
- 膵臓（すいぞう）
- 小腸（しょうちょう）
- 大腸（だいちょう）
- 子宮（しきゅう）
- 頭蓋骨（ずがいこつ）
- ろっ骨（こつ）
- 背骨（せぼね）
- 骨盤（こつばん）

筋肉（きんにく）	muscle ／肌肉／근육／ cơ bắp
アキレス腱（けん）	Achilles tendon ／跟腱／아킬레스건／ gót chân A-sin
血管（けっかん）	blood vessel ／血管／혈관／ mạch máu
動脈（どうみゃく）	artery ／动脉／동맥／ động mạch
静脈（じょうみゃく）	vein ／静脉／정맥／ tĩnh mạch
毛細血管（もうさいけっかん）	capillary ／毛细血管／모세 혈관／ mao mạch
リンパ腺（せん）	lymph node/gland ／淋巴腺／림프샘／ tuyến bạch huyết
神経（しんけい）	nerve ／神经／신경／ thần kinh

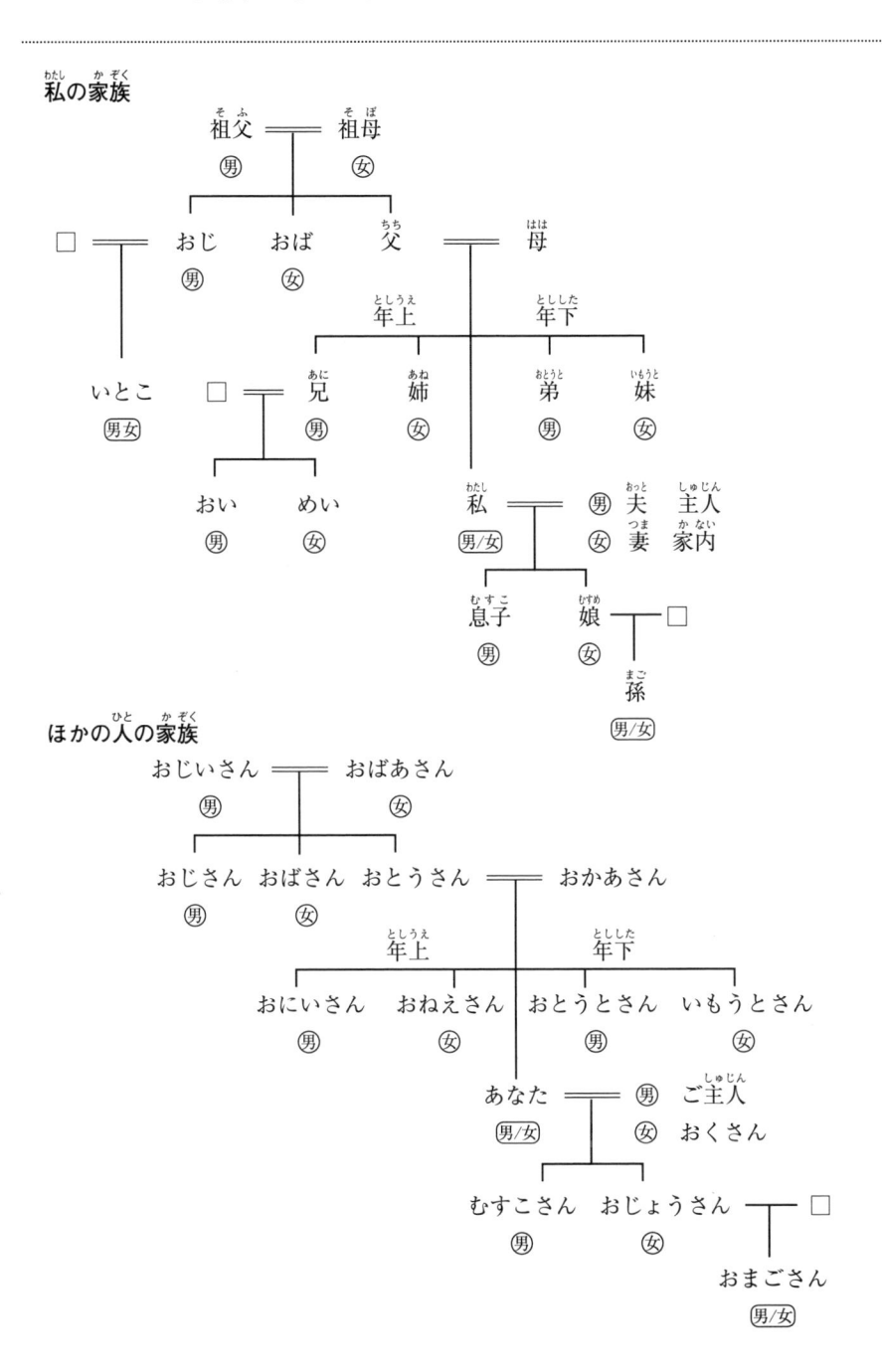

3 家族（かぞく）の呼（よ）び方（かた） 【 Family ／家属／가족／ Cách gọi người trong gia đình 】

私（わたし）の家族（かぞく）

```
                    祖父（そふ）═══祖母（そぼ）
                      男           女
                              │
    □═══   おじ    おば    父（ちち）═══母（はは）
    男      男     女              │
                          ┌───────┴───────┐
                        年上（としうえ）  年下（としした）
                      ┌───┴───┐    ┌────┬────┐
    いとこ   □═══兄（あに） 姉（あね） 弟（おとうと） 妹（いもうと）
    男女     男    男      女      男       女
           │
       ┌───┴───┐                    私（わたし）═══夫（おっと）  主人（しゅじん）
      おい    めい                    男/女      男   妻（つま）  家内（かない）
       男      女                         │
                                   ┌─────┴─────┐
                                 息子（むすこ）  娘（むすめ）═══□
                                    男          女
                                                │
                                             孫（まご）
                                              男/女
```

ほかの人（ひと）の家族（かぞく）

```
              おじいさん═══おばあさん
                男           女
                      │
    おじさん  おばさん  おとうさん═══おかあさん
      男       女         男            女
                              │
                     ┌────────┼────────┐
                   年上（としうえ）   年下（としした）
              ┌──────┬──────┬──────┐
           おにいさん おねえさん おとうとさん いもうとさん
             男       女        男          女
                              │
                       あなた═══男   ご主人（しゅじん）
                       男/女   女   おくさん
                            │
                      ┌─────┴─────┐
                   むすこさん  おじょうさん═══□
                      男          女
                                  │
                              おまごさん
                               男/女
```

535

4 生物 【 Living things ／生物／생물／ Sinh vật 】

【植物】 plant ／植物／식물／ thực vật

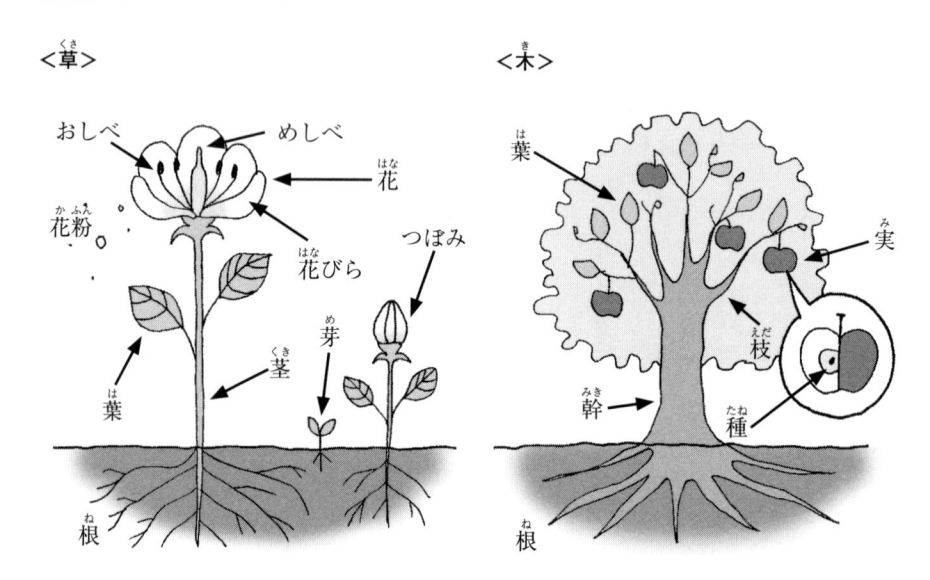

<草>

おしべ　めしべ　花　花粉　花びら　つぼみ　芽　茎　葉　根

<木>

葉　実　枝　幹　種　根

生える	grow, come up ／生, 长／나다, 자라다／ mọc mầm, nảy mầm
育つ	grow (up) ／生长, 成长, 发育／자라다, 성장하다／ lớn lên, phát triển
成長する	grow (up) ／生长, 发育／성장하다／ phát triển
しおれる	wither; be depressed ／蔫, 枯萎／시들다／ héo
しぼむ	wither (away), fade ／枯萎, 凋谢／시들시들해지다／ héo, tàn
枯れる（×死ぬ）	wither, die ／凋零, 枯萎, 枯死／시들다／ khô, chết
芽が出る・芽を出す	sprout, bud/begin to sprout ／出芽・发芽／싹이 나다・싹이 트다／ đâm chồi, nảy lộc, nảy mầm
つぼみが開く	buds unfold ／花苞绽放／꽃봉오리가 벌어지다／ nở hoa
枝が伸びる	branches grow ／树枝长长／가지가 자라다／ vươn cành
枝が張る	branches spread out ／枝叶舒展／가지가 뻗다／ vươn cành
根が伸びる	roots grow ／长根／뿌리가 자라다／ mọc rễ
根を張る	take root ／扎根／뿌리를 뻗다／ mọc rễ, cắm rễ
実がなる	bear fruit ／结果实／열매가 열리다／ ra quả, đậu quả

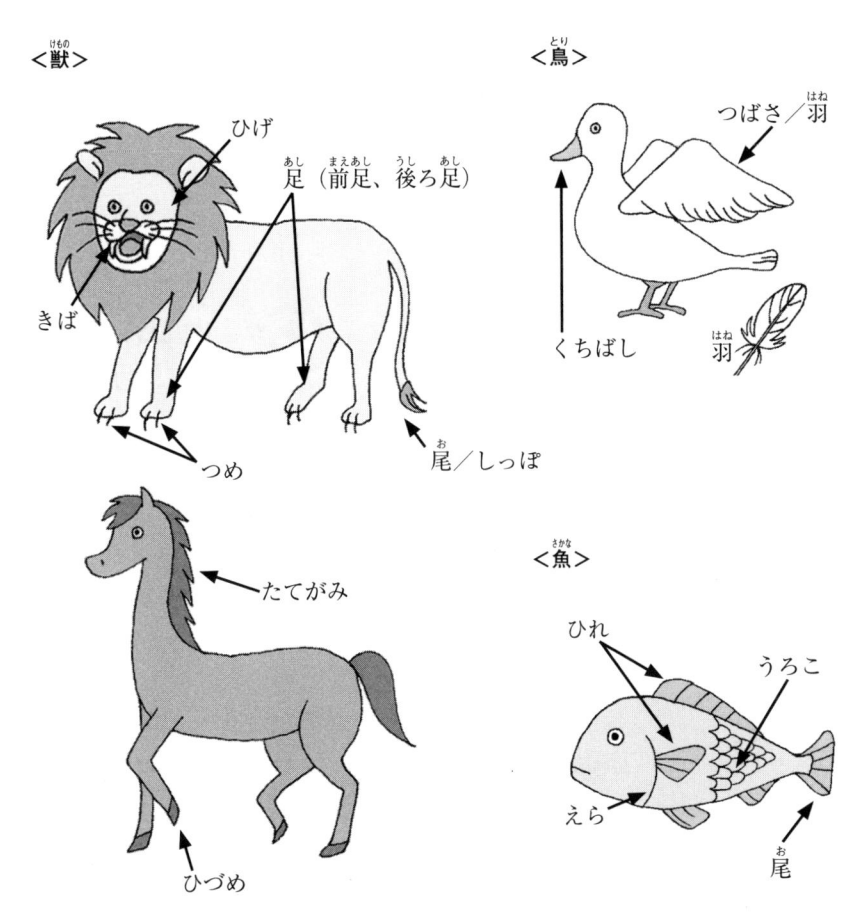

【動物】 animal ／动物／동물／ động vật

<獣>
- ひげ
- 足（前足、後ろ足）
- きば
- つめ
- 尾／しっぽ
- たてがみ
- ひづめ

<鳥>
- つばさ／羽
- くちばし
- 羽

<魚>
- ひれ
- うろこ
- えら
- 尾

吠える	bark	／吠，吠叫／짖다／ động vật
うなる	growl	／吼，啸，哞／으르렁거리다／ gầm
鳴く	bark, meow, sing, etc.	／叫，啼，鸣叫／울다／ hót, kêu, sủa, gáy
さえずる	twitter, sing	／（小鸟）鸣啭／지저귀다／ hót
雄	male	／雄／수컷／ đực
雌	female	／雌／암컷／ cái

5 風物詩(ふうぶつし) 【 Charming scenery ／风景诗／품물시／Đặc trưng của bốn mùa 】

【新春(しんしゅん)】

- (お)正月(しょうがつ)‐元旦(がんたん)、元日(がんじつ)
- 年賀状(ねんがじょう)
- お年玉(としだま)
- 門松(かどまつ)
- しめ飾(かざ)り 
- おせち料理(りょうり)・(お)雑煮(ぞうに)、(お)もち 
- (お)とそ 
- 初詣(はつもうで)
- 書(か)き初(ぞ)め 
- 新年会(しんねんかい)

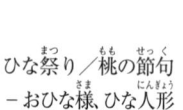

【春(はる)】

<自然(しぜん)>

- 春一番(はるいちばん)
- 梅(うめ)
- 桜(さくら)‐桜前線(さくらぜんせん)

<行事(ぎょうじ)>

- 成人(せいじん)の日(ひ)
- ひな祭(まつ)り／桃(もも)の節句(せっく) ‐おひな様(さま)、ひな人形(にんぎょう)
- 節分(せつぶん)‐豆(まめ)まき 
- (お)彼岸(ひがん) ‐お墓参(はかまい)り 
- (お)花見(はなみ)
- 子(こ)どもの日(ひ) ‐こいのぼり 
- ゴールデンウィーク 
- 卒業式(そつぎょうしき)
- 入学式(にゅうがくしき)‐新入生(しんにゅうせい)
- 入社式(にゅうしゃしき)‐新入社員(しんにゅうしゃいん)

[夏]

<自然>

- 梅雨 − 梅雨入り、入梅、梅雨明け、梅雨前線 
- 入道雲 
- 夕立 
- あさがお 
- ひまわり 
- カブトムシ 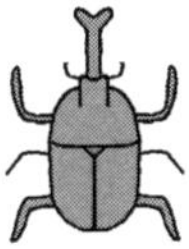
- セミ 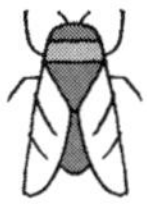
- 蚊

<行事>

- 七夕 − 笹、たんざく、織姫、彦星、天の川 
- 夏休み 
- 帰省 − 帰省ラッシュ 
- 夏祭り − 浴衣、金魚すくい
- 花火 − 花火大会 
- 海開き 
- 海水浴 
- 山開き 
- 高校野球 
- お中元 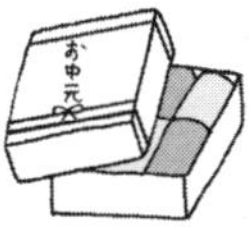
- 夏のボーナス

<食べ物>

- そうめん − 冷麦、冷やし中華 
- アイス − アイスキャンディー、アイスクリーム 
- かき氷 
- すいか

【秋】

<自然>

- 秋の長雨
  － 秋雨、秋雨前線 
- 台風 
- 秋の夜長 
- 小春日和

- 木枯らし
  － 木枯らし1号 
- 紅葉
  － もみじ、紅葉前線 
- イチョウ 
- 菊

<行事など>

- 十五夜－月見、すすき、ウサギのもちつき 
- 秋祭り 
- 読書／勉強／スポーツ／行楽／食欲 の秋

<食べ物>

- 新米 
- さんま 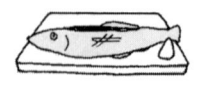
- マツタケ 
- 柿

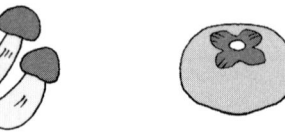

【冬】

<自然>

初雪　霜　ポインセチア　コチョウラン　つばき

<行事など>

クリスマス {ツリー／ケーキ／プレゼント}　サンタクロース　トナカイ　イルミネーション　ひなたぼっこ

お歳暮　冬のボーナス　帰省－帰省ラッシュ　スキー　宝くじ

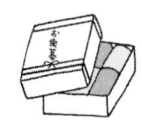

歳末大売り出し －バーゲン、セール　忘年会　大掃除　こたつ　もちつき

<食べ物>

なべ物　おでん　みかん　りんご

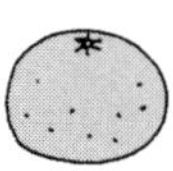

6 時を表す言葉 【 Expressing time ／表示时间的表达／때를 나타내는 표현／ Từ diễn đạt thời gian 】

◆日常的な言葉と改まった言葉

日常的な言葉	改まった言葉	日常的な言葉	改まった言葉
きょう	本日(ほんじつ)	このあいだ	先日(せんじつ)
きのう	昨日(さくじつ)	このごろ	最近(さいきん)、近年(きんねん)
おととい	一昨日(いっさくじつ)	今(いま)	現在(げんざい)
あした	明日(あす)	これから	今後(こんご)
あさって	明後日(みょうごにち)	(その)前の日(まえのひ)	前日(ぜんじつ)
今年(ことし)	本年(ほんねん)	(その)次の日(つぎのひ)	翌日(よくじつ)
きょねん	昨年(さくねん)	(その)次の次の日(つぎのつぎのひ)	翌々日(よくよくじつ)
おととし	一昨年(いっさくねん)	(その)次の週(つぎのしゅう)	翌週(よくしゅう)
来年(らいねん)	(明年(みょうねん))	(その)前の年(まえのとし)	前年(ぜんねん)
再来年(さらいねん)	(明後年(みょうごねん))	(その)次の年(つぎのとし)	翌年(よくとし)

◆時間区分(じかんくぶん)

・1日(にち)　午前(ごぜん) ─ 正午(しょうご) ─ 午後(ごご)
　　　　　早朝(そうちょう)　　　　夕方(ゆうがた) 夜(よる) 夜中(よなか)/深夜(しんや)
・月(つき)　上旬(じょうじゅん) ─ 中旬(ちゅうじゅん) ─ 下旬(げじゅん)

◆単位(たんい)

1秒(びょう) − 1分(ふん) − 1時間(じかん) − 1日(にち) − 1週間(しゅうかん) − 1カ月(げつ) − 1年(ねん) − 1世紀(せいき)

◆終(お)わり 〜末(まつ)

週末(しゅうまつ)、月末(げつまつ)、年末(ねんまつ)、世紀末(せいきまつ)

◆前後(ぜんご)

〜以前(いぜん) ⇔ 〜以後(いご)
〜の直前(ちょくぜん) ⇔ 〜の直後(ちょくご)
食前(しょくぜん) ⇔ 食後(しょくご)

7 性格を表す言葉【 Personality-related vocabulary ／性格的表达方式／성격을 나타내는 말／ Từ diễn đạt tính cách 】

◆おおよそ反対の意味になる言葉

＋イメージ		－イメージ
明るい 朗らかな 活発な 陽気な 社交的な 積極的な おおらかな さっぱりした	⇔ ⇔ ⇔ ⇔ ⇔ ⇔	暗い 陰気な 非社交的な 消極的な 神経質な しつこい
優しい 思いやりがある 素直な 協調性がある	⇔ ⇔ ⇔	冷たい 頑固な 協調性がない 自分勝手な わがままな
几帳面な きちんとした	⇔ ⇔	おおざっぱな だらしがない
真面目な 責任感がある	⇔ ⇔	不真面目な 無責任な
温厚な 気が長い 忍耐強い 粘り強い 根気強い	⇔ ⇔ ⇔	怒りっぽい 気が短い／短気な 飽きっぽい
勇気がある	⇔	臆病な
のんびりした	⇔	せっかちな
冷静な 落ち着いた	⇔	そそっかしい
控えめな	⇔	でしゃばりな

◆その他の＋イメージの言葉
誠実な
謙虚な
慎重な
正直な

◆その他の－イメージの言葉
いい加減な
優柔不断な
生意気な
ずるい
けちな
欲張りな
おしゃべりな

◆＋でも－でもない言葉
個性的な
負けず嫌いな
プライドが高い
好奇心が強い
マイペースな
内気な
おとなしい
無口な

8 否定接頭辞　【 Negative prefixes ／否定接头词／부정 접두사／ Tiền tố phủ định 】

【非-】後ろの語の内容を否定する（～ではない、～しない …）
+ ナ形容詞　　非科学的な　　非論理的な　　非日常的な　　非現実的な
+ 名詞　　　　非常識な
　　　　　　　非常勤　　　　非公開　　　　非課税

【不-】後ろの語の内容を否定する（～ではない、～しない、～がない、～がよくない …）
+ ナ形容詞　　不確実な　　不可能な　　不完全な　　不自然な　　不十分な　　不正確な
　　　　　　　不確かな　　不健康な　　不親切な　　不愉快な　　不まじめな
+ 名詞　　　　不注意な　　不安定な　　不慣れな　　不向きな
　　　　　　　不自由（な／する）　不平等（な）　不公平（な）　不景気（な）　不幸せ（な）
　　　　　　　不定期（な）　不合理（な）　不勉強（な）
　　　　　　　不合格　　　　不成功　　　　不一致　　　　不許可　　　　不適応

【不-】後ろの語の内容がマイナスの状態であることを表す（～ではない、～がよくない …）
+ ナ形容詞　　不器用な
+ 名詞　　　　不細工な　　不気味な　　不作法な　　不用心な

【無-】後ろの語の示す内容がない／欠けていることを表す（～がない）
+ 名詞　　　　無責任な　　無関心な　　無意味な　　無表情な　　無理解な
　　　　　　　無害（な）　無意識（な）　無差別（な）　無抵抗（な）　無計画（な）
　　　　　　　無神経（な）　無気力（な）

【無-】後ろの語の内容（特に人とのつき合いで必要なもの）が欠けていることを表す（～が足りない／ない）
+ 名詞　　　　無愛想な　　無遠慮な
　　　　　　　無礼（な）

【未-】後ろの語の内容がまだ行われていない／まだその状態に達しないことを表す（まだ～ない）
+ 名詞　　　　未完成（な）　未開発（な）　未経験（な）
　　　　　　　未成年　　　　未解決　　　　未払い

【反-】後ろの語が示す内容と逆である／対立・反対することを表す（～に反する、反対する）
+ ナ形容詞　　反社会的な
+ 名詞　　　　反体制　　　　反比例

9 漢語の省略語【 Abbreviations of Words of Chinese Origin ／汉语词汇的省略语／한자의 생략어／Chữ Hán viết tắt 】

◆労働

略語	正式	英語／中国語／韓国語／ベトナム語
年休	年次有給休暇	annual paid vacation ／年度有薪休假／연차 유급 휴가／Ngày nghỉ phép năm
有休	有給休暇	paid holiday ／带薪休假／유급 휴가／Nghỉ có lương
産休	出産休暇	maternity leave ／产假／출산 휴가／Nghỉ sinh
育休	育児休暇	maternity/paternity leave ／育儿假／육아 휴가／Nghỉ chăm sóc con nhỏ
就活	就職活動	job hunting ／求职活动／취직 활동／Hoạt động tìm việc
職安	公共職業安定所	Public Employment Security Office ／公共职业安定所／공공 직업 소개소／Trung tâm giới thiệu việc làm
大卒	(学歴が)大学卒業	university/college graduate ／大学毕业的学历／(학력이) 대학교 졸업／Tốt nghiệp đại học
高卒	(学歴が)高校卒業	high school graduate ／高中毕业的学历／(학력이) 고등학교 졸업／Tốt nghiệp trung học phổ thông
新卒	新規卒業	new graduate ／应届毕业生／신규 졸업／Mới tốt nghiệp
春闘	春季闘争	spring salary negotiations ／春季要求提高工资的斗争／춘계 투쟁（임금협상）／Hoạt động yêu cầu cải thiện chế độ lao động
労組	労働組合	labor union ／工会／노동조합／Công đoàn
日教組	日本教職員組合	Japan Teachers Union ／日本教职员工会／일본 교직원조합／Hiệp hội giáo chức Nhật Bản
時短	時間短縮	reduction of working hours ／改变劳动条件的措施）缩短劳动时间／시간 단축／Giảm giờ làm
労基法	労働基準法	Labor Standards Act ／劳动基准法／노동 기준법／Các bộ luật về lao động/Luật Tiêu chuẩn lao động

◆政治・社会

略語	正式	英語／中国語／韓国語／ベトナム語
		Government/Society ／政治・社会／정치・사회／Chính trị và xã hội
改憲	憲法改正	constitutional reform/amendment ／修改宪法／헌법 개정／sửa đổi Hiến pháp
護憲	憲法擁護	protection of the constitution ／拥护宪法／헌법 옹호／bảo vệ Hiến pháp
行革	行政改革	administrative reform ／行政改革／행정 개혁／cải cách hành chính
安保	安全保障	national security ／安全保障／안전 보장／bảo đảm an ninh
入管	入国管理局	Immigration Bureau ／(出)入境（国）管理局／입국 관리국／cục quản lý nhập cảnh
国保	国民健康保険	National Health Insurance ／国民健康保险／국민 건강 보험／bảo hiểm sức khỏe toàn dân
生保	生命保険	life insurance ／生命保险／생명 보험／bản hiểm nhân họ
損保	損害保険	damage insurance ／(财产)损失保险／손해 보험／bảo hiểm thiệt hại

◆経済

略語	正式	英語／中国語／韓国語／ベトナム語
		Economy ／经济／경제／Kinh tế
日銀	日本銀行	Bank of Japan ／日本银行／일본 은행／ngân hàng Trung ương Nhật Bản
東証	東京証券取引所	Tokyo Stock Exchange ／东京证券交易所／도쿄 증권거래소／sở giao dịch chứng khoán Tokyo
外貨	外国通貨	foreign currency ／外国货币／외국 통화／ngoại tệ
都銀	都市銀行	city bank ／都市银行／도시 은행／ngân hàng thành phố
地銀	地方銀行	regional bank ／地方银行／지방 은행／ngân hàng địa phương
信販	信用販売	sales on credit ／信用销售／신용 판매／mua bán chịu
独禁法	独占禁止法	Anti-Monopoly Act ／垄断禁止法／독점 금지법／luật cấm độc quyền

545

| 公取委(こうとりい) | 公正取引委員会(こうせいとりひきいいんかい) | Fair Trade Commission ／公正交易委员会／공정거래위원회／ ủy ban xúc tiến hội trợ thương nau |

◆産業(さんぎょう)

量産(りょうさん)	大量生産(たいりょうせいさん)	mass production ／大量生产／대량 생산／ sản xuất sản lượng lớn
特注(とくちゅう)	特別注文(とくべつちゅうもん)、特別発注(とくべつはっちゅう)	special order, special order ／特别订货／특별 주문, 특별 발주／ đặt hàng đặc biệt
空輸(くうゆ)	空中輸送(くうちゅうゆそう)	air transport ／空中运输／항공운송／ vận tải đường không
農協(のうきょう)	農業協同組合(のうぎょうきょうどうくみあい)	agricultural cooperative ／农业协作社／농업 협동조합／ hợp tác xã nông nghiệp
漁協(ぎょきょう)	漁業協同組合(ぎょぎょうきょうどうくみあい)	fishery cooperative ／渔业合作社／어업 협동조합／ hiệp hội nghề cá

◆国際(こくさい)

軍縮(ぐんしゅく)	軍備縮小(ぐんびしゅくしょう)	disarmament ／裁减军备／군비축소／ giải trừ quân bị
軍拡(ぐんかく)	軍備拡大(ぐんびかくだい)	expansion of armaments ／扩充军备／군비 확산／ tăng cường quân bị
国連(こくれん)	国際連合(こくさいれんごう)	United Nations ／联合国／유엔／ liên hợp quốc
安保理(あんぽり)	安全保障理事会(あんぜんほしょうりじかい)	UN Security Council ／(联合国) 安全理事会／안전보장이사회／ hội đồng bảo an Liên hợp quốc

◆文化(ぶんか)

国体(こくたい)	国民体育大会(こくみんたいいくたいかい)	National Athletic Meet ／国民体育大会／국민 체육 대회／ đại hội thể dục thể thao toàn dân
重文(じゅうぶん)	重要文化財(じゅうようぶんかざい)	Important Cultural Property ／重要文化遗产, 重点文物／중요 문화재／ di sản văn hóa quan trọng
民放(みんぽう)	民間放送(みんかんほうそう)	commercial broadcasting ／民营广播电视／민간 방송／ phát thanh truyền hình tư nhâ

◆生活(せいかつ)

家電(品)(かでん(ひん))	家庭用電気製品(かていようでんきせいひん)	home electronic goods ／家用电器／가정용 전기 제품／ hàng điện tử gia dụng
通販(つうはん)	通信販売(つうしんはんばい)	mail order ／邮购, 函售／통신 판매／ bán hàng qua mạng
車検(しゃけん)	自動車検査(じどうしゃけんさ)	vehicle inspection, MOT ／汽车检查／자동차 검사／ điều tra ô tô
原付(げんつき)	原動機付き自転車(げんどうきつきじてんしゃ)	moped, scooter ／小型摩托车／스쿠터／ xe đạp có gắn mô-tơ
自販機(じはんき)	自動販売機(じどうはんばいき)	vending machine ／自动售货机／자동 판매기／ máy bán hàng tự động
生協(せいきょう)	生活協同組合(せいかつきょうどうくみあい)	co-operative association/store (co-op) ／生活协同组合／생활 협동조합／ hợp tác xã mua bán hàng hóa dân sinh
特保(とくほ)	特別保健用食品(とくべつほけんようしょくひん)	Food for Specified Health Uses (FOSHU) ／特別保健用食品／특별 보건용 식품／ thực phẩm chức năng

10 アルファベットの略号(りゃくごう) 【 Acronyms ／字母缩写／알파벳의 약어／ Các từ viết tắt 】

◆国際機関 International Organizations ／国际机构／국제기구／ Các tổ chức quốc tế

UN 国際連合 United Nations ／联合国／유엔／ Liên hợp quốc

UNESCO 国連教育科学文化機関、ユネスコ
United Nations Educational Scientific and Cultural Organization ／联合国教科文组织／국제 연합 교육 과학 문화 기구, 유네스코／ Tổ chức giáo dục, khoa học và văn hóa Liên hợp quốc

UNICEF 国連児童基金、ユニセフ
United Nations Children's Fund ／联合国儿童基金／국제 아동 기금, 유니세프／ Quỹ nhi đồng Liên hợp quốc

WHO 世界保健機関 World Health Organization ／世界卫生组织／세계 보건 기구／ Tổ chức y tế thế giới

WTO 世界貿易機関 World Trade Organization ／世界贸易组织／세계 무역 기구／ Tổ chức thương mại thế giới

ILO 国際労働機関 International Labour Organization ／国际劳工组织／국제 노동 기구／ Tổ chức lao động quốc tế

IMF 国際通貨基金 International Monetary Fund ／国际货币基金组织／국제 통화 기금／ Quỹ tiền tệ quốc tế

IOC 国際オリンピック委員会
International Olympic Committee ／国际奥林匹克委员会／국제 올림픽 위원회／ Ủy ban Ô-lym-pic quốc tế

FIFA 国際サッカー連盟
Fédération Internationale de Football Association ／国际足球联合会／국제 축구 연맹／ Liên đoàn bóng đá thế giới

◆国際協定・会議・活動

International Agreements/Conferences/Activities ／国际协定・会议・活动／국제 협정・회의・활동／ Các hiệp định/hội nghị/hoạt động quốc tế

EU ヨーロッパ連合 European Union ／欧洲联盟／유럽 연합／ Liên minh châu Âu

ASEAN 東南アジア諸国連合
Association of Southeast Asian Nations ／东南亚国家联盟／동남 아시아 국가 연합／ Hiệp hội các quốc gia Đông Nam Á

APEC アジア太平洋経済協力会議
Asia-Pacific Economic Cooperation ／亚太经合组织／아시아 태평양 경제 협력 회의／ Diễn đàn hợp tác kinh tế châu Á - Thái Bình Dương

NATO 北大西洋条約機構
North Atlantic Treaty Organization ／北大西洋公约组织／북대서양 조약 기구／ Tổ chức Hiệp ước Bắc Đại Tây Dương

TPP 環太平洋パートナーシップ協定
Trans-Pacific Partnership ／跨太平洋伙伴关系协议／환태평양경제동반자협정／ Hiệp định Đối tác xuyên Thái Bình Dương

OPEC 石油輸出国機構
Organization of Petroleum Exporting Countries ／石油输出国组织／석유 수출국 기구／ Tổ chức các nước xuất khẩu dầu lửa

G8 主要8カ国首脳会議、サミット
G8 Summit ／八国集团首脑会议／주요 8 개국 정상 회담／ Nhóm 8 nước có nền công nghiệp hàng đầu thế giới

ODA 政府開発援助
Official Development Assistance ／官方开发援助／정부개발원조, 공적개발원조／ Viện trợ phát triển chính thức

PKO 国連平和維持活動
United Nations Peacekeeping Operations ／联合国维和部队／유엔 평화유지활동／ Hoạt động gìn giữ hòa bình của Liên hợp quốc

◆その他組織 Other Organizations ／其他組織／그 외 조직／ Các tổ chức khác

NHK 日本放送協会
Japan Broadcasting Corporation (Nihon Hoso Kyokai) ／日本放送协会／일본방송협회 (NHK) ／ Đài phát thành và truyền hình Nhật Bản

JR (日本旅客鉄道株式会社)

547

Japan Railways ／日本旅客鉄道公司／일본 여객 철도 주식회사 (JR) ／ Tập đoàn đường sắt Nhật Bản

NASA　アメリカ航空宇宙局
National Aeronautics and Space Administration ／美国国家航空航天局／미 항공우주국 (NASA) ／ Cơ quan hàng không và vũ trụ Mỹ

NGO　非政府組織　Non-Governmental Organization ／非政府組織／비정부 조직 ／ Tổ chức phi chính phủ

NPO　非営利組織　Non-Profit Organization ／非営利組織／비영리 조직 ／ Tổ chức phi lợi nhuận

◆経済　Economy ／经济／경제 ／ Kinh tế

GDP　国内総生産　Gross Domestic Product ／国内生产总值／국내 총생산 (GDP) ／ Tổng sản phẩm quốc nội

GNI　国民総所得　Gross National Income ／国民总收入／국민 총소득 (GNI) ／ Thu nhập quốc dân

GNP　国民総生産　Gross National Product ／国民生产总值／국민 총생산 (GNP) ／ Tổng sản phẩm quốc dân

◆科学・情報技術・コンピューター
Science, IT, Computers ／科学・信息技术・计算机／과학・정보기술・컴퓨터 ／ Khoa học/Công nghệ thông tin/Máy tính

IT　情報技術　Information Technology ／信息技术／정보 기술 ／ Công nghệ thông tin

AV　(オーディオビジュアル) → AV 機器　Audio Visual ／音像器材／오디오 비주얼 ／ Thiết bị nghe nhìn

CD　(コンパクトディスク)　Compact Disc ／CD光盘／콤팩트 디스크 ／ Đĩa compact, đĩa CD

DVD　(デジタルビデオディスク)
Digital Versatile Disc/Digital Video Disc ／DVD数字视盘／디지털 비디오 디스크 ／ Đĩa video kỹ thuật số, đĩa DVD

MD　(ミニディスク)　Mini Disc ／MD光盘／미니 디스크 ／ Đĩa mini

VTR　ビデオテープレコーダー　Video Tape Recorder ／录像机／비디오 테이프 레코더 ／ Thiết bị ghi và phát video

PC　パーソナルコンピューター＞パソコン　Personal Computer ／个人电脑／퍼스널 컴퓨터 ／ Máy tính cá nhân

OS　(オペレーティングシステム)　Operating System ／操作系统／운영 체계 (OS) ／ Hệ điều hành

HD (D)　ハードディスク(装置)　Hard Disk (Drive) ／硬盘装置／하드 디스크 ／ Ổ cứng

USB　Universal Serial Bus ／"通用串行总线"的缩写，中文也说USB ／USB ／ Thẻ nhớ USB

CG　コンピューターグラフィックス　Computer Graphics ／计算机图形／컴퓨터 그래픽 ／ Đồ họa máy tính

LAN　構内ネットワーク → 無線 LAN　Local Area Network ／局域网／구내 네트워크 ／ Mạng nội bộ, mạng LAN

BBS　(電子)掲示板システム
Bulletin Board System ／电子公告板／(전자) 게시판 시스템 ／ Hệ thống bảng thông báo (điện tử)

AMEDAS　アメダス (／地域気象観測システム)
Automated Meteorological Data Acquisition System ／自动气象数据采集系统／아메다스 / 지역 기상 관측 시스템 ／ Hệ thống thu thập dữ liệu khí tượng tự động

BS　放送衛星 → BS 放送　Broadcasting Satellite ／BS卫星放送／방송 위성 ／ Vệ tinh phát thanh truyền hình

CATV　ケーブルテレビ
Cable Television (Community Access Television) ／有线电视网／케이블 텔레비전 ／ Truyền hình cáp

GPS　(全地球位置把握システム)
Global Positioning System ／全球定位系统／위성위치확인시스템 ／ Hệ thống định vị toàn cầu

LED　発光ダイオード　Light Emitting Diode ／发光二极管／발광 다이오드 ／ Đi-ốt phát quang

IC　集積回路　Integrated Circuit ／集成电路／집적 회로 ／ Mạch tổ hợp

IH　(誘導加熱) → IH 調理器、IH 炊飯器
Induction Heating ／电磁炉、电磁加热电饭煲／유도가열 ／ Gia nhiệt cảm ứng

ETC　(ノンストップ自動料金支払いシステム)
Electronic Toll Collection System ／高速公路全自动电子收费系统／전자통행징수시스템 ／ Hệ thống thu phí điện tử

◆生物　Biology ／生物／생물 ／ Sinh vật

DNA　(デオキシリボ核酸)　Deoxyribo-Nucleic Acid ／遗传基因／디옥시리보 핵산 (DNA) ／ Gen, ADN, NDA

IQ　知能指数(ちのうしすう)　Intelligence Quotient ／智能指数，智商／지능 지수／ Chỉ số thông minh, chỉ số IQ

◆医療　Medicine ／医疗／의료／ Y tế

HIV（ヒト免疫不全(めんえきふぜん)ウイルス）
　Human Immunodeficiency Virus ／人类免疫缺陷病毒／후천성 면역부전 바이러스 (HIV) ／ Virus suy giảm miễn dịch ở người

AIDS　エイズ（後天性免疫不全症候群(こうてんせいめんえきふぜんしょうこうぐん)）
　Acquired Immune Deficiency Syndrome ／艾滋病／获得性免疫缺陷综合症／에이즈 / 후천성 면역 결핍증／ Hội chứng suy giảm miễn dịch mắc phải

MRI（磁気共鳴影像法(じききょうめいえいぞうほう)）　Magnetic Resonance Imaging ／磁共振成像／자기 공명 영상법／ Chụp cộng hưởng từ

◆職業(しょくぎょう)　Professions ／职业／직업／ Nghề nghiệp

CA　客室乗務員(きゃくしつじょうむいん)　Cabin Attendant ／飞机客舱服务员／객실 승무원／ Nhân viên khoang hành khách

SE　システムエンジニア　Systems Engineer ／系统工程师／시스템 엔지니어／ Kỹ sư hệ thống

DJ（ディスクジョッキー）　Disc Jockey ／(电台) 唱片音乐节目主持人／디제이 (DJ) ／ Phù thủy âm thanh, DJ

◆その他(た)

ATM（現金自動預入支払機(げんきんじどうあずけいれしはらいき)）　Automatic Teller Machine ／自动柜员机／현금자동입출금기 (ATM) ／ Máy rút tiền tự động

BGM　バックグラウンドミュージック　Background Music ／背景音乐／배경 음악／ Nhạc nền

CM　コマーシャル（メッセージ）　Commercial ／商业广告／ CF 광고／ Quảng cáo

SF　サイエンスフィクション、空想科学小説(くうそうかがくしょうせつ)
　Science Fiction ／科幻小说／사이엔스 픽션, 공상 과학 소설／ Viễn tưởng

DV　ドメスティックバイオレンス
　Domestic Violence ／家庭暴力／도메스틱바이올런스, 가정 내 폭력／ Ơn Chúa

PR　広報(こうほう)（活動(かつどう)／業務(ぎょうむ)）　Public Relations ／宣传活动／홍보 (활동 / 업무) ／ Quan hệ công chúng

B.C. ⇔ A.D.　紀元前(きげんぜん) ⇔ 紀元後(きげんご)
　Before Christ ⇔ Anno Domini ／公元前⇔公元后／기원전⇔기원후／ Trước Công nguyên ⇔ Sau Công nguyên

am ⇔ pm　午前(ごぜん) ⇔ 午後(ごご)　ante meridiem ⇔ post meridiem ／上午⇔下午／오전⇔오후／ Sáng ⇔ Chiều

P.S.　追伸(ついしん)　postscript ／又及（信件）／추신／ Tái bút

【著者紹介】

安藤 栄里子　　明新日本語学校　教務主任

惠谷 容子　　早稲田大学日本語教育研究センター　非常勤講師

阿部 比呂子　　桜ことのは日本語学院　校長兼教務主任

飯嶋 美知子　　北海道情報大学　情報メディア学部　准教授

どんなときどう使う日本語語彙学習辞典

発行日	2014年5月31日（初版）
	2024年9月9日（第6刷）
著者	安藤栄里子、惠谷容子、阿部比呂子、飯嶋美知子
編集	株式会社アルク日本語編集部
編集協力	有限会社ギルド
翻訳	英語翻訳　Jennie Knowles、矢野口礼子、治山純子、Jon McGovern
	英語校正　Jon McGovern、治山純子
	中国語翻訳　儲 暁菲、松山峰子、葉 菁
	中国語校正　石暁宇（文化空間株式会社）
	韓国語翻訳　洪 延周、李 柱憲、朴 智慧
	韓国語校正　山崎玲美奈、田中恵美
	ベトナム語翻訳・校正　Nguyen Thi Hai Yen
デザイン・DTP	有限会社ギルド
カバーデザイン	應家洋子
イラスト	秋本麻衣
印刷・製本	萩原印刷株式会社
発行者	天野智之
発行所	株式会社アルク
	〒141-0001　東京都品川区北品川6-7-29　ガーデンシティ品川御殿山
	Website：https://www.alc.co.jp/

落丁本、乱丁本は弊社にてお取り替えいたしております。
Webお問い合わせフォームにてご連絡ください。
https://www.alc.co.jp/inquiry/
本書の全部または一部の無断転載を禁じます。著作権法上で認められた場合を除いて、本書からのコピーを禁じます。定価はカバーに表示してあります。

製品サポート：https://www.alc.co.jp/usersupport/

©2014　安藤栄里子／惠谷容子／阿部比呂子／飯嶋美知子／ALC PRESS INC.
秋本麻衣
Printed in Japan.

PC: 7014028
ISBN: 978-4-7574-2456-2

地球人ネットワークを創る

アルクのシンボル
「地球人マーク」です。